TOME II

SENTINUM

L'ange de la mort

TOME II

SENTINUM

L'ange de la mort

MAX CARIGNAN

avec la collaboration de

NANCY BOISVERT

Éditeur : François Doucet
Révision linguistique : Féminin pluriel
Correction d'épreuves : Nancy Coulombe, Katherine Lacombe
Conception de la couverture : Paulo Salgueiro
Photo de la couverture : © Thinkstock
Mise en pages : Paulo Salgueiro
ISBN papier 978-2-89667-701-6
ISBN PDF numérique 978-2-89683-674-1
ISBN ePub 978-2-89683-675-8
Première impression : 2012
Dépôt légal : 2012
Bibliothèque et Archives nationales du Québec
Bibliothèque Nationale du Canada

Éditions AdA Inc.
1385, boul. Lionel-Boulet
Varennes, Québec, Canada, J3X 1P7
Téléphone : 450-929-0296
Télécopieur : 450-929-0220
www.ada-inc.com
info@ada-inc.com

Diffusion

Canada : Éditions AdA Inc.
France : D.G. Diffusion
Z.I. des Bogues
31750 Escalquens — France
Téléphone : 05.61.00.09.99
Suisse : Transat — 23.42.77.40
Belgique : D.G. Diffusion — 05.61.00.09.99

Imprimé au Canada

Participation de la SODEC. SODEC
Nous reconnaissons l'aide financière du gouvernement du Canada par l'entremise du Fonds du livre du Canada (FLC) pour nos activités d'édition.
Gouvernement du Québec — Programme de crédit d'impôt pour l'édition de livres — Gestion SODEC.

Catalogage avant publication de Bibliothèque et Archives nationales du Québec et Bibliothèque et Archives Canada

Carignan, Max
Sentinum
Sommaire : t. 1. Le pouvoir des ténèbres -- t. 2. L'ange de la mort.
ISBN 978-2-89667-700-9 (v. 1)
ISBN 978-2-89667-701-6 (v. 2)
I. Titre. II. Titre : Le pouvoir des ténèbres. III. Titre : L'ange de la mort.
PS8605.A743S46 2012 C843'.6 C2012-941547-2

À ma mère, Isabelle Picard.
Merci, maman, de m'avoir entouré d'amour.

À Félix, Xavier et Jacob, je vous aime.

« Quand il n'y a plus de solution, reste la vengeance. »

Daniel Pennac

« La vengeance n'a pas plus d'effet d'extinction sur des émotions que l'eau salée a sur la soif. »

Walter Weckler

« Ceux qui tracent la destruction de d'autres périssent souvent dans la tentative. »

Thomas Moore

Prologue

10 septembre 1980
Les monts Zagros
Kurdistan, Iran

À moins de 10 kilomètres de la frontière irakienne, le jeune berger kurde, Howar Zebari, n'en menait pas large. La peur le tenaillait. La guerre contre l'Irak se préparait et ravagerait incessamment son pays. Depuis des mois, les bulletins d'information diffusés sur son transistor portable retransmettaient les déclarations incendiaires de l'ayatollah Khomeiny, dont les propos énergiques n'étaient surpassés en intensité que par ceux de son adversaire, Saddam Hussein. « Tous ces discours patriotiques enflammés conduiraient inévitablement à l'affrontement armé », se disait Howar.

En attendant, la vie en Iran suivait son cours, et Howar Zebari se préoccupait davantage de son troupeau de moutons. Il se souciait particulièrement d'une de ses brebis, qui s'était égarée. Le jeune berger se résigna à la nécessité de la récupérer ; il reprendrait ensuite la transhumance hivernale de son cheptel de moutons à destination d'une vallée tempérée. Ainsi, il se lança sur la trace de sa bête perdue au milieu de la contrée inhospitalière et partiellement désertique. La piste le mena devant une clôture de barbelés où était suspendu un écriteau sur lequel était inscrit en alphabet universel persan : *Défense de passer.*

Sa brebis s'était faufilée dans une brèche, à la base du grillage. En prenant garde à ne pas déplacer son keffieh rose et blanc, Howar s'agenouilla, puis il rampa lourdement sous les barbelés. Il poursuivit sa quête et franchit une ravine noyée d'ombre. Au détour d'un tertre jonché de buissons rabougris, il longea l'orifice d'une étroite crevasse sur une mince corniche. Cela le conduisit à un éboulis de grosses pierres qu'il entreprit d'escalader. Il arriva enfin au pied d'un escarpement rocheux ressemblant à une muraille crénelée.

C'est alors que le bruit cadencé d'une monstrueuse activité industrielle attira son attention. Se montrant trop curieux, Howar gravit à croupetons le dernier segment du rempart de pierre. De là, il ravala sa salive. Les yeux plissés en fentes minuscules, aussi loin que portait son regard, il observa la source du vacarme incessant. Un immense chantier de construction protégé par une armée innombrable s'étalait devant lui au creux d'une cuvette naturelle. Des centaines d'ouvriers y travaillaient avec acharnement. Au centre des nuages de poussière brunâtres de la steppe aride, une armada de machineries lourdes enfouissait un oléoduc gigantesque. Ce pipeline était destiné à transporter l'or noir des champs pétrolifères de l'Iran et de l'Irak jusqu'à une réserve stratégique dissimulée dans les entrailles des monts Zagros.

C'était un univers surréaliste au sein duquel cette région inaccessible semblait avoir perdu sa bataille contre l'homme et sa technologie. Ébahi, Howar remarqua que les canalisations du pipeline s'apparentaient étrangement aux tentacules d'une pieuvre géante échouée sur une plage. Elles s'étendaient de part et d'autre de la frontière Iran-Irak, sur des kilomètres, et convergeaient toutes vers le massif montagneux.

Prologue

La scène s'ancra dans son esprit, car jamais auparavant le jeune berger n'avait vu pareille chose. L'équipement infernal creusait de profonds sillons dans le sol comme le feraient des légions infatigables de fourmis ouvrières. Derrière lui, d'autres équipes expérimentées installaient et enterraient les tentacules de ce « kraken » imaginaire. Le grondement était terrible, et la terre ne cessait de trembler. Mais qui donc avait le pouvoir de réaliser de tels exploits techniques en zone de conflit ? se demanda le berger kurde.

De son mirador improvisé au sommet de la crête, Howar Zebari s'exposait à un grand péril pour avoir repéré les menées insidieuses de ces individus. Néanmoins, le jeune Kurde se révélait incapable de détacher son regard de l'action. Une seule raison expliquait son imprudence : les drapeaux irakiens et iraniens, deux nations qu'il croyait ennemies jurées, œuvrant pourtant de concert. « Mais qui avait donc conclu cette alliance improbable ? » se questionna toujours Howar.

Soudain, il aperçut le reflet lointain et aveuglant d'une lunette d'approche. Aux abois et terrifié, Howar tenta de rebrousser chemin, cherchant d'instinct à se mettre à couvert. Trop tard.

Le coup de feu, d'une précision chirurgicale, franchit en un rien de temps la distance de 750 mètres. Perché sur un promontoire en retrait, un Russe balafré avait fait sauter la cervelle d'Howar Zebari. Le tireur d'élite avait tué le témoin gênant sans aucune hésitation. Le jeune berger kurde gisait maintenant en bas de l'éboulis de pierres. Une unité de mercenaires récupéra son corps, que l'on utilisa comme remblai. Quant à son cheptel de 300 moutons, on l'emmena au cantonnement où il fut équitablement partagé entre les troupes coalisées ; il servit de repas du soir.

Chapitre 1

22 septembre 2001, 12 h
France, 20 km au sud-est de Marseille

Au milieu d'un ciel sans nuage, le soleil brillait au zénith alors qu'une Kawasaki 500cc anthracite fonçait sur l'étroite voie panoramique de la calanque de Morgiou. Les cheveux châtains satinés de la passagère, Alexandra Richard, virevoltaient par la force du vent et chatoyaient sous les chauds rayons du soleil.

Le tortueux trajet était préoccupant, d'autant plus qu'il y avait absence d'un garde-fou entre la route et la falaise escarpée. Plus tôt, la Kawasaki avait gravi le flanc ouest du mont Puget et, maintenant, elle roulait à pleins gaz vers la mer Méditerranée. En jetant un regard par-dessus son épaule, Alex constata que la tension venait de monter d'un cran.

— Nous avons de la compagnie ! Des motos nous filent le train.

— Y'a pas de souci ! Je connais bien le secteur, répliqua avec assurance le conducteur de la Kawasaki. Je souhaite bonne chance à ces motards, s'ils désirent nous rejoindre !

Comme une volée de guêpes noires, trois redoutables agents matricules de l'organisation Sentinum étaient à leurs trousses. Ils chevauchaient en parfaite symbiose de puissantes motos BMW R1150GS. Complètement vêtus de cuir noir luisant, ils frôlaient l'excès de coquetterie. Ces pilotes menaçants avaient pour mission de capturer Alexandra Richard et Christopher Ross. Ils étaient pressés d'en découdre.

Les agents de Sentinum étaient sous les ordres de Daniel Tornay. Le sursis de trois heures accordé à Alexandra et à Christopher était écoulé, et les hostilités pouvaient enfin recommencer. Il n'était pas nécessaire d'avoir résolu l'impossibilité de la quadrature du cercle pour s'apercevoir que la folie était du spectacle. Et, à l'image de toutes les démences, le portrait était fort simple : frustration, acharnement, vengeance.

Les motos des agents matricules bourdonnaient sourdement. Elles se positionnaient en formation delta, c'est-à-dire une devant et deux à l'arrière. Le trio cédait cette configuration pour parer les obstacles, mais la reprenait aussitôt après l'esquive. Dans l'absolu, cette poursuite évoquait une danse sulfureuse ou une magnifique sonate au soleil. Les enchaînements de mouvements des pilotes de Sentinum se voulaient tantôt fugaces et brusques à l'instar d'un tango endiablé, tantôt remarquables et gracieux à l'instar d'une valse viennoise à trois temps quand, d'un élégant balancement du bassin, ils doublaient une voiture à la traîne.

Compte tenu de la ligne acrobatique du chemin vicinal de Morgiou, leur vitesse était hallucinante et l'utilisation d'une moto était tout indiquée. Sur cette route, presque de la largeur d'une piste cyclable goudronnée, il était impossible pour les automobiles de petite taille de se croiser sans s'immobiliser au préalable. Certains touristes préféraient abandonner leur véhicule sur le bas-côté et complétaient le parcours à la marche. Cela allait sans dire, le passage de cette poursuite à moto envahissante irritait les piétons qui, par des contorsions burlesques, évitaient de se faire renverser ou aplatir les orteils. Ces derniers laissaient également transpirer leur mécontentement en mimant une série de signes d'admonition universellement connus. Plusieurs témoins de ce slalom vivant s'armèrent de téléphone portable et communiquèrent avec le commissariat central de la police marseillaise.

La destination d'Alexandra était le port de la calanque de Morgiou. Le minuscule village de pêcheurs nichait au creux d'une des falaises de calcaire ciselant de manière ruiniforme la côte sud de la France. Il se situait à 300 mètres plus bas, en bordure de la mer Méditerranée. La beauté paradisiaque du massif des calanques s'étendant sur 20 kilomètres de front de mer de Marseille à Cassis charmait les touristes. Le décor était blanc os, et la végétation, aride. Malgré tout, des broussailles, des bosquets ainsi que de petits cactus en forme de pieuvre réussissaient à pousser à même ce sol peu fertile.

La jeune femme de 35 ans ne regardait pas le paysage ; elle se concentrait sur la route sinueuse menant à la mer Méditerranée. Une nouvelle courbe se pointait à l'horizon. Avant chaque virage en épingle, le conducteur de la Kawasaki décélérait et klaxonnait. Cette manœuvre était censée prévenir les véhicules arrivant en sens inverse. Dès que l'avertisseur sonore retentissait, Alexandra sursautait, puis appliquait une pression sur les hanches de son pilote. Elle le soupçonnait d'ailleurs de tirer avantage de la situation. Ensuite, ce dernier inclinait fortement sa moto et, une fois bien installé dans la sinuosité, il roulait pleins gaz. L'accélération était sans délicatesse, même foudroyante.

Visiblement, cette chasse à l'homme effrénée plaisait particulièrement à Pierre, le jeune homme qui transportait Alex sur sa Kawasaki depuis Toulouse. Quelques heures plus tôt, au petit matin, Alexandra était seule sur le boulevard Lazare Carnot, à Toulouse, et Pierre s'était tout bonnement arrêté près d'elle. Il lui avait gentiment demandé s'il pouvait la déposer quelque part. La silhouette séduisante d'Alexandra, définie par son jean moulant, sa sublime chute de reins, sa blouse cintrée et ses longs cheveux bouclés, avait de prime abord attiré l'attention du motocycliste. Or, la suite de leur périple avait confirmé la sincérité du penchant altruiste de Pierre.

— Des méchants en ont après moi, avait annoncé Alex. Je dois quitter le pays au plus vite.

Qu'aurait-il pu refuser à une aussi jolie femme ? Dès lors, l'aplomb imperturbable d'Alexandra avait impressionné Pierre. Et, pendant qu'ils roulaient sur l'autoroute des Deux Mers en direction de Carcassonne, il s'était informé.

— Ça ne te fout pas la trouille d'enfourcher la moto d'un étranger ?

— Non, avait répondu Alex en haussant le ton pour couvrir le bruit du moteur. Mon ange gardien veille sur moi.

Croyant à une analogie 100 fois répétée, Pierre avait changé de sujet. Il ne tarderait pas à comprendre le double emploi de l'expression…

À présent, le jeune homme forçait l'allure. Cependant, en dépit de sa conduite experte, sa Kawasaki souffrait d'un excès de poids compte tenu des deux passagers sur sa selle. Ce handicap permit à l'essaim de motos BMW R1150GS de se rapprocher dangereusement. De toute évidence, la situation s'envenimait, et Alexandra sentit l'enthousiasme de Pierre s'amenuiser.

— Je suis désolé, Alex, mais je dois m'arrêter. J'ai atteint la limite de mes capacités. Si je pousse plus loin l'audace, ce sera à coup sûr l'accident, et nous plongerons du haut de la falaise.

— Moi, répliqua-t-elle sereinement, c'est pour nos poursuivants que je suis désolée.

Pierre gara sa Kawasaki près d'un arbuste desséché et laissa tourner le moteur au ralenti. Il s'apprêtait à déplier la béquille de sa moto lorsque le contexte s'aggrava. Les trois agents de Sentinum s'immobilisèrent en formation delta à six mètres derrière eux. L'homme qui était devant posa le pied à terre et brandit son pistolet hors de son baudrier. Il le braqua en direction d'Alex et de Pierre, puis déclara, d'une voix monocorde et sans état d'âme :

— Voici le moment de l'histoire que je préfère.

Le visage de Pierre était allongé et blême comme celui d'un fantôme. Il chuchota une prière quasi muette, tandis que la peur lui tordait les entrailles.

— Doux Jésus, ils sont armés ! J'espère que ton ange gardien veille encore sur toi, Alex !

C'est alors qu'un rugissement puissant de 550 chevaux se fit entendre. Une flèche d'argent de 1250 kilogrammes propulsée par un moteur V12 de 7 litres Mercedes-Benz apparut au sommet de la crête. Une superbe voiture Pagani Zonda C12 S de seulement 115 centimètres de hauteur fondait sur les agents matricules de Sentinum.

Ce chef-d'œuvre d'artisanat dévoilé au Salon international de l'automobile de Genève en 1999 avait été conçu afin de rendre hommage à l'Argentin Juan Manuel Fangio, quintuple champion du monde de Formule 1. Tout comme Ferrari, Lamborghini, Maserati, et De Tomaso, la Pagani Zonda C12 S était originaire de Modène, en Italie. Cette beauté d'exception, produite à un rythme confidentiel, avait vraisemblablement bénéficié lors de sa création de l'inspiration divine. La Pagani Zonda n'était pas discrète, mais, bon Dieu, au diable la modestie ! Au bas mot, ce coupé sport était l'apothéose de la conduite automobile.

La Pagani effectua un magistral tête-à-queue à la faveur d'un dérapage contrôlé au moyen du frein à main. Elle faucha et catapulta les deux agents de derrière ainsi que leurs motos tout droit vers le ravin. Cette voiture possédait le don rare de faire tourner les têtes. Il suffisait de le demander au duo « d'agents-acrobates » tout juste projetés au-dessus du vide par son coffre arrière !

Après la collision, les deux hommes horriblement cramponnés au guidon de leurs « motos-bombes » dégringolèrent sur une centaine de mètres. Les BMW R1150GS étaient des exemples d'aérodynamisme sur la chaussée ; or, en vol plané, elles n'étaient guère des modèles de portance ! Hurlant des cris cauchemardesques, les agents matricules virevoltèrent de façon erratique, puis s'écrasèrent sur les roches de craie telles des mouches sur un pare-brise. Cette anecdote ne se déroula pas exactement comme au cinéma ! Malheureusement pour l'effet, aucune explosion spectaculaire ne succéda à l'impact au sol, uniquement un grincement métallique étouffé par la distance et une bouillie organique mélangée aux carcasses des BMW en ruine. Les motocyclistes de Sentinum avaient réalisé le rêve que peu de pilotes de course avaient l'occasion de concrétiser : ils avaient réellement fait corps avec leur engin !

Au sommet de la falaise, la Pagani recula tranquillement. Elle arborait une regrettable rainure sur son aile arrière gauche. Le dernier agent matricule restait cloué là, les bras ballants, et tentait de s'expliquer ce qui venait de se passer. Il fixait, d'un air bizarre, la superbe voiture exotique cendrée d'un demi-million de dollars. Elle ressemblait à un requin gris, sauf que la bête en présence ronronnait, stationnée en angle au milieu de la route. À son bord, Christopher Ross, le danseur disgracieux qui avait mis un terme à la chorégraphie de Sentinum, tenait fermement le volant.

Il descendit la glace latérale de la Pagani et, de sa position surbaissée, il fit un clin d'œil enjôleur à Alexandra.

— Bonjour, mon amour. Le paysage des calanques est fantastique. Nous devrions venir ici plus souvent ! lui dit-il d'une voix chaleureuse.

L'agent matricule, qui se dressait entre Alexandra et Christopher, se sentait vaguement embarrassé. Son regard se porta de gauche à droite. Il ignorait où donner de la tête. Il se ressaisit soudain et, en dépit du bon sens, il releva son arme en direction de Chris. Ce dernier se garda d'ajouter :

— Le dernier salaud qui s'est avisé de me tirer dessus a très mal terminé sa journée !

Chapitre 1

Christopher ne lui laissa pas le temps de l'utiliser comme cible et fit feu le premier. Ses projectiles le frappèrent en pleine poitrine. L'agent perdit l'équilibre, quitta la chaussée et déboula vers la falaise. Certes, le port de son gilet pare-balles en Kevlar lui fut salutaire, et l'on put affirmer sans l'ombre d'un doute que, malgré quelques côtes cassées, son équipement de protection statique lui avait sauvé la vie… pour l'instant.

Alex brisa le silence.

— Pierre, je te présente Chris, mon ange gardien !

— Tu parles, murmura-t-il en état de choc. Plutôt un ange de la mort !

Le jeune homme regarda Christopher bondir hors de la Pagani et se diriger vers la falaise d'un pas assuré. Pierre remarqua qu'il était de haute taille, large d'épaules et des cheveux brun foncé encadraient son visage volontaire. Les muscles se profilant sous son tee-shirt ajusté semblaient aussi durs que l'acier.

La brise était légère. Toutefois, Christopher n'y alla pas d'une approche feutrée. Il se planta au-dessus de l'agent matricule, qui s'agrippait désespérément à un fragment de roc pour éviter de tomber, et le fixa impitoyablement.

— Tu salueras tes potes de ma part !

Christopher lui balança un brutal coup de pied sur les doigts. L'agent lâcha prise et chuta de son perchoir le long de l'à-pic vertigineux. En se retournant vers Alexandra, Chris constata qu'elle l'observait, d'un air incrédule.

— L'heure est à « l'improvisation », ma belle. J'ai exécuté mon boulot, ta voie est libre.

Il traversa la chaussée à grandes foulées, s'empara de sa bouche et l'embrassa passionnément. Le souffle encore haletant, il lui susurra :

— Je t'aime, ma chérie. Ne l'oublie pas, OK ?

— Jamais, Chris.

Dix minutes s'étaient écoulées depuis le début des hostilités. Les témoins de l'accident affluaient en masse, et l'on entendait déjà au loin les sirènes des véhicules de police en approche.

— Maintenant, tu dois filer, dit Christopher en poussant doucement Alex vers la Kawasaki. Et, surtout, prudence sur la route, mon amour.

— Avant, promets-moi que nous nous retrouverons au Panama, l'implora-t-elle.

Ses jolis yeux azur étaient baignés de larmes.

— Qu'ils essaient de m'en empêcher ! s'exclama-t-il d'une voix tranchée par l'émotion.

À cet instant précis, Christopher n'était pas totalement convaincu de revoir sa bien-aimée. Il se montra quand même confiant pour ne pas l'inquiéter. Il regarda s'éloigner Alexandra avec Pierre sur la route qui la mènerait à la mer Méditerranée. Il était terriblement sérieux. Le chemin vicinal de Morgiou était une impasse. L'unique possibilité qui s'offrait à Chris vis-à-vis des forces de l'ordre était de servir de paratonnerre pour permettre à Alexandra de lever les voiles.

Pierre remit les gaz au maximum et s'enquit par-dessus son épaule :

— Est-il toujours comme ça, ton copain, Alex ?

— Les bons jours, oui. Mais quand il se réveille de mauvais poil, c'est encore pire !

Chapitre 2

Douze jours plus tôt, soit le 10 septembre 2001, la vie était moins compliquée avant cette sordide aventure qui avait conduit Alexandra Richard et Christopher Ross au cœur de l'enfer. Ils habitaient près de la frontière américaine, à Cowansville, au Québec, où ils menaient chacun de brillantes carrières.

À 35 ans, Alexandra était une entrepreneure accomplie. À la force de son caractère s'ajoutait son admirable beauté. Son corps voluptueux frôlait la perfection. De longs cheveux châtains encadraient son doux visage aux jolis yeux d'un bleu azur. Cependant, derrière son apparente tranquillité se cachait une femme d'affaires redoutable et intelligente. Que ce fût dans sa vie de couple ou dans sa vie professionnelle, Alexandra Richard était une battante. Elle avait su tirer un maximum de profit de l'exploitation agricole et du vignoble hérités de ses parents. La somme d'énergie qu'elle avait investie dans ce projet ne la rebutait pas, sa priorité étant les résultats. Mais c'était avant que l'organisation Sentinum ne réduise en cendre son entreprise florissante. L'espace d'une nuit, tous les efforts d'Alexandra étaient partis en fumée.

De son côté, Christopher Ross était un pilote d'hélicoptère intrépide et talentueux. Alexandra le taquinait en le surnommant « sa belle tête brûlée ». En fait, leur histoire d'amour était peu commune. Ils s'étaient mariés quelque temps après que Chris l'eut sauvée d'un terrible incendie de forêt, en 1985. On pouvait donc affirmer sans se tromper que leur première rencontre avait fait des étincelles ! Ils s'aimaient éperdument et souhaitaient ajouter à leur bonheur de nombreux enfants. Malheureusement, la nature en avait décidé autrement.

Christopher était affecté à la JTF 2, la *Joint Task Force Two*. Cette unité d'opérations spéciales des Forces canadiennes était chargée de toute une gamme de missions, y compris des opérations antiterroristes et de l'assistance armée à d'autres ministères. Les missions auxquelles il participait étaient souvent périlleuses et hautement confidentielles. Heureusement, Alexandra comprenait et acceptait qu'il fût tenu au secret militaire. Étant donné la nature exigeante de son travail, Christopher se devait de garder la forme. Il s'entraînait tous les jours, voilà pourquoi, à 40 ans, sa condition physique était exceptionnelle. Mais c'était avant qu'Alexandra et Christopher se heurtent à Sentinum. Depuis, ils n'avaient ni repos ni cesse de lutter pour leur survie.

Le 10 septembre 2001, ils s'étaient envolés en direction de Portland, dans l'État américain du Maine. Ce fut lors de ce trajet en hélicoptère que tout avait commencé. Un bris mécanique de leur appareil avait contraint Alex et Chris à se poser d'urgence au milieu d'un campement forestier. Cet endroit s'était avéré appartenir à des trafiquants de drogue. Le chef de ces contrebandiers, un shérif corrompu du nom de Barry Stahl, avait kidnappé Alexandra. Il l'avait ensuite vendue sans scrupules à Sentinum. Le sombre dessein du dirigeant de cette organisation, Karl Haustein, avait été d'offrir la jeune femme en cadeau à un émir arabe pour consolider la mainmise de son organisation sur les réserves pétrolifères du Moyen-Orient.

Chapitre 2

Dès que sa belle s'était retrouvée captive, Christopher avait donné la mesure de son potentiel pour la secourir. Il avait assassiné Barry Stahl, puis s'était rendu en Suisse, où il avait courageusement défié Karl Haustein au siège social de Sentinum, à Genève. Chris avait négocié ferme auprès de l'impitoyable Karl Haustein. Il était parvenu, contre vents et marées, à libérer Alexandra des griffes de Sentinum. Le couple s'était ensuite enfui avec une valise contenant deux millions de dollars, le diamant Florentin de Karl et son document secret intitulé « PROJETS ». Ce cahier des charges était susceptible de porter de graves préjudices à l'organisation.

Après avoir subi ce revers, Karl Haustein avait appelé en renfort son superagent matricule, Daniel Tornay.

Au matin du 21 septembre 2001, à l'aéroport international de Genève, Daniel Tornay s'était bêtement trouvé à la merci de Christopher Ross au moment où il s'apprêtait à le tuer ainsi qu'Alex. Chris l'avait mis en joue, puis, plutôt que de l'éliminer, il l'avait solidement attaché à une clôture.

Lorsque Daniel repensait à cet épisode, il n'en revenait tout simplement pas. Pourquoi Christopher Ross lui avait-il infligé une telle humiliation ? Jamais au cours de sa brillante carrière le superagent matricule n'avait commis un tel impair. Chanceux d'être en vie ? Oui. Cependant, un profond sentiment de rancœur le submergeait, et seule la vengeance soignerait sa douloureuse souffrance !

Le 22 septembre 2001, un peu avant l'aube, Daniel avait retrouvé Alexandra et Christopher à Toulouse, endormis dans une chambre de l'hôtel Crowne Plaza. Heureusement, le superagent matricule était un homme d'honneur. Malgré l'égratignure portée à son amour-propre par Christopher, il n'avait pu se résigner à abattre le couple dans son sommeil. La chasse ! Daniel désirait pourchasser Christopher Ross et lui remettre la monnaie de sa pièce. Mais il le ferait en respectant un code d'honneur ; ils s'affronteraient de manière loyale à l'image des preux chevaliers.

Chapitre 3

22 septembre 2001, 5 h
Toulouse, France

Quel épouvantable réveil pour Alexandra Richard et Christopher Ross ! Daniel Tornay les avait surpris en plein sommeil alors qu'ils étaient nus comme des vers, dans leur chambre de l'hôtel Crowne Plaza. Cet homme au fort sentiment de supériorité avait ajouté l'insulte à l'offense en tuant lâchement Gus, l'adorable chiot d'Alex et de Chris.

« Espérais-tu réellement aller à l'encontre de la volonté du tout-puissant Karl Haustein ? Suivre ta trace a été trop simple, Christopher. Et tu n'as pas idée combien j'aimerais qu'on règle nos comptes, là, tout de suite ! Une sacrée chance pour toi que je sois un homme d'honneur ! avait renchéri Daniel en affichant sa suprématie. Or, comme tu m'as épargné à Genève, j'ai une dette envers toi. Je t'alloue donc trois heures d'avance pour prendre la fuite. Mais attention ! Après ce délai, nous serons quittes et ce sera ta fête, crois-moi ! Alors arrête de traîner au lit et ne perds pas de temps, car la prochaine fois qu'on se retrouvera, tu peux être sûr que je te ferai la peau ! »

Voilà textuellement les paroles que Daniel Tornay avait proférées. Après une fouille en règle de la pièce qui s'était soldée par la reconquête du diamant Florentin et du document de projets secrets de l'organisation Sentinum, Daniel et les agents matricules qui l'accompagnaient avaient quitté la chambre du Crowne Plaza aussi rapidement qu'ils y étaient arrivés.

Alexandra et Christopher se remettaient difficilement de leur surprise. Heureusement, ils avaient été assez rusés pour déposer leur valise d'argent et leur pistolet tactique USP 45 dans un autre hôtel.

— Nous devrons improviser, Alex !

Christopher s'adressait à sa bien-aimée en terminant d'enfiler ses vêtements. Ses yeux marron oscillaient aux aguets entre la fenêtre d'où il pouvait apercevoir la façade du Capitole de Toulouse et Alexandra, qui reprenait graduellement ses couleurs.

— C'est ce qui s'appelle se faire prendre les culottes baissées ! Pourquoi ce type ne nous a-t-il pas tués ? Est-ce parce que tu ne l'as pas descendu à l'aéroport de Genève ? lui demanda-t-elle.

— Probablement… mais il y a autre chose. Il y a toujours un second truc mal défini, raisonna Christopher avec un nœud dans l'estomac.

— L'argent ! s'exclama Alex. Il veut voler nos deux millions de dollars. Nous ferions mieux de les conserver à l'autre hôtel, pour le moment.

— J'ai payé une semaine d'avance pour l'autre chambre. Ça nous donne le temps de mettre en place une tactique.

— J'y songe, Chris, si ce type est un voleur, pourquoi ne nous a-t-il pas forcés à lui avouer où nous avons caché notre fric ?

— Le jeu, Alex. Il veut s'amuser avec nous. Lorsque nous l'avons déjoué à l'aéroport de Genève, nous avons gagné la première manche, mais son humiliation est restée bien coincée en travers de sa gorge. S'il ne nous a pas abattus aujourd'hui, c'est uniquement parce qu'il prétend être un homme d'honneur. Maintenant que nous sommes quittes, il voudra sa revanche, fais-moi confiance !

— Un bon vieux duel pour résoudre vos différends, soupira Alex. Les hommes et leur ego ! Nul besoin de vous rappeler, Monsieur « Achille », ce qui attend les héros homériques !

Christopher préféra garder le silence. Il arrêta son regard sur Gus, qui gisait sur la moquette.

— Les enfoirés ! Ils l'ont tué ! gronda-t-il.

— Que vas-tu faire de lui ? demanda Alex, le cœur chagrin.

— Nous n'avons pas d'autre choix que de le laisser ici.

Ils réfléchirent un moment, puis Christopher s'exclama :

— Bon ! Voici ce qu'on va faire ! C'est réglé comme du papier à musique : je file discrètement à l'autre hôtel pour y récupérer le pistolet et un peu d'argent. Ensuite, nous piquerons une bagnole et nous ficherons le camp d'ici, une bonne fois pour toutes.

— C'est ça, ton plan ? l'interrogea Alex, médusée.

— Oui.

— Eh bien, mon chéri, je veux bien supposer que les plans les plus simples sont les meilleurs, mais celui-ci manque cruellement d'originalité ! Je t'assure qu'en moins de deux, les agents de Sentinum seront encore à nos trousses. J'ai une proposition différente, disons la version 2.0 : tu me suivras !

— Te suivre ?

— Oui et non. Grosso modo, tu suivras les suiveurs. Je m'explique : nous devrons faire en sorte que les agents de Sentinum se croient à notre poursuite, alors qu'ils ne se trouveront que sur mes talons. Toi, tu seras plus loin à bord d'une voiture anonyme.

— Hum… Ouais ! Très bonne idée, mon amour !

Galvanisé par le scénario d'Alex, Christopher continua.

— Et, au moment opportun, je les prends à revers !

— Ça paraît facile, mais il y aura plusieurs imprévus… Peu importe, comme tu l'as si bien dit : nous improviserons en cours de route !

— Notre objectif est le Panama, Alex. Il y a quelques jours, Gustav Böhm m'a conseillé de nous réfugier là-bas.

— Ça alors ! J'ai une cousine qui habite au Panama. Te souviens-tu de Gina ?

— Celle qui travaille dans un hôtel ?

— Oui. Elle est mariée à un Américain, qui était posté à la base navale de Coco Solo avant sa fermeture. Ensuite, elle est devenue préposée administrative de l'hôtel Meliá, à Colón, près du canal de Panama. Elle en fera une tête en nous voyant débarquer ! Depuis le temps qu'elle m'invite à lui rendre visite.

— Parfait ! Si par malchance nous sommes séparés, nous nous rejoindrons chez ta cousine.

Alexandra et Christopher se mirent en route sans délai. Ils quittèrent le Crowne Plaza par la cour arrière et s'élancèrent au pas de course sur la rue Saint-Rome. Arrivés au premier croisement, ils bifurquèrent vers la droite et s'engagèrent dans l'étroit passage empierré de la rue des Gestes. De hauts bâtiments à quatre étages abritant de charmantes boutiques aux encadrements bleus et aux murs de pierre de taille se succédaient. On y trouvait aussi d'excellentes boulangeries artisanales, des charcuteries fines de même qu'une multitude de commerces de vêtements. Des odeurs sublimes chatouillaient leurs narines, car déjà les cuisiniers s'affairaient aux fourneaux.

Une légère brume flottait dans l'air tiède matinal. La seule activité urbaine se limitait à quelques coursiers à vélo et plusieurs camions immobilisés au milieu des petites rues. Les poids lourds profitaient du peu de circulation automobile dans les ruelles exiguës pour effectuer leur service de livraison.

Lorsqu'ils débouchèrent sur la rue Léon Gambetta, un roman derrière la vitrine éclairée d'une librairie retint l'attention d'Alexandra.

— Regarde, Chris ! Le livre jeunesse d'Odile Weulersse : *Le chevalier au bouclier vert*.

Chapitre 3

Sans s'arrêter, Alex résuma brièvement l'histoire.

— L'auteure raconte l'épopée d'un écuyer de 15 ans qui devient chevalier. Ce jeune homme possède un bouclier vert et une pierre magique qui le rendent invincible et avec lesquels il secourt la belle Éléonore, l'élue de son cœur. Quel dommage que la librairie soit fermée ! J'aurais acheté ce livre, juste pour connaître l'endroit où trouver cette pierre magique qui nous aurait rendus invincibles face à Sentinum.

— Une chose est sûre, la vie semblait plus simple au Moyen Âge ! conclut Christopher.

Chapitre 4

Dissimulant mal sa déception, Daniel Tornay renonça contre son gré à épier les faits et gestes d'Alexandra Richard et de Christopher Ross. Il leur avait volontiers accordé un sursis de trois heures, ce qui ne signifiait pas pour autant qu'il avait cessé de les suivre à la trace !

Daniel avait reçu un appel crypté provenant de la haute direction de Sentinum. Karl Haustein désirait entendre de vive voix le rapport de son superagent concernant le dénouement de son étonnante poursuite aérienne. On lui avait exigé de se rendre le plus rapidement possible au siège social de l'organisation, à Genève. À contrecœur, Daniel se résigna donc à confier la filature d'Alexandra et de Christopher aux agents matricules sous ses ordres à Toulouse.

Il arriva à l'aéroport Toulouse-Blagnac à 6 h 30, puis aiguilla sa rutilante BMW série 7 vers un hélicoptère Agusta A109E déjà en marche. Dehors, la faible lueur crépusculaire perçait à peine les ténèbres. Le copilote descendit du cockpit de l'aéronef dès que la voiture de Daniel gagna l'hélisurface. D'un geste précis, il ouvrit immédiatement la porte arrière coulissante de l'appareil.

À le regarder se diriger d'un pas assuré vers l'hélicoptère, Daniel Tornay représentait à lui seul l'idéal sportif de la Suisse. Il était vêtu de sa combinaison tactique noire. Ses muscles d'une densité peu commune propulsaient sa robuste ossature de 1,80 mètre. La nature de sa profession l'empêchait de participer aux Jeux olympiques. Or, s'il en avait eu la possibilité, ce Suisse de 42 ans aurait sans nul doute remporté plusieurs médailles, et ainsi enrichi le palmarès déjà prestigieux de son pays natal.

Toute cette puissance musculaire ne lui servirait pourtant à rien si elle n'était pas guidée par son intelligence remarquable. D'autre part, en ajoutant ses yeux bleu clair, ses cheveux blond cendré et sa mâchoire carrée à son physique séduisant, Daniel Tornay aurait aussi bien pu devenir mannequin pour Calvin Klein. Seulement, faire fantasmer les femmes avec sa photo sur les boîtes d'emballage de sous-vêtements masculins ne l'excitait pas. Il préférait nettement les faire fantasmer dans son lit !

Daniel avait été enrôlé par Sentinum à l'âge de 19 ans. Que ce fût aux commandes d'un avion de chasse, ou encore au fond d'une ruelle derrière un bar, il était un bagarreur coriace. Grâce à son énorme potentiel, cet homme combatif était rapidement devenu le numéro un des agents matricules de l'organisation.

D'une démarche souple, Daniel Tornay grimpa à l'arrière de l'Agusta. Un habitacle spacieux et sobrement éclairé disposant de six sièges en cuir l'attendait. Mais ce confort ne parvenait pas à adoucir sa contrariété. Daniel passa ses doigts parmi ses cheveux blonds, coupés bien courts. Ce geste machinal apaisa un peu sa mauvaise humeur. Son front était presque aussi garni qu'à l'adolescence ; les microgreffes capillaires qu'il avait reçues pour contrecarrer sa calvitie naissante étaient un vif succès. Son apparence physique avait toujours été très importante pour lui.

Les deux turbines de l'Agusta atteignirent leur vitesse nominale et les roues de l'aéronef s'élevèrent doucement du tarmac.

Chapitre 4

— Décollage autorisé selon votre convenance, consentit la tour de contrôle.

L'hélicoptère au fuselage profilé s'envola à l'extérieur du corridor des pistes avec un cap au nord-est de 50°. Lorsqu'il fut en montée initiale au-dessus de Toulouse, Daniel sentit le train d'atterrissage escamotable s'insérer dans la soute. Il était exténué en raison de la nuit blanche qu'il avait passée pour retrouver Alexandra et Christopher. Il regarda distraitement les fontaines du parc public d'Odyssud disparaître au loin et s'endormit quelques secondes plus tard.

À 7 h 30, la sonnerie de son téléphone cellulaire tira brusquement Daniel de son sommeil. L'oreille rivée à son téléphone mobile, il écouta le compte rendu détaillé d'un de ses agents matricules toujours en poste à Toulouse. Ses hommes avaient momentanément perdu la trace d'Alexandra et de Christopher dans un dédale de ruelles exiguës, puis ils les avaient repérés à moto sur le boulevard Lazare Carnot.

— Parfait, se réjouit Daniel en changeant d'oreille.

Il ordonna à trois agents experts de la conduite à moto de filer discrètement la Kawasaki des fuyards. Ils devaient demeurer à distance, pour l'instant. Daniel termina la conversation et se massa délicatement le pavillon d'oreille.

Chapitre 5

Un peu plus tôt, au centre-ville de Toulouse, Alexandra et Christopher redoutaient d'être surveillés par les agents matricules de Sentinum. Ils décidèrent d'un commun accord de se séparer pour brouiller les pistes. Leur prochain lieu de rendez-vous serait l'hôtel où ils avaient dissimulé l'argent et le pistolet. Ensuite, si tout se passait bien, ils se rejoindraient à la place du Président Thomas Wilson.

Christopher remonta au pas de course la rue Léon Gambetta tandis qu'Alex longea la rue Mirepoix. À mi-chemin, Chris revint sur ses pas et enfila la même rue qu'Alexandra. Il s'assurerait à bonne distance qu'elle n'était pas suivie. Alex accéda à la place du Capitole après avoir franchi la multitude de bancs et de poteaux qui ceinturaient l'aire ouverte. Une foire commerciale se préparait et les marchands forains installaient leurs kiosques sur la place. Alexandra eut tôt fait de disparaître dans le labyrinthe de kiosques et de camionnettes entassés sur le pavé humide. Christopher lui succéda en se tenant à l'écart.

Cinq minutes plus tard, ils atteignirent enfin l'hôtel. Christopher s'éclipsa à l'intérieur de l'immeuble, monta jusqu'au troisième étage et entra dans la chambre qu'il avait louée pour la semaine. Il récupéra tout l'argent, qu'il inséra dans un sac à dos, ainsi que le pistolet tactique USP 45, puis redescendit aussitôt.

À cette heure matinale, la réception de l'hôtel était occupée par les formalités de départ. D'un regard circulaire, Christopher repéra Alexandra à l'autre bout du hall, près du vestibule. Elle flirtait avec un voiturier en livrée rouge. Elle le bombardait de questions, au sujet de la Ville rose et de son emploi du temps. Le jeune homme était planté là, les yeux rivés sur cette femme délicieuse. Il pensait naïvement qu'elle s'était entichée de lui. Dans l'esprit surexcité du voiturier, tous les espoirs étaient permis.

Christopher profita de la distraction de ce jeune homme pour inspecter discrètement, derrière son poste de travail, le panneau où étaient suspendues les clés de voiture des clients de l'hôtel. Et c'est là qu'il la vit ! À cet instant, Christopher se transforma en un aimant qui fut irrésistiblement attiré par la clé de la Pagani Zonda C12 S. Le magnétisme fut tel qu'il ne put s'empêcher de la dérober.

Après son méfait, il s'esquiva en douce, puis se précipita vers l'aire de stationnement. Christopher localisa la superbe voiture italienne gris argenté au deuxième niveau. Son propriétaire venait à peine de la garer au terme d'une nuit de beuverie ; il ne serait sûrement pas debout avant la fin de l'après-midi.

Christopher anticipait que l'habitacle au profil bas de la Pagani serait exigu ; or, il n'en fut rien. Son siège de carbone et de cuir lui offrit un confort insoupçonné. Le pédalier de la voiture était réglable en hauteur et s'ajusta à la perfection à son pied ; cette pièce faite à la main paraissait avoir été façonnée par des chanoines se consacrant à l'orfèvrerie ! Quelques secondes s'écoulèrent, et il démarra le moteur V12 de 7 litres. Il entendit alors résonner un son de rêve.

Chapitre 5

Chris se mit en route sans tarder. Les rampes hélicoïdales de l'espace de stationnement se descendirent comme si la Pagani Zonda était sur des rails. Sa tentative de vol se compliqua lorsqu'il aboutit à la sortie. Un gardien de sécurité y contrôlait rigoureusement chaque véhicule. Sans précipitation, Christopher enclencha la marche arrière et circula à contresens vers une entrée de l'espace de stationnement qui donnait sur l'avenue Arthur Huc. Heureusement, aucune automobile n'entrava sa voie. La barrière de l'entrée était fermée. Il souleva la barre mobile d'une main et engagea la Pagani dessous celle-ci. La voiture s'en tira avec quelques égratignures qui strièrent son magnifique toit de verre.

Peu après, Christopher gagna le second lieu de rendez-vous qu'il avait déterminé avec Alex : la place du Président Thomas Wilson. C'était un ravissant jardin aménagé au centre d'un rond-point. Tout autour, il y avait des cinémas, des cafés ainsi que des boutiques. Chris obliqua à gauche et se faufila dans l'allée réservée aux taxis. Il immobilisa la Pagani dans un coin d'ombre.

Au milieu du jardin rayonnaient une sculpture et une fontaine honorant le poète Goudouli. Il y avait aussi des jeux destinés aux enfants. Chris quitta son siège et se camoufla à faible distance de la Pagani, entre des supports à vélos et une haie de buis taillés bien court.

Alex arriva d'une démarche résolue par la rue d'Austerlitz. Elle remarqua immédiatement Christopher. Mine de rien, elle s'accroupit à côté de lui et, en feignant de lacer ses chaussures, elle murmura :

— C'est quoi, cette bagnole ? Nous avions dit que tu me suivrais dans une voiture « anonyme ». Là, on jurerait que tu as piqué la Batmobile !

— C'est une Pagani Zonda, répondit-il d'un ton nonchalant. Tu trouves qu'elle n'est pas assez discrète ? Eh bien, oui ! Mais il n'est pas question que je la rapporte à son propriétaire. Tu sais, ma chérie, depuis que tu m'as reproché mon manque d'originalité, j'improvise !

— T'es vraiment un cas, Chris.

— De plus, j'ai pris tout l'argent dans la chambre d'hôtel. Je préfère que tu le gardes avec toi. Maintenant, avance jusqu'au boulevard là-bas et fais de l'auto-stop. Sois sans crainte, je ne serai jamais loin derrière toi. Et je t'aime, ma belle!

— Moi aussi, je t'aime, Chris. J'ai vraiment hâte que tout ceci soit fini.

Sur ce, Alex agrippa le sac à dos qu'il avait déposé à ses pieds et s'engagea dans la rue étroite des 3 Journées. Deux minutes plus tard, elle atteignit l'angle du boulevard Lazare Carnot. Cent cinquante mètres la séparaient de Christopher, qui était comme un félin aux aguets. Chris aperçut une moto Kawasaki ralentir, puis freiner devant Alexandra. Il réintégra d'urgence la Pagani et embraya en première vitesse. Par miracle, Alex ne gaspilla pas un temps précieux à discuter avec le conducteur de la moto et sauta dans la seconde sur la selle. D'un étonnement amusé, ce dernier lui remit un casque et lança avec vigueur son moteur 500cc.

L'astuce porta ses fruits : les agents matricules de Sentinum, concentrés à lorgner les formes attrayantes d'Alexandra, présumèrent que Christopher était au guidon de la Kawasaki anthracite. Ils tombèrent magistralement dans le piège. Ces agents qui n'avaient jamais réellement songé à l'extrême fragilité de la vie commirent, ce jour-là, une très grave erreur.

Chapitre 6

Le pilote de la Kawasaki s'appelait Pierre Robin. Le jeune homme aux cheveux roux et aux yeux verts avait la vingtaine. Il était veilleur de nuit au centre commercial l'Espace Saint Georges du centre-ville de Toulouse. Alexandra s'efforçait de prononcer correctement son nom de famille : Robin à la française comme dans Robin des Bois, et non pas Robin à l'anglaise comme dans le fidèle acolyte de Batman.

Originaire de Carcassonne, Pierre avait passé la majeure partie de ses vacances de jeunesse à naviguer sur la mer Méditerranée en compagnie de son oncle Marius, qui était pêcheur de métier. Le jeune homme avait tout d'abord souhaité assurer la relève familiale, mais il avait vite constaté que, jadis florissant, le marché de la pêche professionnelle s'était lentement étiolé au fil des décennies. En outre, le moratoire visant à interdire la chasse du mérou brun, le poisson emblématique de la Méditerranée, avait contribué à le décourager complètement.

Pierre étudiait depuis deux ans à l'École Nationale Vétérinaire de Toulouse. Il était doué et vaillant. Son internat en sciences cliniques des équidés progressait bien, malgré son travail de nuit qui s'avérait éreintant. D'autre part, même avec son horaire cadencé, il réussissait à se rendre au circuit européen Pau-Arnos pour y faire pétarader sa Kawasaki. Sans le savoir, Pierre aurait d'ici peu tout le loisir de chauffer au rouge les cylindres de sa moto sur le chemin vicinal de Morgiou !

Il fut attendri par le récit d'Alexandra, qui passa sous silence de nombreux extraits de son histoire. Il s'enthousiasma à la perspective de lui prêter assistance. De plus, il trouvait l'accent particulier de ses cousins québécois si pittoresque !

— J'ai un oncle qui demeure au port de la calanque de Morgiou. Je suis convaincu qu'il sera en mesure de nous aider.

« Nous », pensa Alex. Ce court petit mot qui, en cette période d'insécurité permanente, en disait long. Elle était de nouveau éloignée de Chris. Pourtant, elle savait que cette séparation momentanée était la meilleure chose à faire. Ils avaient seulement besoin d'une occasion favorable afin de s'évanouir dans la nature, Christopher et elle, pour toujours !

— Mon oncle Marius est le capitaine d'un vieux chalutier de 15 mètres qu'il a reconverti à la plongée sous-marine. Son bateau date des années 1960. Au premier coup d'œil, on jurerait qu'il a bidouillé une reproduction à échelle réduite de l'arche de Noé. Mais bon ! Avec sa coque en chêne peinte en blanc et turquoise, tu verras, son navire a énormément de charme. Il s'y dégage une ambiance chaleureuse que bien peu d'embarcations modernes se targuent de posséder.

« L'accent méridional, rêvassa Alex en réprimant un sourire en coin. Absolument adorable ! »

Le canal du Midi avec ses ponts et ses écluses serpentait le long de l'autoroute des Deux Mers. À la bretelle de la route A66, un panneau indiqua la ville de Carcassonne dans 70 kilomètres. Alexandra regardait à intervalles réguliers par-dessus son épaule.

Toutefois, personne ne semblait les suivre. Même Christopher, au volant de sa superbe Pagani, était absent du paysage.

— J'ai la dalle, Alex. Je connais un bon petit restaurant à l'intérieur des remparts de la cité médiévale de Carcassonne. Et, rassure-toi, il y a autre chose au menu que du cassoulet !

— OK, chauffeur !

Le soleil prenait de la force et sa lumière ruisselait derrière la ligne de crête des massifs du Caroux et de l'Espinouse. Les occupants de la Kawasaki empruntèrent la sortie 23 et foncèrent vers la ville de Carcassonne.

C'est sur la route de Saint-Hilaire qu'ils aperçurent les trois kilomètres de fortifications de la cité médiévale, qui était occupée par l'homme depuis le Ve siècle avant Jésus-Christ. Se détachant sur le fond de la montagne Noire, la plus grande citadelle à double enceinte d'Europe apparut dans toute sa splendeur. Le spectacle surpassait de beaucoup ce qu'Alex avait vu à la télévision ou sur les cartes postales. La ville fortifiée de Carcassonne, avec son château comtal, ses remparts dentelés flanqués de ses multiples tours ainsi que sa position stratégique, se distinguait par son aspect de forteresse imprenable. Les toitures d'ardoise bleue et de tuiles rouges au sommet des tourelles chatoyaient sous le soleil. Elles surplombaient élégamment les murailles beiges en pierres de grès et de molasse.

Dans les environs du pont-levis, l'abondance de touristes gâcha la magie ; les nombreux vacanciers ressemblaient étrangement à un bataillon d'envahisseurs de l'armée de Charlemagne sonnant la charge. Pierre dut jouer des coudes pour se frayer un chemin à travers cette cohorte de fantassins-bourlingueurs munis d'appareils-photo et de sacs en bandoulière. Certains, essoufflés et en nage, étaient à pied alors que d'autres, frais et dispos, étaient confortablement assis à bord de calèches attelées à des chevaux. Tous convergeaient, séance tenante, vers la porte Narbonnaise de l'ancienne cité. Malgré l'étroitesse des rues et ruelles, Pierre conduisait habilement. Alexandra secoua la tête en se disant que Chris perdrait assurément leur trace.

Avant 9 h, Alex et Pierre achevaient leur petit déjeuner dans un restaurant de la rue Plo. La décoration de style rustique y était magnifique. Ils s'étaient installés à une jolie table de bois foncé au double nappage de coton dont la couleur rappelait celle d'un plaid. Les murs de pierre et le plafond étaient peints à la chaux et soutenus par des poutres et des solives de chêne ambré. Le sol était recouvert d'un carrelage qui présentait l'aspect texturé de la terre cuite. En somme, chaque détail d'ornementation donnait à l'ensemble du décor un cachet chaleureux.

Alexandra terminait de dévorer un croissant doré tartiné au fromage à la crème lorsque Pierre se leva pour se diriger du côté de la salle de toilette. Avant qu'il ne s'éloigne, elle lui dit qu'elle réglerait l'addition et qu'elle l'attendrait dans le jardin à proximité de l'établissement.

Alex flânait dans les allées étroites du jardinet lorsqu'elle entendit murmurer :

— Bonjour, ma belle !

Quelle ne fut pas sa surprise ! Christopher était dissimulé derrière une rangée de platanes. Alex s'adossa discrètement à un des arbres pour lui parler.

— Chris ! Comme je suis contente que tu sois là ! Mais tu es un véritable magicien ! s'exclama-t-elle tout bas, rayonnante de bonheur. Comment es-tu arrivé à nous retrouver dans toutes ces petites rues ?

— Ouais ! C'est assez incroyable. J'ai dû laisser la Pagani à l'extérieur de la cité pour venir t'avertir, Alex. Vous devrez être très prudents. Trois motos BMW noires vous ont pris en filature. Ce sont sûrement les agents de Sentinum. Ils font le pied de grue dans la basse ville…

— Super ! l'interrompit-elle, déconfite. Chris, l'oncle de Pierre possède un bateau de pêche qui pourrait nous emmener en Corse.

— Excellente nouvelle !

— Ce jeune homme est gentil et se débrouille bien avec sa moto, poursuivit Alexandra. Sa conduite est experte.

— À qui le dis-tu ! J'ai failli vous perdre de vue à plusieurs reprises. Donc, votre prochaine étape, c'est le port de Marseille ?

— Non, la calanque de Morgiou !

— Où ça ? s'enquit Chris en levant un sourcil interrogateur.

— Aucune idée, mon beau. Tu as tout intérêt à nous garder à l'œil. Quand crois-tu que les agents de Sentinum se décideront à agir ?

— Ils attendent le bon moment. Tôt ou tard, ils vont vous attaquer.

— À moins que nous parvenions à les distancer.

— Compte tenu de la puissance de leurs BMW, c'est impossible.

— Que devons-nous faire, alors ?

D'une inébranlable conviction, Christopher répondit :

— Vous, rien. Mais moi, s'il le faut, je les écrabouillerai tous.

Elle écarquilla les yeux et resta sans voix.

— Il n'y a qu'une seule règle, Alex : qu'un jour nous ayons la paix !

Chapitre 7

22 septembre 2001, 9 h
Genève, Suisse

Un vent soutenu de l'ouest de 15 nœuds permit d'effectuer le trajet aérien Toulouse-Genève en 120 minutes. Quelque temps après l'atterrissage de l'hélicoptère Agusta à l'aéroport international de Genève, une Range Rover noire déposa Daniel Tornay sur la rue du Rhône, devant l'immeuble ancestral de Sentinum. Moins de 24 heures s'étaient écoulées depuis sa dernière visite au siège social de l'organisation. Pourtant, les mesures de sécurité y étaient devenues draconiennes.

Au rez-de-chaussée, Daniel traversa un premier contrôle d'identité assuré par des gardiens à la mine sévère. À l'étage, on le fouilla sommairement, puis il franchit un portique de détection de métaux. Une fois de l'autre côté, un agent matricule le salua et lui remit une enveloppe contenant tous les détails de sa future mission. Daniel Tornay connaissait déjà ses prochaines cibles : Karl Haustein lui ordonnait de se rendre en Amérique pour exécuter froidement la femme et le fils de feu Barry Stahl. S'il avait été seul, il en aurait hurlé de rage.

« Espèce de vieux fou ! » fulmina-t-il en lui-même.

Enfin, avant de cheminer jusqu'au sommet de l'immeuble, là où étaient les appartements du dirigeant suprême, une surprise de taille attendait Daniel : il dut se soumettre à une identification biométrique. Une caméra à large objectif prit une photo de son visage sous un éclairage à infrarouge. Puis, un autre appareil doté d'une vision étroite en haute définition capta une image d'un de ses iris. Ces photographies furent superposées et comparées avec celles stockées dans la banque de données de l'ordinateur.

Le superagent matricule se demandait bien comment l'organisation était parvenue à obtenir les signatures uniques de son visage et de son œil. Il estima que Sentinum s'était approprié à son insu l'analyse morphologique de sa figure et de ses yeux à partir d'un examen de routine chez son optométriste ou son docteur. L'idée soulevait plusieurs questions d'éthique : les médecins spécialistes des membres de l'organisation étaient-ils tous à la solde de Karl Haustein ? Vendaient-ils les caractéristiques physiques de leurs patients à Sentinum ?

Aussitôt que son identité fut confirmée, Daniel emprunta l'ascenseur qui le conduisit au huitième étage du bâtiment.

— Monsieur Tornay, votre réputation de ponctualité n'est pas surfaite !

Karl Haustein était rarement d'une humeur aussi charmante. Il se leva de son fauteuil et s'approcha pour échanger une franche poignée de main avec Daniel. Ce dernier examina attentivement l'octogénaire de haute stature. Son costume trois-pièces sombre de même que sa cravate de soie étaient impeccablement taillés.

Cependant, Karl paraissait amaigri. N'empêche, malgré cette légère perception de fragilité, le regard de glace ainsi que la prestance dégagée par son supérieur aux cheveux blancs impressionnaient Daniel à chaque rencontre.

— Pardonnez la rigidité de nos nouvelles consignes de sécurité. Vous savez, depuis que Christopher Ross a pénétré par effraction dans les bureaux de Sentinum, je tâche de remédier à la situation, précisa Karl.

Daniel garda pour lui le fait que personne en ce bas monde n'était à l'abri de gens entièrement déterminés à aller jusqu'au bout de leurs ambitions, à l'exemple de Christopher Ross.

— Je ne vous cacherai pas qu'il s'en est fallu de peu que cet homme réduise à néant nos richesses inestimables !

La quantité de trésors entreposés au siège social de Sentinum troublait le superagent à chacune de ses visites. Daniel ne possédait aucun foyer stable et s'était habitué à vivre dans la sobriété des opérations militaires. Ce déploiement de luxe ostentatoire le répugnait profondément.

— Madame Mahler n'est-elle pas au bureau ? s'enquit-il, impassible.

— Non, répondit vivement Karl. Vilma a été affligée de violents maux de tête. Nos médecins ont diagnostiqué un épuisement professionnel. Bref, elle est dans une maison de repos en compagnie de Flik, son fidèle chien. Monsieur Vincent Théret a gentiment accepté de quitter sa retraite pour assurer l'intérim, le temps de trouver le remplaçant idéal.

Daniel se souvenait vaguement de cet homme, inévitablement centenaire, qui occupait le poste de secrétaire particulier du dirigeant suprême avant l'embauche de madame Vilma Mahler, 20 ans plus tôt. À cette époque, Vincent Théret était déjà aux portes de la mort.

« La seule hypothèse plausible, pensa Daniel, c'est que même l'enfer ne veut pas de cette pourriture antédiluvienne. »

L'individu concerné était assis à une table de travail en retrait. Il releva inopinément la tête en direction du superagent matricule et le salua poliment. Il sembla à Daniel que cet être incarnait la quintessence même de la richesse.

Vincent Théret avait voué son existence à enrichir l'organisation Sentinum. Cette dévotion avait d'ailleurs laissé des marques tangibles sur sa personne. À la base de son crâne lisse comme un lingot d'or subsistait une couronne de cheveux d'argent qui n'était surpassée en brillance que par celle qu'il s'était fait poser sur une dent. Vincent Théret avait consacré sa vie à étudier les soubresauts des marchés financiers tandis que d'innombrables rides avaient progressivement sillonné son visage. Aujourd'hui, on pouvait presque lire sur ses traits un graphique condensé compilant les 100 dernières années de fluctuations boursières du Dow Jones. Ses yeux austères exhibaient un regard incisif et soupçonneux. La couleur gris perle de leurs iris s'apparentait à celle de l'alliage de cupronickel nécessaire à la fabrication des pièces de monnaie de la Confédération suisse.

— Mission accomplie ?

Le dirigeant suprême interrompit abruptement la réflexion de Daniel.

— Oui, monsieur Haustein. Tout est terminé, mentit-il en le fixant droit dans les yeux.

Le superagent matricule passa délibérément sous silence le sursis qu'il avait alloué à Christopher Ross. Il souhaitait gagner du temps pour orchestrer sa revanche.

— J'en étais convaincu ! jubila Karl. Toutefois, lorsque je vous ai donné carte blanche pour abattre en vol l'hélicoptère d'Alexandra Richard et de Christopher Ross, je n'avais pas à l'esprit de détruire l'usine AZF ainsi qu'une section de la ville de Toulouse.

— Ce sont des dommages collatéraux. En toute franchise, cette destruction était non planifiée, et elle m'a grandement étonné. Notre canon à micro-ondes est bien plus puissant que nous l'avions supposé !

— À la bonne heure ! Et où sont le document « PROJETS », l'argent et mon précieux diamant ?

— Tout a été réduit en cendres, mentit de nouveau Daniel. Dès que nos agents auront retiré la carcasse du Robinson R22 des décombres de l'usine AZF, je vous confirmerai la mort d'Alexandra Richard et de Christopher Ross… et, bien sûr, nous récupérerons votre diamant parmi les débris.

— Cette conclusion est des plus ironiques, déclara Karl de manière ambiguë tout en plissant les paupières.

— Que voulez-vous dire, monsieur ?

Un brusque frisson parcourut l'échine de Daniel Tornay.

— Voici le dossier militaire classifié, complet, de Christopher Ross. Pour les besoins de votre enquête, vous n'en possédiez qu'une partie. Tenez, jetez-y un coup d'œil. Personnellement, je l'ai lu avec avidité. Ce document est franchement captivant. Vous y apprendrez, entre autres, comment le couple s'est rencontré. Le temps nous fait défaut, alors je vous raconte brièvement l'histoire. Un peu de thé ?

— Volontiers.

Tout en parlant, Karl prit l'anse d'une théière de fine porcelaine et versa le thé bien chaud dans une tasse assortie qu'il donna à Daniel. Ce dernier s'empara de la soucoupe avec gratitude. Le superagent se languissait déjà d'ennui, mais écouta quand même le récit de Karl.

— En 1985, Christopher Ross était pilote d'hélicoptère pour le compte d'une petite société d'exploitation forestière dans le Nord-du-Québec. Il avait 24 ans. Cet été-là, un incendie de forêt d'une rare envergure avait brûlé sur son passage des milliers d'hectares d'étendue boisée. Le sinistre s'était rapproché d'une ville du nom de Chibougamau.

Daniel prêtait une oreille distraite au discours ronflant de Karl Haustein. Il songeait aux minutes qui lui étaient comptées. Bon sang, il était contraint de poursuivre cette discussion qui s'éternisait en palabres !

— On a évacué la ville et, par tous les moyens, on a tenté de la sauver, poursuivit-il. Des avions-citernes et des hélicoptères munis d'élingue combattaient le feu du haut des airs, tandis qu'au sol des sapeurs-pompiers travaillaient d'arrache-pied à circonscrire le désastre. On a essayé de contenir le brasier, qui a continué d'avancer vers Chibougamau. À un certain moment, la situation semblait désespérée…

Étouffant des bâillements qui lui auraient sûrement décroché la mâchoire, Daniel sirotait son thé en feuilletant les pages du dossier classifié quand son regard s'attarda sur les photographies d'Alexandra qui avaient été prises à la villa de Barry Stahl lors de son enlèvement. Sur ces clichés, elle ne portait que ses sous-vêtements.

« Cette femme est vraiment délicieuse, pensa-t-il. Christopher Ross a une sacrée veine ! »

— Puis, une averse est venue. Hourra ! s'exclama Karl. Cette bonne vieille dame Nature leur prêterait main-forte ! Seulement, les nombreux courants d'air chaud ont donné naissance à un orage monstrueux…

L'histoire palpitante de Karl éveilla subitement l'attention de Daniel.

— Et un groupe de pompiers a été encerclé par les flammes ! intervint-il. Ne me dites pas que le jeune pilote aux commandes d'un Bell 212 de 14 passagers qui a défié les autorités en place et qui a foncé dans l'embrasement pour secourir ces 22 pompiers était Christopher Ross !

— Exact ! Croix de la Vaillance, retraite prématurée et célébration d'un mariage l'année suivante. Il y avait une jolie demoiselle dans les rangs de la SOPFEU[1]. Élucidez l'énigme : Alexandra Richard !

Fasciné par l'anecdote d'une étonnante intensité, Daniel oublia que le temps filait.

1. Société de protection des forêts contre le feu.

Chapitre 7

— Des survivants, reprit Karl d'une déclamation pompière, ont rapporté qu'avant la venue inespérée de leur sauveur, la fumée voilait complètement l'atmosphère. Alors qu'ils étaient tous regroupés et accroupis au centre du seul endroit encore épargné par le brasier, une toute petite brèche s'est produite à travers les flammes. Le ciel s'est ouvert comme au baptême de Jésus dans le Jourdain, puis le Bell 212 est apparu au-dessus des victimes condamnées au supplice du bûcher. Que c'est fabuleux ! Imaginez cette scène en contre-plongée au cinéma ! J'en suis parcouru de frissons ! Bref, il n'y avait qu'une femme parmi les rescapés et, chevalerie oblige, Alexandra Richard a hérité du siège de copilote. Savez-vous quoi ?

Les lèvres serrées, Daniel secoua la tête.

— Vous devinez que les cris de joie et les larmes étaient de mise. Les pleurs se mêlaient aux barbouillages de suie sur les visages surchauffés. Lorsque la belle est montée dans le cockpit, notre héros lui a tendu le bras et lui a déclaré : « Je n'avais pas de fleurs à vous lancer du haut des airs, alors je vous offre ma main ! » Il s'agit de l'inoubliable citation d'Igor Ivanovitch Sikorsky, l'inventeur de l'hélicoptère moderne !

— Si vous êtes en détresse quelque part dans le monde, un avion passera au-dessus de vous et vous lancera des fleurs ! Un hélicoptère s'arrêtera et vous portera secours ! acheva le superagent matricule d'un trait.

— Vous connaissiez cet exploit, Daniel ?

— Je l'ai appris plus tard. En 1985, j'étais en mission au large de la Nouvelle-Zélande comme nageur de combat pour la DGSE. C'est durant cette période, le 10 juillet, que nous avons coulé le bateau *Rainbow Warrior*, de Greenpeace. J'ai eu vent de ce sauvetage héroïque lors de mon stage à l'unité d'élite héliportée Seaspray de la US Army en 1987. Par contre, le nom de Christopher Ross ne nous a jamais été dévoilé, probablement parce qu'il n'est pas américain. Les instructeurs enseignent théoriquement sa manœuvre aux pilotes ambitieux. Je dis bien de façon théorique, car personne n'oserait essayer en pratique la technique de vol qu'il a réalisée ce jour-là.

Karl leva les yeux et vérifia l'heure affichée sur le magnifique pendule doré fixé au mur.

— Expliquez-moi donc cette technique, mais, de grâce, abrégez les détails et épargnez-moi les termes scientifiques.

— C'est la méthode recommandée pour traverser une route de gravier en hélicoptère sans soulever de poussière, et ainsi sans se faire repérer par l'ennemi.

Daniel accompagnait son récit d'une gestuelle éloquente.

— Christopher Ross s'est pointé aux commandes de son Bell 212 par une éclaircie de la forêt, au ras de la terre et à très grande vitesse. *Speed is life*[2] ! Enfin, c'est le dicton des pilotes de chasse de l'armée de l'air américaine. Dans son cas, la route était remplacée par un mur de feu de 40 mètres de hauteur. Il a coupé les gaz et tiré sur le pas cyclique de son hélico, ce qui a eu pour effet de ne pas suralimenter le brasier en oxygène et de transférer l'énergie cinétique de son appareil en altitude. Le Bell 212 a franchi les flammes comme s'il jouait à saute-mouton. Ensuite, il est descendu en autorotation au milieu de l'immense beignet enflammé, a effectué l'arrondi et s'est posé au sol. Les sapeurs-pompiers sont vite embarqués à bord de l'hélicoptère. Ils ont dû se serrer comme des sardines parce que le nombre de survivants dépassait largement la capacité de la cabine. Sitôt après, Ross a poussé les turbines à fond pour redécoller de manière verticale. Bien entendu, la déflexion de l'air a nourri le feu, mais, contre toute attente, le Bell 212 a réussi à s'élever et à retraverser l'embrasement, sous le regard de témoins épatés. La surpuissance a causé des dommages irréparables aux moteurs. Cependant, Ross est tout de même parvenu à ramener tous ces pompiers sains et saufs. Un miracle… Le rêve inatteignable de tout pilote, en quelque sorte.

— En prenez-vous ombrage ?

2. La vitesse, c'est la vie !

« Encore cette foutue question ! Deux fois en vingt-quatre heures », pensa Daniel. Mais il répondit du bout des lèvres :

— Pas le moins du monde. La veine que ce type a pu avoir appartient désormais au passé, trancha-t-il en contemplant un gros plan du ravissant visage d'Alexandra, avant de refermer d'un coup le dossier classifié.

— L'ironie dans toute cette histoire, conclut Karl de façon théâtrale, c'est que l'amour d'Alexandra Richard et de Christopher Ross, qui est né dans une forêt enflammée du Québec, soit mort dans les flammes quelque part en France !

Chapitre 8

Au moment où Karl Haustein acheva sa phrase, une impressionnante troupe de conservateurs et de bibliotechniciens débarqua dans son bureau. Vêtus de blouses blanches et de gants de latex, les préposés s'activèrent sur-le-champ à cataloguer et à emballer avec le plus grand soin les trésors inestimables de Sentinum contenus dans la pièce muséale.

— Notre deuxième point à l'ordre du jour : le siège social de notre organisation va déménager. J'ai besoin de vos conseils, Daniel, en matière de sécurité totale. Accompagnez-moi au petit salon. Nous y serons tranquilles pour discuter.

Le téléphone cellulaire du superagent matricule vibra à cet instant.

— Pardon, Monsieur Haustein.

Il déplia son téléphone portable en songeant que le minutage était parfait.

— Oui ?... Hein ?... Ceci est singulier...

Son visage afficha une fausse inquiétude.

— Recommuniquez avec moi dès que vous aurez obtenu plus de renseignements.

— Des contretemps à Toulouse, Daniel ? s'enquit Karl d'un ton dur. Des imprévus surgissent à tout moment, ces jours-ci.

— D'après les premières observations de nos agents, il n'y aurait aucune trace de l'hélicoptère d'Alexandra Richard et de Christopher Ross dans les décombres de l'usine AZF, mais une importante section des ruines reste inaccessible. Nos plongeurs draguent la Garonne afin de s'assurer que l'épave du Robinson R22 ne gît pas au fond du fleuve. Je pense qu'il est prématuré de conclure qu'ils ont réussi à s'enfuir.

— Nous suivrons ce dossier avec intérêt, trancha Karl, le regard sévère. À présent, venez.

Ils laissèrent les préposés à leur besogne sous la vigilante supervision de cinq agents matricules.

— Avez-vous une idée de la lourde tâche qui attend ces artistes ?

Le dirigeant suprême indiquait, à l'aide de ses bras filiformes, les fresques magistrales peintes en or à même les plafonds incurvés. Il entraîna Daniel dans le petit salon de ses appartements privés. Ils s'assirent côte à côte sur un étroit canapé installé devant une fenêtre qui offrait une vue imprenable sur le Jardin anglais de Genève ainsi que sur le spectaculaire jet d'eau de la rade.

— J'ai pris la décision de retourner au château de Sion, déclara Karl. Sentinum l'a abandonné en 1417, après un violent incendie. Je ne vous cacherai pas que l'endroit se trouve aujourd'hui dans un état de délabrement avancé. Heureusement, les fondations de ce château sont établies sur de solides pierres d'éternité, tout comme celles de notre organisation, d'ailleurs.

Au Moyen Âge, Sentinum avait érigé un château à Sion, dans le canton du Valais, en Suisse. Cette ville s'étendait dans la haute vallée du Rhône. En plus d'être entourée des gigantesques montagnes des Alpes, Sion avait été construite au pied de deux éminences rocheuses aux versants abrupts nommées Valère et Tourbillon. Ces monts adjacents dominaient majestueusement la ville. Le château de Sentinum se dressait sur le plateau du sommet le plus élevé, celui de Tourbillon. Il se composait d'un donjon rectangulaire, d'une cour intérieure fortifiée et d'une chapelle. Il était de plus entouré d'un fossé qui était bordé d'une grande enceinte et de tours.

En 1417, un terrible incendie avait endommagé une bonne partie des installations, et le dirigeant suprême de l'époque y avait trouvé la mort. Sentinum avait immédiatement déserté l'endroit. Après bientôt 600 ans d'abandon, le château de Sion, autrefois si magnifique, n'était plus aujourd'hui qu'un nid de hiboux.

— Des travaux majeurs de rénovation et de restauration seront à exécuter, reprit Karl. Mais, comme vous le savez, les moyens dont dispose Sentinum sont appréciables !

Sur quoi il extirpa d'un cylindre cartonné une multitude de plans et de devis détaillés.

— Le projet de remise en condition de ce château me tient à cœur depuis plusieurs années, formula-t-il, plein d'espoir. Vous connaissez déjà les malheurs que notre organisation a essuyés ces derniers jours. L'assaut livré par Christopher Ross, ici même dans nos bureaux, nous a montré les lacunes de notre sécurité interne. Il est urgent d'agir rapidement. Le pouvoir que nous procure Sentinum nous a mis à l'abri des aléas de la vie et nous a donné une fausse impression de quiétude. J'en fais mon mea-culpa. Heureusement, Christopher Ross a éveillé ma conscience au danger de nous vautrer dans notre ronron quotidien.

Karl vida sa tasse de thé et s'empara d'un des nombreux schémas techniques. Daniel remarqua que la feuille de papier ne tremblotait même pas entre les doigts exempts d'arthrite du vieillard.

— Votre expérience lors de vos opérations d'infiltration en territoire hostile me sera d'un précieux soutien dans l'élaboration d'un environnement inviolable ! Vous avez carte blanche, Daniel, ajouta-t-il avec sérieux. L'exhaustivité… tout, sauf les chiens ! Le montant et la somme des énergies impliquées seront sans importance.

Karl Haustein se carra dans son fauteuil, puis renchérit :

— Croyez-moi sur parole, nous ne répéterons pas les mêmes erreurs qu'au Moyen Âge !

Chapitre 9

14 juillet 1417, 3 h
Canton du Valais, Suisse

À la lueur de la lune, 12 cavaliers noirs montés sur des chevaux de jais défilaient sur la piste rocailleuse d'un col alpin qui longeait les flots tumultueux de la Dranse. Cette rivière, un des nombreux affluents du Rhône, les guiderait jusqu'au fleuve qu'ils souhaitaient traverser afin de se rendre à Sion. Le scintillement du disque argenté permettait à ces chevaucheurs nocturnes de voir à travers les ténèbres de la nuit, et ainsi de forcer l'allure parmi les taillis clairsemés.

L'armure de guerre de ces cavaliers produisait des cliquetis métalliques angoissants. Ces bruits lugubres étaient pourtant surpassés par les hennissements sourds de leurs chevaux éperonnés dont les sabots ferrés butaient férocement contre les pierres dures. Dans la froideur de l'obscurité, des jets de vapeur s'extirpaient par les naseaux des puissantes bêtes racées et musclées qui étaient en quelque sorte les ancêtres des chevaux-vapeur.

Cette troupe de cavaliers noirs appartenait à la confrérie Sentinum. Ils étaient pesamment armés de lances et d'épées, de fléaux inquiétants et d'arbalètes redoutables. Leurs lourdes cuirasses astiquées avec soin reflétaient la vaporeuse lumière de la lune. Ils arboraient un étendard de velours rouge orné d'un aigle d'or que les villageois des environs avaient funestement rebaptisé l'aigle de la mort. Les cavaliers de Sentinum étaient sans peur, mais ils n'étaient certes pas sans reproche !

De toute évidence, les habitants du pays les craignaient énormément. Sur le passage de ces sombres combattants, on ne trouvait aucune âme errante. Nul paysan n'aurait osé les défier en leur barrant la route ! Ils étaient trop effrayés et superstitieux. Le peuple savait pertinemment que de mystérieuses expériences se déroulaient à l'intérieur des murailles fortifiées et inexpugnables du château de Sion. Un jour, disait-on, un alchimiste fou avait réussi à s'enfuir par un conduit d'évacuation des eaux usées. Or, avant d'être rattrapé, cet érudit avait raconté des histoires totalement incroyables…

Depuis quelque temps, c'était à peu de chose près le branlebas de combat au château de Sentinum. On y préparait l'initiation du nouveau dirigeant suprême, qui monterait incessamment sur le trône de la confrérie. Conformément à un protocole secret, une pucelle devait être immolée pendant la cérémonie, et les cavaliers noirs avaient été chargés de trouver la candidate idéale. Ils avaient déniché à Orsières une jeune fille, Catherine Dinan, qui satisfaisait à toutes les exigences sacrificielles : elle était dans la fleur de l'âge, ravissante et vierge.

La cargaison que les cavaliers de Sentinum transportaient à dos de cheval était sans grande valeur pour l'élite fortunée. Par contre, pour un modeste garçon d'écurie qui demeurait dans la paisible commune suisse d'Orsières, la jeune fille que ces hommes avaient ravie était l'amour de sa vie. Obéissant à la passion ardente qu'il éprouvait, Henri Constantin, ce palefrenier d'à peine 1,60 mètre, mit tout en œuvre afin de secourir celle qu'il aimait.

La sinistre procession de cavaliers noirs arriva au détour du Rhône, dont le niveau était anormalement élevé en cette année. Ils n'avaient pas d'autre choix que de cheminer jusqu'à la commune de Saint-Maurice pour traverser le fleuve, et ainsi regagner Sion. Une masse d'air chaud avait soulevé un brouillard d'évaporation au-dessus du Rhône. Un léger vent de l'est poussait cette brume obstinée qui remontait la déclivité de la rive gauche, procurant aux cavaliers de Sentinum un aspect d'entités surnaturelles terrifiantes semblables à des spectres en selle.

Henri Constantin était loin d'être un intrépide écuyer et n'avait jamais réalisé d'exploit équestre. En revanche, il était avantagé par sa petite taille ainsi que par l'absence de bagages harnachés à son cheval. Sa monture était toutefois rompue de fatigue, et de l'écume blanchâtre frangeait sa bouche. Heureusement, la fougue de l'énergie du désespoir lui permit de rejoindre les ravisseurs de Catherine avant d'atteindre le défilé étroit et profond de Saint-Maurice. La cohorte de cavaliers noirs s'était en effet arrêtée pour s'accorder un brin de repos à l'abbaye de Saint-Maurice d'Agaune.

L'auguste basilique, fondée en 515, était érigée à flanc de montagne. Elle était soumise à une exposition est-ouest de la falaise et avait été reconstruite à deux reprises en raison d'éboulements. Derrière ses murs de pierre aux couleurs d'aurore, les chanoines se livraient à des liturgies pour le « sauvetage de l'humanité ». Mais ils s'adonnaient également à une activité plus lucrative que la contemplation des mystères de la foi : l'orfèvrerie.

En fait, les chanoines gravitaient dans l'ombre de Sentinum. Ils agitaient leurs mains ferventes pour fabriquer des trésors d'art mineur qui étaient entièrement dédiés à la confrérie. Celle-ci les revendait, mais se réservait les plus belles pièces, de pures splendeurs qui deviendraient les chefs-d'œuvre d'ornements ciselés du Moyen Âge.

Henri descendit de son cheval, qu'il dissimula à l'intérieur d'une cavité naturelle. Il se cacha ensuite à 50 toises des cavaliers noirs. Juché à plat ventre sur un promontoire, il étudiait la situation. Son esprit lui dictait que ce qu'il s'apprêtait à vivre ne s'apparenterait pas aux combats amicaux entre cavaliers auxquels il assistait parfois. Cette nuit, l'enjeu de la joute s'annonçait crucial.

Le jeune palefrenier aux cheveux d'ébène n'était pas très habile à l'épée et éprouvait une certaine réticence à jouer le rôle d'une quintaine, le mannequin dépenaillé monté sur un poteau qui servait de cible lors des tournois chevaleresques. Quoiqu'en jetant un coup d'œil à ses habits — il était humblement vêtu d'une tunique ocre comme ses yeux et chaussé de bottes de cuir élimées et poussiéreuses — Henri fût d'avis qu'il lui ressemblait étrangement. En revanche, il était hors de question de permettre aux cavaliers noirs de s'exercer sur lui ! Il se dirigea à pas furtifs vers l'abbaye, muni de son épée, qui avait davantage le profil d'une dague mal emmanchée.

Les cavaliers qu'ils poursuivaient n'étaient pas discrets. Sitôt descendus de leurs montures, ils hurlèrent à tue-tête qu'on leur apporte des carafes de vin frais pour emplir leurs outres vides. Henri vit alors un chanoine encapuchonné sortir de la basilique. Visiblement agacé, ce dernier tenait un chandelier dans une main et, dans l'autre, une énorme bouteille à base pansue avec laquelle il remplit tous les récipients. Les cavaliers collèrent avidement leurs lèvres au goulot de leurs outres. Ils se désaltéraient du jus de la vigne qui dégoulinait copieusement sur leurs moustaches détrempées. Ils riaient et blasphémaient bruyamment en s'essuyant la bouche du revers de leurs mains gantées.

Le chanoine voulut leur dire : « Quelle excellente méthode pour me débarrasser de ma vinasse que de la servir à ces malappris enivrés ! » Mais, tout bien considéré, il se ravisa, car l'un des cavaliers avait une barbe taillée en collier. Hum ! Il était plutôt bel homme…

Chapitre 9

Henri se questionnait sur la bonne marche à suivre pour délivrer Catherine des griffes de ses ravisseurs lorsque l'inspiration céleste lui parvint de manière providentielle. Il y eut une argumentation virile sous le porche de l'abbaye, devant la porte bardée de fer. L'abbé de Saint-Maurice d'Agaune connaissait la triste vérité au sujet de la confrérie pavoisée de l'étendard à l'aigle d'or. Il ne voyait pas d'un très bon œil l'incursion d'une vierge vouée au sacrifice à l'intérieur de son sanctuaire. Les visages étaient sérieux et les gestes, de mauvais goût.

La perspective d'un plantureux repas bien arrosé, d'un bain chaud et d'un lit douillet eut raison des arguments du chef de la troupe. Le personnage imbu de sa supériorité se laissa entraîner vers les plaisirs de la table et de la couette. Onze cavaliers s'engagèrent finalement dans l'abbaye. Un seul, qui était gros comme une barrique, resta à l'écurie auprès des chevaux et de Catherine.

Avec le plus vif empressement, l'abbé courut réveiller le maître-queux au dortoir. Ce dernier alluma immédiatement les fourneaux des cuisines. Les tranches de venaison grillées, les cuissots de sanglier et le pain frais s'étalèrent en un rien de temps sur la table de la salle à manger.

Au bout d'un moment, Henri s'approcha doucement de l'écurie. La voix autoritaire du gros garde qui surveillait Catherine résonna soudain.

— Laisse aller le chat au fromage, ma minette !

Aussitôt, les plaintes étouffées de la jeune fille émanèrent du bâtiment. Les pires appréhensions d'Henri se confirmaient.

— Quel rustre ! murmura-t-il.

Tout à coup, il ne perçut plus aucun son. Frissonnant d'épouvante, Henri essaya vainement d'empêcher son épée et ses jambes de trembloter. Ce fut sans espoir, mais cela ne gêna nullement sa détermination et son caractère inflexible. À la vérité, Henri n'avait jamais eu l'occasion de prouver sa bravoure en combat singulier. Il savait toutefois qu'il n'était pas un pleutre et qu'il avait du cœur au ventre. Son costume foncé de garçon d'écurie le camouflait dans la nuit tandis que la lueur de la lune éclairait faiblement la lame de son épée. Mis à part sa respiration oppressée, il n'entendait rien. Un peu plus loin, le brouillard noya complètement la silhouette d'Henri. Son épée argentée semblait flotter seule au milieu des nappes de brume.

Catherine était la proie d'une grosse brute et elle en appelait à lui. Henri Constantin était l'unique personne au monde à pouvoir la protéger, et ce, même s'il avait une vision du monde considérablement limitée.

Chapitre 10

22 septembre 2001, 11 h 30
Genève, Suisse

Confortablement assis dans le petit salon des appartements privés du dirigeant suprême, Daniel Tornay écoutait son supérieur d'une oreille distraite. Karl Haustein débitait l'interminable explication de son ambitieux projet de restauration du château de Sion lorsque le cellulaire du superagent se mit à vibrer.

« Excellent ! » songea Daniel.

— Toutes mes excuses, monsieur Haustein. Oui ? Ah non ! Pourquoi ne pas m'en avoir informé ? En êtes-vous sûr ?

Coupant court aux justifications de son interlocuteur, Daniel répliqua, courroucé :

— Eh bien, je vous ordonne de les intercepter !

Il termina sèchement la conversation. Le regard de Karl pesait sur lui. Il exigeait des éclaircissements.

— Nos agents ont retrouvé la carcasse du R22 parmi les décombres de l'usine AZF. Les corps d'Alexandra Richard et de

Christopher Ross n'étaient pas dans l'hélicoptère. Par contre, selon des renseignements de première main, le couple circulerait en moto au sud de Marseille.

L'ambiance était tendue.

— Je vous rappelle que je ne supporte pas les fautes, et encore moins les fautifs, gronda Karl d'un air sévère.

Daniel en connaissait suffisamment sur son supérieur au zèle immodéré pour anticiper le pire en cas de trahison avouée. Karl Haustein ne devrait jamais apprendre qu'il avait accordé un sursis à Christopher Ross, sans quoi il le paierait chèrement.

Agitant son index dressé pour intimider Daniel, le dirigeant suprême poursuivit son élocution d'un ton dur.

— J'ai formé les meilleurs agents, je les ai équipés d'une technologie sophistiquée, et là, j'en suis réduit à espérer que Christopher Ross soit terrassé par la fièvre pour enfin le voir mourir ! Je ne vous cacherai pas mon amère déception. Cette affaire est si complexe ; on jurerait que vous cherchez à créer la version tridimensionnelle d'un triangle de Penrose !

— Je vous le garantis, ce n'est qu'une question de temps avant que je lui brûle les ailes une bonne fois pour toutes !

— Je redoute que cette chrysalide venue du Canada n'ait atteint son plein épanouissement. Ce qui me préoccupe, c'est que plus vous intensifiez vos efforts, moins vous réussissez à le tuer. Écoutez-moi attentivement, Daniel. Je vous ordonne de veiller à ce que les souffrances de Christopher Ross soient égales à sa détermination à nous ridiculiser !

— Oui, monsieur.

Karl s'accommoda de cette réponse et entama le dernier thème à l'ordre du jour, celui que Daniel appréhendait.

— Voici une copie du rapport médicolégal de notre offensive au complexe de culture hydroponique de North Stratford. Le corps du shérif Barry Stahl a formellement été identifié parmi les victimes.

Chapitre 10

Daniel, qui avait survolé le contenu de l'enveloppe qu'on lui avait remise à son arrivée, était déjà au courant de la suite. Or, Karl esquissa un sourire malséant et continua son récit, qui se transforma en une discutable tentative d'allonger le suspense.

— Un de nos agents a trouvé la facture d'électricité d'une résidence de la banlieue de Boston, aux États-Unis. Devinez qui se réfugie sous le toit protecteur de cette maison ?

Daniel garda le silence. Karl paraissait se délecter de la situation. Son attitude infecte dégoûtait le superagent. Ce dernier avait, à quelques occasions, enduré le comportement douteux de son supérieur. Mais là, il avait peur d'être en face du paroxysme de l'horreur.

— L'épouse du regretté shérif Barry Stahl, madame Alyson Whitefield, et son fils unique, Josh Stahl, y ont élu domicile, précisa Karl. Cette veuve détient peut-être des renseignements à notre sujet. Elle représente une menace pour Sentinum que nous ne tolérons pas. La survie de notre organisation en dépend.

— Qu'attendez-vous de moi, monsieur ?

Daniel savait d'instinct que cette femme et son enfant ne constituaient pas une menace pour Sentinum. En réalité, c'était plutôt l'inverse : ils se terraient comme des rats et évitaient au possible de se faire repérer. S'évertuer à en convaincre Karl Haustein aurait cependant été impossible. Pour le moment, Daniel avait toute la confiance de son supérieur. Une hésitation, si brève fût-elle, ou un mot de sympathie à propos de cette famille aurait éveillé les soupçons de Karl et aurait placé Daniel dans une position défavorable. Cela aurait été une grave erreur. Voilà pourquoi il lui était interdit d'émettre son opinion personnelle.

— Il est d'une nécessité absolue d'aseptiser cette maison ! répondit fermement Karl. Même si nous disposons d'agents matricules compétents en Amérique, je préfère que ce soit vous qui éliminiez madame Whitefield et son fils. Vous vous rendrez à Boston et, lorsque vous les aurez tués, vous maquillerez vos meurtres en règlement de compte lié à la mafia.

« Comment pouvait-il exiger une telle bassesse ? pensa Daniel. C'est ce fou qu'on devrait abattre ! Mais, le pire dans tout cela, martela une petite voix au creux de sa tête, le jour où Karl Haustein crèvera, il sera immédiatement remplacé par un autre salopard, plus pourri encore ! »

Durant sa carrière, Daniel avait tué maints terroristes et autres opposants au régime autocratique de son supérieur. Son but était de rendre le monde plus sûr. La stabilité, dans une certaine mesure, encourageait le commerce entre les pays et propulsait les marchés boursiers vers des sommets inégalés.

Mais, aujourd'hui, la demande de Karl, une liquidation pure et simple de pauvres innocents, dépassait de loin tout ce que Daniel avait entendu. Cela frisait la folie et était carrément inacceptable.

D'une démarche traînante, Vincent Théret entra dans le petit salon et interrompit la réflexion de Daniel. Il se déplaçait laborieusement, comme s'il tentait de pulvériser un record de lenteur.

— Monsieur.

En signe de respect, il inclina le torse. Sa posture ressemblait à celle du salut d'un judoka en début de combat.

— Oui, Vincent ? s'enquit Karl. Que puis-je pour vous ?

Le secrétaire se redressa lentement.

— Les gros joueurs du cartel pétrolier attendent votre réponse avec impatience, monsieur.

— Avez-vous une recommandation à formuler ?

— Ce midi, répondit Vincent, le baril de WTI[3] se négocie à 23 dollars américains. J'ai l'impression que le moment est propice pour bouger.

— D'accord, je vous donne le feu vert. Achetez tous les surplus de pétrole brut sans attirer l'attention. Favorisez l'Iran et l'Irak. Nous rognerons sur les frais de transport, se réjouit Karl. Merci,

3. West Texas Intermediate : pétrole brut américain de référence de prix.

Vincent. Bon, je ne vous retiens pas davantage, Daniel. Réglez le cas de Christopher Ross, puis filez à Boston et concentrez-vous sur votre nouvelle affectation. Et souvenez-vous, je réclame d'ici demain votre ébauche du système de sécurité du château de Sion !

Daniel prit congé et emboîta le pas à Vincent Théret. On le reconduisit à l'aéroport international de Genève, où il attrapa un vol à destination de Marseille.

Chapitre 11

Depuis 1960, Karl Haustein se servait d'immenses dômes salins situés dans les monts Zagros, à l'ouest de l'Iran, pour entreposer du pétrole brut. Ces cavernes naturelles de dimension kilométrique étaient imperméables grâce à la grande ductilité du sel qui avait permis, durant des millions d'années, de colmater toutes les fissures et les fuites indésirables de l'écorce terrestre. La réserve stratégique de Sentinum se trouvait dans la province du Kurdistan, près de la frontière Iran-Irak, et elle était difficilement accessible. Au-delà de ces nombreux avantages, la chaîne de montagnes du Zagros, qui s'étendait sur plus de 1500 kilomètres, possédait un passé de calme géologique et était retirée de la civilisation. Les dômes salins étaient absolument parfaits pour l'entreposage prolongé de pétrole.

Karl Haustein avait eu cette idée en lisant une revue scientifique. L'article mentionnait que certains physiciens avaient conseillé d'utiliser les dômes salins pour y stocker les déchets radioactifs produits par les centrales nucléaires. La question avait évidemment soulevé l'indignation des écologistes. Mais peu importait à Karl, puisqu'il ne vibrait pas de la fibre écolo !

Afin de mener à bien son entreprise, il avait d'abord rencontré individuellement les dirigeants de l'Iran et de l'Irak au siège social de Sentinum, à Genève. Karl leur avait respectivement offert d'acheter leur pétrole, qu'il engrangerait dans les gigantesques cavernes des monts Zagros. Ravis de cette formidable occasion de s'enrichir sans effort, les dirigeants iranien et irakien avaient en tous points approuvé le brillant projet de Karl.

Durant les années qui avaient suivi ces négociations, Sentinum s'était procuré du pétrole brut lorsque les prix étaient à la baisse, puis les flottes de camions-citernes de l'organisation avaient acheminé l'or noir des champs pétrolifères de l'Iran et de l'Irak jusque dans les dômes salins des monts Zagros. Cette réserve stratégique était destinée à être vendue le jour où l'humanité subirait les contrecoups de l'épuisement du pétrole bon marché. Il resterait certes les sables bitumineux canadiens et le forage à grande profondeur dans le golfe du Mexique, mais ces méthodes non conventionnelles avaient mauvaise presse ; en plus d'être coûteuse, elles étaient marginales et risquées pour l'environnement.

Les champs pétrolifères de la planète s'amenuisaient sans contredit à un rythme effrayant. Que ce fût à Ghawar, en Arabie saoudite ; à Cantarell, au Mexique ; à Burgan, au Koweït ; ou à Daqing, en Chine, tous les gisements étaient condamnés à se tarir à cause de la consommation insatiable de l'humanité. La question n'était pas de savoir quand, mais plutôt comment les secousses du quatrième et dernier choc pétrolier se répercuteraient-elles sur la Terre ?

En 1971, la production américaine de pétrole était parvenue à son apogée, comme l'avait prédit le géophysicien Marion King Hubbert au cours des années 1940. Après ce fameux pic de Hubbert, le pompage s'était mis à diminuer progressivement aux États-Unis, faute de nouveaux gisements. On estimait la fin de l'ère des énergies fossiles autour de l'an 2030. Dans sa grande sagesse, Karl Haustein avait calculé que le baril de pétrole frôlerait alors les 400 dollars américains. Il ne pouvait s'empêcher de saliver devant autant de richesse. Quand ce jour béni arriverait, il rouvrirait les vannes de sa réserve stratégique et vendrait son pétrole aux plus offrants.

Une fois ses dômes salins entièrement vidangés, il installerait aux quatre coins de la planète ses réacteurs à fusion nucléaire, dont il était le seul à posséder la technologie. Toutes les automobiles seraient converties à l'électricité. Le moteur à explosion subirait le même sort de désuétude que son ancêtre à vapeur au début du XXe siècle. C'était une solution gagnante. Karl étoufferait les gaz à effet de serre d'une main et desserrerait les cordons de sa bourse de l'autre, non pas pour dépenser, mais pour engranger des profits faramineux, à l'aide de la fusion nucléaire ! L'octogénaire, qui bénéficiait d'une santé de fer, avait tendance à oublier qu'en 2030 il fêterait ses 110 ans ! Ce cruel détail mathématique, il préférait le négliger comme deux et deux font quatre.

En 1980, le déclenchement de la guerre Iran-Irak avait toutefois compliqué la situation. Les premières frappes de l'aviation militaire avaient été les champs pétrolifères du camp adverse, ce qui avait entraîné une chute dramatique des exportations de pétrole des deux pays belligérants. Tandis que les puits de pétrole s'enflammaient, les prix à la pompe subissaient le même sort. Durant cette période trouble, le baril de brut était passé de 14 dollars américains en 1978 à plus de 35 dollars en 1981.

Même si la guerre avait officiellement débuté à l'automne 1980, plusieurs incidents, dont des échanges de coups de feu et des tirs d'artillerie, s'étaient produits depuis le printemps 1979 le long de la frontière Iran-Irak. Karl avait essayé de poursuivre ses livraisons de pétrole jusqu'aux dômes salins. Malheureusement, ses convois avaient été la cible de tirs hostiles, et il était devenu évident que ses efforts seraient insoutenables.

À l'été 1979, Karl avait décidé de mettre ses camions-citernes au rancart. Il avait alors imaginé la construction de deux gigantesques oléoducs souterrains. À l'époque, cela avait été du jamais vu. Afin d'orchestrer son ambitieux chantier, il avait négocié un arrangement auprès de l'ayatollah Khomeiny et de Saddam Hussein. Il leur avait demandé un cessez-le-feu régional, l'utilisation de la main-d'œuvre locale et, finalement, le soutien de l'armée. En échange, Karl s'était engagé à contourner l'embargo militaire auquel ils étaient soumis. Puisque l'achat d'armes à l'étranger était essentiellement dépendant de leurs pétrodollars, l'approvisionnement en arsenal de l'Iran et de l'Irak était devenu problématique. L'ayatollah Khomeiny et Saddam Hussein avaient donc cautionné d'emblée les demandes de Karl.

À ce moment, l'Union soviétique était le principal fournisseur d'armes de l'Irak alors que des sociétés françaises et israéliennes approvisionnaient clandestinement l'Iran. Karl avait raffiné l'offre : il avait incorporé à ce petit manège de ravitaillement des entreprises italiennes, yougoslaves, britanniques et même américaines. Tout cela avait contribué à allonger la triste liste des scandales de trafic d'armes. En jouant sur plusieurs tableaux, Karl avait embrouillé le conflit et freiné l'espoir de dénouer l'impasse. Heureusement, le 18 juillet 1988, un cessez-le-feu immédiat avait été décrété et l'on avait annoncé la fin des hostilités.

Tout au long de cette guerre, l'argent s'était fait rare. Les pétrodollars avaient manqué et les dépenses avaient augmenté de jour en jour. De chaque côté de la frontière Iran-Irak, on avait salivé d'envie en songeant à la réserve stratégique de Sentinum ; il y avait là des dizaines et des dizaines de milliards de dollars qui dormaient, bien à l'abri dans les dômes salins.

À bien y penser, il aurait été facile de piller et de vendre ce pétrole brut. Et le fruit de cette vente aurait certainement pesé lourd dans la balance de la victoire. Mais jamais on n'entreprit de manœuvre militaire contre Karl Haustein. Pourquoi ? En ayant une once de cervelle, on se doutait que le monde n'était pas assez vaste pour fuir Sentinum et la foudre de son dirigeant au pouvoir dissuasif.

Bulletin spécial

— *Chers téléspectateurs, nous interrompons notre émission en cours pour vous informer qu'une dangereuse poursuite est survenue sur le chemin vicinal de Morgiou. Notre journaliste, Lisa Poirier, est sur le terrain. Bonjour, Lisa ! Expliquez-nous brièvement la situation.*

Lisa venait à peine de bondir hors du fourgon Fiat appartenant à la station de télévision. Elle s'était placée au centre de la chaussée, juste devant la scène de crime. Avec ses formes voluptueuses et sa peau basanée, elle représentait tous les fantasmes de l'imaginaire masculin. La journaliste affichait sans pudeur à la caméra ses beaux gros seins siliconés qui tendaient le tissu de son chemisier moulant et décolleté à souhait. Un léger sourire de satisfaction errait sur ses lèvres pulpeuses. Lisa était convaincue que ses auditeurs auraient les yeux rivés à leur petit écran et seraient tellement captivés par ses nouveaux attributs féminins qu'ils patienteraient sagement jusqu'à la fin de son reportage avant de se décider à zapper.

— *Sur le coup de midi, Évelyne,* débuta-t-elle en faisant usage de son sens pointu du style, *une effroyable course de motos sur la route tortueuse menant à la calanque de Morgiou s'est soldée par la mort de trois motocyclistes, dont les identités sont pour l'instant inconnues, et l'arrestation d'un suspect.*

Son caméraman faisait des pieds et des mains pour la suivre. Il réussissait à bien la cadrer et offrait aux téléspectateurs une perspective assez fidèle de l'événement.

— *Avez-vous d'autres précisions concernant cette affaire ?* reprit Évelyne, en direct du studio de Marseille.

— *Les renseignements sont lâchés au compte-goutte,* répondit Lisa. *La circulation se fait au ralenti, et les policiers questionnent les nombreux témoins, dont un groupe d'alpinistes qui étaient en escalade libre sur la façade rocheuse où s'est déroulé le drame. À ce propos, le grimpeur de tête a vu deux motos et les hommes qui les chevauchaient tomber de la falaise. Il était à environ cinq mètres de la saillie et, sur le moment, il a cru qu'il assistait à un accident de la route. La suite lui a confirmé qu'il s'agissait plutôt d'un règlement de compte…*

— *Pardonnez-moi de vous interrompre, Lisa.*

Vivement contrariée par l'intervention de sa chef d'antenne, la journaliste de terrain serra ses lèvres charnues et se tut.

En studio, Évelyne pressa sur son oreillette et plissa les yeux.

— *On m'annonce à l'instant qu'une équipe médicale aéroportée atterrira bientôt au pied de la falaise, là où reposent les corps des victimes. Nous serons en mesure de vous fournir plus de détails sous peu. Je vous en prie, Lisa, poursuivez.*

Le caméraman en avait profité pour filmer en contrebas, mais l'escarpement trop profond ne lui permettait pas de capter et de retransmettre une image claire des cadavres et des débris. Au lieu de dépenser vainement son temps, il avait braqué son objectif sur les curieux qui s'étaient agglutinés en périphérie du cordon de sécurité. Il avait également cadré un plan rapproché de la Pagani Zonda immobilisée en travers de la route. Un policier, bloc-notes en main, arpentait la chaussée à proximité du coupé sport d'une démarche pleine de confiance.

— *Un des alpinistes,* continua Lisa, *arrivait au sommet lorsqu'il a entendu des coups de feu. Un homme atteint par balle a dégringolé tout près de lui, mais est quand même parvenu à s'agripper à la paroi. Le malheureux tentait désespérément d'éviter la chute au moment où le suspect est apparu au-dessus de lui, l'air menaçant. Il a marmonné quelques mots, puis il a lâchement poussé l'homme dans le vide.*

— *Et ensuite ?*

— *Le suspect,* ajouta lentement Lisa, *s'est aperçu de la présence de l'alpiniste.*

— *Oh, mon Dieu !* s'exclama instinctivement Évelyne, catastrophée. *Ne me dites pas qu'il a aussi éliminé ce témoin gênant ?*

— *Non, rassurez-vous*, tempéra Lisa, fière de sa maîtrise du suspense. *Le suspect a tout de go demandé à l'alpiniste s'il avait besoin d'un coup de pouce. Et, contre toute attente, c'est effectivement ce qui s'est produit ! À la minute où les policiers sont arrivés, le suspect tenait la main du pauvre alpiniste qui tremblotait comme une feuille.*

— *Quelle expérience traumatisante !* renchérit Évelyne.

— *Cet alpiniste souffre d'un violent choc nerveux et sera traité à l'hôpital de la Timone.*

— *Êtes-vous au fait du ou des motifs qui ont conduit à cette tragédie ?*

— *Rien de véritablement concret. Les témoins font état de folles rumeurs : il pourrait s'agir d'un tueur à gages ou d'un agent secret en mission commandée. Il est cependant prématuré de spéculer sur de telles hypothèses.*

— *Avez-vous obtenu une description physique de l'individu soupçonné ?* interrogea Évelyne.

— *D'après une résidente saisonnière, le suspect serait de race blanche, milieu de la trentaine, beau et musclé. Autour de 1,90 mètre, il aurait de courts cheveux brun foncé, et il s'exprimerait en français avec un fort accent qui n'a pu être identifié.*

Lisa passa toutefois sous silence que cette femme lui avait avoué hors antenne qu'elle se serait portée volontaire pour fouiller le suspect…

— *Il n'aurait opposé aucune résistance à son arrestation et il n'aurait pas soufflé un mot, excepté lorsque les policiers lui ont passé les menottes. Il aurait alors soupiré avant de maugréer : « Encore des fichues menottes ! » À cet effet, on peut donc affirmer, sans risquer de se tromper, que ce type aurait l'habitude des barreaux. De plus, il aurait volé la superbe Pagani Zonda que vous apercevez derrière moi. Il semblerait que le bolide italien ait été loué la veille par un émir arabe en visite à Toulouse. À l'heure actuelle, Évelyne, le suspect serait détenu au commissariat central de police de Marseille afin d'y subir un interrogatoire. Selon ce qui nous a été confié, il sera vraisemblablement accusé d'homicide volontaire avec préméditation, de conduite dangereuse ayant entraîné la mort, d'excès de vitesse et d'utilisation d'une arme à feu. Vous voyez, Évelyne, la liste est longue. Cette tragédie nous prouve encore une fois à quel point les accidents de la route sont un fléau national en France…*

— *Il est clair qu'il sera reconnu criminellement responsable*, la coupa poliment Évelyne, qui détestait qu'un journaliste de terrain grignote du temps d'antenne en déviant inutilement du sujet. *D'ailleurs, on m'apprend à l'instant que le procureur de la République de Marseille vient tout juste de réagir. Il exigerait un châtiment exemplaire.*

Faisant comme si elle n'avait pas compris le manège d'Évelyne, Lisa s'arrangea pour conclure le reportage.

— *En terminant, je souligne que nous tenterons de récupérer le maximum d'éléments susceptibles d'éclairer ce mystérieux règlement de compte et de vous communiquer sans tarder l'identité des victimes. L'enquête policière se poursuit.*

— *Merci, Lisa.*

Évelyne se détourna sèchement de la caméra deux, puis regarda la caméra un.

— *Mesdames et messieurs, merci d'avoir été avec nous. Restez à notre antenne pour connaître tous les développements liés à ce crime. C'était Évelyne Georges. Nous retournons à la programmation régulière.*

— Bon sang ! s'indigna Évelyne, une fois la caméra coupée. Comment un individu peut-il être aussi sadique ?

Elle se tourna en direction du régisseur de plateau et s'exclama :

— On se croirait au Moyen Âge !

Chapitre 12

14 juillet 1417, 5 h
Canton de Valais, Suisse

Le jeune Henri Constantin exerça une force silencieuse sur la porte de l'écurie ; le battant pivota subrepticement sur ses gonds. À l'intérieur, l'éclairage était tamisé par deux flambeaux disposés à chaque extrémité du bâtiment. Il entendait la respiration profonde des chevaux. Certains chauvirent des oreilles et s'ébrouèrent à son entrée. Il scruta la pénombre et aperçut Catherine près du râtelier, au fond de l'écurie. Elle était repliée en boule sur une meule de paille d'avoine et pleurait tout bas, sans sanglots. En fixant son regard, Henri repéra le reflet de la flamme dans les prunelles effrayées de sa bien-aimée. Il se rendit compte qu'elle était atterrée. Catherine s'était résignée à rester coite lorsqu'elle subirait l'offense suprême de l'ignoble brute. Ce tableau transperça l'âme du jeune palefrenier comme le fil tranchant de l'épée traversait la chair humaine.

À cet instant, Catherine remarqua Henri. Elle le dévisagea pendant une fraction de seconde, puis une expression d'incrédulité s'afficha sur ses traits. Elle n'en croyait pas ses yeux ! Henri était bien là, dans l'écurie, auprès d'elle. Tout à sa joie, elle faillit crier son nom, mais se ressaisit à temps.

Elle eut soudain très peur pour lui.

— Attention ! Il est là-bas, murmura-t-elle.

Le gros garde se situait dans la stalle juste en face du râtelier. À moitié nu, son caleçon crasseux à mi-cuisse, il se préparait à violer la jeune fille.

Cependant, l'homme ventripotent et poilu, dont la peau était épaisse comme du cuir, grommelait contre ses genouillères et ses grèves, qu'il ne parvenait pas à enlever. Englué de sueur, il sautillait grotesquement sur une botte et frappait son genou métallique de l'autre. Ses années de bonne chère copieusement arrosée d'eau-de-vie avaient métamorphosé son corps. Or, malgré ses proportions démesurées, il endossait la même armure que le jour de son adoubement. Il ressemblait à un gigantesque crustacé qui avait abandonné son ancienne carapace devenue trop petite. Henri Constantin estima que, tout comme les arthropodes à exosquelette, ce garde empâté était vulnérable durant sa mue !

Profitant de l'occasion, le jeune palefrenier brandit son épée comme si elle symbolisait la justice des opprimés et se rua vers l'agresseur de Catherine. Ce fut à ce moment que le drame, malheureusement agrémenté de burlesque, débuta. Henri guigna la jeune fille du coin de l'œil. Accablé par la malchance, il trébucha dans une corde tressée et s'étala de tout son long au milieu d'un nuage de poussière.

Étonné, le garde fit volte-face en marchant comme un canard, étant donné que son caleçon lui enserrait encore les cuisses.

— Qui va là ? hurla-t-il en exhalant une haleine pestilentielle.

Il aperçut tout à coup Henri, qui s'était redressé et fonçait à nouveau vers lui. Le mastodonte en état d'ébriété se demanda s'il n'était pas en proie à une hallucination.

— Toi... ici? Espèce de crapaud puant! Attends que je t'attrape et que je te retourne dans ta misérable écurie! beugla-t-il.

Henri se déplaçait fiévreusement autour de lui. L'espace d'une seconde, le garde, pris au dépourvu, ne sut que faire. Puis, il nota les sentiments de détresse et de peur qui assombrissaient le visage du jeune palefrenier. Il pouffa immédiatement d'un rire caverneux qui dévoila ses dents jaunes et pourries, du moins celles qui lui restaient.

— C'est une chance que tu sois là, puceau! Je te garderai en vie assez longtemps pour que tu assistes à ta nuit de noces... comme observateur!

La raillerie de l'ignoble individu enhardit Henri, qui le piqua avec le bout de son épée une première fois, puis une deuxième, et ainsi de suite. C'était un spectacle désolant. Un authentique gâchis qui s'avérait un rien embarrassant. Le garde obèse empoigna un brassard métallique pour se défendre et évita partiellement les assauts répétés de son courageux adversaire. Avec de si faibles estocades, Henri ne réussissait qu'à toucher les bourrelets violacés de vergetures et agités de graisse flasque du mastodonte. Rien ne se passait comme il avait prévu. Après un moment, le garde s'apparentait à un steak tartare sanguinolent.

Le jeune palefrenier bercé d'illusions s'était imaginé qu'il terrasserait ce colosse d'un seul coup d'épée. En fait, à cause de sa nervosité, ses attaques n'étaient pas assez puissantes pour blesser grièvement son adversaire. Elles constituaient davantage des taillades vexantes. C'était d'ailleurs la raison pour laquelle le garde n'avait pas demandé de renfort. Quoi qu'il en soit, les efforts d'Henri ressemblaient bizarrement à une corrida; la brute aux yeux de bœuf se jetait sur lui, puis il se défilait à toute vitesse en lui lacérant les flancs.

— Serf, tu viens de signer ton arrêt de mort! gronda le garde d'une voix exprimant une vive colère.

Il se plia péniblement, comme s'il souffrait de sciatique, pour ramasser son épée parmi les pièces d'armure qui jonchaient le sol. Lorsqu'il extirpa sa lame du fourreau, elle se dénuda dans un redoutable bruit d'acier. L'instant se cristallisa. Henri jugeait cette épée étincelante... terriblement menaçante !

Hasardant une énième tentative, le jeune palefrenier exécuta un mouvement malhabile de l'avant-bras qui se termina en une vague supination. Peu importe, la rotation de sa main se solda enfin par une charge blessante. Son épée s'éleva vers la gorge du garde, qui l'esquiva de justesse. La lame d'Henri lui sectionna tout de même le bout du nez, qui virevolta et roula sur le gravier. Le morceau sanglant faisait penser à une boulette de viande d'inspiration turque nappée d'une sauce à la tomate, dite köfte. Le reste de l'appendice nasal du garde avait désormais l'air d'un groin de porc au milieu de son affreux visage cruenté.

— Ffc'en est afssez ! Ffton ftemps est compffté, cracha-t-il à travers le flot tumultueux de sang qui s'échappait de son nez tronqué. Afffpproche, l'affsticot ! Je ft'emfbrochefrai et fte coufperai en fdeux, ffde la ftête au fséant !

Son imprécation était mélangée à un déluge de sang et de mucosité qui en assourdissait la portée auditive. Le gros garde de Sentinum n'avait pas une once de cervelle, mais il avait de la gravité !

Ils ne croisèrent le fer qu'à une seule reprise. Le mastodonte releva son épée et frappa Henri en déployant une force herculéenne. Ce dernier essaya de trouver une parade convenable, sans succès. Il réussit quand même à contrer d'instinct le coup reçu. Toutefois, la puissance de l'impact fut si grande que son épée se brisa net. La secousse fit trembler son squelette, et la douleur s'irradia dans tous ses membres. Au final, le jeune palefrenier tomba sur les fesses, étourdi, et le regard absent.

À la minute où Henri était apparu dans l'écurie, Catherine était devenue rayonnante d'espoir. Pourtant, une vive inquiétude l'avait rapidement gagnée. La culbute burlesque de son amoureux ainsi que les coups de dard comparables à des piqûres d'épingle qu'il avait assénés au garde avaient fini de la décourager.

Elle se décida donc à intervenir. Ne faisant ni une ni deux, elle grimpa sur le muret du râtelier et agrippa le flambeau accroché à sa cloison. Puis, alors qu'Henri était allongé sur le dos, presque vaincu, elle bondit sur les épaules du garde et lui brûla la nuque avec la torche enflammée.

Il était temps.

Henri contre-attaqua en enfonçant sa lame brisée dans l'estomac renflé du mastodonte, jusqu'à la garde, et la retira aussitôt. On aurait dit que le jeune palefrenier venait de percer une piñata mexicaine à forme humaine biscornue. Sauf que ce qui s'expulsa de la panse du garde n'eut rien à voir avec des sucreries ou des jouets destinés aux enfants ! Redoublant d'ardeur, Henri lui replanta derechef son épée ébréchée dans la poitrine. Le choc fut foudroyant. Le garde gronda sourdement et vomit du sang. Secoué d'un ultime soubresaut, il effectua une douloureuse contorsion vers l'arrière, tout comme ses globes oculaires. Il avait enfin trépassé.

Dans le prolongement de la violente ruade du garde, Catherine, qui était toujours cramponnée à ses larges épaules, alla choir au sol, sur le derrière. Elle avait lâché le flambeau, qui roula plus loin et alluma un incendie. Catherine se redressa vivement, courut jusqu'aux auges de bois et emplit d'eau un seau qu'elle déversa sur les flammes. Celles-ci s'éteignirent en un rien de temps.

À la vue du feu naissant, les chevaux avaient paniqué. Ils hennissaient à pleins naseaux et se cabraient de frayeur à l'intérieur de leur minuscule stalle. Henri fit en sorte de les rassurer avec calme et fermeté. Dès que la situation revint à la normale, les amoureux se retrouvèrent au centre de l'écurie dans une fougueuse étreinte. Ils étaient parcourus d'indéfinissables frissons. Henri constata que Catherine avait les yeux pétillants de joie, ce qui l'enivra de bonheur. Depuis leur rencontre, qui remontait à six mois, l'éternelle présence d'un chaperon avait tempéré leurs excès de tendresse.

— Mon bel Henri, soupira-t-elle en caressant doucement sa figure. Je n'espérais plus qu'en vous !

— Pardonnez mon entrée risible, avoua-t-il humblement. Je vous prie d'ajouter créance à mes paroles. Je ne désirais point me tourner en ridicule en vous portant secours.

— Cessez de vous tourmenter ! Vous êtes pardonné, mon bienfaiteur. Et sachez que je n'ai nul besoin d'un compagnon guerrier afin de me rendre heureuse. Votre bravoure est indisputable.

Henri posa un genou par terre et laissa son cœur s'exprimer.

— Je suis épris de vous, Catherine, depuis le jour où je vous ai vue pour la première fois. Au mépris d'un bien modeste pécule amassé, je jure devant Dieu de vous aimer, de vous chérir et de vous respecter... pour toujours.

— Par réserve, je n'osais auparavant déclarer la passion que j'éprouvais à votre égard. Je ne nourris aucun doute à propos de vos intentions. Je vous connais, Henri. Ce que vous ressentez pour moi dépasse de loin l'amourette. Je vous aime aussi, et ce, de tout mon cœur. Je n'oublierai jamais le supplice que vous m'avez épargné.

— Toutefois, avisa Henri, soucieux, je crains que d'autres embûches se dressent devant nous.

— Alors, prenons la fuite !

Entre-temps, le soleil s'était levé, et les amoureux perçurent de l'activité à l'intérieur de l'abbaye. Le chef des cavaliers noirs ouvrit une fenêtre à carreaux et cria de manière impérative en direction de l'écurie de parer les chevaux, puisqu'ils reprendraient bientôt la route.

— Soyez assuré que vos montures seront sellées de bonne sorte, messire ! murmura Henri en échangeant un regard complice avec Catherine.

Chapitre 13

22 septembre 2001, 17 h
Marseille, France

Christopher Ross était assis, pieds et poings liés, dans une petite salle d'interrogatoire du commissariat central de police de Marseille. L'édifice des services de l'ordre public se situait sur la rue Antoine Becker, à moins de 200 mètres du Vieux-Port de Marseille.

Plus de quatre heures auparavant, les policiers avaient procédé à l'arrestation de Chris sur le chemin vicinal de la calanque de Morgiou. Leurs véhicules avaient ensuite défilé jusqu'à Marseille, tous gyrophares allumés. Le tapage des sirènes s'était tu seulement devant l'entrée principale du commissariat. Dès son arrivée, on avait photographié Chris de profil et de face, puis on avait pris ses empreintes digitales. Les visages étaient austères, et le personnel donnait l'impression d'être exceptionnellement occupé.

Christopher avait finalement été enfermé à l'intérieur d'un minuscule local doté de deux chaises et d'une table robustes. Une glace sans tain encastrée dans le mur à sa gauche reflétait son image. Il ne pouvait s'empêcher de se représenter des policiers vêtus de leur bleu réglementaire le dévisageant derrière ce miroir. Puis, il songea que sa situation était critique. Chris vivait un véritable cauchemar dont il ne réussissait pas à se sortir. Il ne cessait de penser que son combat acharné pour s'affranchir du joug de Sentinum l'avait conduit à un désastre de première. Alexandra lui manquait terriblement. Or, sa seule perspective encourageante était qu'elle soit parvenue à mettre les voiles. Cela lui redonnait de l'espoir.

Enfin, la porte s'ouvrit abruptement, et un homme svelte entre deux âges franchit le seuil de la pièce. Un nuage de fumée le précédait. Il avait la cigarette aux lèvres et tenait une tasse de café, le tout dans un style décontracté. Il tira bruyamment la chaise inoccupée, s'installa de l'autre côté de la table en y déposant son café, puis roula les manches de sa chemise blanche.

— Nous avons à discuter, Monsieur Hoffman.

Le commissaire Hervé Gérard fit glisser le passeport contrefait de Chris sur la table.

— Fumez-vous ?

— Non, merci. C'est un faux passeport. Je me nomme Christopher Ross et je suis canadien.

— Bien ! Je suis heureux de constater que vous êtes disposé à collaborer.

Le commissaire Gérard était déjà au courant que « Brian Hoffman » était une identité d'emprunt.

— Collaborer…, répéta Chris, les yeux dans le vague.

— Ce dont on vous accuse, Monsieur Ross, est très grave : vol de véhicule, conduite dangereuse, triple meurtre. Et, selon notre enquête préliminaire, vous avez commis le tout avec préméditation !

— Il s'agissait de légitime défense. Non, plutôt de « légitime démence » !

Surpris par ce calembour vaseux, le commissaire Gérard s'adossa contre sa chaise et tira une large bouffée de cigarette.

Chapitre 13

— J'ai tout mon temps. Racontez-moi votre histoire, ou plutôt ce qui vous pousse à vouloir découvrir le système carcéral français, suggéra-t-il à travers son expiration de fumée grise.

— En résumé, lui confia Christopher, j'essaie de fuir une organisation secrète du nom de Sentinum…

Dès le début de l'interrogatoire, Hervé Gérard nota que, malgré un regard clair et précis, son détenu était inévitablement sous médication ; il fallait qu'il soit drogué pour débiter de telles inepties. Il en conclut que le triple homicide dont il était inculpé serait rapidement une affaire classée. Christopher Ross avait en totalité confessé ses méfaits lors de son arrestation. Le commissaire n'avait même pas eu besoin de lui soutirer ses aveux. Désormais, il ne lui restait qu'à éclaircir le mobile du crime.

Pendant que Christopher tentait de lui expliquer l'incroyable situation dans laquelle il s'était enlisé, Hervé Gérard réfléchissait à son programme de la fin de semaine. Le commissaire était un amateur de jeux de rôle grandeur nature, communément appelés GN. En fait, plusieurs autres participants et lui se réunissaient à l'occasion pour incarner différents personnages fictifs dans un univers de style médiéval-fantastique. Les décors moyenâgeux, les costumes, les ménestrels et autres troubadours dont se servaient les organisateurs pour recréer l'ambiance de l'époque continuaient de l'enchanter, en dépit de ses années passées à fréquenter assidûment le même GN. Selon le scénario prévu par les animateurs du jeu, Hervé Gérard tenait depuis ses débuts le rôle d'un chevalier de la compagnie Les Lions de guerre.

Le GN qui s'annonçait ce vendredi serait mémorable : plus de 2000 personnes divisées en une vingtaine de guildes étaient attendues. D'ailleurs, l'elfe Alpée, cette ravissante dame de 50 ans qui était, dans la vie courante, juge à la cour pénale de Paris, avait confirmé sa divine présence. Le temps d'un congé médiéval, elle troquerait sa robe de magistrat pour une tunique resplendissante. Ce vêtement ample couvrirait partiellement la cuirasse étincelante qui moulait sa féminité. Hervé était hanté par la vision de ses bottes de cuir montant au-dessus de ses genoux ainsi que de ses longs gants noirs. Il en rêvait la nuit. Et que dire de ses fausses oreilles d'elfe aussi pointues que son nez? Elles le faisaient tout simplement craquer.

Hervé se préparait depuis six mois pour le grand tournoi de Trollball, la compétition sportive annuelle du GN qui consistait à placer une tête de troll dans le puits de la guilde rivale. Il s'imaginait se débarrasser de ses adversaires à l'aide de son épée de mousse et foncer à toute vitesse pour offrir une éclatante victoire à son équipe. Juste après, il réclamerait de droit le baiser de l'elfe Alpée…

— M'écoutez-vous, monsieur?

— Je suis tout ouïe. Poursuivez! grogna le commissaire, mécontent d'être obligé de s'arracher à son agréable rêverie.

Il lui était extrêmement difficile de quitter l'univers hautement immersif des GN.

— L'organisation Sentinum est basée à Genève, reprit Chris. Elle domine le monde. Son dirigeant, Karl Haustein, utilise la société-écran RSM Securities comme couverture…

— Stop! Vous êtes complètement siphonné! s'exclama Hervé Gérard. Monsieur Haustein est un généreux philanthrope des plus respectés. Vos allégations à son égard sont proprement inconcevables. Je vous prie d'arrêter de parler à tort et à travers, ou vous finirez aux Baumettes.

— Qu'importe votre avis, je vous dis la vérité…

— Naturellement! l'interrompit le commissaire en cachant mal son sourire en coin. Et je suppose qu'il n'y a personne pour corroborer votre version des faits.

— Les trois motards que j'ai tués étaient des assassins au service de Karl Haustein.

— Très bien! Dès que j'en aurai terminé avec vous, je me précipiterai à la morgue pour les interroger. Ça vous va?

Chapitre 13

Le visage du commissaire redevint grave. Le temps de la rigolade était fini.

— J'ignore à quel jeu vous jouez, Monsieur Ross. Cependant, je crains que vous sous-estimiez les conséquences de vos actes. Curieusement, votre sort devrait vous préoccuper davantage que votre volonté à entacher la réputation de l'honorable monsieur Haustein.

— OK, inspecteur…

— Commissaire Hervé Gérard !

— Pardon. Vous m'avez l'air intègre, Monsieur le commissaire, et j'ai vraiment l'impression que je peux vous faire confiance. Alors, voici comment la suite de votre enquête se déroulera.

Faisant preuve d'un aplomb inébranlable, Christopher appuya ses coudes sur la table et poursuivit.

— Primo, vous ne trouverez absolument rien au sujet des trois cadavres que vos médecins légistes examinent à la morgue, en ce moment. Secundo, leurs corps vous fileront entre les doigts.

À cet instant, le téléphone cellulaire et le téléavertisseur d'Hervé Gérard sonnèrent simultanément. Son interlocuteur lui déclara avec singularité qu'une équipe de la sécurité intérieure travaillant pour le compte du procureur de la République avait récupéré les dépouilles des victimes de l'accident.

Hervé referma son portable d'un coup, l'orgueil mortifié. Il jeta un regard différent sur Christopher avant de lancer :

— Comment avez-vous su ?

— Je ne prédis pas l'avenir comme Nostradamus. Je commence simplement à connaître leurs méthodes, répondit Christopher sans broncher.

— Bon sang ! Mais qui êtes-vous ?

— Un homme qui en sait trop. D'un instant à l'autre, des bandits à cravate débarqueront avec un mandat délivré en bonne et due forme. Ils m'emmèneront et me feront tout bonnement disparaître comme si je n'avais jamais existé. Sauf votre respect, vous n'y pourrez rien. Suivez mon conseil, tenez-vous à carreau et n'essayez pas de clarifier cette histoire.

Cette affaire criminelle qui était de prime abord toute simple devenait peu à peu nébuleuse.

— Cela ne se passera pas ainsi ! s'écria le commissaire Gérard après un court silence.

Il se leva d'un bond, quitta le local et se volatilisa au bout du couloir.

Chapitre 14

Dix interminables minutes s'égrainèrent, puis Hervé Gérard réapparut en trombe dans la salle d'interrogatoire. Il semblait avoir couru ; sa cravate de soie était renversée sur son épaule. Par ailleurs, sa figure crispée trahissait une profonde frustration.

— Approchez vos mains que je détache vos menottes, articula-t-il sèchement. Votre identité doit demeurer confidentielle, mais de là à vous foutre de ma gueule… il y a une marge ! Vous auriez tout simplement pu attendre en silence vos potes de la DGSE[4] !

— C'est quoi, la DGSE ? s'enquit Chris. Je vous le répète, je vous ai dit la stricte vérité !

— Ça suffit ! Arrêtez ! Vous me faites chier à la fin. J'ai téléphoné à Paris, et vous savez quoi ? Ils se sont payé ma tête lorsque je leur ai expliqué vos accusations ridicules envers Monsieur Karl Haustein et sa soi-disant organisation secrète qui domine le monde. On m'a même demandé si je bénéficiais du programme PITH[5] !

4. Direction générale de la sécurité extérieure.

5. Plan d'insertion des travailleurs handicapés.

Christopher ne comprenait rien aux propos d'Hervé Gérard. Ce dernier était bleu de colère. Il tourna les talons, puis, une fois rendu dans le couloir, il s'immobilisa brièvement devant un homme adossé au chambranle de la porte.

— Il est à vous, lui déclara froidement le commissaire.

L'homme de 1,80 mètre, dont l'ombre se dessinait sur le plancher du local, pivota sur un pied, et la semelle de son soulier verni crissa sur les carreaux. « Daniel Tornay ! » le reconnut Christopher, en ravalant un juron. Le superagent à la chevelure blond cendré entra dans la pièce enfumée avec la prestance d'une vedette adulée défilant sur le tapis rouge à une soirée de la remise des prix Oscar. Il arborait un sourire venimeux qui exhibait ses dents blanchies à la lampe UV.

— Pas un coup de téléphone, ni de lettre… Je suis franchement désappointé, Christopher, railla Daniel.

— T'as oublié les fleurs ! riposta-t-il sur un ton cinglant.

— Tu blêmis à vue d'œil, mon vieux ! Allons dehors, ça te fera du bien !

Les deux agents matricules qui accompagnaient Daniel Tornay encadrèrent Christopher, puis tous se dirigèrent vers la sortie.

— Tricheur, l'admonesta Chris en longeant le corridor. Tu nous avais accordé trois heures d'avance à Toulouse, mais tes agents nous ont toujours collés aux fesses…

— Vraiment navré, trancha Daniel. Mon programme change tout le temps. Mais, d'après toi, pourquoi suis-je ici ?

— T'espères reprendre notre pognon, mais, je t'assure, tu ne mettras pas tes sales pattes dessus !

— Ai-je l'air d'un SDF ? Je te croyais plus perspicace, Christopher. Je t'ai peut-être surestimé. Pour ta gouverne, je suis déjà au courant qu'Alexandra transporte l'argent et qu'elle est à bord d'un vieux chalutier en direction de la Corse.

Christopher suffoquait de rage.

— Je t'épate, hein ? Avoue-le donc, dit Daniel, triomphant. Mais rassure-toi, je n'en ai rien à cirer.

— Alors, cesse de tourner autour du pot !

À l'extérieur, deux Range Rover noires étaient stationnées sur la rue Antoine Becker, juste en face du commissariat de police. Christopher grimpa sur la banquette arrière du véhicule de tête et s'assit entre ses deux gorilles tandis que Daniel Tornay monta devant, sur le siège du passager. L'ambiance était oppressante, et le confort, spartiate.

— Antoine, amenez-nous au studio de cinéma, ordonna Daniel à son chauffeur.

Puis, il se détourna et dit :

— Décoince-toi, Chris. Nous allons enfin régler nos comptes.

— Tout ce cirque pour si peu ! Je ne suis pas certain de piger où tu veux en venir, rétorqua-t-il, inquiet.

— Prends ton mal en patience. Tu le sauras bientôt.

— Ai-je le choix ?

— Sincèrement, non. T'as sali mon honneur, à Genève. Tu me dois une revanche. J'ai bien l'intention de te tuer, mais pas avant d'avoir rétabli ma réputation. Et pour ça, on devra se battre de façon loyale. Avec ma formation de superagent, je maîtrise plusieurs techniques de combat. Je suis, sans exagérer, le fin du fin de la bagarre. Pas vrai, Antoine ?

Le chauffeur acquiesça d'un signe de tête. Il tenait manifestement son supérieur en haute estime. Vaniteux, Daniel poursuivit.

— Boxe, judo, karaté, krav maga, etc. Bref, j'ai eu beaucoup de difficulté à choisir la bonne discipline, celle qui me donnerait la chance de te vaincre… à la loyale.

— Ça me fend le cœur, persifla Chris.

— C'est drôle que tu répondes ça, parce qu'en début d'après-midi j'ai eu une excellente idée : on va se battre en duel à l'épée.

Christopher était de plus en plus convaincu d'être tombé sur un cinglé confiné à l'absurde. Il agrandit démesurément les yeux, et de multiples rides se creusèrent sur son front. Il semblait fort peu disposé à se battre.

— Figure-toi qu'on ne m'a jamais enseigné l'escrime médiévale, continua Daniel. Et par-dessus le marché, un studio de cinéma, à Marseille, vient de terminer le tournage d'un film avec le Moyen Âge pour toile de fond. Nous pourrons nous y affronter avant le démantèlement des décors. En gros, c'est le topo de notre soirée de gars : nous croiserons le fer, comme dans le bon vieux temps !

— On pourrait pas en reparler devant une chope de bière ? Je suis sûr qu'on serait capable de régler tout ça avec une bonne vieille partie de bras de fer.

N'obtenant aucune réponse, Christopher maugréa.

— Ouaip ! Je suis vraiment gonflé à bloc…

Ils arrivèrent à 20 h au studio de cinéma. Le ciel aux lueurs crépusculaires assombrissait l'horizon et rendait l'endroit lugubre. Daniel Tornay et le chauffeur sortirent immédiatement du véhicule. Il lui dicta ses ordres en parlant à forte voix comme un sergent instructeur.

— Antoine, vous retournerez à Genève avec les autres agents. En chemin, communiquez avec le pilote du jet Embraer et assurez-vous qu'il sera prêt à décoller dès mon arrivée à l'aéroport de Marseille, à 22 h tapantes. Puis, vous transmettrez à monsieur Haustein un courriel de ma part. Il sera primordial que vous utilisiez une connexion satellitaire cryptée. Servez-vous de l'ordinateur portable qui se trouve sur le siège avant de la Range Rover. Le mot de passe à l'ouverture de la session est « Melissa ». Vous joindrez au courriel le fichier « fortifications.doc ». Ce document est dans le répertoire principal du PC. Il contient mes recommandations sur le système de sécurité du château de Sion. En somme, seul Germain restera ici. Il me ramènera à l'aéroport de Marseille lorsque j'en aurai terminé avec Christopher Ross.

— Germain ! s'exclama Antoine. Je souligne, monsieur, que cela va à l'encontre des règles établies. Le matricule 28 n'est qu'à la troisième phase de son apprentissage, et il est encore soumis à mon autorité.

— Et, vous, à la mienne ! Me suis-je bien fait comprendre ? décréta Daniel Tornay en lui tapotant fermement l'épaule.

Malgré l'étalage d'indiscutable supériorité de son chef, Antoine persista.

— Monsieur, il n'est pas sage de vous laisser seul avec le prisonnier.

— Je connais la chanson, Antoine. Tout ira comme sur des roulettes.

Près de l'aire de stationnement du studio de cinéma, tapi dans l'ombre d'un guichet d'accueil, le commissaire Hervé Gérard suivait discrètement l'action. De sérieux soupçons l'avaient tourmenté concernant l'authenticité des agents de la DGSE qui étaient venus prendre possession de Christopher Ross. D'un naturel curieux, le commissaire avait tenu mordicus à débrouiller cette énigme. Il avait enfourché sa Yamaha TDM 900 et avait pris en filature le convoi de Range Rover. Vu la teneur des propos de Daniel et d'Antoine, ses derniers doutes s'étaient évanouis. Christopher Ross avait dit la vérité : ces hommes l'avaient effrontément dupé !

Chapitre 15

À 190 milles nautiques au sud-est de Marseille, un chalutier fendait les eaux azurées de la mer Méditerranée. Son capitaine, Marius Robin, se dressait à la barre du navire. Le robuste gaillard affable âgé de 60 ans bien tassés était fier d'entendre vrombir sourdement le moteur Cummins de son bateau de pêche fraîchement remis à neuf.

Alexandra Richard était cramponnée au bastingage. Elle tenait jalousement son sac à dos rempli d'argent. Elle se sentait vaguement nauséeuse et se demandait quel genre de fascination les engins bruyants, malodorants et polluants comme ce vieux rafiot exerçaient sur les hommes pour mériter leur attention si particulière.

Le chalutier n'était plus qu'à 10 milles nautiques du littoral nord-ouest de la Corse. Le ciel était dégagé et le soleil descendait lentement derrière le phare de la Pietra. Cette tour carrée blanche surmontée d'un fanal peint en vert était alimentée en énergie solaire et entièrement automatisée. Elle signalait l'entrée du port de l'Île-Rousse. Dans moins d'une heure, les ténèbres confirmeraient leur emprise et vaincraient la lumière. Il ne resterait que le feu à trois éclats du phare de la Pietra afin de guider les marins jusqu'au rivage de la Corse.

Alexandra contemplait les eaux turquoise autour de l'éperon rocheux. Elle avait l'estomac noué par les émotions. Même après huit heures de navigation hauturière, elle était encore imprégnée du souvenir de la poursuite effrénée qui était survenue sur l'étroite route tortueuse menant à la calanque de Morgiou. C'est là qu'elle avait dû abandonner Christopher à son triste sort. C'était ce qu'il souhaitait. À contrecœur, elle était remontée sur la Kawasaki et avait filé avec Pierre jusqu'au port de la calanque de Morgiou, où le jeune homme l'avait déposée et gentiment présentée à son oncle Marius. Un peu avant d'appareiller, Alexandra avait donné une accolade chaleureuse à Pierre, et ils s'étaient dit adieu avec émotion. Elle lui avait alors exprimé sa profonde gratitude.

Son moral était maintenant au plus bas. Elle s'était certes résignée à prendre le large, mais, avec tout ce que Christopher avait entrepris pour la secourir, cette idée la rebutait toujours. « À l'heure actuelle, songea-t-elle tristement, il devait être entre les mains des policiers marseillais et incarcéré pour meurtre. » La situation de Chris, laissé à lui-même et sans le sou, avait pris une tournure véritablement dramatique. Alexandra pensait sans cesse à lui.

— J'espère que tu vas t'en tirer, mon amour, soupira-t-elle.

Le chalutier croisa soudain un patrouilleur maritime de la gendarmerie française. Pour comble de misère, sa sirène retentit au loin ; la vedette de la brigade de surveillance du littoral s'apprêtait à les arraisonner. Ce chant n'avait rien d'envoûtant, contrairement à celui des sirènes, les êtres fabuleux de la mythologie grecque qui attiraient les bateaux sur les récifs. Les mitrailleuses de 12,7 mm du patrouilleur produisaient par contre un effet fort attractif. L'équipage eut tôt fait d'arrêter les machines et d'immobiliser le chalutier.

Cette inspection impromptue de la gendarmerie maritime causait manifestement tout un stress à Marius Robin. Le visage allongé du vieux loup de mer trahissait son anxiété. Ses joues tannées par le vent avaient pris la même teinte que sa barbe grisonnante. Lui qui avait passé la majeure partie de son existence à naviguer sur la mer Méditerranée, il se méfiait des conditions météorologiques, mais surtout des coïncidences. Il savait bien que cette vérification avait un rapport avec sa passagère.

Marius avait embarqué Alexandra à bord de son chalutier en tenant compte des recommandations de son neveu. Selon Pierre, cette femme était en danger de mort.

— Des motards ont essayé de nous tuer sur le chemin menant à la calanque. Le mari d'Alexandra est intervenu in extremis !

Debout sur la jetée, le capitaine avait plissé les yeux, car il n'était pas certain d'avoir compris l'histoire rocambolesque de Pierre. Il avait quand même accepté d'aider Alexandra sans poser de questions indiscrètes.

« Cette p'tite dame, plutôt jolie et bien tanquée, a des raisons avec les condés. Elle est dans une sacrée mouscaille, pour sûr. » se dit-il.

Une unité de gendarmes arriva rapidement près de la coque en chêne du vieux chalutier, dans un bouillon d'écume. Elle était à bord d'une puissante embarcation pneumatique. Deux officiers vêtus du blouson bleu foncé réglementaire montèrent sur le pont du bateau de pêche en utilisant l'échelle de coupée. Le contrôle d'identité débuta par le capitaine et son second.

Alexandra n'avait aucun papier, mais des sueurs froides en abondance ; sa tentative de se réfugier dans la clandestinité venait de « tomber à l'eau »...

— Génial ! maugréa-t-elle.

Cherchant à atténuer sa nervosité, elle ramena une mèche de cheveux rebelles derrière son oreille. Un des officiers s'avança dans sa direction en jetant un furtif coup d'œil à son confrère affairé devant Marius Robin. Dos à son collègue, il sortit discrètement de sa poche un passeport américain et en feuilleta les pages jusqu'à la photographie. Contre toute attente, Alexandra aperçut sa figure sérieuse sur le document. Elle parvint difficilement à contenir son étonnement. D'un geste précis, l'officier lui présenta le faux passeport en disant :

— Bon séjour en Corse, madame « Spencer ». Ah, j'oubliais de vous rendre votre visa touristique !

« Comment est-ce possible ? » se demanda Alex, bouleversée.

— Tout est en règle. Allez, zou ! On y va de suite ! déclara l'officier, sans lui laisser le temps de réagir.

Le détachement de gendarmes regagna l'embarcation pneumatique sur-le-champ. Les poings sur les hanches, Marius Robin les observa s'éloigner. Son regard dévoilait son état d'incrédulité.

— Hè bè, ces tracassiers sont repartis aussi vite qu'ils sont venus ! Mais ils ne sont pas arrivés comme Belsunce ; c'est qu'il avait les mains pleines, le condé ! Alors, alors ! s'exclama-t-il avec son franc-parler marseillais.

Le chalutier accosta finalement au quai du port de l'Île-Rousse. Avant de quitter le navire, Alexandra donna une chaleureuse accolade au capitaine Robin. Et, visiblement reconnaissante, elle lui remit une liasse de 20 000 dollars.

— Tenez, Marius. Un juste dédommagement pour votre peine.

— Boudiou ! jura-t-il. Je vous remercie bien, mais tous ces belins, c'est beaucoup trop pour un vieux pescadou comme moi.

— Voyons, capitaine ! Ne dites pas de telles sottises.

— Je vous assure, ma p'tite dame, que vous étiez notre compensation… mais je crois bien qu'il faudrait être un peu calu pour refuser votre bonne manière, s'empressa-t-il d'ajouter avec un sourire.

— Oh, putain de merde ! T'as le cul bordé de nouilles, Marius ! renchérit son second en riant.

— Au revoir, capitaine ! Encore merci et, surtout, bon voyage de retour ! s'exclama Alex en s'éloignant.

— Adessias, ma p'tite dame !

Chapitre 15

Alexandra descendit du chalutier en contemplant l'univers de montagnes rocailleuses entourant la baie. Le climat était doux, et elle respirait les agréables odeurs de la Méditerranée qui se mêlaient aux effluves d'arbousiers et de pins qui poussaient à profusion sur l'île. Elle fut immédiatement séduite par la beauté du paysage de la Corse.

Chapitre 16

22 septembre 2001, 20 h 15
Corse, France

Quelques instants auparavant, le chauffeur d'une luxueuse berline Mercedes s'était empiffré d'oursins de Balagne à la brasserie du port. Il avait quitté l'établissement rempli de clients vers les 20 h. L'estomac lourd, il avait roulé lentement vers le port de l'île. Trois minutes s'étaient écoulées. Il avait garé la grosse Mercedes blindée sur le quai, dans une aire de stationnement interdite aux automobiles.

Il était sorti de l'habitacle et avait fait glisser de sa poche un cigare Montecristo Joyitas. D'une suffisance agaçante, il avait délicatement retiré la bague de cigare ornée d'une fleur de lys, qu'il conserverait précieusement comme tout bon vitolphiliste digne de ce nom. Ensuite, d'un mouvement précis, il avait tranché la tête du Montecristo, à l'aide de son coupe-cigare, et l'avait enfin allumé en n'utilisant rien de moins qu'une allumette de bois.

Le chauffeur dégustait les arômes épicés de son cigare au moment où Alexandra l'aperçut. Une trentaine de mètres les séparaient. Comme il était seul au milieu de l'espace de stationnement désert, elle comprit immédiatement qu'il était venu la chercher. Les agents matricules de Sentinum l'avaient-ils retrouvée ? Pourtant, cet homme ne portait pas le fameux veston sombre en cachemire des agents de l'organisation. La situation d'Alex se révélait de nouveau confuse. Comme elle était adossée à la mer, l'unique option qui lui restait était d'affronter ce mystérieux inconnu.

Curieusement, plus Alexandra progressait vers cet homme, plus son courage se ranimait. Ainsi, lorsqu'elle arriva près de lui, elle s'exclama avec assurance :

— Vous êtes en retard, chauffeur ! La prochaine fois que cela se reproduira, je vous virai sur-le-champ !

Du haut de son 1,95 mètre, l'homme d'origine franco-maghrébine répliqua sur un ton dépourvu d'humour :

— Toutes mes excuses, Madame Spencer.

— Sérieusement, que voulez-vous ? lui demanda-t-elle sèchement.

Comment était-elle parvenue à braver cette armoire à glace dont le blouson de cuir était déformé par son arme à feu ? Alexandra l'ignorait totalement. Sa tête au crâne rasé arborait un visage basané qui avait autant d'expression que la plaque de céramique insérée dans son gilet pare-balles. Elle avait visiblement affaire à un professionnel.

— Je n'ai pas la permission de vous révéler quoi que ce soit, lui répondit-il, impénétrable.

— Pardon ?

— Montez dans la voiture. Pour votre sécurité, il serait préférable d'éviter d'attirer l'attention.

— Si votre intention était de demeurer discret, eh bien, sachez que votre mission est un échec !

Il resta un moment avare de paroles, comme s'il cherchait la réplique appropriée. Puis, les dents serrées et le ton durci, il lui ordonna :

— Ne poussez pas le bouchon trop loin, Madame Spencer, et n'abusez pas de ma patience. Elle s'épuise rapidement. Arrêtez au plus vite votre caquetage de Nord-Américaine gâtée et grimpez immédiatement dans la voiture.

Il agita son poing menaçant avec le pouce orienté en direction de la Mercedes. Cet homme avait les mains grosses comme celles d'un bûcheron du siècle dernier. Son visage impassible reflétait les traits de ceux qui ont mené une existence orageuse et violente.

— Et, pour vous rassurer, si j'étais ici pour vous éliminer, ce serait déjà fait! affirma-t-il en ouvrant légèrement les pans de son blouson pour qu'elle vît clairement son arme dans son baudrier.

Décidément, il exposait des arguments forts convaincants.

— Si vous me prenez par les sentiments!

Alex obtempéra, l'air inquiet. En dépit du bon sens, elle s'engouffra dans la Mercedes et s'assit sur la banquette de cuir. La portière se referma aussitôt. À l'intérieur, une bouteille de champagne Bollinger Vieilles Vignes françaises 1990 était plongée dans un seau à glace. Alexandra fut étonnée de cette attention. Elle plissa les yeux et siffla faiblement. Le chauffeur à la physionomie sérieuse la dévisagea dans le rétroviseur et répliqua sur un ton sarcastique :

— J'espère que vous survivrez à cette épreuve!

Ensuite, il actionna la fermeture de la cloison coulissante quasi hermétique pour isoler l'arrière de la voiture. La Mercedes s'ébranla et longea paresseusement le littoral de la Corse. Alexandra était fort tourmentée à propos de sa destination; elle nageait en plein mystère. Néanmoins, elle se laissa transporter sans rechigner. Elle scrutait les alentours d'un œil attentif, mais parvenait difficilement à se repérer dans la pénombre crépusculaire du soir. En désespoir de cause, elle se résolut à se servir une flûte de champagne. Sa main tremblait lorsqu'elle versa le Bollinger. Elle espérait que l'alcool atténuerait sa nervosité croissante.

Le chauffeur immobilisa finalement la Mercedes en face de l'hôtel Perla Rossa. Un valet s'élança séance tenante et ouvrit la portière arrière de la berline. Le cœur palpitant d'angoisse, Alex déposa sa flûte à champagne vide et sortit de l'habitacle. Le chauffeur, toujours aussi sérieux, resta assis et baissa la glace latérale afin de lui parler.

— Vous êtes libre d'agir à votre guise jusqu'à demain, Madame Spencer. Pourvu qu'« agir à votre guise » soit de demeurer tranquille à l'hôtel et de ne passer aucun coup de fil. De toute façon, nous vous aurons à l'œil. Il est inutile de tenter quoi que ce soit.

Il l'avisa qu'il serait de retour le lendemain matin à 7 h précises.

— Cela va de soi, je m'attends à ce que vous soyez au rendez-vous.

Alexandra s'apprêtait à lui demander des éclaircissements, mais, pour toute réponse, elle entendit le vrombissement de la voiture qui partit en trombe. Seule sur cette île, où pouvait-elle aller ? Elle n'eut d'autre choix que de suivre le valet. Ce dernier l'accompagna jusqu'à une prestigieuse suite avec vue sur la mer. De l'autre côté des grandes fenêtres du salon, il faisait sombre et la magie de l'endroit était féerique. Alexandra ne fut pas surprise d'apercevoir un homme qui marchait sur la plage en regardant à intervalles réguliers vers sa suite. Comme le chauffeur l'avait si bien dit, on la surveillait !

Le valet l'informa que ses bagages avaient été montés dans sa chambre, puis il disparut sans attendre de pourboire. Quels bagages ? Mis à part son sac à dos dont elle ne se séparait jamais, elle n'en avait aucun. Éprouvant une surprise mêlée de curiosité, Alexandra se rendit explorer la chambre à coucher. Elle resta bouche bée devant la robe de soie blanche Armani qui était étendue sur l'édredon du lit.

De retour au salon, elle ramassa sur une table basse une carte d'embarquement pour une croisière. Demain, à 9 h, on lui avait réservé une luxueuse cabine sur un paquebot qui l'emmènerait au Panama. Elle n'en revenait carrément pas de toutes ces fantaisies ruineuses. C'était trop beau pour être vrai ! Alexandra avait la mine préoccupée par un déluge d'émotions contradictoires. Elle souhaitait que ce ne fût pas son ticket pour l'enfer…

— Je m'en fais trop, murmura-t-elle en prenant les fines bretelles de son vêtement de haute couture. Pourquoi ne pas en profiter pour aller visiter le resto ? Je meurs de faim !

Soudain, on frappa délicatement à la porte. Alex, sur le qui-vive, alla regarder par le judas. Elle fut rassurée d'apercevoir une petite femme d'origine italienne, dont le cap de la cinquantaine avait été franchi depuis belle lurette. Cette dernière patientait de l'autre côté de la porte avec son équipement de couturière entre ses mains noueuses. Alex déverrouilla la serrure sans plus tarder.

— Pardon de vous importuner, madame, annonça-t-elle en anglais, mais avec un accent italien prononcé. Je viens faire les retouches de vos vêtements.

— Eh bien, dites donc ! On ne ménage aucun effort ! s'exclama Alex en mettant ses poings sur ses hanches.

Chapitre 17

22 septembre 2001, 20 h 15
Marseille, France

Après avoir franchi le hall d'entrée du studio de cinéma, Daniel et Christopher gagnèrent un gigantesque entrepôt. Le super-agent avait dit vrai : ce lieu abritait le plateau de tournage d'un film moyenâgeux. Les décors y étaient grandioses. Des remparts ceinturaient un village médiéval auquel il était possible d'accéder en empruntant un pont-levis qui enjambait une douve peu profonde. En son centre s'érigeait un majestueux château fort flanqué de ses tourelles octogonales et d'un imposant donjon.

De loin, l'ensemble paraissait véritable et créait, sans l'ombre d'un doute, l'effet trompeur désiré afin de plonger le spectateur dans l'ambiance du Moyen Âge. De près, par contre, l'aspect « coquille vide » était flagrant. Les structures érigées en contre-plaqué, en bois de charpente et en plâtre dégageaient une impression d'extrême fragilité. Le plafond haut et plat de l'entrepôt ressemblait à un nid de vipères. Il était parcouru d'un enchevêtrement de fils électriques de projecteurs motorisés qui pendouillaient pêle-mêle.

Le producteur avait probablement su tirer profit de ces décors de carton-pâte. Les images immortalisées par les objectifs des caméras 35 mm sembleraient sûrement authentiques dans les salles de cinéma. Cependant, lorsqu'on y mettait les pieds, il n'y avait rien qui était susceptible de révolutionner le septième art.

Quelques techniciens avaient commencé à démonter le matériel en silence. D'un geste empreint d'autorité, Daniel Tornay leur indiqua de plier bagage. Le contremaître ferma une série d'interrupteurs, puis ils sortirent. Seul le château demeura éclairé, comme un îlot isolé. Entre-temps, Daniel déguerpit. Soudain, un autre interrupteur fut actionné, puis une obscurité lugubre envahit l'entrepôt. Christopher se déplaçait à tâtons et sur le qui-vive. Il avait l'impression d'avoir été plongé dans un encrier géant.

Vingt interminables secondes s'écoulèrent, puis une tour crénelée s'illumina. Daniel, torse nu et incroyablement musclé, apparut à son sommet. Un opérateur était resté sur les lieux pour réaliser cette mise en scène au goût pour le moins discutable. Son synchronisme s'avérait toutefois défaillant, car le superagent n'avait pas fini de camoufler sa lunette de vision nocturne derrière un des merlons de la tour.

« Sale tricheur ! » pensa Chris.

— Action ! déclara Daniel Tornay d'un ton théâtral.

Le faisceau lumineux s'éteignit, laissant place à l'ouverture du poème symphonique composé par Richard Strauss, *Ainsi parlait Zarathoustra,* rendu célèbre par le film *2001 : L'odyssée de l'espace.* Un vif rayon violet jaillit de l'ombre. Daniel endossait maintenant un harnais thoracique. Stupéfait, Christopher l'observa descendre lentement le long d'un filin d'acier, semblable à la fée Clochette à la toute fin d'un spectacle de clôture au parc Magic Kingdom, de Walt Disney World. C'était la cerise sur le gâteau !

— Tiens, on dirait que *Tinker Bell* a pris des stéroïdes ! railla Chris.

Il essaya alors de s'esquiver. En moins de deux, un disque lumineux rouge et clignotant l'encercla. Il était accompagné d'une alarme sonore stridente. Une voix hors champ satura l'atmosphère.

— Pour cette unique fois, Christopher, j'agiterai un carton jaune.

Malgré l'obscurité, on épiait ses moindres mouvements.

— Avant de nous affronter à l'épée, poursuivit Daniel, une période d'échauffement s'impose. Si monsieur veut se donner la peine de suivre la lumière, nous commencerons notre séance d'entraînement.

Christopher honora son invitation contre son gré.

« Où veut-il en venir avec ce bluff ? » se demanda-t-il, rongé par la suspicion.

Cette question occupait son esprit, qui tournait à cent à l'heure. Or, Chris était tenaillé par quelque chose de plus critique : il devait sauver sa peau !

Daniel posa le pied sur un tatami du dojo de fortune aménagé à côté des décors. Il dénoua prestement les sangles de son harnais qu'il tira hors d'atteinte. Christopher le rejoignit sans tarder. À chaque extrémité de la surface du tapis jaune, les adversaires s'étudièrent mutuellement.

— Le minimum de politesse serait que je me présente : Daniel Tornay.

Ses paumes le long des cuisses, il s'inclina respectueusement vers l'avant et effectua le ritsurei, le salut en position debout au judo.

— Enchanté, répondit Christopher d'un ton glacial.

— Ton irréprochable courtoisie sonne faux.

— Exactement comme ta comédie à la noix ! riposta-t-il.

— Enfin le même regard farouche que tu avais lorsque tu m'as déjoué à l'aéroport de Genève, hier matin ! se réjouit Daniel. On va voir si ton arrogance demeurera aussi mordante !

— Parlons-en, d'hier ! Tu as fait sauter une partie de la ville de Toulouse juste pour abattre notre hélicoptère. T'es complètement siphonné ! Karl Haustein t'a fait un lavage de cerveau ou il t'a véritablement vidé le crâne ?

D'une confiance sans borne, Daniel l'interrompit.

— Rien de tout cela n'était planifié. J'étais loin de m'imaginer que l'impulsion électromagnétique qui t'était destinée ferait exploser le nitrate d'ammonium de l'usine AZF. Mon but était que tu t'écrases. Ni plus ni moins. Malheureusement, ce n'est pas ce qui s'est produit. Christopher Ross, le pilote héroïque qui sauve des vies et qui trompe la mort ! Comment ne pas être émerveillé devant tant de bravoure ? On jurerait que le dieu du ciel t'a pris sous son aile ! Mais, sur la terre ferme, nous verrons bien si tu seras en mesure de la sauver, TA peau !

— Tu devrais t'attaquer à des causes plus nobles que d'accomplir les bassesses de Karl Haustein. Je te conseille de démissionner de cette secte de crétins pendant qu'il en est encore temps.

— On aura tout vu ! Il a un pied dans la fosse et il se permet de donner des conseils aux autres ! Sache qu'en ce qui me concerne, il est réellement trop tard. D'ailleurs, je nourris certaines ambitions personnelles que je ne pourrai satisfaire qu'avec Sentinum. Point barre ! Maintenant, assez bavardé ! Germain m'attend. J'ai un vol à attraper dans moins de deux heures, et nous sommes à 30 minutes de l'aéroport de Marseille. Alors, commençons !

Christopher remarqua les deux judogis placés en bordure de l'aire de combat.

— Rien n'égale la discipline de Jigorō Kanō pour évaluer la trempe d'un compétiteur et nous mettre en train, affirma Daniel. Garde tes chaussures, Chris. Ça va à l'encontre des règles du judo, mais nous tomberons peut-être en dehors du tatami et ce serait dangereux de s'y aventurer pieds nus, dit-il en poussant du talon un rouleau de cordage. S'il fallait qu'on se blesse !

Dès que leur judogi fut enfilé et leur ceinture, nouée — noire 3e dan pour Daniel, et blanche, pour Christopher —, le superagent matricule réexécuta un salut de judo, puis avança d'un pas.

— Hajime[6] !

Son attaque se révéla expéditive et d'une formidable précision. D'une poigne d'acier, Daniel prit ses contacts sur le revers et la manche du judogi de Christopher et recourut à une foudroyante technique de projection appelée *tomoe nage* ou planchette japonaise. Désavantagé par sa haute stature, Christopher se fit renverser cul par-dessus tête et chuta sur le dos comme une feuille morte de 90 kilogrammes. Le superagent alla choir sur lui de tout son poids, puis se redressa d'un bond. Chris eut le souffle coupé par cet ippon magistral. Il roula latéralement et agrippa au passage les jambes de Daniel pour l'entraîner au sol. Ce dernier se défendit en le frappant à la nuque au moyen d'un *haishu-uchi,* un coup de karaté donné avec le tranchant de la main. Un éclair blanc traversa le champ de vision de Christopher. À moitié assommé, il resta allongé la face au tapis pour récupérer.

— Oups, désolé ! As-tu mal ? s'informa Daniel, sur un ton faussement compatissant. Tu sais, pour s'échauffer, le karaté est un sport de combat aussi efficace que le judo.

Décidément, Christopher serait obligé d'adopter une tactique différente, sinon il ne surmonterait pas cette difficulté. Il se retourna péniblement sur le dos et, avant de se remettre debout, il admit :

— OK, c'est bon ! Je m'avoue vaincu. Tu es bel et bien le meilleur. Active la caméra, et je répéterai ma tirade devant l'objectif, si ça peux te rendre heureux. Maintenant, finissons-en pour que tu puisses chanter victoire.

— Oh, non ! On ne me la fait pas, celle-là ! Ce ne sera pas aussi facile de t'esquiver, car « à vaincre sans péril, on triomphe sans gloire ».

6. Terme générique du judo qui donne le signal du départ. Il signifie « Commencez ».

— Ne gaspille pas ta salive, je connais ce proverbe par cœur.

— Remballe ton air tristounet et bats-toi, lui ordonna Daniel.

Le superagent intensifia son attaque. Avec une vitesse démentielle, il exécuta un redoutable coup de pied fouetté, qui fendit la lèvre de Christopher. Ensuite, il lui fut impossible de parer l'autre pied de Daniel, qui s'enfonça dans son plexus solaire. Il tomba de nouveau sur le tapis en râlant. Les yeux embués par les larmes, Chris souffrait le martyre.

— Quand est-ce que ça va finir ? gémit-il.

Daniel l'empoigna par les épaules et le remit à la verticale. Se relever fut une dure épreuve.

— Que ce soit au judo, au karaté, et j'en passe, tu ne seras jamais de taille à te battre contre moi, affirma Daniel, enivré d'orgueil. Comprends-tu à présent pourquoi j'ai choisi une discipline de combat que je ne connais pas ? Seul notre duel à l'épée te donnera une toute petite chance de m'affronter à la loyale. Opérateur !

Encore une fois, le néant envahit le studio. Christopher posa un genou au sol et profita de ce répit pour recouvrer ses forces. Il palpa avec précaution sa lèvre tuméfiée en espérant ne plus essuyer de coup de savate à cet endroit. Le goût métallique du sang dans sa bouche lui donnait envie de vomir.

Une faible lueur balaya soudain les ténèbres et illumina un guéridon. Christopher discerna deux épées étincelantes sur la petite table ronde. Enfin, ils y étaient ! Leur sinistre règlement de compte était prêt à commencer. Chris estima la distance à franchir jusqu'au guéridon à 30 mètres. Retentit alors une voix caverneuse.

— Ton heure a sonné ! Si j'étais toi, je n'hésiterais pas à m'emparer d'une épée !

Christopher était déjà parti. Fendant l'obscurité, il courait ventre à terre en braquant ses yeux sur la table éclairée. Lorsqu'il passa à proximité de l'imposante masse sombre des remparts, il trébucha sur la roue d'une catapulte et termina sa culbute au fond de la douve peu profonde. Il se releva et poursuivit son sprint effréné, tout trempé, en suivant la lumière.

Comme Chris le suspectait, il ne restait qu'une épée sur le guéridon au moment où il l'atteignit. C'était une arme impressionnante ! Il en agrippa la poignée et se mit à trancher, à l'aveuglette, l'air à l'extérieur du périmètre éclairé. Il ne fut pas surpris d'entendre rire Daniel.

— Si tu n'es pas un lâche, cracha Christopher, allume les projecteurs, sors de ton trou et viens te battre !

— Tant de bruit pour si peu d'écho, répliqua Daniel.

La lumière revint complètement, éblouissante. Christopher entrevit Daniel par la fente de ses paupières plissées. Ce dernier fondait sur lui comme un forcené en faisant tournoyer son épée.

— Je n'attendais que votre invitation, monsieur ! s'écria le superagent.

Christopher serra la poignée de son arme et la brandit avec courage.

— En garde ! rugit-il, menaçant.

— À la bonne heure !

Leurs lames s'entrechoquèrent violemment. Christopher contra l'attaque de Daniel et riposta farouchement. À ce stade, il se demandait de quelle façon les chevaliers parvenaient à livrer bataille avec des armes aussi lourdes. En revanche, au second coup d'épée de Daniel, l'impact résonna si fort dans ses bras qu'il comprit pourquoi l'humanité avait quitté le Moyen Âge sans éprouver de nostalgie.

Ils se toisaient nez à nez, leurs gardes emmêlées. Daniel esquissa un pas de côté et recula.

— Je te présente la flamberge, annonça-t-il en faisant miroiter sa lame ondulée. Cette épée à deux mains nous vient du XVe siècle. C'est une pure machine de guerre. Elle pèse 5 kilos et a une longueur totale de 180 centimètres. Le tranchant de sa lame mesure 124 centimètres et est alvéolé afin de percer et d'arracher des pièces sur l'armure des chevaliers. Comme tu l'as constaté, cette épée est un monstre à manipuler en combat rapproché.

— Mais tu es une véritable encyclopédie vivante ! Comparés à toi, les cristaux de connaissance qui se trouvent dans la Forteresse de la Solitude de Superman ne sont que de la camelote !

L'ironie de Chris était volontairement blessante.

— C'était de l'humour, ça ? s'offusqua Daniel.

Puis, il désigna du menton les décors.

— N'empêche, Christopher, avoue que ce village médiéval est fantastique.

— J'avoue que je vais t'embrocher pour parfaire tes connaissances en flamberge !

— Dans ce cas, reprenons ! Je me sens particulièrement en forme, ce soir, déclara Daniel en claquant des doigts.

Son signal enflamma automatiquement une rangée de torches accrochées à l'enceinte fortifiée. Malheureusement, l'éclairage auxiliaire ne s'éteignit pas comme prévu. Exprimant une contrariété mal dissimulée, le superagent matricule réitéra ses ordres par un second claquement de doigts.

— Que se passe-t-il, Daniel ? Ton sous-fifre s'est-il endormi sur la console de commande ? railla Chris.

— Je souhaitais que notre affrontement soit plus épique. Là, ça manque cruellement d'ambiance.

Le regard de Daniel en disait long. Néanmoins, leur combat recommença de plus belle. Quelques instants plus tard, ils croisèrent le fer sur le pont-levis. À l'intérieur des remparts, il y avait un joli village médiéval. Christopher n'était pas dupe ; il devinait que Daniel s'efforçait de le pousser vers le château. Durant leurs échanges, qui semblaient vaguement chorégraphiés, Christopher réussit à botter une caissette de bois qui traînait sur un lit de paille et blessa légèrement Daniel à l'épaule. À peu près insensible à la souffrance, ce dernier ne broncha pas. Il esquissa même un sourire équivoque.

— Ça m'a fait plaisir, le nargua Chris. J'espère que tu vas en crever !

Rendu sous l'arche d'une large porte charretière, un événement inusité se produisit. Une voix quelque peu familière interrompit leurs estocades, et les combattants firent volte-face. Daniel marmonna un juron bien senti, puis poussa un soupir d'exaspération. Quant à Christopher, il retint son souffle.

Le commissaire Hervé Gérard franchit une poterne de jardinier, pointa son revolver dans leur direction et, d'un fort accent méridional, ordonna :

— Restez où vous êtes !

Chapitre 18

22 septembre 2001, 20 h 15
Genève, Suisse

Pendant ce temps, à Genève, Karl Haustein étudiait les bilans financiers d'une dizaine de compagnies qui étaient récemment entrées dans le giron des investissements privés de Sentinum. Certaines de ces entreprises se spécialisaient en nanotechnologie.

« L'appétit pécuniaire de ces nouvelles technologies de l'infiniment petit est gargantuesque », songea Karl sur une note ironique.

D'ailleurs, il se demandait s'il reverrait de son vivant le capital qu'il y avait investi. Lui qui se montrait habituellement enclin à injecter des fonds dans des projets démesurément ambitieux, il entretenait toutefois une réticence à l'égard de ce domaine *high-tech* de l'ordre du nanomètre. C'était l'aspect concret de l'ingénierie moléculaire qui lui faisait défaut.

Bien sûr, enfouir un oléoduc pétrolier de 2000 kilomètres en zone de conflit, ou encore concevoir un réacteur à fusion nucléaire, ça, c'était tangible. Il était capable de voir de ses propres yeux l'évolution lente ou rapide du chantier. Par contre, réunir des centaines de scientifiques pour qu'ils examinent les propriétés de la matière à l'échelle nanométrique en engouffrant ses précieux milliards avec voracité, cela lui donnait la nausée.

Karl avait pourtant d'excellentes raisons de se réjouir en pensant aux progrès considérables que la science moderne avait accomplis. Demain, il fêterait le cinquième anniversaire de sa greffe cardio-pulmonaire. C'était depuis comme s'il avait retrouvé les jambes de ses 15 ans, mais il n'en avait pas toujours été ainsi. Ses années à consommer en excès les produits du tabac avaient vicié ses organes et sa santé. Heureusement, son docteur lui avait diagnostiqué à temps un cancer pulmonaire et une insuffisance cardiaque. Karl avait livré une farouche bataille à cette sournoise et dangereuse maladie. Il avait été secondé par une sommité médicale israélienne, le docteur Goldberg, et, cela allait sans dire, par son portefeuille bien garni.

Avant sa transplantation, le dirigeant suprême n'avait exigé rien de moins que la pureté absolue de ses futurs greffons. L'idée de prélever ses prochains organes à partir d'un donneur en état de mort encéphalique ou atteint d'une maladie grave l'avait répugné. Il était devenu évident que la voie médicale légale ne satisferait pas les standards élevés du receveur exclusif qu'était Karl Haustein. Donc, de manière informelle, des professionnels paramédicaux avaient été déployés dans tous les azimuts en vue de dénicher le donneur idéal. Par souci de discrétion, on avait d'abord tenté de présélectionner des candidats désœuvrés ou en marge de la société. Après quelques mois de démarches infructueuses, Karl avait découvert que l'avenue des clochards, et surtout celle des prostitués aboutissait à une impasse.

Un matin de printemps radieux, la solution avait enfin germé dans son esprit. Son remède miracle serait l'armée ! Les forces militaires effectuaient une sélection draconienne de leurs futurs soldats d'élite. Ils étaient dans la fleur de l'âge et en pleine forme physique. Les meilleures recrues de Sentinum avaient toutes servi sous les drapeaux. La vérification de la compatibilité donneur-receveur se ferait facilement et à l'insu des soldats, puisqu'ils s'attendaient de toute façon à subir une batterie de tests obligatoires. Mais le plus beau dans tout cela était que ces jeunes hommes étaient déjà disposés à sacrifier leur vie pour leur pays !

On avait finalement trouvé le donneur approprié. Un jeune soldat né à Nazareth, en Israël, possédait toutes les caractéristiques physiques recherchées. Karl avait immédiatement été opéré à Tel-Aviv. Sa greffe cardio-pulmonaire s'était soldée par un vif succès et sa santé s'était promptement rétablie. Il s'était senti redevable envers son médecin israélien, qu'il avait par la suite couvert d'attentions. La dernière faveur de Karl à l'endroit du docteur Goldberg avait été la construction, en Suisse, d'une clinique privée parmi les plus modernes de la planète. Bien sûr, le dirigeant suprême avait su tirer profit de son expérience biomédicale. Il avait joint l'utile à l'agréable en créant une véritable agence internationale de vente d'organes. Des quatre coins du monde, on accourait maintenant à cette clinique afin de se faire purifier de ses souillures passées.

Karl Haustein s'arracha à sa lecture des bilans financiers et s'aperçut que son indéfectible assistant, Vincent Théret, se tenait debout, près de la porte de son bureau. Ce dernier portait son regard au-delà de ses lunettes cerclées d'or sur un conservateur qui emballait méticuleusement un morceau de la frise dorique provenant du Parthénon d'Athènes. Vincent regrettait que le déménagement planifié par Karl privât les visiteurs occasionnels des trésors ancestraux amassés par Sentinum au fil des siècles. La Joconde, les sarcophages égyptiens et les stèles funéraires avaient déjà été entreposés dans un endroit secret jusqu'à ce que les travaux de restauration du château de Sion fussent achevés.

— Cher Vincent, vous êtes encore au bureau ? Je vous avais pourtant ordonné de terminer votre journée à 19 h. Ma foi, vous péchez par indiscipline !

— Je dois avouer, monsieur, que mon ouïe oscille entre défaillance et désobéissance.

Le visage de Karl se dérida sous l'effet de ce trait d'esprit. Il secoua la tête, puis, désarmant de gentillesse, il s'exprima en toute sincérité.

— Vous m'avez réellement manqué, Vincent. Comment ai-je pu me passer de vous aussi longtemps ?

— En attendant la réponse à votre interrogation, continua-t-il avec son humour pince-sans-rire, voici le document touchant la sécurisation du château de Sion que monsieur Tornay vous a transmis par l'Internet.

— Merci, Vincent. Passez une bonne nuit.

— Bonsoir, monsieur.

Karl consulta aussitôt le cahier des charges de son superagent matricule. D'une curiosité insatiable, il tournait les pages en salivant de plaisir. Le système de sécurité élaboré par Daniel Tornay était exactement comme il l'avait espéré ; il était même mieux !

De prime abord, il regorgeait des poncifs habituels. Un poste de garde situé devant la montagne Tourbillon mènerait à un ascenseur souterrain au centre de l'éminence rocheuse. Celui-ci conduirait à la cour intérieure fortifiée du château, où une seconde guérite de gardiens contrôlerait à nouveau chaque visiteur. Une constellation de caméras, supervisées 24 heures sur 24 par une équipe qualifiée, épieraient sans relâche les installations. Selon le document de Daniel, ces surveillants bénéficieraient de tout l'attirail technologique et des alarmes automatiques nécessaires pour que le périmètre du château fût sans l'ombre d'un doute infranchissable.

De plus, la NGA, la National Geospatial-Intelligence Agency, fournirait à Sentinum un accès illimité à un de ses satellites-espions de nouvelle génération. L'engin spatial serait placé en orbite géostationnaire au-dessus de Sion et surveillerait le château et ses alentours. L'agence américaine, qui avait de la difficulté à boucler son budget, avait reçu avec joie l'offre plus que généreuse de l'organisation.

Par ailleurs, les hommes formant la garde rapprochée de Karl viendraient tous, sans exception, de la BKA, la très efficace police fédérale allemande. Ils seraient même disposés à mourir pour leur dirigeant.

— Maintenant, marmonna Karl en feuilletant le cahier avec impatience, passons aux choses sérieuses !

Il n'avait pas tort. Le comble de la perfection du système de sécurité élaboré par Daniel Tornay se trouvait au dernier chapitre du document. Il concernait la protection ultime de Karl au cas où l'on prendrait d'assaut le château de Sentinum. Karl esquissa un sourire de délectation et se renversa dans son fauteuil, car, comme dans un roman réservé aux adultes, l'action se déroulait dans la chambre à coucher.

En effet, advenant l'éventualité improbable d'un raid héliporté ou d'une autre manœuvre d'incursion qui ne saurait être repoussée par ses troupes d'élite, Karl aurait la possibilité d'intervenir de son lit. Il se faufilerait par une trappe dérobée et se mettrait à l'abri dans une minuscule pièce parfaitement étanche d'où il pourrait enclencher un mécanisme de défense que lui seul connaîtrait. Il y enfilerait une combinaison de protection NBC — nucléaire, biologique et chimique —, puis il appuierait sur un bouton qui diffuserait du gaz sarin. Cet agent aérien, 500 fois plus toxique que le cyanure, tuerait tous les êtres vivants sur son passage. Le redoutable poison volatile, inodore et incolore serait acheminé directement par les conduits de ventilation du château.

Sa contre-offensive aurait des conséquences désastreuses et immédiates. Le sarin condamnerait ses agresseurs à une mort certaine. Ses agents de sécurité périraient aussi, bien sûr, mais ils seraient remplaçables. Cela faisait partie des dommages collatéraux. La priorité était que les richesses et les installations de Sentinum fussent préservées.

Karl imagina la progression du nuage de gaz meurtrier. Il visualisa ses assaillants, les mains sur la gorge et se tordant au sol, souffrant de dyspnée, de convulsions, d'hypersalivation, de perte de connaissance, puis, finalement, de mort par asphyxie.

— Excellent ! s'exclama-t-il.

Pleinement satisfait, il se leva et aspira une grande bouffée d'air frais.

Chapitre 19

14 juillet 1417, 6 h
Canton du Valais, Suisse

À l'est, les premiers rayons de l'aube flirtaient avec les sommets des Dents de Morcles et éclairaient progressivement l'abbaye de Saint-Maurice d'Agaune. À défaut de s'enfuir, Catherine et Henri étaient restés sur les lieux. Une seule raison avait motivé leur choix, qui semblait de prime abord douteux : les jeunes amoureux souhaitaient provoquer un éboulement qui détruirait l'abbaye sise à flanc de montagne et, l'espéraient-ils, tuerait du même coup les cavaliers noirs.

Henri voyait le reflet du halo solaire dans les yeux des 12 chevaux de jais qu'il avait attelés à un long cordage de chanvre. À l'autre extrémité, Catherine achevait d'enrouler la corde tressée autour d'un bosquet d'arbres qui poussaient avec entêtement sur une corniche lézardée surplombant l'abbaye.

Le temps pressait ; les hommes de Sentinum s'apprêtaient à reprendre leur route vers Sion. Le chef de la troupe cria quelques fois en direction de l'écurie afin que le garde selle les chevaux. N'obtenant aucune réponse, il s'impatienta et sortit sur les dalles du parvis de l'abbaye d'où il beugla des injures. Il était loin de se douter qu'Henri Constantin avait embroché l'ignoble brute !

Catherine leva la main pour indiquer à Henri que le nœud était solide. Il pouvait enfin tirer le pesant fardeau. L'effort paraissait absolument insensé. Un hennissement sourd couvrit soudain le hurlement de grossièretés populacières du chef des cavaliers. Ce dernier releva les yeux et se gratta la nuque. Il crut avoir la berlue lorsqu'il aperçut, longeant la falaise derrière le clocher de l'auguste basilique, un gros cordage oblique. Malgré son intelligence obtuse, il comprit immédiatement que l'on soumettait cette corde tendue à une traction. Et quand il reconnut Catherine, qui fuyait adroitement l'inévitable catastrophe, il s'exclama amèrement :

— Vilaine fille ! Il va t'en cuire !

Le chef, dont la physionomie était déformée par une fureur aveugle, parcourut le cordage du regard. Il fut frappé d'étonnement et poussa un rugissement rauque tout droit sorti de son ventre : en bas de la falaise, ses 12 valeureux champions avaient été convertis en vulgaires animaux de trait ! Ses chevaux racés s'éreintaient à arracher un bosquet d'arbres pour qu'une corniche rocheuse s'écroule sur l'abbaye.

« Quelle horreur ! » pensa-t-il.

À ce moment, de gros blocs de roche commencèrent à dégringoler. Hurlant à cor et à cri, le chef ordonna à ses cavaliers et aux chanoines de quitter immédiatement l'abbaye, car le ciel était sur le point de leur tomber sur la tête. La confusion régnait. Une portion de la falaise friable se détacha et s'effondra sur la toiture de tuiles de la basilique. Des fragments de roche rebondirent et agitèrent la cloche de bronze, qui carillonna à l'intérieur du clocher de chêne comme un signal d'alarme dans le silence du matin. Chanoines et cavaliers cédèrent à la panique, et l'on assista bientôt à une déroute inconcevable.

Chapitre 19

Faisant fi de l'office de l'aurore, les chanoines à demi ensommeillés se sauvèrent en désordre, les semelles de leurs savates dérapant sur la pierre polie des allées. Une clameur déchirante remplaça les psaumes des laudes, devenus d'ailleurs entièrement inutiles. Seules de bonnes jambes nerveuses, une souplesse articulaire et une foi inébranlable permettraient aux chanoines de survivre à cet éboulement.

En dépit de l'imminence du péril, certains essayèrent d'épargner les trésors dormant au baptistère. Ils emportèrent des archives abbatiales pendant que d'autres évacuèrent à grand-peine un reliquaire qui leur avait été offert par Louis IX de France. L'abbé de Saint-Maurice d'Agaune sortit en transportant sous son bras un volumineux rouleau de parchemin racorni, plus gros que sa silhouette efflanquée.

À l'intérieur de la basilique, la situation s'aggravait. L'épais plafond voûté affronta une pluie de roches de gneiss, et c'en fut trop ! Il se craquela, se fissura, puis tomba en morceaux. Cet affaissement renversa les flambeaux accrochés aux murs, lesquels déclenchèrent un violent incendie. Les colonnes de granit s'ébranlèrent de leur assise et se brisèrent en fracas. Le vent s'engouffra aussitôt par les brèches d'aération de la structure dévastée et attisa le brasier, qui devint incontrôlable. Les cierges de cire illuminant jadis les ténèbres de l'auguste basilique n'étaient plus que de faibles scintillements au milieu de cet ouragan de flammes ardentes.

Au centre de la cour intérieure, les chanoines contemplaient, d'une expression consternée, le clocher de leur basilique noirci par la fumée. Il chancela doucement de gauche à droite, avant de s'écrouler de tout son long sur le baptistère et le cloître. À ce stade-ci, leur désespoir collectif était sans borne. La chute de cette tour carrée massive souleva un nuage de poussière qui se dissipa dans la brume flottante. Les derniers tintements de la cloche se dispersèrent pendant que les cavaliers noirs et les chanoines contournaient la nuée grise pour se réfugier plus bas dans la commune de Saint-Maurice.

Entre-temps, Catherine s'escrimait à conjurer le danger. Telle une chèvre de montagne, elle sautait d'une corniche à l'autre sans se soucier du déluge rocheux qui engloutissait tout derrière elle. De son point de vue en contrebas, Henri concentrait son attention sur sa bien-aimée. Il était très inquiet qu'elle perdît l'équilibre.

« Plaise au ciel qu'elle s'en sorte », pria-t-il silencieusement.

Dès qu'il sut Catherine en sécurité, Henri tourna les talons à la scène, puis coupa les cordes qui retenaient les 12 chevaux noirs. Il fut ravi qu'ils déguerpissent dans la direction opposée à celle des cavaliers. Il courut ensuite jusqu'à la cavité naturelle où il avait camouflé sa monture durant la nuit. Son cheval s'ébroua à son approche. Il l'enfourcha avec aisance, le mit au trot, puis se hâta d'aller rejoindre Catherine au point de rendez-vous qu'ils s'étaient fixé. Une surprise de taille attendait Henri au détour de la piste. Les 12 pur-sang avaient rebroussé chemin et accouraient vers lui, au galop. Ils répondaient à l'appel de leur maître. Le chef des cavaliers noirs avait sifflé ses chevaux depuis la commune de Saint-Maurice. La stupeur se peignit sur le visage d'Henri, qui les évita de justesse.

Une fois arrivé au lieu du rendez-vous, Henri mit sa monture au pas et scruta les alentours. Catherine était tapie près d'un saule.

— Il serait grand temps de prendre la fuite, lui souffla-t-elle. Qu'en pensez-vous, beau prétendant ?

— Ma foi, votre idée me chante, acquiesça-t-il, heureux de l'apercevoir.

Il agrippa sa main. Elle retroussa jupe et jupon, puis s'assit à califourchon derrière lui. Bien qu'elle eût toujours monté en amazone, Catherine se débrouillait parfaitement.

— Êtes-vous confortablement installée, ma douce ? s'enquit Henri après un moment.

— Autant que vous, mon ami.

— Comment vous sentez-vous, à la suite de cette épouvante ?

— Fort bien, Henri. Encore merci de m'avoir secourue.

— Je suis votre humble serviteur, Catherine.

Chapitre 19

Alors qu'ils traversaient de conserve un pont de bois, Henri immobilisa son cheval. Il se retourna pour la contempler, s'éclaircit la gorge, puis lui demanda timidement :

— Pourrais-je vous embrasser ?

— Je serais franchement déçue que vous ne le fassiez point, lui répondit Catherine avec tendresse.

Le jeune homme s'empara de sa bouche avec douceur, et les amoureux savourèrent leur tout premier baiser. Ils étaient enivrés de sensations délicieuses. Ils pouvaient enfin exprimer leur passion partagée et si longtemps refoulée. Après ces quelques instants de pure félicité, ils durent à regret désunir leurs lèvres ; il était plus que temps de reprendre la route. Henri, dont le cœur battait encore la chamade, lâcha la bride de son cheval, puis ils détalèrent, comme s'ils voulaient immédiatement atteindre les confins de l'horizon.

À une demi-lieue de là, le chef des cavaliers noirs terminait de cuirasser son fidèle destrier. Il se préparait à se lancer aux trousses de Catherine et d'Henri. Il était animé d'un excès d'exaltation propre au guerrier sanguinaire en manque de guerre. Il héla ses hommes, tout en caressant l'abondante crinière de jais de sa bête racée.

— En selle, compagnons ! Allons chasser ces crapauds !

Les cavaliers de Sentinum acquiescèrent par des sourires fourbes. Leurs gantelets enserrèrent les rênes tendues de leurs montures. Tous avaient la mine réjouie par l'attrayante perspective de la poursuite.

Chapitre 20

22 septembre 2001, 20 h 38
Marseille, France

— Qu'est-ce que…? Mais c'est quoi, ce bordel? Que foutez-vous là, les p'tits pédés? leur demanda le commissaire Hervé Gérard.

Armé de son pistolet de défense Unique Rr 51 Police, il tenait Christopher et Daniel en joue et les dévisageait tour à tour en secouant la tête d'un air interrogatif. Il était vrai qu'ils se trouvaient dans une situation pour le moins singulière : vêtus de judogi et armés d'épée, ils s'affrontaient dans un décor médiéval kitch. Décidément, l'affaire du commissaire Gérard ne cessait de se complexifier.

En fait, Hervé n'aurait jamais dû se livrer à une telle réflexion, sans quoi il n'aurait pas hésité à tirer sur Daniel Tornay lorsqu'il s'éclipsa derrière un parement de fausses pierres.

— Il va enfin y avoir de la casse! s'exclama le superagent matricule.

Aux aguets, Hervé continua de pointer son pistolet sur Christopher.

— Choisissez votre camp, commissaire ! Choisissez-le vite, car je vous garantis que ça va passer à un niveau supérieur, l'avertit-il.

— Vous, naturellement, vous savez de quel côté je dois me ranger.

Hervé s'empara alors de son émetteur-récepteur portatif et ordonna :

— Lancez l'opération !

Tout l'éclairage électrique de l'entrepôt s'éteignit. Il ne restait que la lueur des torches au gaz fixées aux parois de contre-plaqué du décor. L'unité d'élite de la police française RAID — Recherche, Assistance, Intervention et Dissuasion — entra aussitôt en action. Le commissaire Gérard avait alerté cette brigade spéciale alors qu'il était en route pour le studio de cinéma. *Servir sans faillir*, telle était la devise du RAID.

Un hélicoptère Dauphin vrombissant se positionna en vol stationnaire au-dessus du toit de l'entrepôt et largua sa troupe de policiers héliportés. Suspendus à des filins, quatre hommes-araignées vêtus de treillis noir firent irruption par le plafond en fracassant une verrière teintée.

Dès le début de l'assaut, Christopher se tapit derrière une baliste, une machine de guerre servant à décocher de lourdes flèches. Il scrutait la pénombre depuis plusieurs minutes, à la recherche d'une issue qui lui permettrait de s'évader de cet endroit maudit. C'est alors qu'il sentit un objet métallique encercler son poignet. Il retira instinctivement sa main, comme s'il l'avait déposée par inadvertance sur la plaque de cuisson d'une cuisinière. Trop tard ! Daniel Tornay l'avait menotté à la baliste.

— Plutôt sympa comme ambiance ! dit-il.

— Tu devrais te faire soigner, riposta Christopher en secouant hargneusement la chaîne des menottes.

Le superagent marqua une pause, puis répliqua d'un ton venimeux :

— À ce sujet, tu as d'horribles cernes sous les yeux. Corrige-moi si je me trompe, mais ce ne serait pas un signe de surmenage ?

— Tu t'attends à quoi, ducon ? Tu viens me harceler jusque dans mon lit !

La lueur vacillante des flambeaux donnait à Daniel une apparence spectrale. Il remit sa lunette de vision nocturne et s'enfonça dans l'ombre du décor. En pratique, le RAID avait très mal évalué sa cible. Venant de nulle part, Daniel réapparut en silence au sommet du chemin de ronde de l'enceinte fortifiée entourant le village médiéval. Il épaulait un lance-roquettes RPG-7. Le superagent posa un genou sur le parapet d'imitation et, d'une assurance imperturbable, il appuya sur la gâchette.

— C'est pas de bol pour vous, les gars ! ricana-t-il.

Tout se déroula rapidement. Le moteur-fusée de la roquette s'enflamma. Un jet de feu d'une dizaine de mètres jaillit derrière le tube du lance-roquettes et embrasa le toit recouvert de bardeaux de cèdre d'une maisonnette décorative. La roquette partit comme une flèche et sortit par l'ouverture béante de la verrière fracassée. Le pilote de l'hélicoptère entreprit une manœuvre d'esquive intuitive qui s'avéra inutile.

Ce fut l'impact.

La détonation fut spectaculaire. La poutre de queue de l'hélicoptère se disloqua, puis la cabine effectua plusieurs rotations sur son axe. Le commandant de bord coupa la puissance du groupe moteur, ce qui élimina le mouvement giratoire de l'appareil. Par contre, le Dauphin descendit abruptement de quelques mètres et frappa violemment la devanture du vaste entrepôt. Un fracas de métal tordu retentit, entrecoupé du battement des hélices qui continuaient de buter contre le revêtement extérieur de la bâtisse. Le pilote s'acharnait encore aux commandes de l'appareil quand l'hélicoptère s'écrasa sur le flanc au milieu de l'espace de stationnement du studio de cinéma. Malgré leurs blessures sévères, les deux membres de l'équipage réussirent à s'extraire du fuselage déformé et fumant du Dauphin. Faute de soins immédiats, ils moururent quelques minutes plus tard, près de l'épave de l'hélicoptère.

Nonobstant la déplorable intervention anachronique du RAID, Daniel Tornay avait minutieusement orchestré sa mise en scène moyenâgeuse. En plus d'avoir neutralisé les systèmes d'alarme et d'incendie, il avait informé les dirigeants des studios qu'il allait tourner un film américain à grand budget. Ces derniers avaient prévenu le voisinage et les autorités de la ville de Marseille que des engins pyrotechniques et des effets visuels d'une surprenante ampleur seraient utilisés durant les prochains jours. Techniquement, les gens des alentours ne devraient pas s'inquiéter outre mesure de ce chahut de tous les diables.

Lorsque la roquette percuta l'hélicoptère Dauphin, deux des quatre hommes-araignées du RAID descendaient en rappel au-dessus d'une église gothique faisant partie du décor. Ils relâchèrent immédiatement la tension de leurs descendeurs en huit dans l'espoir de sauver leur vie. Ils chutèrent vers l'église, heurtèrent son clocher de contre-plaqué et rebondirent. Ils tombèrent sur le toit de la sacristie, puis passèrent à travers comme une météorite. Leur dégringolade s'acheva enfin sur la passerelle d'un échafaudage provisoire oublié à l'intérieur de la petite pièce. Les policiers du RAID étaient indemnes, mais sonnés comme seul un ennuyeux et interminable sermon a le moyen d'étourdir les fidèles.

Leurs collègues descendaient eux aussi en rappel lorsque l'hélicoptère reçut l'impact de la roquette. Ces deux hommes-là, par contre, se situaient carrément au-dessus du vide, à 20 mètres du plancher du décor. L'un vrilla brusquement avant de s'écraser sur le sol de l'entrepôt, en plein sur son casque tactique, lequel lui offrit une protection totalement dérisoire. L'autre aboutit au sol, debout, à côté d'une jolie boutique d'apothicaire factice. Le choc fut si brutal que, des chevilles au bassin, ses os craquèrent et se brisèrent en de multiples fragments qui déchirèrent ses chairs. De graves lésions internes gênaient sa respiration. Le policier détacha la sangle de son casque, qu'il enleva, puis roula courageusement sur le ventre. Ses jambes ne suivirent pas le mouvement et se tordirent d'une façon aussi épouvantable que douloureuse. Son visage noyé dans la pénombre était d'une pâleur cadavérique. Et cette froideur, qui l'enveloppait comme un linceul ; jamais il n'avait ressenti une telle sensation. Il souffrait tant que cela l'empêchait de penser.

Pendant ce temps, le feu s'était propagé à la boulangerie. Daniel s'éjecta soudain par la faîtière de son grenier enflammé dont il dévala le pignon à redents comme un banal escalier de secours. Il se précipita ensuite sur le commissaire Gérard. Christopher tenta sans succès de prévenir Hervé, mais Daniel l'avait déjà pris à revers. Le superagent le désarma et le plaqua au sol. Il planta son genou entre les omoplates du commissaire, qui embrassait le plancher, puis il l'immobilisa avec des menottes à une grosse charrette dételée.

Une fois qu'Hervé fut assujetti, Daniel resta accroupi et empoigna le fusil d'assaut M4A1 qu'il portait en bandoulière. Il ouvrit le feu sur les deux policiers du RAID tombés dans la sacristie au moment où ceux-ci se glissaient furtivement à l'extérieur. Il les tua sur le coup. Il s'empara de l'émetteur-récepteur portatif d'un des hommes et transmit au quartier général de la Police nationale que la mission de la première section du RAID était une réussite « éclatante » et que l'on regagnait la base.

Ensuite, Daniel se rendit au pas de gymnastique jusqu'au pont-levis. Il récupéra au passage sa flamberge appuyée contre l'arche de la porte charretière. Il actionna un mécanisme qui releva le pont et abaissa la herse. Le raclement du métal dans les rainures était lugubre. Même s'ils parvenaient à se libérer de leurs menottes, Christopher et Hervé étaient maintenant piégés à l'intérieur des remparts du village médiéval rongé par le feu. Daniel attendit l'arrêt du lent mécanisme, avant de se retourner. L'épée à la main, il fonça vers le malheureux policier du RAID qui souffrait le martyre.

Menottés de part et d'autre de la rue marchande, Chris et le commissaire Gérard l'observaient s'approcher à travers la fumée. Ils étaient bouleversés devant autant de furie.

Au moment où Daniel le dépassa, Chris lui projeta de sa main libre une poignée de terre à la figure en s'écriant :

— Sale fumier ! Ce type est au tapis, fous-lui la paix !

Incapable d'articuler une autre parole, Christopher se tut. Tout autour, la malveillance imprégnait l'atmosphère.

Daniel avait relevé son épée et courait maintenant à fond de train. Le pauvre policier du RAID ne croyait pas ce qu'il voyait arriver devant lui. Il avait l'impression de délirer. Gargouillant, il essaya de se traîner pour se mettre à couvert. Il avait les yeux écarquillés d'effroi, respirait par à-coups et grattait désespérément le gravier avec ses doigts. Daniel fit tournoyer son intimidante flamberge et lui trancha le cou à l'encolure. Sa lame acérée lui coupa la peau et la colonne vertébrale comme s'il s'agissait d'une tige de roseau. Le tronc décapité du policier s'affala pesamment sur le sol. Son sang continua de jaillir de son artère carotide sectionnée jusqu'à ce que son cœur cesse de battre, formant une flaque rouge et visqueuse à l'extrémité de son cadavre.

Ce policier et ses collègues avaient failli à la devise du RAID.

La scène était peu édifiante et moralement scandaleuse. Parti du sentiment aveugle de vengeance de l'homme à l'ego démesuré qu'était Daniel Tornay, leur duel était loin de la simple querelle de taverne ; il avait pris une envergure disproportionnée qui l'avait transformé en massacre.

Chapitre 21

À l'instant où le policier du RAID s'affala sur le sol, le visage du commissaire Gérard se convulsa de haine. Il hurla sa rage à Daniel Tornay, lui vomissant un déluge d'injures à la figure, puis revendiqua le droit de l'affronter en combat singulier. Daniel afficha un sourire diabolique et accepta séance tenante.

Du bout de sa courte chaîne de menottes, Christopher intervint.

— Mesure-toi donc à nous deux, Daniel. Un guerrier de ta trempe ne peut refuser une telle invitation !

Le commissaire Gérard acquiesça à cette suggestion.

— Votre offre est alléchante, persifla Daniel sur un ton doucereux. Et, croyez-moi, j'en suis flatté. Pourtant, je la décline. Je veux bien être sport, mais les duels deux contre un à l'épée, ça ne se voit qu'au cinéma.

Du revers de la main, le superagent lança la clé de ses menottes à Hervé, qui la saisit avec dextérité.

— Toi, le poulet, viens t'éclater ! Je sens qu'on va s'entendre comme larrons en foire. Mais, j'te préviens, prends garde à ne pas perdre la tête !

Le commissaire Gérard évita de justesse l'épée projetée par Daniel. Celle-ci se planta en vibrant dans le mur de l'atelier du forgeron. Hervé ne se fit pas prier. Il déverrouilla ses menottes, saisit la flamberge, puis leva ostensiblement son pouce vers Christopher, en signe de confiance. Cependant, son geste se heurta au scepticisme grandissant de Chris. Peu importait à Hervé, car ses aventures moyenâgeuses ludiques se matérialisaient enfin ! Dans ce duel improvisé, Hervé avait la possibilité de jouer le rôle de sa vie et d'exprimer concrètement sa passion des GN. Il était donc partant ! De plus, il n'était pas armé de son bouclier de bois arborant les trois léopards d'or ni de son épée de mousse, non ! Le rôliste chevronné alias Cœur de lion avait la chance de brandir un vrai glaive aiguisé.

Hervé s'élança sans plus attendre vers Daniel en poussant un cri de guerre à faire peur. Il reprit la devise des Montmirail.

— Montjoie ! Saint-Denis ! Que trépasse si je faiblis !

Une lueur amusée traversa le regard de Daniel.

— Mon Dieu ! Ça fout les jetons ! railla-t-il.

— Ce sera un combat sans quartier ! s'exclama Hervé en croisant le fer.

— Et comment ! Il est clair que tu ne les reverras plus, tes quartiers !

Chris admirait la hardiesse d'Hervé. Par contre, il lui semblait qu'il n'était pas de taille. Une vérité de La Palice se profilait : « Une minute avant sa mort, il était encore en vie… »

Fort heureusement, le commissaire maniait mieux l'épée que les mots. Or, après 30 secondes d'affrontement, une chose hautement improbable se produisit : Hervé surpassait Daniel !

Pendant ce temps, l'incendie se propageait à une vitesse fulgurante depuis qu'il avait rejoint les remparts de contre-plaqué. Un rideau de feu encerclait à présent le village médiéval. Les flammes dévoraient le bois collé sous pression et se rapprochaient dangereusement de Christopher.

Chapitre 21

« Merde ! Arrache-toi d'ici au plus vite ! » se répétait-il dans sa tête.

Même s'il parvenait à se libérer de la menotte qui meurtrissait son poignet, Chris ne pourrait fuir ; la herse était toujours abaissée et le pont-levis était relevé. Il était coincé au centre de ce maudit brasier ! Il se surprit à espérer que le duel qui opposait Hervé et Daniel ne traîne pas trop en longueur. Cela faisait déjà quelques minutes qu'ils étaient disparus au fond d'une venelle. Christopher percevait distinctement les cliquetis de leurs flamberges qui s'entrechoquaient mêlés à leurs halètements exténués. Soudain, il y eut un nouvel anachronisme détonnant par rapport au Moyen Âge : Christopher entendit un coup de feu. Puis, Daniel Tornay réapparut, seul. Le bas de son pantalon de coutil dégageait de la fumée.

— J'ai été obligé de couper court au duel, car je suis pressé par le temps, avoua-t-il bêtement.

Christopher était navré pour le commissaire Gérard. Cet homme courageux et intègre ne méritait pas de figurer sur la liste des nombreuses victimes de Sentinum. Hervé avait d'ailleurs damé le pion à Daniel pendant toute la durée du duel. Si le superagent n'avait pas triché, il est probable que le commissaire aurait gagné. En somme, Hervé n'aurait jamais dû intervenir dans les affaires de Daniel Tornay. Christopher l'en avait prévenu. Les scènes de duel interprétées par le commissaire lors des GN avaient été de la petite bière à côté du combat singulier qui l'avait opposé à Daniel. La réalité s'était révélée bien plus brutale que les histoires fantastico-médiévales de son dada de fin de semaine.

Daniel resserra la ceinture de son judogi souillé en boitillant. Christopher remarqua qu'il était épuisé.

« Cette machine de guerre a donc un point faible ! » pensa-t-il.

— Tiens, voici la flamberge du commissaire ! Tu prends le relais, champion ? s'exclama Daniel.

— C'est quand tu veux.

Dès qu'il fut délivré de ses menottes, Christopher se rua sur Daniel. Le superagent fut légèrement dérouté et faillit en perdre sa main. La lame de Chris s'abattit sur l'avant-bras de Daniel. Cependant, plutôt que de le trancher, l'épée resta coincée dans son bras. Le superagent pivota et poussa Christopher d'un violent coup de pied au ventre pour se libérer. Chris passa à travers une mince paroi en combustion derrière laquelle il atterrit en exécutant une roulade arrière. Il se remit debout et retourna au combat sans attendre. Il observa l'entaille sur l'avant-bras de Daniel. La plaie était impressionnante. Or, il fut étonné d'y entrevoir une plaque et des vis en titane couvrant le radius du superagent.

— Bon sang! s'exclama Chris.

— Stresse pas pour ça, c'est un petit bobo! Le prix à payer pour être le « bras armé » de Sentinum est d'aimer la souffrance, déclara Daniel. Moi, j'en ai fait ma compagne de guerre.

— Il n'y a aucune guerre, ici. Juste ton stupide orgueil.

— C'est faux! Il y a toujours une guerre à finir.

Daniel rabattit la peau pendante sur sa blessure et l'enserra à l'aide d'un mouchoir. Soudain, l'atelier du forgeron situé près d'eux s'embrasa dans un grondement sourd. Les flammes rongeaient non seulement les remparts de la cité médiévale, mais aussi une bonne partie des maisonnettes du décor.

— Retranchons-nous au donjon, cria Daniel. C'est notre dernier recours.

La tour crénelée d'une quinzaine de mètres se dressait au milieu du château. Le feu ne l'avait pas encore atteinte. Daniel s'élança, prompt comme l'éclair, et se fraya un chemin à travers la fumée. Christopher le suivit à distance en veillant à enlever les tisons de sa chevelure. Les flammes le talonnaient. La chaleur était à la limite du supportable, et il avait très soif.

Daniel se précipita dans le donjon, où Christopher le rejoignit sans tarder. Tout l'intérieur de la construction de contre-plaqué était vide. Au centre, un échafaudage s'élevait vers le sommet de la tour. Le superagent avait déjà entrepris d'en escalader la charpente tubulaire. Christopher l'imita en grimpant sur le côté opposé, l'épée à la main.

Daniel gagna le toit du donjon le premier et souffla triomphalement dans une trompe de chasse.

— Je vais lui faire bouffer sa maudite trompette, pesta Christopher.

Il éprouva une appréhension parfaitement légitime avant de passer sa tête dans l'ouverture qui donnait sur le toit. Heureusement, Daniel patientait de dos sur le rebord crénelé du donjon.

— J'attends, Christopher ! le pressa Daniel. Approche et viens jouir du spectacle, nous dominons l'enfer !

Le superagent avait les yeux pétillants.

« C'est pire que ce que je pensais », constata Christopher en se plantant à un mètre de lui.

Il étira son cou au-dessus du vide enflammé et lui demanda :

— Tu ne t'es pas retranché ici pour rien. T'as certainement une idée derrière la tête.

— Effectivement, j'ai un plan d'évasion. Tu vois cette corde ? Elle conduit à une trappe d'évacuation sur le toit. Sésame, ouvre-toi ! cria Daniel en tirant sur le câble relié au battant de l'issue de secours.

Christopher suivit du regard la colonne de fumée qui tourbillonnait et s'engouffrait par la trappe béante.

— Ce sera facile de sortir de cet enfer, poursuivit Daniel. Mais beaucoup moins, si l'un de nous deux est vivant. Et puisque je ne souhaite pas que tu me piques les fesses lorsque j'escaladerai cette corde, tu devines que tu devras rester ici.

— Arrête de rêver ! Tu ne remporteras pas la victoire sans effort, l'avertit Chris. Si tu veux me vaincre, tu devras utiliser ton revolver comme pour le commissaire Gérard.

Bien que la chose semblât improbable, Daniel fit exactement ce que Christopher escomptait de lui : il jeta son pistolet, qui tomba en chute libre du haut du donjon jusqu'au sol embrasé.

— Rassuré ?

La situation frisait la démence. L'atmosphère empestait la chair brûlée.

— On domine des ruines et des cadavres, s'écria Christopher.

— Rien n'égale l'incinération pour purifier les âmes en peine.

— Et ton âme ? As-tu une idée de ce qui pourrait la sauver ?

— Même si je m'immolais, mon âme ne pourrait être sauvée. À vrai dire, il n'y a qu'un remède pour soigner mon mal, et c'est de me soûler à l'adrénaline !

Perché sur les créneaux du donjon, Daniel résistait au vertige et avait les bras allongés au-dessus du brasier. Il sentait pomper son cœur comme un puissant moteur. Il contemplait son pansement imbibé qui ruisselait. Cette vision de sang, de feu, de sueur le baignait d'une douce euphorie et lui dilatait les pupilles.

— C'est de l'énergie pure ! continua Daniel, exalté. Lorsque se libère cette puissance qui sommeille en moi, je ne ressens aucune douleur. *Shooté* à l'adrénaline, j'ai guéri tous mes traumatismes psychiques et physiques. Après ces quelques semaines de péripéties, tu es déjà intoxiqué à cette drogue, toi aussi. Tu saisis, Christopher ? Il te sera désormais impossible de t'en passer.

— Tu commets une grave erreur ! Je ne suis pas comme toi.

Daniel se retourna et l'admonesta.

— Cesse de parler comme le commun des mortels qui sombre dans la banalité de la vie conjugale et consacre ses soirées à roupiller sur le sofa, à s'empiffrer devant la boîte à cons et à engraisser à vue d'œil. Tout ça en se tapant un boulot abrutissant et en claquant son fric pour rembourser l'hypothèque ou payer ses impôts ! Je te le dis net, cette monotonie, très peu pour moi.

— Tu oublies ceux qui fondent une famille, qui se montrent tendres et qui sont profondément amoureux… sans craindre de se faire buter à chaque coin de rue !

— L'amour est éphémère ! trancha Daniel d'une voix triste. Il y a toujours un connard qui s'occupe de pulvériser le bonheur des gens heureux.

En disant cela, Daniel pensait à Melissa. Il avait les yeux rougis par la fumée. Christopher ne sut faire la différence : les yeux du superagent s'étaient-ils emplis de larmes ?

— Mais tu as raison, avoua Daniel. Quand on l'a, l'amour véritable est l'équivalent d'une décharge d'adrénaline...

Au même moment, le superagent reçut un appel sur son téléphone portable de la part de son chauffeur. Germain l'invitait à le rejoindre dès que possible. Il était grand temps de se rendre à l'aéroport. Daniel mit aussitôt un terme à son excès de sentimentalité et bondit brusquement du parapet. La tour chancela légèrement. La base du donjon était maintenant en feu. Au moindre mouvement en périphérie, elle menaçait de s'affaisser.

— J'ai un agenda surchargé, et Germain m'attend, alors en garde !

— Tu m'énerves avec ton refrain débile, répliqua Chris. Je me contrefiche de ton emploi du temps !

— J'en doute sérieusement. Sache que le premier sujet à rayer de ma liste est une escale à Boston. Karl Haustein m'a chargé de liquider l'épouse de Barry Stahl, Alyson Whitefield, et son môme, le petit Josh. D'ici quelques minutes, Germain me déposera à l'aéroport, je partirai en Amérique, et ce sera leur fête !

En apprenant la nouvelle, Chris le dévisagea comme si un troisième œil venait de lui sortir du front. Il était complètement dégoûté. Il explosa d'une rage féroce et réengagea le combat avec violence.

— Comment peux-tu être capable d'une telle bassesse et vivre ensuite la conscience tranquille ? fulmina-t-il au moment où ils croisèrent le fer.

— Quelle conscience? Sentinum a depuis longtemps réduit en miettes mon sens moral. Ah oui, j'oubliais! Je t'ai menti, au sujet d'Alexandra…

Chris dégagea sa garde et retint son souffle. L'atmosphère était surchauffée.

— … Karl Haustein m'a confié la mission de la tuer et de ramener le fric à Genève.

— Va te faire foutre! hurla Christopher.

Il ne laisserait personne faire du mal à Alexandra. Personne! Peu importait les conséquences qui en découleraient. Gonflé à bloc et animé d'une haine sauvage, Chris le frappa à répétition avec son épée, si fort que Daniel fut obligé de battre en retraite.

— À présent, rugit Chris, la gorge en feu, le caractère grandiose de notre bataille te rassasie-t-il?

Les assauts répétés de Christopher additionnés au handicap du bras mutilé de Daniel firent en sorte que le superagent buta contre un créneau de la tour et perdit l'équilibre. En désespoir de cause, il évita de tomber en s'agrippant tant bien que mal à la pointe de la flamberge de Chris. Le dos voûté au-dessus du vide, il serrait fermement la lame qui lacérait la chair de sa main.

— Potius mori quam fœdari, récita Daniel.

— C'est quoi ça?

— Du foutu latin, répondit-il. « Plutôt mourir que se déshonorer », traduisit le superagent, amer. C'est la règle fondamentale de l'organisation Sentinum. Lorsqu'on pratique ma profession, il n'y a pas de parachute doré pour les incapables. On ne peut pas être congédié, et encore moins démissionner. Comprends-tu? La seule issue possible pour quitter cette organisation, c'est la mort.

La lame de la flamberge glissait lentement dans la paume de Daniel, et sa poignée filait aussi entre les doigts de Christopher. De son autre main, Chris avait enroulé autour de son avant-bras la corde qui menait à la trappe de secours située au plafond. Leurs regards se croisèrent une dernière fois.

— C'est l'heure de ton repli stratégique, Christopher. Afin que tes ennemis ne sachent jamais à quoi s'en tenir, continue à faire feu de tout bois. Quant à moi, je serai enfin parvenu à me libérer de Sentinum.

Chris ne sut jamais s'il avait lâché l'épée ou si le rebord du donjon s'était effondré avant. Daniel chuta du haut de la tour et tomba sur le toit de l'atelier du maréchal-ferrant, où il fut avalé par les flammes dévorantes. Il disparut dans une gerbe d'étincelles. À l'instant où le plancher fragilisé se déroba sous ses pieds, Christopher mobilisa toutes ses forces pour grimper le long du câble qui lui râpait les doigts. Il se hissa péniblement sur la toiture. Hors d'haleine, il fut reconnaissant de pouvoir enfin prendre un bol d'air frais.

« Alex, mon amour, tu es sauvée ! » pensa-t-il.

— Bon débarras, l'enfoiré. J'espère que la vieille pourriture de Karl Haustein se servira de la tôle sur tes os pour te faire une belle urne pour tes cendres ! Et puis, t'aurais pas dû tuer Gus ! marmonna-t-il.

Chapitre 22

14 juillet 1417
Canton de Vaud, Suisse

Après l'éboulement qui avait détruit l'abbaye de Saint-Maurice d'Agaune, Catherine et Henri s'étaient enfuis au grand galop sur leur cheval et avaient franchi la frontière du canton de Vaud. Les cavaliers noirs de Sentinum les avaient bientôt rattrapés. Henri fouettait sans relâche les flancs de sa monture, l'obligeant à suivre un train d'enfer. Il forçait l'allure, ne lui accordant aucune halte. Malheureusement, son cheval multipliait les signes de faiblesse. La pauvre bête harassée avait le poil luisant de sueur et des flots d'écume sortaient en bandelettes de sa gueule.

Catherine et Henri avaient emprunté un étroit sentier forestier pour se frayer un chemin parmi les montagnes. Les foulées de leur cheval soulevaient la poudre de rocaille grise accumulée au sol et formaient des nuages de poussière argentée sur leur passage. Les redoutables cavaliers noirs gagnaient du terrain. Henri décida de s'enfoncer profondément dans la forêt vierge. La végétation abondante rendit hasardeuse leur chevauchée à travers les arbres. Toutefois, leurs poursuivants perdirent leur trace.

Au détour d'un bouleau, le cheval de Catherine et d'Henri sauta par-dessus un vieux tronc pourri d'épicéa recouvert de mousse, et ils faillirent être désarçonnés. Un peu plus loin, ils évitèrent dextrement un pin sylvestre déraciné. Enfin, vers l'heure du midi, au bout d'un sentier qui s'était déroulé sans fin, ils débouchèrent en bordure du vallon de Nant. À cet endroit, le vaste panorama qui s'étendait de toute part était grandiose. À l'est, la cime escarpée du Grand Muveran s'élevait comme une barrière infranchissable qui les protégeait de Sion et du sinistre château de Sentinum.

Henri posa le pied à terre au milieu du vallon. Après leur rude et longue chevauchée, un moment de repos était absolument nécessaire. Le jeune homme prit la main de Catherine pour l'aider à descendre du cheval. Leurs muscles étaient endoloris, et il leur semblait que le sol vacillait légèrement sous leurs pieds. Ils avaient les nerfs en boule. Il leur fallut du temps pour dissiper les effets du stress.

Le soleil éclatant de l'été tapait d'aplomb. Ils marchèrent vers un lieu ombragé en sillonnant la prairie couverte de gentianes pourpres. À moins de 100 toises, ils aperçurent une ferme isolée. Un troupeau de chèvres alpines chamoisées broutait aux alentours sans se soucier des nouveaux arrivants. La maison reposait sur un socle en pierre. Elle avait une façade crépie et de larges pignons soutenaient sa toiture de chaume. Quelques enfants en bas âge couraient autour du gîte familial. Armés d'épées en bois et de boucliers factices, ils menaient un assaut contre une charrette à bras qui, pour l'occasion, remplissait le rôle d'une forteresse imprenable.

À gauche, une femme chargée d'un ballot de linge à laver se dirigeait à la rivière. Catherine la désigna du menton, puis ils s'élancèrent au pas de course dans la direction opposée. D'un air taquin, elle dit :

— Ça vous irait de manger ?

— Avec joie ! Je meurs de faim.

— Dans ce cas, suivez-moi ! ordonna-t-elle sur un ton enjoué et plein d'espièglerie.

Catherine saisit leur outre et avala d'un trait le reste de l'eau qu'elle contenait. Ensuite, elle s'approcha sans bruit du cheptel de chèvres. Elle était bien décidée à profiter de leur bon lait. Une femelle du troupeau prit Catherine en affection et alla à sa rencontre. Elle s'accroupit à côté de la chèvre et lui flatta le flanc en douceur. Dès que la confiance fut établie, Catherine enserra de sa main une des volumineuses mamelles de la chèvre et se mit à la presser adroitement. Même si l'heure de la traite n'avait pas encore sonné, le lait gicla des trayons. Elle orienta le jet mince et onctueux au centre du goulot de leur outre, qui fut bientôt remplie à ras bord.

Entre-temps, Henri avait été attiré par l'odeur des faisans qui rôtissaient sur un feu de bois non loin de la maison. Il avait attaché son cheval à un aulne blanc et s'était caché derrière un monticule herbeux. Avant de commettre son infraction, il se retourna pour gratifier Catherine d'un sourire complice. L'espace d'un instant, ils s'observèrent, la mine chafouine. Puis, Henri se rua tête baissée et s'empara de deux succulents gibiers. Il courut rejoindre Catherine, récupéra son cheval, puis ils disparurent dans un bosquet de noisetiers.

Quelques minutes s'écoulèrent, et les jeunes fripons s'assirent en tailleur à l'orée d'un bois. Ils étaient à proximité de la rive verdoyante de l'Avançon de Nant. Cette rivière prenait sa source à deux lieues plus au sud, dans le glacier des Martinets. Une salamandre noire se faufila parmi les roches. Elle fuyait les chauds rayons du soleil, redoutant la brûlure sur son corps visqueux. Le décor était magnifique. Ils avoisinaient une cascade mélodieuse, et des papillons Apollon volaient tout autour d'eux. Il n'y avait que le cheval qui troublait la tranquillité des amoureux. Celui-ci s'ébrouait dans les eaux tumultueuses de l'Avançon pour étancher sa soif.

Henri commença à mordre dans la viande sauvage. Même s'il jeûnait depuis la veille et que les grillades étaient alléchantes, il modéra son appétit aiguisé. Il souhaitait à tout prix demeurer convenable devant Catherine. Il mastiquait lentement, prenant garde à ne pas se souiller. Ce n'était pas aisé, car il avait l'estomac creux. N'eût été la présence de sa bien-aimée, il aurait dévoré la chair juteuse sans la mâcher.

Catherine remarqua la retenue d'Henri et déclara :

— Si vous le permettez, Henri, cassons donc la croûte à notre aise.

Sitôt, ils s'empiffrèrent de nourriture qu'ils arrosèrent copieusement de lait frais. Ils buvaient à tour de rôle directement au goulot de l'outre. Leur repas était agrémenté de fous rires incontrôlables. Emportés par leur passion efflorescente, ils découvraient peu à peu des facettes méconnues de la personnalité de l'autre.

Pour plus de confort, Catherine écarta innocemment ses jambes. Son geste fit remonter sa jupe et son jupon défraîchis, dénudant un peu l'intérieur de sa cuisse. La peau laiteuse et satinée de la jeune femme était d'une blancheur affriolante. Henri rougit. Il s'efforça de tempérer son désir. Il y parvint correctement jusqu'à ce qu'il lève son regard sur Catherine qui léchait ses doigts dégoulinants de gras. Cette vision aiguisa davantage sa passion. Catherine était vraiment belle. Ses yeux pervenche brillaient comme des saphirs. Sa figure radieuse était encadrée de son abondante chevelure à la couleur du blé tendre. Henri la dévorait amoureusement du regard.

— J'aurais bien aimé vous préparer un brouet de légumes, mais bon ! Cette viande que vous avez dérobée, Henri, est délicieuse.

La nervosité des tourtereaux était palpable. L'ardent désir qui animait leur cœur s'intensifiait de plus en plus. Ils savouraient chaque instant de ce moment magique.

— Éprouvez-vous un repentir pour avoir tué cette brute dans l'écurie ?

Henri réfléchit, avant de répondre :

— Je le voyais plus comme un porc un jour de boucherie. Sauf qu'à bien y penser, un cochon me semble moins répugnant que cet abominable garde.

— Qu'importe, cher Henri. Je vous ai trouvé très courageux de protéger ma vertu comme vous l'avez fait.

— Votre compliment me comble, ma douce. Mais, vous avez oublié mon entrée risible dans l'écurie.

Très attentive à ses états d'âme, elle tâcha de le rassurer.

— Ne vous en souciez donc pas. Pendant que j'étais captive de ce porc, savez-vous ce à quoi je pensais? lui demanda-t-elle en s'essuyant la bouche du revers de la main.

— Non. Mais je crois que vous deviez être fort épouvantée.

Les yeux brillants et les lèvres humides, Catherine déclara :

— Je craignais de mourir avant d'avoir goûté aux plaisirs de la chair avec vous!

Surpris, le jeune homme gavé d'espoir hoqueta et faillit s'étouffer.

Chapitre 23

22 septembre 2001, 21 h 45
Marseille, France

Christopher descendit du toit de l'entrepôt en flammes par l'escalier de secours extérieur. Il déboucha dans l'aire de stationnement du studio de cinéma, à 21 h 45. Fendant l'obscurité, il contourna l'hélicoptère du RAID. Il fut désolé lorsqu'il aperçut les corps à demi carbonisés des pilotes qui s'étaient traînés hors de l'épave. Derrière lui, l'incendie ravageait l'entrepôt, et une colonne de fumée noire s'élevait dans le ciel nocturne. Il entendait au loin les sirènes des camions d'incendie. Les marins-pompiers de Marseille avaient finalement été alertés et fonçaient vers le sinistre.

Christopher courut le dos courbé en direction de la Range Rover noire qui attendait Daniel Tornay. Il portait encore son judogi, qui était dans un état lamentable, tout comme lui d'ailleurs. Le visage de Chris était barbouillé de suie et ensanglanté. Avec ses cheveux en friche et sa lèvre tuméfiée, il était méconnaissable. En fait, la personne de haute taille qui s'approcha de la Range Rover pouvait facilement être confondue avec Daniel Tornay. Le chauffeur n'y vit que du feu !

Christopher s'engouffra à l'arrière du véhicule. Il avait la gorge tellement sèche qu'il imita sans difficulté la voix rauque de Daniel.

— Germain, à l'aéroport. Immédiatement.

— Vous semblez mal en point, monsieur. Puis-je vous aider ?

— Non. Ça ira, répondit-il, laconique et se dérobant à la glace du rétroviseur intérieur.

À peine quelques secondes plus tard, la Range Rover rencontra les camions d'incendie rouge et jaune des marins-pompiers avec leurs gyrophares allumés et leurs sirènes hurlantes. Germain emprunta ensuite la bretelle d'entrée de l'A7, l'autoroute du Soleil, en direction de l'aéroport Marseille Provence.

Christopher troqua son judogi souillé pour un blouson de cuir qui traînait sur la banquette arrière du véhicule. Plus le temps passait, plus il prenait conscience qu'il lui serait impossible d'abandonner la famille Stahl à son triste destin. Non pas qu'il doutât de la capacité d'Alyson Whitefield à se défendre. Cependant, cette femme et son fils avaient un net désavantage par rapport à Sentinum que lui n'avait pas : l'effet de surprise ! D'ici peu, les agents matricules de l'organisation leur tomberaient dessus. Christopher était incapable de rester les bras croisés. Il se sentait comme si l'on avait attaché un fil d'Ariane à la pointe de son cœur et que Josh le tirait depuis Boston. Maintenant qu'il avait éliminé Daniel Tornay, Alexandra n'était plus en danger. Il se devait de « voler au secours » de la famille Stahl avant d'aller la rejoindre au Panama.

Vingt-cinq minutes s'écoulèrent, et la Range Rover arriva à l'aéroport Marseille Provence. Germain aiguilla aussitôt son passager vers l'aire de service des aérogares privées. Malgré son état de stress omniprésent, Christopher ne put s'empêcher d'admirer le jet Embraer Legacy 600 parqué en face du terminal réservé à Sentinum. Son fuselage profilé étincelait comme une épée sous l'éclairage des projecteurs. Ses moteurs tournaient au ralenti et ses feux anticollision clignotaient comme des flashs de photographes. Leurs lumières se réfléchissaient sur le tarmac humide.

Le luxueux véhicule utilitaire sport s'immobilisa près de l'Embraer. Ses roues avant demeurèrent légèrement braquées. Germain descendit rapidement de la Range Rover et lui ouvrit sa portière. Christopher avait l'impression de vivre l'existence d'une vedette d'Hollywood sur le point d'embarquer dans son jet privé. Quoique, si son identité venait à être percée à jour, les critiques seraient éreintantes ! Chris subirait les foudres des agents matricules de Sentinum, qui étaient armés de pistolets, et non pas de mots comme les journalistes. Et son sang remplacerait le fameux tapis rouge…

Or, pour l'instant, il n'y avait pas de quoi s'inquiéter outre mesure. Son plan marchait comme sur des roulettes. Christopher avait la même carrure que Daniel Tornay et il était tellement sale que personne n'avait remarqué la supercherie. De plus, puisque le vol nolisé accusait un retard sur l'horaire prévu, le personnel navigant était pressé de partir et ne faisait pas trop attention à lui. Christopher fut dispensé des formalités d'usage. Il grimpa l'escalier basculant et s'esquiva à l'intérieur de l'Embraer Legacy. La porte se referma immédiatement, et le pilote annonça à l'interphone qu'ils s'envoleraient sous peu. Comme le jet de Sentinum possédait un réservoir supplémentaire de kérosène haussant son autonomie à 4500 milles nautiques, la liaison Marseille-Boston s'effectuerait sans escale.

Le niveau de confort de la cabine fascina Christopher. Tant et si bien qu'il éprouva des remords à s'asseoir avec ses vêtements crasseux dans l'un des luxueux fauteuils durant la phase de décollage. Une fois que le jet fut en montée initiale, il se leva et inspecta les lieux. Il s'efforçait de se détendre. L'aménagement intérieur customisé était princier. Exit les 16 sièges de la configuration standard ! À l'avant, il y avait un centre de divertissement composé d'un écran plasma qui était entouré d'un demi-cercle de fauteuils inclinables recouverts de cuir haut de gamme ainsi qu'une table de conférence.

Une cuisine tout équipée et un cabinet de toilette se situaient vis-à-vis de l'emplanture des ailes. Finalement, une somptueuse chambre à coucher se trouvait à l'arrière de l'appareil.

Christopher fut attiré par le réfrigérateur sous le comptoir du bar. Il but deux bouteilles d'eau de source, mais il avait encore soif. Il ouvrit donc une bière Stella Artois, qu'il avala également en un clin d'œil. Il se dirigea vers la salle de toilette en retirant ses vêtements. Sa peau était couverte d'ecchymoses.

— Encore des décorations ! soupira-t-il.

Il s'approcha de la glace et examina sa lèvre tuméfiée. Chris avait mal partout. Il fouilla dans l'armoire à pharmacie et s'empara d'un flacon d'acétaminophènes extra forts. Il en dévissa le bouchon et ingéra deux comprimés. L'adrénaline se dissipait lentement, ce qui rendait douloureux les contrecoups de sa bataille avec Daniel Tornay. Toutefois, il se rassura à cet égard. Dans sept heures, il débarquerait à l'aéroport international Logan de Boston et, une fois là-bas, il était persuadé qu'il oublierait ses blessures : les hostilités lui procureraient à nouveau une foudroyante décharge d'adrénaline.

Quand il acheva de raser sa barbe drue, il décapsula une autre Stella Artois, qu'il emporta avec lui sous la douche. Les gorgées de bière pétillante soulageaient son gosier irrité par la fumée. Lorsqu'il eut enfin terminé son brin de toilette, le jet Embraer avait atteint l'altitude de croisière et filait à Mach 0,80. Il sortit de la salle de toilette et poussa dédaigneusement du pied les vêtements souillés qu'il avait éparpillés sur le plancher. Il était nu comme un ver. Affamé, il mit un plat surgelé à la dinde dans le four micro-ondes.

Christopher alluma la télévision satellite en attendant la fin de la cuisson. Il zappa entre les chaînes BBC, CNN, la chaîne qatarienne Al Jazeera et les sports. Il venait de tomber par hasard sur une chaîne pornographique au moment où la porte de la cabine de pilotage s'ouvrit d'un coup. Christopher fut surpris en costume d'Adam comme un adolescent en train de feuilleter un magazine *Playboy*.

Chapitre 23

— Désolée, Monsieur Tornay, de mon introduction importune !

Les paupières de la copilote clignèrent, et elle oublia totalement son plan de vol. Elle pivota sur ses talons, non sans avoir lancé au passage une œillade coquine aux attributs virils de Christopher. Elle avait l'habitude d'observer d'un seul coup d'œil toutes les indications du tableau de bord. Cette fois-ci ne fit pas exception. Chris n'avait pas vu son visage, seulement sa queue de cheval virevoltante. Sa queue était aussi tout ce que la jeune femme avait aperçu avant qu'il ne cache son sexe de façon instinctive. Comme elle ne connaissait pas intimement Daniel Tornay, elle ne put démasquer l'imposture de Chris.

Entre-temps, Christopher se débattait vainement avec la télécommande du téléviseur pour en diminuer le volume et faire taire le bruit des ébats sexuels. En désespoir de cause, il éteignit carrément l'appareil. La copilote resta plantée là, de dos, et se confondit en excuses. En son for intérieur, elle était plutôt ravie de cette agréable distraction. Le cœur palpitant et les joues rougissantes, elle se rappelait que Daniel Tornay était à croquer en uniforme, mais le voir ainsi dénudé l'incitait carrément à s'abandonner au vice. Elle huma son parfum étourdissant tout en se mordillant la lèvre inférieure de manière suggestive.

La jeune femme, qui était très professionnelle, se hâta toutefois de rengainer sa libido. Sans se retourner, elle lui expliqua la raison de sa venue.

— Le commandant désire… Souhaite ! poursuivit-elle après une brève hésitation. Le commandant souhaite vous informer que la procédure Ultraviolet est enclenchée.

Dans le jargon de Sentinum, Ultraviolet désignait l'ensemble des démarches visant à éviter que les douaniers fouillent, interrogent ou identifient les agents matricules de l'organisation lors de leur passage à l'aéroport.

— L'ETA[7] prévu est minuit cinq. Trois véhicules d'opération vous attendront en bordure de la piste.

7. L'ETA, l'heure estimée d'arrivée, est donné selon l'heure locale de la destination.

Ne recherchant pas à s'étendre sur le sujet, Chris répondit :

— Parfait. Vous pouvez disposer.

Elle regagna la cabine de pilotage en arborant un sourire de circonstance et passa le reste du voyage à rêvasser à la beauté sensuelle de son patron : sa peau hâlée par le soleil, son corps magnifiquement sculpté et encore mouillé de l'eau de la douche...

L'irruption intempestive de la copilote aurait pu entraîner de graves répercussions pour Christopher. Heureusement, l'épisode se termina sans rebondissement. Chris se demanda, en finissant de manger, s'il ne serait pas mieux de dérouter l'Embraer Legacy vers le Panama, de force s'il le fallait, et de consacrer son énergie à rejoindre Alexandra. Il se pencha sur la question, mais comprit vite que cette stratégie dévoilerait ses intentions à Sentinum. Par-dessus tout, cela condamnerait la famille Stahl. De plus, l'organisation enverrait ensuite une unité d'agents matricules au Panama pour les liquider, Alex et lui.

— Non, décréta-t-il. Ce plan de vol ne tient pas la route.

Il disposait encore de quelques heures avant que Sentinum n'apprenne la mort de Daniel Tornay. Elles devaient être employées à bon escient. D'un côté pratique, le jet Embraer lui permettait de traverser rapidement l'Atlantique. Dès qu'il serait en Amérique, il viendrait en aide à Alyson Whitefield et son fils. Ensuite, il prendrait les moyens nécessaires pour disparaître dans la nature et atteindre le Panama.

— Maintenant, dit-il en jetant aux ordures les reliefs de canneberges de son repas au goût déplorable, j'ai grand besoin de repos.

Il se glissa sous les couvertures moelleuses et régla l'heure du réveil à 23 h. Cela lui donnerait le temps de siroter un café, puis d'être frais et dispos lorsqu'il se présenterait à Boston !

— Bonne nuit, Alex, murmura-t-il avant de s'endormir.

Chapitre 24

Le réveille-matin sonna comme prévu à 23 h pile. Christopher était déjà debout et sursauta lorsque l'alarme retentit. Il était concentré à fouiller dans les compartiments de rangement de la chambre à coucher du jet Embraer. Un placard à double battant recelait une véritable armurerie. Des revolvers, des mitrailleuses et des grenades étaient soigneusement classés sur un râtelier à étages modulables. Un large tiroir renfermait des liasses de billets de banque regroupés par devise. Chris inclina la tête et siffla d'admiration. Il n'en croyait pas ses yeux !

Un gilet pare-balles et cinq uniformes réglementaires de l'organisation Sentinum étaient suspendus dans la penderie. Leur taille était parfaite. Même les souliers au cirage brillant étaient de pointure 46. Il s'habilla vite fait. Au moment de revêtir le veston en cachemire de son costume empesé, Christopher aperçut une porte au fond de la chambre. Il l'ouvrit et pénétra dans une pièce exiguë qui se situait dans la queue de l'appareil. Une mystérieuse sphère blanche et lustrée se trouvait en son centre, comme un œuf gigantesque. Elle ressemblait à Humpty Dumpty, le personnage de la comptine anglaise en forme d'œuf. Sa base disparaissait sous le plancher, jusque dans la soute à bagages. Plusieurs fils et tuyaux d'air comprimé alimentaient la sphère, qui était reliée à un ordinateur.

« Un simulateur de vol ? Dans un avion ? » se demanda Chris, singulièrement intrigué.

Curieux, il pressa le bouton de démarrage. La sphère chuinta et s'ouvrit soudain en deux, comme une huître. À l'intérieur, il y avait un siège avec des sangles, des gants de données et un visiocasque, appareil se fixant sur la tête muni d'écouteurs et de deux petits écrans vidéo s'adaptant aux yeux afin d'évoluer de manière totale dans un environnement virtuel. La visière du casque était constituée d'un verre opaque en silicone, et un fil raccordait le dispositif au siège.

Christopher s'assit sans plus attendre à l'intérieur de la sphère. Dès qu'il eut fini d'attacher les sangles, le couvercle bombé commença à se refermer. Il fixa solidement le visiocasque sur sa tête et mit les gants de données. Il fut bientôt enveloppé d'une obscurité complète et éprouva momentanément un sentiment de claustrophobie. La machine bascula lentement vers l'avant, puis effectua 360° de rotation. Chris sentit enfin son siège revenir doucement en position verticale.

Ce fut à cet instant que la réalité virtuelle prit vie sur les écrans du visiocasque. Une multitude de menus et de sous-menus apparurent devant ses yeux. Christopher évoluait en terrain inconnu. Il bougea nerveusement ses doigts. Ceux-ci s'animèrent de la même façon dans l'environnement virtuel. Les gants de données étaient constitués de capteurs qui numérisaient en temps réel les mouvements de ses mains. Ils lui permettaient de saisir les objets virtuels et de les manipuler. Il entreprit de naviguer parmi les menus. L'interface était intuitive et sa maniabilité dépassait tout ce qu'il avait expérimenté jusqu'à présent. La liste des appareils stockés dans la mémoire du simulateur de vol n'en finissait pas : hélicoptère d'attaque AH-64 Apache, chasseur F-22 Raptor, bombardiers B-2 Spirit et Mirage IV, avions de ligne, monomoteurs légers. Même la navette spatiale y figurait !

Il cliqua finalement sur les favoris de Daniel Tornay, puis une barre de chargement défila. Étonnamment, l'historique de fréquentation du superagent concernait un vieil hélicoptère Bell 212. C'était la reconstitution virtuelle de l'exploit accompli par Christopher en 1985, le jour où il avait sauvé les 22 pompiers piégés au milieu de l'incendie de forêt ! Le plus beau souvenir qu'il conservait de cette journée était sans contredit sa rencontre avec Alexandra.

Daniel Tornay avait accumulé 211 tentatives. Elles avaient toutes abouti à un échec.

— Je comprends maintenant pourquoi il voulait me tuer, railla Chris.

Il lança la séquence cinématique, qui était d'une précision hallucinante. Il se retrouva immédiatement au cœur de l'action, à Chibougamau, au Québec. L'illusion de tridimensionnalité topographique du terrain coupait le souffle. Il était aux commandes du Bell 212, dont il tenait fermement le levier de collectif et le manche cyclique à l'aide de ses gants de données. Il n'y avait aucun effet de distorsion. Chacun de ses mouvements, si imperceptible fût-il, était retransmis à la console de façon parfaitement synchronisée. Le siège pivotait au besoin pour ajouter au réalisme. Chris était stupéfait par la fluidité de l'animation. Il ne manquait en fait que les visages apeurés des pompiers. Évidemment, aucun support informatique ni même l'électrisante modélisation 3D n'étaient en mesure de reproduire les émotions inexprimables qu'il avait vécues ce jour-là.

Christopher enchaîna instinctivement les mêmes actions qu'il avait exécutées lors du sauvetage aérien de 1985. Il en perdit la notion du temps. Bien entendu, il réussit de nouveau son exploit héroïque. Satisfait, il tapota le tableau de bord virtuel et murmura :

— Désolé, Daniel. Habileté et chance ne suffisent pas toujours. Encore faut-il avoir du cœur !

L'heure de la récréation avait sonné. Christopher se résigna à quitter l'environnement virtuel ultrasophistiqué. Il sortit du simulateur et alla droit à la cuisine. Il y but une brique de jus de fruit en se demandant s'il parviendrait un jour à étancher sa soif. L'Embraer était en approche basse pour la piste 27 de l'aéroport international Logan. Le jet survolait les îles Boston Harbor. À gauche, le fort Independence, à cinq bastions, se dressait fièrement à l'entrée du port, sur l'île de Castle Island. À l'époque, ces solides fortifications protégeaient la ville contre les envahisseurs.

Ce soir, toutefois, ce serait Christopher qui protégerait Alyson Whitefield et son fils, Josh, contre les agents matricules de Sentinum. Dès qu'il mettrait le pied en dehors de la carlingue de l'Embraer Legacy, il ne serait plus question d'environnement virtuel. Le monde réel le menacerait, avec tout ce qu'il comportait de véritables dangers et périls. Il lui serait impossible d'abandonner ou de recommencer la partie en cas d'échec !

Chapitre 25

23 septembre 2001, 0 h 05
Boston, États-Unis

Le jet Embraer Legacy roulait lentement vers l'aire de service du terminal B de l'aéroport international Logan. Christopher atténua l'éclairage de la cabine. Quand il éteignit la dernière lampe et que l'obscurité l'enveloppa, il se remémora ce proverbe : « La nuit, tous les chats sont gris. »

— Nous y voici, pile-poil à l'heure ! Bienvenue aux États-Unis d'Amérique ! s'exclama-t-il en apercevant par le hublot le groupe de trois Chevrolet Suburban noires de Sentinum qui l'attendait sur le tarmac.

Ce serait le moment de vérifier si son usurpation d'identité tiendrait la route auprès des agents matricules de l'organisation. Démasqueraient-ils son imposture ? Chris l'ignorait. En conséquence, il valait mieux qu'il se prépare à toute éventualité. Il empoigna les deux pistolets Sig-Sauer P220 posés sur la table. Il croisa les bras et les inséra dans les baudriers de cuir qu'il portait sous les aisselles. Il s'empara ensuite de cinq chargeurs en espérant ne pas avoir à tirer toutes les balles qu'ils contenaient. Puis, il vida d'un trait sa canette de Red Bull. Il était fin prêt.

Pourtant, Christopher était encore tourmenté. De quelle manière aborderait-il Alyson Whitefield et son fils, Josh ? Il pensa tout haut à ce qu'il pourrait bien leur dire.

— Bonsoir, Alyson. Oui, oui, je sais qu'il est minuit passé ! Seulement, je viens vous avertir de fuir, car des salopards débarqueront sous peu pour vous tuer... Ah ! J'ai oublié de me présenter : je suis Christopher Ross. Le 10 septembre dernier, votre mari a enlevé ma femme, et nous sommes devenus ennemis jurés. Figurez-vous que je l'ai buté pour lui régler son compte une bonne fois pour toutes ! Si j'ai honte ? Ben voyons, Alyson ! Barry Stahl, c'était une ordure. Mais, moi, vous pouvez me faire confiance !... Salut, mon petit Josh ! Oh ! Mais tu as les yeux de ton père, du moins quand il était vivant !... Non mais quel foutu bordel ! glissa-t-il finalement entre ses dents.

Son imposture commençait à lui peser sur la conscience. Comment pouvait-il espérer se présenter décemment devant cette femme et son fils, lui qui avait assassiné l'être qu'ils chérissaient le plus au monde ? Sans compter que ladite veuve était assurément disposée à l'accueillir en déchargeant son revolver sur lui. Son initiative louable de les préserver du péril se transformerait alors en bêtise sans nom.

À minuit quinze, l'Embraer Legacy s'immobilisa enfin devant le terminal B. Christopher ramassa l'enveloppe contenant les détails de la mission et descendit l'escalier escamotable du jet. Un vent de l'ouest balayait le tarmac, emportant de fines gouttes de pluie glaciale. Il monta à bord de la Suburban qui était à la queue du peloton de Sentinum. À l'intérieur du quatre-quatre, il y avait trois agents matricules, deux assis à l'avant et un à sa gauche sur la banquette arrière. Une atmosphère morbide et malsaine flottait dans l'air. Plusieurs émotions envahirent Christopher. Il se raidit. Jusqu'à maintenant, ces agents croyaient avoir affaire à Daniel Tornay, mais il s'attendait d'une minute à l'autre à se faire démasquer.

Le convoi de Suburban s'ébranla sans différer. Il rejoignit la voie réservée aux véhicules d'urgence et traversa la guérite de sécurité comme s'il s'agissait d'un kiosque d'information touristique fermé pour la période hivernale. Les trois quatre-quatre regagnèrent le centre-ville de Boston par l'Interstate 90.

L'agent matricule qui était à la gauche de Chris savait que Daniel Tornay était de nationalité suisse francophone. Pour être affable, il prit la parole en français, avec un accent parisien de surcroît.

— Quelles sont vos instructions, monsieur ? demanda-t-il sur un ton au-dessus de toute méfiance.

Christopher lui tendit le dossier de la mission. L'agent matricule ouvrit l'enveloppe de papier kraft et alluma le plafonnier. Avant de commencer à lire, il fouilla dans la poche intérieure de son veston pour en retirer son paquet de Marlboro. Il feuilleta lentement les pages illuminées par l'ampoule jaunâtre en grillant sa cigarette blonde. Tout y était : la photo de la petite maison de la rue Robinson, la vieille Honda Civic bleue, des clichés d'Alyson et de Josh. En scrutant ces images, le visage de Christopher devint désespérément triste, et ce, même s'il avait déjà consulté l'épineux dossier lorsqu'il était à bord de l'Embraer. S'il avait eu la possibilité d'extérioriser sa rage, Chris aurait crié son désarroi. Il sentait que les rubans de velcro de son gilet pare-balles étaient rudement sanglés. Ce n'était là qu'une fausse impression. En fait, c'étaient plutôt ses émotions contradictoires qui gênaient sa respiration.

Les Suburban au moteur ronflant s'engouffrèrent dans le tunnel Ted Williams. Ils passèrent ainsi sous les eaux du port de Boston, puis rejoignirent l'Interstate 93 Sud en direction du quartier Dorchester. Christopher avait parfaitement mémorisé ce secteur de la ville. Par souci d'éviter qu'on le démasque en raison de son accent français québécois, il s'adressa au conducteur en anglais.

— Indiquez à tous les chauffeurs du convoi d'emprunter la prochaine sortie. Le quatre-quatre de tête ira patienter à la terrasse Arcadia et le deuxième se garera en face de l'entrée du parc Ronan. Nous laisserons notre véhicule sur la rue Adams, et je me rendrai à pied jusqu'à la rue Robinson.

Le conducteur retransmit immédiatement ses ordres par le biais de son téléphone portable. Les pressentiments anxieux de Christopher s'estompèrent quelque peu.

— Bon ! s'exclama-t-il, toujours en anglais. Je suis d'avis de simuler un accident. Puisque je connais bien le gaz naturel et que nous devons le moins possible attirer l'attention, je ferai cavalier seul.

— Sauf votre respect, monsieur, s'opposa en français et avec fermeté l'agent matricule à ses côtés, selon mes notes, il est question que la cellule mafieuse de Franco Mancini endosse l'exécution des membres de la famille de Barry Stahl.

— Je connais ces détails, continua Chris en anglais. Mais les plans ont changé.

Le climat s'alourdissait et se dégradait de seconde en seconde. Son voisin de siège exhala une longue bouffée de fumée malodorante et tambourina nerveusement sur sa cuisse. Puis, il passa ses doigts sur sa coupe en brosse, geste qu'il répétait machinalement lorsqu'il était tendu.

— Cela me semble douteux. Avant votre arrivée, répliqua-t-il en grasseyant les r, nous avons reçu d'un de nos agents doubles des MP5 appartenant au clan Mancini. Ces mitrailleuses doivent servir à éliminer les traîtres, et il est primordial qu'elles retournent à leur place respective avant 4 h cette nuit.

Lorsque les enquêteurs de la police étudieraient la scène de crime dans la petite maison de la rue Robinson, ils y découvriraient des indices qui les conduiraient à un homme de main du clan Mancini. Munis d'un mandat, ils débarqueraient dans l'immeuble du mafioso, où ils trouveraient leurs pièces à conviction :

les pistolets mitrailleurs MP5. À la suite de cette perquisition, une analyse balistique révélerait hors de tout doute que ces armes auraient bien servi à assassiner Alyson Whitefield et Josh Stahl. La loi antigang ferait le reste du travail et remonterait jusqu'au parrain de la mafia bostonnaise : Franco Mancini. Ce dernier serait incriminé pour cette affaire crapuleuse de gangstérisme. Ensuite, Sentinum serait libre de transférer le territoire de la pègre de Boston au clan Astora.

— Vous négligez un point essentiel, reprit Christopher.

— Lequel ?

— Savez-vous qui nous sommes chargés de tuer ?

— Une femme et son fils, répondit l'agent matricule sans démontrer la moindre émotion.

— Grave erreur ! le rabroua-t-il.

— Et pour quelle raison ?

— Ils ne sont pas seuls, rétorqua Christopher en français. Barry Stahl a eu la prévoyance d'engager un garde du corps.

— Hum… un garde du corps, dites-vous.

— Affirmatif.

— C'est étrange, car…

— Tu me les gonfles, le franchouillard ! trancha brusquement Christopher.

Un lourd silence pesa sur eux, seulement entrecoupé par le bruit des essuie-glaces qui balayaient le crachin bostonnien tombant sur le pare-brise de la Suburban. La tension, qui était déjà insoutenable, monta d'un cran. Chris sentit son cœur se serrer à cause de son appréhension aiguë concernant la fin de leur discussion. Comme ils étaient tous entassés dans une promiscuité étouffante, leur rencontre pouvait facilement dégénérer en orgie sanglante.

— Il est tard, reprit Christopher. Le décalage horaire me mine, je suis crevé. Donc, soit tu la boucles et te plies à mes directives, soit je te brise les reins ! Suis-je assez clair ?

— Oui, monsieur. Toutes mes excuses. Je parle trop, déclara l'agent, irrité par l'étonnant revirement de situation.

Tentant de percer à jour les intentions de Christopher, il plissa les yeux et ajouta sur un ton durci :

— Nous effectuons l'étroite surveillance de cette famille depuis une semaine et nous n'avons jamais vu votre soi-disant garde du corps. Comment avez-vous obtenu ce renseignement ?

En terminant sa phrase, l'agent à la silhouette massive déboutonna discrètement son veston. Les indicateurs intuitifs de Christopher, qui clignotaient déjà au niveau orange, passèrent instantanément au rouge ! Il était d'avance fortement dynamisé, mais ce nouvel influx d'adrénaline finit de le soûler d'énergie et il s'écria :

— Parce que c'est moi, abruti ! Et vous êtes mal barré !

Cette révélation inattendue fut la goutte qui fit déborder l'océan de violence. Chris dégaina ses deux Sig-Sauer chargés à bloc. Un témoin de la scène aurait aperçu de loin les éclairs qui zébraient l'intérieur de la Suburban à la conduite erratique. Et s'il avait été atteint de cécité, il aurait tout de même entendu la pétarade des pistolets qui déchirait le silence de la nuit. Ces tirs à bout portant se traduisirent par un déchaînement de sauvagerie sans borne. Refusant d'envisager l'échec, les agents matricules tentèrent d'accomplir leur devoir de fidélité envers l'organisation Sentinum.

Chapitre 26

22 septembre 2001, 22 h
Quartier Dorchester, Boston

— Maman ? Quand papa va-t-il arriver ?

— Mon chéri, papa nous rejoindra bientôt.

— Où est-il ?

— Je l'ignore, mais je sais qu'il pense à nous.

— Je m'ennuie de mes amis, maman. Pourquoi faut-il rester ici ?

— Josh, écoute-moi…

D'ordinaire pétillant, le ton de la maman de 34 ans était désormais empreint d'une tristesse résignée. Ses cheveux blond vénitien, habituellement coiffés d'une façon impeccable, retombaient négligemment sur ses épaules, et le chagrin assombrissait ses jolis yeux émeraude.

— De graves problèmes qui concernent les adultes sont survenus. Papa et moi faisons l'impossible pour les régler, mais nous avons besoin d'un peu de temps. En attendant, tu dois te comporter comme un grand garçon et être bien sage, comme papa te l'a demandé. Là, mon lapin, il est tard. Tu dois faire dodo.

— Je ne m'endors pas, maman…

— Tss-tss, Josh. Viens dans mes bras.

À chaque jour qui s'écoulait depuis cette nuit fatidique du 10 septembre 2001, Alyson Whitefield reportait l'échéance de la vérité. Elle était incapable d'annoncer à son fils de sept ans que son père ne viendrait jamais les rejoindre. Barry lui avait pourtant promis qu'il les retrouverait à Boston, au plus tard le 11 septembre. Mais la docteure Whitefield n'était pas naïve. Après 13 longs jours passés à l'attendre en vain, elle était maintenant certaine que Barry était mort et qu'aucune larme de désespoir ou aucun cri du cœur ne le ramènerait à la vie. C'était d'ailleurs l'unique raison qui pouvait avoir empêché son mari de les rejoindre.

Dès leur première rencontre, Alyson avait été séduite par le caractère bouillant d'ardeur de Barry ; son cœur de braise et sa quête de richesse l'avaient envoûtée. Elle était tombée éperdument amoureuse de lui. C'était arrivé le 7 juin 1994.

À cette époque, la docteure Whitefield était fraîchement débarquée à l'hôpital de North Stratford. Elle avait eu à examiner un agent de police qui était affligé d'insuffisance rénale. Il se nommait Stanley L. Wiseman. Sans le savoir, ce policier était atteint depuis sa naissance du syndrome d'Alport. Les symptômes précurseurs de sa maladie héréditaire s'étaient d'abord manifestés d'une façon subtile. Toutefois, lorsque Stanley avait passé le cap de la trentaine, ils s'étaient aggravés. Son anomalie rénale l'avait cloué sur un lit d'hôpital et avait nécessité une dialyse pour éliminer les toxines de son organisme.

Hélas, le syndrome d'Alport avait ensuite progressé à toute allure, et la seule option envisageable avait été la transplantation d'organe. Puisque Stanley était enfant unique et qu'il s'était brouillé avec le peu de famille qu'il avait, sa situation était précaire. Quant à ses rarissimes amis, ils n'avaient pas été enclins à se départir d'un rein bien portant pour le lui offrir. Bref, les semaines s'étaient écoulées, et Stanley, le teint de plus en plus bilieux, était demeuré seul avec ses troubles de santé. Voyant que son meilleur ami dépérissait à vue d'œil et que son dossier traînait en longueur, Barry Stahl avait décidé de s'impliquer personnellement. Il avait subi tous les tests et, dès qu'il avait appris que sa compatibilité était parfaite, il s'était porté volontaire à titre de donneur.

— Remettez-moi vos foutus instruments de torture, et je me charcuterai moi-même ! avait-il gueulé au milieu de la salle d'examen.

Alyson avait alors ressenti à son égard un élan de sympathie irrépressible. Elle avait procédé à l'opération chirurgicale en employant la méthode de Kuss. Son intervention avait été couronnée de succès, et Stanley s'était promptement rétabli. Barry l'avait ensuite promu au grade de sergent. Puis, la vie avait repris son cours. Alyson et Barry, passionnément épris l'un de l'autre, s'étaient mariés quelques mois plus tard.

À North Stratford, Alyson Whitefield et Barry Stahl occupaient l'avant-scène. De son côté, la docteure, en plus de pratiquer la médecine, était présidente de la fondation de l'hôpital général de la ville ainsi que d'une myriade d'institutions sociales. Quant à son mari, il était le shérif du comté. Malheureusement, Barry possédait un appétit excessif pour les biens de luxe qu'il ne pouvait raisonnablement satisfaire. Voilà pourquoi il était en catimini devenu le chef d'un réseau de contrebande de cannabis. Il revendait la drogue au parrain d'une puissante famille mafieuse de New York, Franco Mancini. De fil en aiguille, le shérif corrompu s'était étroitement lié avec la pègre et en était venu à tremper dans toutes sortes de combines sordides.

Sans être dûment informée des pratiques malhonnêtes de son mari, Alyson se doutait que l'opulence dans laquelle ils vivaient était d'origine nébuleuse. Pour être honnête, elle savait en son for intérieur que tôt ou tard la réalité les rattraperait. Les années de faste s'étaient succédé, et la jeune femme s'était habituée à vivre sur un nuage artificiel. Soutenue par la pensée magique, Alyson s'était imaginé que sa famille était à l'abri des ressacs violents du destin. Jusqu'au soir du 10 septembre 2001, où son mari avait fait irruption à la maison en lui disant qu'une de ses affaires avait mal tourné.

Barry Stahl était un père de famille bienveillant. En raison de ses activités illicites dangereuses, il avait sagement planifié leur fuite au cas où ses proches et lui seraient un jour en danger. Puisque cela avait été le cas ce soir-là, il avait ordonné à Alyson de quitter la région avec Josh à bord d'une vieille Honda Civic 1994, pour se rendre à Boston et se terrer dans une petite maison pendant trois mois. Lorsque ce délai serait expiré, ils devraient reprendre discrètement la route en direction d'un pays lointain. Avec son diplôme de médecine en poche, Alyson pourrait nourrir l'espoir de refaire sa vie ailleurs.

Ce soir, elle repensait à l'affreux gâchis dans lequel elle se trouvait. Elle était triste. En voulait-elle à Barry ? Il était difficile de tracer un tableau de ses sentiments à son égard. En résumé, elle se sentait responsable. Elle était convaincue que son attitude passive par rapport à l'ambition démesurée de son mari ainsi que son manque de réflexion rationnelle les avaient conduits à cette conclusion dramatique.

Depuis qu'ils s'étaient enfuis de North Stratford, Alyson et Josh avaient suivi à la lettre les recommandations de Barry. C'était une nouvelle existence pénible pour la jeune femme, qui était habituée à un train de vie tout à fait extravagant. Cette humble maison bleu outremer qui datait des années 1950 détonnait de ses anciennes demeures cossues. Elle était localisée sur la rue Robinson, en plein cœur du quartier ouvrier et multiethnique de Dorchester, le plus vaste des 23 secteurs de la ville de Boston. Faisant preuve d'une stricte discipline, Alyson et Josh vivaient en réclusion au sous-sol et s'abstenaient de nouer des contacts avec leurs voisins. Ils n'étaient sortis de la maison qu'à une seule occasion, pour faire des emplettes indispensables.

Chapitre 26

Barry avait équipé la résidence de tout ce qui leur était essentiel pour y rester cacher le temps qu'il leur faudrait. Le sous-sol était un véritable entrepôt d'électroménagers. En plus des biens de première nécessité, il avait quasiment tout prévu pour leur divertissement : des jouets en quantité excessive, une console de jeu vidéo Nintendo 64, une immense télévision, des montagnes de films format DVD, etc. Mais aucun livre ne garnissait les étagères.

Leurs journées étaient interminables. Chaque soir vers 22 h, après que Josh se fut endormi sur son épaule, Alyson le déposait dans son lit et grimpait à l'étage. Elle posait son Beretta sur le bâti dormant d'une fenêtre et s'assoyait sur un tabouret de piano pivotant. Bien qu'elle fût rompue de fatigue, elle faisait le guet jusqu'aux premières lueurs de l'aube. Alyson enfilait sa lunette de vision nocturne mains libres de deuxième génération pour scruter le périmètre autour de la maison. Tapie dans l'obscurité, elle identifiait tous les véhicules inhabituels. Elle notait minutieusement la marque des automobiles, leur nombre d'occupants et le numéro de leur plaque d'immatriculation.

Heureusement, le va-et-vient qu'elle avait jusqu'à présent observé faisait partie de la routine du voisinage. Naturellement, en particulier les fins de semaine, de multiples bruits parvenaient des matchs se disputant au parc. Cela créait parfois des sursauts indésirables chez Alyson. Toutefois, dans l'ensemble, la situation était supportable. Le vacarme des matchs cessait de toute façon vers les 23 h. Dès le crépuscule du matin, les craintes d'Alyson se dissipaient un peu et elle parvenait à dormir quelques heures avant que Josh ne saute du lit. Épuisée, elle somnolait parfois sur le sofa durant l'après-midi. Le lendemain était un autre jour, et sa routine recommençait, identique au jour précédent.

Sauf en cette nuit du 23 septembre. Un vent d'automne balayait la chaussée humide. En face de la maison, de l'autre côté de la rue Robinson, un terrain vague s'étendait jusqu'au parc Ronan. L'herbe poussait péniblement à travers le bitume fendillé de cette aire déserte qui était ceinturée d'une chaîne de fer ainsi que d'une clôture métallique rouillée. L'endroit était à peine éclairé et lugubre, mais relativement paisible. Un peu après minuit trente, Alyson remarqua soudain deux silhouettes qui descendaient le talus au fond du terrain vague. Elle en conclut que c'étaient des adolescents à la recherche d'un coin tranquille pour fumer un joint de haschisch. À travers une mince parcelle d'arbres, elle distingua ensuite une ombre mouvante au sommet de la côte, sur le terrain de baseball dont les projecteurs venaient de s'éteindre.

— Nom de nom! murmura-t-elle.

Les piles AA de son instrument optique moururent en même temps que son optimisme. Assaillie par un pressentiment anxieux, Alyson abaissa ses jumelles devenues inutilisables. Elle força son acuité visuelle et déduisit que l'ombre mouvante était en fait un énorme quatre-quatre. La présence de ce véhicule sur le terrain de baseball et des deux hommes en bas du talus lui fichait la frousse. Les lampadaires de la rue Robinson diffusaient de faibles rayons lumineux qui rendaient malaisé le repérage de ces rôdeurs. D'ailleurs, les rares automobiles qui circulaient gênaient sa vue et retardaient sa surveillance.

Alyson s'encouragea : il n'y avait sûrement pas de quoi s'affoler. Essayant de maîtriser sa respiration, elle colla son nez à la vitre et songea à Josh qui se trouvait au sous-sol. Cette pensée réaffirma sa détermination; en cas d'extrême nécessité, elle n'hésiterait pas un instant à appuyer sur la détente de son Beretta pour protéger son enfant.

Sur l'entrefaite, un second quatre-quatre noir arriva sur les chapeaux de roue à contresens par la rue Montello. Même dépourvue de sa lunette de vision nocturne, Alyson vit distinctement ses signes de décadence : il était cabossé, certains de ses pneus étaient dégonflés, même déjantés, sa conduite était erratique et ses glaces étaient complètement éclatées. Puis, les roues rabotèrent le trottoir en jetant des étincelles et la Suburban s'immobilisa à cheval sur le trottoir vis-à-vis de sa maison.

— Merde ! articula Alyson d'une voix enrouée par le désarroi.

Un frisson inexplicable la traversa. C'était sinistrement réel : on avait découvert leur refuge, et le malheur s'abattait sur eux. Alyson s'empara de son émetteur-récepteur portatif et hurla :

— Josh ! Josh ! Réveille-toi !

— Maman ? C'est toi ?

— Oui ! Monte immédiatement avec la valise qui est à côté de mon lit. Grouille-toi ! On doit filer d'ici tout de suite !

À l'extérieur, un homme s'élança hors du quatre-quatre délabré. C'était le conducteur. Avec ses larges épaules, il semblait capable de déplacer des montagnes. Le rythme cardiaque d'Alyson s'emballa. Ses mains étaient moites, et une étrange émotion l'envahit. Était-il concevable que cet homme soit son mari ? Qu'un miracle se soit produit, qu'il soit parvenu à se tirer d'affaire ? Non, elle s'aperçut avec effroi que ce n'était pas Barry. Elle était dévorée par l'inquiétude, et la tension nerveuse lui tenaillait les entrailles. Elle agrippa son pistolet et, paniquée, elle tomba à la renverse. Alyson se releva d'un bond, se rua vers l'escalier et dévala les marches.

Au moment où elle ouvrit la porte d'entrée, le tableau qui s'offrit à la jeune femme d'une pâleur de cire fut digne de ses pires cauchemars ! Elle s'arrêta net, pétrifiée. Elle ne pensa même plus à utiliser son pistolet. L'inconnu avait ouvert les portières de la Suburban et s'était débarrassé de deux cadavres ensanglantés qu'il avait empilés sur la minuscule pelouse jaunie. Alyson observait les morts qui jonchaient le sol comme des embellissements de terre-plein. L'homme qui s'affairait était couvert de sang. Il traînait par les bras une troisième dépouille dont la moitié de la tête était éclatée. Il détourna les yeux et croisa le regard apeuré d'Alyson, qui ne put réfréner un mouvement de recul.

— Alyson Whitefield, ramassez le strict minimum et barrez-vous d'ici au plus vite !

Chapitre 27

Voyant qu'Alyson s'était de nouveau immobilisée sur le pas de la porte, Christopher Ross continua :

— Je vous le répète, il n'y a pas une seconde à perdre. Des hommes veulent vous tuer. Allez chercher Josh et fichez le camp d'ici. J'ai arrêté le premier groupe, mais il y en a deux autres qui rôdent dans les parages.

Alyson reprit ses esprits et porta un regard hésitant sur l'étranger qui était intervenu pour les sauver.

— J'ai aperçu deux individus louches au fond du terrain vague situé en face de la maison, articula-t-elle faiblement.

Christopher contourna immédiatement la Suburban et alla à la rencontre des deux agents matricules.

— Nous sommes tombés dans une embuscade, cria-t-il en levant un bras pour leur faire signe d'approcher. Des agents ont été touchés. Venez m'aider !

Ils mordirent à l'hameçon et hâtèrent le pas. Pendant ce temps, un adorable petit garçon aux cheveux blonds apparut derrière Alyson. Ses yeux pers étaient terrifiés. Il tenait fermement la valise que sa maman lui avait demandé d'apporter ainsi que ses figurines fétiches de *Star Wars* : Anakin Skywalker et le droïde protocolaire C-3PO. Alyson pivota, s'empara de la valise, puis agrippa Josh par l'épaule. Ils coururent à toute vitesse vers la Honda Civic tandis que le bruit des armes retentissait devant eux. Refoulant l'émotion intense qui l'étreignait, Alyson poussa son fils sur la banquette arrière et s'installa au volant de la petite voiture. Elle se débattit un moment avec les clés et le levier de vitesses avant de parvenir à démarrer.

— Ça ira, Josh. Ne pleure pas.

En arrivant au bout de la rue, elle jeta un coup d'œil dans le rétroviseur et s'aperçut que Christopher lui faisait signe de revenir. Rongée par les remords d'abandonner à un sort précaire cet étranger qui leur avait courageusement sauvé la vie, Alyson décéléra brusquement.

— Eh, merde ! jura-t-elle, les yeux rivés au rétroviseur.

Réagissant avec gaucherie, elle klaxonna à plein tube, puis enclencha la marche arrière. Une fois à la hauteur de Chris, Alyson abaissa la glace latérale de la voiture et s'exclama sans réfléchir :

— Montez !

— Non, protesta Christopher. Je me débrouillerai. Mais attendez un instant.

Il se pencha et retira une puce de repérage satellitaire qui était collée sous le châssis de la Honda Civic.

— Voilà qui est mieux. Maintenant, filez ! Et tout doux avec le klaxon ! Ne faites pas exprès pour vous faire repérer, lui conseilla-t-il en donnant une tape sur la carrosserie défraîchie de la voiture.

— Voyons ! Ne faites pas l'idiot. Votre camion déglingué pisse l'huile et le liquide réfrigérant. Je serais surprise si vous arriviez à rouler deux kilomètres avec cette épave. Et, en toute honnêteté, nous aurons peut-être encore besoin de votre aide.

— OK ! acquiesça Christopher en agrémentant sa réponse d'un pâle sourire.

Chapitre 27

Unis pour affronter l'adversité, ils seraient certes plus forts. Il alla du côté passager, où il se riva à une portière verrouillée. Visiblement nerveuse, Alyson se démena un moment avec le loquet avant de réussir à le soulever, et Christopher put enfin se glisser à l'intérieur.

— Êtes-vous blessé ? s'enquit-elle en débrayant et en écrasant la pédale de l'accélérateur alors que la portière de Chris était toujours entrouverte.

Puisque le levier de vitesses était au point mort, le moteur de la Honda voulut sortir du capot. Gagnée par la frénésie, Alyson perdit son aplomb et passa laborieusement en première. La transmission de la voiture manifesta son mécontentement. Elle émit un bruit de ferraille grinçant qui n'eut rien de rassurant. Christopher enfonça sa tête entre ses larges épaules et grimaça autant que les engrenages maltraités.

— Désolé ! s'exclama-t-elle. La fac remonte à un bout de temps. J'ai perdu l'habitude des bagnoles à commande manuelle.

Alyson débraya à nouveau. La Honda Civic, qui avait connu de meilleurs jours, hoqueta dangereusement. Le petit moteur 4 cylindres de 1,5 litre toussota, puis la voiture recommença enfin à avancer.

— Misère ! J'ai failli caler le moteur.

Alyson était blême, ce qui accentuait ses nombreuses taches de rousseur, qu'elle détestait. Elle avoua :

— Ce genre de maladresse ne serait jamais arrivé à mon mari.

Christopher sentit sa gorge s'étrangler lorsque la jeune femme fit allusion à Barry.

— J'étouffe… Je dois enlever ce truc.

— Je vous le déconseille ! Au cas où vous seriez blessé.

Peu réceptif aux recommandations de la docteure Whitefield, Christopher dégrafa son gilet pare-balles de type III.

— Ne vous en faites pas. Je ne suis pas blessé. Il était seulement trop serré !

— Quel est ce bidule que vous avez retiré sous ma voiture? demanda Alyson.

— Les hommes qui cherchent à vous tuer ont eu la délicatesse d'installer une puce de repérage pour vous suivre à la trace.

— Ne croyez-vous pas qu'il serait préférable de s'en débarrasser? proposa-t-elle en regardant, les sourcils froncés, l'objet qu'il tenait dans les mains.

— Oui. Mais j'attends le moment propice pour les envoyer sur une fausse piste.

Chris lui indiqua de virer à gauche sur la rue Draper et d'accélérer. Ensuite, il se retourna et s'adressa à Josh.

— Allonge-toi sur le siège, et surtout ne bouge pas!

À cause du stress, son ton était un peu plus sec qu'il ne l'aurait souhaité. S'apercevant que le visage du petit garçon était empreint de frayeur, il lui dit :

— Pardon, Josh. C'est à mon tour de rester cool!

Un éclair traversa le regard de Josh. Cet adulte au sourire contagieux ainsi que l'énergie tranquille qu'il dégageait ne lui étaient pas inconnus.

— Qui êtes-vous? lui demanda Alyson, étonnée qu'il connût même le prénom de son fils.

— Juste un gars qui essaie d'éviter que des innocents paient pour les coupables.

Dès que la Honda s'éclipsa sur la rue Draper, les Suburban de Sentinum arrivèrent en trombe à l'autre bout de la rue Robinson. Les agents matricules tués par Chris sur le terrain vague avaient eu le temps de prévenir leurs collègues stationnés au parc Ronan et à la terrasse Arcadia. Les Suburban ne firent que passer devant la petite maison d'Alyson et de Josh, car deux Crown Victoria Police Interceptors s'étaient présentées derrière eux; le voisinage avait alerté les policiers après l'échange de coups de feu. À la suite d'un parcours labyrinthique dans le dédale des rues du quartier Dorchester, le convoi hurlant fut enveloppé par la brume qui provenait de la baie du Massachusetts. Les véhicules tournèrent finalement sur la rue Parish, au bout de laquelle la chaussée se divisait de chaque côté d'un terre-plein pour former une boucle. C'était une impasse.

À gauche de l'îlot directionnel ovale se trouvait la plus vieille école élémentaire publique d'Amérique du Nord : the Mather School. L'auguste établissement d'enseignement fondé en 1635 accueillit ces élèves turbulents à 1 h 30 de la nuit. Les Suburban s'engagèrent dans la boucle les premières. Les Crown Victoria Police Interceptors se séparèrent de chaque côté de l'îlot directionnel où flottait vaporeusement le drapeau des États-Unis afin de leur bloquer la voie. Les policiers coincèrent les agents matricules en sandwich au bout du terre-plein ovale. Ils avaient déjà hâte de raconter en détail à leurs confrères la conclusion de leur course-poursuite, devant une bonne chope de bière.

L'étau s'était resserré sur les Suburban, qui freinèrent sèchement. En fait, tout cela s'inscrivait dans une démarche totalement délibérée de la part des agents matricules ; ils avaient simplement attiré les policiers dans un guet-apens. Les portières à battant du coffre arrière d'une Suburban s'ouvrirent, et un sinistre présage envahit les policiers. Un agent matricule entreprit aussitôt de les mitrailler en déchaînant son arme à canons rotatifs, une M134 tirant à une cadence soutenue de 4000 coups à la minute. Les policiers débarqués à l'improviste en dehors des heures de classe de l'école Mather se firent infliger une terrible leçon. Il paraissait évident que les hommes de Sentinum leur inculquaient par rafales une rude formation.

L'agent matricule qui tenait fermement les poignées de la M134 s'écria d'ailleurs :

— Je vous en mettrai, du plomb dans la tête, moi !

Dans les écouteurs de son casque antibruit, son artilleur lui répondit d'un ton nonchalant :

— Prends garde à ne pas trop leur bourrer le crâne !

Une voiture de patrouille prit feu. Les policiers du second véhicule tentèrent évidemment de porter secours à leurs confrères en s'armant de leur Glock 19 et de leur fusil à pompe Remington 870P. L'espoir sembla futile, car les Suburban bénéficiaient d'un blindage réalisé par des métalliers hors pair. Les quatre-quatre encaissèrent facilement les impacts. Un agent matricule surgit alors par le toit ouvrant de l'autre Suburban et braqua un lance-roquettes RPG-7 sur la Crown Victoria d'où provenaient les tirs. Les policiers hypnotisés contemplèrent non pas la chevelure de leur institutrice comme à la petite école, mais la chevelure de flamme de la roquette qui fonçait vers eux à toute vitesse.

Un sergent murmura en fermant les yeux et en se protégeant la figure du coude.

— Que Dieu nous vienne en aide !

Loin des ennuyeuses notions pédagogiques abstraites, les policiers furent en mesure d'expérimenter concrètement la phase exothermique, la dilatation des gaz et la réaction chimique de la transformation de la matière en énergie. Bref, l'explosion dans toute sa splendeur. L'atmosphère se remplit d'une odeur âcre de chair carbonisée et de plastique brûlé. Leur Crown Victoria Police Interceptor fut soufflée et catapultée par la puissante déflagration. Elle retomba à l'envers sur l'autre voiture de patrouille, qui était en feu. Cela mit un terme à l'échauffourée, qui s'arrêta aussi vite qu'elle avait commencé, et les agents matricules reprirent la route, comme si de rien n'était.

Le conducteur de la Suburban de tête alluma le système de repérage satellitaire. Il entendit le bip réconfortant de la balise émettrice. Selon son moniteur monochrome, la Honda Civic se situait à moins d'un kilomètre sur l'Interstate 93 Nord. Toutefois, l'agent matricule de Sentinum avait la mine soucieuse. Son scanneur radio venait de l'aviser que le BPD — le Boston Police Department — s'organisait pour les intercepter sur la voie rapide et qu'une vingtaine de voitures de police étaient en route ! En conséquence, il réclama l'appui aérien de l'organisation Sentinum.

Chapitre 28

Dans la froideur de la nuit, les Chevrolet Suburban regagnèrent l'Interstate 93 par la bretelle d'accès de la rue Columbia. Malgré l'heure tardive, les quatre voies de l'autoroute étaient achalandées. Plusieurs voitures de patrouille eurent tôt fait de les rattraper. Une équipe du SWAT avait aussi été alertée pour seconder les policiers de Boston. Elle s'était jointe au cortège de véhicules qui serpentait la chaussée comme une anguille électrique sur une centaine de mètres.

— Nous nous rapprochons de la Honda Civic, déclara le passager de la Suburban de tête, attentif au signal émis par son appareil de repérage portatif. Nous devons l'intercepter avant le tunnel du centre-ville. Sans ça, nous perdrons la liaison satellitaire.

Pendant ce temps, un des agents matricules assis à l'arrière de la deuxième Suburban rechargea son lance-roquettes RPG-7 et s'empara d'un lance-grenades multiple MGL tandis que son voisin de banquette réarmait sa mitrailleuse M134.

— Artilleurs prêts, monsieur. Nous avons de la compagnie.

— Feu à volonté ! ordonna le responsable des agents matricules.

Ce fut le signal du départ d'une bataille motorisée furieuse et chaotique. Les tireurs actionnèrent la commande du toit ouvrant électrique et sortirent le haut de leurs corps par l'ouverture. En apercevant des hommes armés d'un lance-grenades et d'une M134 portative sur le toit de la Suburban, les automobilistes à proximité écrasèrent leur pédale de frein et s'efforcèrent de se tenir à l'écart. L'image était saisissante et l'on se serait cru en Somalie, en pleine guerre civile. Un routier freina abruptement, et un camion de livraison emboutit le train arrière de sa semi-remorque, provoquant un carambolage monstre.

Sous les tirs nourris des agents matricules, on voyait des véhicules se faire catapulter vers le bas-côté de la chaussée. Les carcasses des voitures incendiées et éventrées se mirent à joncher l'autoroute et son accotement, déparant affreusement l'agréable paysage urbain de Boston. Cela évoquait le climat d'horreur de la guerre ; il n'y avait aucune restriction et les munitions semblaient illimitées.

Après avoir entièrement tiré au petit bonheur la chance ses 6 grenades de 40 mm, l'agent remplaça son lance-grenades multiple MGL par son lance-roquettes RPG-7. Son compagnon troqua sa mitrailleuse pour un lance-flammes et un déferlement de feu submergea l'Interstate 93. Les voitures de patrouille incapables de s'éclipser ressemblèrent bientôt à de gigantesques feux follets, qui n'avaient cependant rien de surnaturel.

À 40 mètres derrière la Suburban, deux Crown Victoria Police Interceptors, qui roulaient coude à coude, s'écartèrent pour esquiver avec souplesse la roquette du RPG-7, qui alla finalement percuter un camion-citerne. Dans un grincement rauque, le réservoir d'acier inoxydable du camion, contenant 35 mètres cubes d'essence, absorba la charge creuse comme une nourriture avariée. La citerne gronda sourdement, imitant le râle caverneux d'un monstrueux gargouillis d'estomac, puis explosa. Un déchirement métallique épouvantable retentit, et l'acier éventré régurgita un déluge de flammes. Il se forma un rideau de feu sur l'autoroute. Les voitures de patrouille qui étaient derrière zigzaguèrent et réussirent adroitement à le franchir.

Les forces policières étaient décimées et essuyaient de grandes pertes. Elles ne baissaient pourtant pas les bras, à l'égal des membres de l'unité SWAT. Ces derniers avaient épaulé leurs carabines d'assaut Colt M4A1 et ripostaient en arrosant les Suburban de projectiles. Le blindage des quatre-quatre digne d'un char de combat Abrahams était moucheté d'impacts de mitraille. Au fort de cet affrontement qui fleurait la testostérone surgit l'hélicoptère MH-6 Little Bird mobilisé par Sentinum. Le MH-6 survola l'autoroute en déversant un flot de projectiles de 30 mm avec sa mitrailleuse lourde M230. Les balles à charge explosive jaillissaient comme des éclats de foudre et déchiquetaient tout sur leur passage. L'hélicoptère enragé passa à tabac le convoi de voitures de patrouille. Cet appui fut salutaire pour les agents matricules mais éphémère, car le MH-6 dut virer de bord avant d'effectuer un nouveau raid.

Après cette frappe aérienne, une confusion générale régnait au sein des forces de l'ordre. Un policier de l'unité SWAT réussit toutefois à braquer le viseur de son lance-missiles FIM-92 Stinger sur l'hélicoptère de Sentinum. Il balança son faisceau luminescent sur le MH-6 et, quand son missile sol-air fut verrouillé dessus, il le lança sans plus de cérémonie. Cet engin balistique était de la famille des appareils à guidage autonome « tire et oublie ». Il était propulsé par un moteur-fusée à deux étages et dégageait une aura sulfureuse. Le missile sol-air atteignit la vitesse fulgurante de Mach 2 avant de pénétrer profondément dans la tuyère bien réchauffée de la turbine du Little Bird.

Au début de l'incursion aérienne, l'artilleur de l'hélicoptère avait pressé la gâchette de sa mitrailleuse lourde en ressentant une sorte d'exaltation. Or, quand il avait aperçu, de sa position surélevée, le faisceau luminescent du FIM-92 Stinger lacérant la nuit, son enthousiasme avait tiédi. Il avait promptement réagi en éjectant les leurres pyrotechniques de son hélicoptère. Il espérait ainsi brouiller la signature thermique de son appareil. Malheureusement, il avait vite constaté que sa démarche s'était avérée inutile. Il s'était donc résigné à un sort qu'il ne pourrait éviter et avait lâché d'un ton dépité :

— Eh, merde !

Une seconde plus tard, le missile sol-air pulvérisa l'hélicoptère de Sentinum. Les restes de l'épave enflammée partirent en vrille et s'écrasèrent en bordure du secteur ferroviaire de la gare South Station.

— Voilà ! C'est confirmé ! cria au milieu d'un vacarme de tous les diables le passager de la Suburban de tête. La Honda se cache entre deux camions à semi-remorque. Appuie sur le champignon et double cette femme, qu'on en finisse.

Ils devaient absolument devancer la Honda avant de tirer leur roquette, sinon ils resteraient coincés dans l'embouteillage qui suivrait. En plus de concentrer leur énergie pour mener à bien leur mission d'éliminer Alyson Whitefield et son fils, les agents matricules durent répondre à un appel émanant du siège social de Sentinum. Le responsable des opérations réclamait le compte rendu de ses agents. Malgré la perte considérable de l'hélicoptère Little Bird et d'une Suburban, tout le monde fut d'avis que la mission était pour ainsi dire terminée. En effet, après avoir bravé une farouche opposition policière, que pouvaient-ils craindre d'une mère monoparentale au volant d'une petite voiture économique ?

Chapitre 29

Quelques instants auparavant, Big John arpentait les rues du Boston Navy Yard. Cet ancien chantier naval établi en 1801 était converti depuis 1974 en site historique. En plus du destroyer *USS Cassin Young*, le port abritait l'une des plus vieilles frégates en bois encore en service régulier dans le monde : la *USS Constitution*, également connue sous le nom d'*Old Ironsides*. Ce navire lancé à Boston en 1797 figurait comme un joyau jalousement préservé et… surveillé. C'était ce que Big John avait constaté en tentant de s'approcher de son quai d'amarrage en dehors des heures de visite.

Big John admira de loin la *USS Constitution*, qui avait jadis été le navire amiral de la flotte américaine en Méditerranée. La vision spectrale de ce trois-mâts lui rappela les films d'aventure où les bateaux de pirates tirant du canon étaient à l'honneur. Il adorait ces longs métrages dans lesquels les flibustiers, l'œil rivé à leur longue-vue télescopique en cuivre, écumaient les mers en arborant le célèbre pavillon à tête de mort Jolly Roger.

Big John contourna le périmètre de sécurité de la *USS Constitution* et se rendit à la marina. La pluie avait cessé et la nuit était magnifique. La brume flottante qui voilait légèrement la lune lui évoqua encore l'ambiance des bons vieux films de pirates. Ce fut à ce moment-là que l'hélicoptère MH-6 Little Bird de Sentinum avait survolé à basse altitude le Boston Navy Yard afin d'aller prêter main-forte aux agents matricules sur l'Interstate 93.

Le vent était tombé. Big John s'accorda un instant de répit sur le quai. Il regarda les lumières du centre-ville de Boston scintiller sur les eaux tranquilles de la baie. Le gratte-ciel au style néoclassique Custom House Tower, avec sa monumentale horloge, se noya lentement dans le brouillard. Il porta sa boisson gazeuse à sa bouche et aspira bruyamment à la paille une gorgée de *root beer* Stewart's. Depuis bientôt deux semaines, tout ce qu'il ingurgitait passait par un petit tube de plastique. En effet, Big John se remettait d'une fracture à la mandibule. Sa mâchoire était immobilisée en position de mastication et bloquée par des vis d'ancrage. Il ne se nourrissait qu'avec des aliments liquides.

John vit alors le ciel s'empourprer au-dessus de la ville. La lueur des flammes se réverbérait sur la couche nuageuse. Il crut aussi entendre des décharges d'armes automatiques gémir dans le calme des lieux. Il lui sembla que l'hélicoptère MH-6 qui avait survolé au-dessus de lui venait d'exploser en striant le paysage nocturne.

« Fichtre ! Ça ressemble à une attaque à la roquette », pensa-t-il.

La dernière fois qu'il avait aperçu un tel feu d'artifice, son ancien gang de contrebande et lui avaient subi les foudres de Christopher Ross. En fait, cela s'était produit à North Stratford, il y avait à peine 13 jours…

Les activités malhonnêtes de Big John avaient démarré sur les chapeaux de roue, plusieurs années auparavant. Au début de la vingtaine, il volait des voitures à North Stratford. Le shérif Barry Stahl l'avait appréhendé un soir de septembre et l'avait placé sous sa bienveillante tutelle. Il avait immédiatement incorporé Big John à sa bande de contrebandiers. À cette époque, Barry lui demandait d'intimider des témoins dérangeants ou de jouer le petit commissionnaire. Le shérif lui avait dès le départ octroyé un salaire mirobolant, même si sa scolarité avait été chaotique et son passé de métier peu reluisant. Avec le temps, la confiance s'était établie entre les deux hommes. Big John était devenu le chauffeur attitré de la famille Stahl. Il transportait Josh à l'école, et Alyson pour ses courses. Barry lui avait même fait terminer ses études secondaires en lui accordant un horaire de travail souple.

Par ailleurs, le shérif l'avait occasionnellement chargé de se débarrasser des corps de quelques récalcitrants qui mettaient en péril ses affaires illégales. C'était en exécutant ce genre de besogne que Big John avait fait la connaissance de Christopher Ross. Chris lui avait asséné un bon coup de pelle pour l'empêcher de l'enterrer dans la forêt. Ce faisant, il lui avait déboîté la mâchoire et lui avait cassé des dents. Big John était-il animé d'une quelconque hostilité envers Christopher Ross ? Étonnamment, non. Cette correction d'une férocité brutale lui avait replacé les idées, et cela avait enfin mis un terme à sa carrière criminelle.

Cet épisode de sa vie s'était étrangement soldé par la rencontre d'une charmante demoiselle nommée Sarah Mitchell. Big John l'avait croisée par hasard à la boutique de cadeaux du Boston Medical Center. Le pauvre venait de se faire soigner et arrivait à peine à s'exprimer verbalement. Or, son mutisme involontaire l'avait commodément empêché de débiter des conneries sous l'emprise de la nervosité. Au contact de cette jolie femme, Big John s'était mis à espérer d'abandonner son statut de célibataire, car, même si sa mère lui avait à maintes reprises répété que « chaque torchon trouve sa guenille », l'homme de 38 ans désespérait de trouver l'âme sœur. Ce n'était pas seulement une question d'aspect physique ; Big John avait certes quelques livres en trop et il n'avait jamais été soucieux de son apparence, exception faite de sa dentition, qu'il utilisait pour assouvir sa principale raison de vivre : manger. Mais il était surtout figé dans une attitude négative envers la vie. L'homme à la mine perpétuellement renfrognée s'était vu, l'espace d'un sourire féminin et d'une jupe serrée, complètement transformé.

Hier, Sarah l'avait invité à monter dans son modeste appartement et lui avait servi un délicieux lait fouetté. Pour une première sortie, ils en étaient restés là. Cependant, lorsqu'elle avait trempé sa bouche dans la mousse onctueuse de sa boisson, une bouffée de chaleur avait envahi Big John. Ce malaise avait vite été remplacé par une crampe abdominale au moment où elle avait essuyé avec sa langue un excédent de crème à la commissure de ses lèvres. À la vérité, les gestes de Sarah n'avaient aucune connotation sexuelle et n'étaient nullement destinés à aguicher son ami. Pourtant, John en avait perdu le sommeil. Il ne parvenait pas à chasser de sa tête l'idée qu'une femme pût tomber amoureuse de lui et que, pour la première fois de sa misérable existence, il ne serait pas obligé de payer pour coucher avec elle.

Son passé criminel était maintenant derrière lui. De nouveaux horizons s'ouvraient à lui, et Big John comptait bien ne plus s'écarter du droit chemin. Il songea à la *USS Constitution* et à ses antécédents guerriers. Ce soir, pourtant, la frégate reposait tranquillement à son quai d'amarrage. Il prit conscience qu'il avait également la chance de s'attacher à Sarah et de vivre paisiblement à bon port, auprès d'elle. À présent qu'il avait trouvé l'âme sœur, plus rien au monde ne surprendrait John. Enfin, presque.

Chapitre 30

23 septembre 2001, 7 h
Genève, Suisse

Karl Haustein avait les traits déformés par la fureur, car il ne supportait aucune contrariété. Un messager l'avait tiré du lit au petit matin pour lui apprendre de mauvaises nouvelles. La faible lueur de la lampe de chevet accentuait le jeu d'ombres se profilant dans la chambre à coucher du dirigeant suprême. Cela rendait les yeux chassieux de Karl et son visage strié de rides encore plus menaçants. Avec sa chemise de nuit blanche comme la neige, ses longs bas de contention beige clair, son masque de nuit remonté sur son front livide et sa silhouette efflanquée, il ressemblait à un fantôme. Karl paraissait tout droit sorti d'un roman de Charles Dickens. Il ne lui manquait qu'un chandelier et l'on aurait pu le rebaptiser Ebenezer Scrooge.

Le messager ne se laissa pas distraire par l'accoutrement étrange de Karl ni par les gardes du corps qui étaient placés en arc de cercle derrière lui. Il persévéra dans ses explications.

Il s'avérait que l'un des six cadavres calcinés retirés des décombres du studio de cinéma était celui de Daniel Tornay. Les tissus biologiques avaient fondu, mais l'alliage de titane couvrant l'ossature du superagent matricule avait résisté à l'incendie. Daniel n'était jamais monté à bord du jet Embraer Legacy. Christopher Ross, plus conséquent de jour en jour, avait usurpé son identité et s'était rendu à Boston pour faire avorter la mission des agents matricules américains. Le dernier bilan faisait état de l'élimination d'une Suburban et de l'hélicoptère MH-6 Little Bird. Heureusement, deux des quatre-quatre étaient toujours opérationnels, et ils étaient à deux doigts de réduire en miettes la Honda Civic d'Alyson Whitefield.

Le messager osa même prédire à Karl que le prochain appel en provenance de l'Amérique annoncerait une conclusion réjouissante. Monsieur Haustein pouvait se détendre : le plan des agents matricules américains était bien huilé et leurs objectifs seraient bientôt atteints !

À ces affirmations maladroites, le dirigeant suprême, qui était de plus en plus dépourvu de mansuétude, rabroua ce messager riche d'illusions et pauvre de résultats. D'une voix cassante et en usant d'un rare, mais éloquent écart de langage, Karl lui conseilla de se l'enfoncer dans le cul, son soi-disant plan « bien huilé ». En revanche, l'absence de sa prothèse dentaire inférieure brisa quelque peu l'aspect mordant de ses propos. Ses voyelles nasalisées et ses consonnes sifflantes confondant les F et les S embarrassèrent les témoins de la scène.

En réponse à ces fâcheux renseignements, Karl gifla le messager d'un revers de la main. Ensuite, une avalanche de claques plus insultantes que douloureuses résonna dans le calme de la chambre à coucher. Les gestes saccadés du dirigeant suprême étaient agrémentés d'un vocabulaire inintelligible, plus instinctif que raffiné.

Karl multipliait les paires de baffes tandis que les joues du messager s'enluminaient comme si elles étaient barbouillées de fard. Le pauvre diable en prenait plein la gueule. Il subissait les foudres du vieillard teigneux comme s'il était frappé d'anathème. Il tentait de se défendre par des faux-fuyants, mais se rendait bien compte qu'il était le souffre-douleur désigné de toute cette déroute. À un doigt de l'effondrement nerveux, il redouta qu'on lui tire dessus, comme dans les films de gangsters.

Karl se calma peu à peu. Il constatait avec déception que ses excès de colère étaient incontrôlables depuis le jour où Christopher Ross était apparu dans sa vie. Il enchaînait désormais les crises de nerfs comme une putain se farcit les clients. Son entourage commençait d'ailleurs à regarder ses sautes d'humeur avec indifférence.

Karl congédia sur-le-champ le messager au visage congestionné. Puis, il transmit des instructions détaillées à Germain, l'agent matricule 28 qui était toujours en poste à Marseille. Pour l'instant, la disparition tragique de Daniel Tornay, son ange de la mort, devait rester secrète. L'étendue stratégique de ce malheur était difficilement évaluable au cas où les ennemis de Sentinum viendraient à apprendre la nouvelle. Germain devait immédiatement rapatrier la dépouille de Daniel à Genève. L'institut médicolégal de Sentinum pratiquerait une autopsie de son cadavre calciné afin de formellement l'identifier.

Karl demeura ensuite à portée de main du téléphone et attendit le compte rendu de ses agents. Il avait hâte de connaître la conclusion de leur course-poursuite.

Chapitre 31

23 septembre 2001, 2 h
Boston, États-Unis

Les Chevrolet Suburban de Sentinum se situaient à 800 mètres de l'entrée du tunnel Thomas P. O'Neill Jr. Ce passage souterrain permettait aux automobilistes de passer sous le centre-ville de Boston pour éviter les bouchons de circulation. À cette heure avancée de la nuit, le trafic routier était fluide. Les quatre-quatre filaient l'un derrière l'autre, bien au-dessus de la limite de vitesse fixée à 45 milles à l'heure. Ils étaient pourchassés par une demi-douzaine de voitures de patrouille encore en état de rouler. La Suburban qui était derrière encaissait le feu nourri des policiers tant et si bien qu'en slalomant entre les quelques véhicules épars, son conducteur accrocha au passage un camion de livraison. Le quatre-quatre de Sentinum fit une embardée, puis plusieurs tonneaux.

L'autre Suburban poursuivit sa course et se présenta derrière deux semi-remorques Freightliner qui se situaient respectivement dans la voie de droite et dans celle du centre. Le conducteur du quatre-quatre les doubla par la file de gauche. Selon son appareil de repérage portatif, la Honda Civic était tout près. Quand il fut vis-à-vis de la remorque, le passager de la Suburban regarda sous son plateau et aperçut enfin la Honda Civic. La petite voiture était prise en sandwich entre la remorque de la voie du centre à sa gauche, le tracteur de l'autre semi-remorque derrière elle, et le mur de béton de l'autoroute à sa droite. Le passager de la Suburban épaula son lance-roquettes RPG-7 et sortit par le toit ouvrant.

— Accélère ! J'y suis presque ! cria-t-il.

La mission des agents matricules était presque accomplie. L'entrée du tunnel Thomas P. O'Neill Jr. n'étant plus qu'à 100 mètres, chaque seconde comptait. C'est à ce moment qu'un menu détail surprit le conducteur de la Suburban. Il remarqua deux et bientôt trois tendeurs d'arrimage qui traînaient nonchalamment de l'autre côté de la remorque. Ces câbles servaient à maintenir solidement les énormes tuyaux d'assainissement en béton armé empilés de manière pyramidale sur le plateau de la remorque. Ils étaient détachés et rebondissaient sur la chaussée, semblables à de longs serpents tortillés. Vu sous cet angle, il était malaisé de déceler la gravité de la situation. Le conducteur de la Suburban secoua la tête d'un geste d'incrédulité. Il songea à la carrière de routier de son père et comprit qu'il était impossible que ces robustes courroies se soient rompues… toutes seules.

Soudain, il observa une scène pour le moins inattendue : entre les roues tournoyantes et le pneu de rechange de la remorque, il entrevit un enfant qui retenait un grand gaillard par la ceinture. Josh tenait la taille de Christopher. Ce dernier était allongé à l'extérieur de la Honda, et agitait… un scalpel ! Le conducteur de la Suburban ralentit abruptement et s'étrangla à hurler :

— Merde ! Nous avons été roulés !

Son partenaire ne sut jamais s'il avait tenté de faire une figure de style ou autre analogie frappante. Prise au pied de la lettre dans ce contexte précis, l'expression qu'il avait utilisée fut lourde de sens dès l'instant où les énormes tuyaux de béton commencèrent à rouler vers eux. Christopher avait eu la présence d'esprit d'insérer à titre de cales entre la plateforme de la remorque et les tuyaux tout ce qui lui était tombé sous la main — pneu de secours, cric, clé en croix, etc. — pour éviter qu'ils ne basculent vers la Honda.

Une vague bétonnée déferla sur les agents matricules. Les tuyaux déboulaient du plateau de la remorque et s'entrechoquaient furieusement. Le vieux routier fit retentir son avertisseur pneumatique et lâcha aussitôt l'accélérateur de sa semi-remorque, bridant de la sorte les 430 chevaux-vapeur de son moteur diesel. Ensuite, il essaya de contrebalancer sa cargaison en braquant le volant de son camion. Il se produisit un assourdissant staccato de crissement de pneus qui ricochait comme des cailloux sur l'eau. La semi-remorque se mit à louvoyer et, malgré tous ses efforts, le vieux routier perdit la maîtrise de son mastodonte ; les forces qu'il avait à neutraliser étaient trop importantes. Son camion fit une mise en portefeuille, se renversa et alla percuter le mur de l'entrée du tunnel en écrasant ce qui restait à aplatir de la Suburban. Le choc fut horrifique. Ce fut comme si un million d'assiettes de faïence s'étaient tout d'un coup brisées. Le quatre-quatre de Sentinum n'était plus qu'une carcasse fumante recouverte d'un amoncellement de tuyaux de béton. Les véhicules qui étaient derrière se tamponnèrent et s'empilèrent pêle-mêle, provoquant un spectaculaire carambolage. La circulation sur l'Interstate 93 fut complètement paralysée.

Au milieu du brouhaha indescriptible, une faible sonnerie de téléphone résonna au centre de l'amas d'acier tordu et de béton broyé. Ce fut un moment absurde. Et si quelqu'un avait été en mesure d'activer la communication, il aurait clairement entendu la voix impérieuse et déformée de Karl Haustein qui, incapable de patienter davantage, appelait ses agents matricules pour connaître la conclusion de leur course-poursuite !

Chapitre 32

23 septembre 2001, 8 h 10
Genève, Suisse

N'ayant obtenu aucune réponse de la part de ses agents matricules, Karl comprit très vite le dénouement de leur mission. Comme il l'avait redouté, la course-poursuite de Boston avait tourné en eau de boudin, et Sentinum essuyait une autre défaite.

Karl avait l'impression de nager en plein délire. Alors, tant qu'à patauger dans la folie, il mit de côté son bon sens et se décida à faire appel à Victor Seigner. Cet homme était un ancien membre de la Delta Force américaine. En 1980, il avait été laissé pour mort en Iran après le cuisant échec de l'Opération Eagle Claw. Des mercenaires de Sentinum l'avaient trouvé à l'agonie, et la brillante équipe médicale de Karl Haustein avait réussi à le sauver en employant des méthodes que l'on pourrait qualifier de non orthodoxes.

Victor Seigner s'apparentait maintenant à une sorte d'abomination chirurgicale. Les agents matricules de l'organisation le surnommaient l'Arthropode. On aurait dit qu'il avait été rapiécé par un ferrailleur qui avait perdu la raison. Si Victor Seigner avait été la création du docteur Frankenstein, le savant fou originaire de Genève aurait probablement été très fier de son rejeton.

L'Arthropode ne faisait pas dans la dentelle, à moins qu'elle ne soit faite de fil de fer barbelé. Il inspirait à Karl une extrême répugnance. Aujourd'hui, pourtant, le dirigeant suprême le considérait comme l'ultime remède susceptible de soigner ses maux. Karl ferait confectionner des balles de pistolet avec l'alliage de titane couvrant l'ossature du cadavre de Daniel Tornay. Ensuite, il enverrait Victor Seigner les loger entre les deux yeux de Christopher Ross. Oui, c'était là une merveilleuse idée !

Et si l'Arthropode échouait à supprimer Christopher Ross ? Karl comprit soudain qu'il ne resterait qu'à pilonner le monde de bombes atomiques !

Chapitre 33

23 septembre 2001, 2 h 10
Boston, États-Unis

Alyson conduisait la Honda Civic avec doigté. Elle était parvenue à doubler la semi-remorque Freightliner et à s'engouffrer dans le tunnel Thomas P. O'Neill Jr. juste avant la perte de contrôle du vieux routier. Le regard rivé au rétroviseur intérieur, Alyson n'en avait pas cru ses yeux. Le bruit de la collision qui s'était produite résonnait encore dans ses oreilles. Arriverait-elle enfin à réprimer les tremblements de sa jambe qui appuyait sur l'accélérateur ?

Cherchant à diminuer son état de nervosité, Alyson voulut prendre la parole. Elle avait beaucoup de questions. Cependant, elle ignorait par où commencer. Cet étranger, qui était assis sur la banquette arrière à côté de son fils, méritait son respect. Toutefois, quelles étaient les motivations qui l'avaient poussé à risquer sa vie de cette manière ? Alyson saisit que plus elle progressait dans cette histoire, plus son jugement s'embrouillait. De telle sorte qu'en ce moment, elle nageait en eau trouble.

— Eh bien, c'est ce qui s'appelle faire du grabuge ! Je n'aurais jamais pensé que mon scalpel servirait un jour à opérer de façon si saugrenue. Mais comment l'idée de ce tour de passe-passe vous est-elle venue ?

— Et vous, Alyson, comment l'idée de nous sortir de cet embouteillage vous est-elle venue ?

— Je présume que ce sont les émotions fortes qui m'ont donné du courage.

— Disons que c'est la même chose pour moi.

Christopher était éprouvé par sa prouesse. Son acrobatie avait labouré ses flancs. Il se remit d'un second toussotement et se rendit compte qu'il crachait du sang. Il ferma les paupières. Lorsqu'il rouvrit les yeux, Josh le dévisageait d'un air inquiet. Il tapota chaleureusement l'épaule du petit garçon et le gratifia d'un sourire de reconnaissance.

— C'était du bon boulot, Josh. Les vilains qui voudront s'en prendre à toi auront intérêt à se lever de bonne heure.

— Est-ce que ça va, monsieur ?

— Ouais. Mais, je t'en prie, appelle-moi Chris !

Un éclair de joie illumina soudain les yeux pers du petit garçon.

— Ça y est ! s'exclama Josh. Je me souviens, tu es le monsieur qui m'a sorti du ravin.

— Bien deviné, Josh. Tu as une sacrée mémoire, admit Chris d'un ton empreint de bonhomie.

— Tu m'as appris des trucs de *snowboard* super cool. Je suis un bon *rider*, maintenant !

— Tant mieux si ça t'a été utile.

Alyson s'engagea dans la conversation.

— Après cette journée de ski, à Jay Peak, Josh n'a pas arrêté de parler de vous. De toute évidence, vous avez le don de débarquer au bon moment. Ce que vous venez d'accomplir était tout un exploit. Merci infiniment ! Josh et moi, nous vous devons la vie. Mais ma profession m'a amenée à ne pas croire aux coïncidences, alors, de grâce, dites-moi la vérité, qui êtes-vous? lui demanda-t-elle sans aménité.

Pris de court, il opta pour le mensonge.

— Je m'appelle Christopher Ross et je travaille pour le gouvernement canadien. Brigade des stups. J'étais chargé d'enquêter sur…

Étant donné qu'il travaillait pour les Forces canadiennes, Christopher songea que, finalement, il lui disait presque la vérité.

— Je comprends, le coupa Alyson, qui ne souhaitait pas évoquer devant Josh le sujet des activités illicites de son mari.

Puis, elle invita Christopher à s'approcher de son siège baquet. À la faveur d'un échange mi-mimé, mi-chuchoté, ils discutèrent à l'insu de Josh. Le petit garçon était occupé à jouer avec le stéthoscope de sa mère.

— Où est-il? lui demanda-t-elle tout bas.

— Il est… mort, lui révéla Chris dans un murmure. Je suis navré… Je suis arrivé trop tard aux serres de tomates pour empêcher quoi que ce soit.

Les mots qu'il avait murmurés étaient durs à entendre. Alyson les encaissa malgré tout avec courage.

— Avez-vous vu son corps?

— Oui.

— Qui en est le responsable?

— Les mêmes agents qui en ont après vous. Ils sont sous les ordres d'une organisation secrète qui se nomme Sentinum, expliqua brièvement Christopher. Ma couverture est compromise, et je suis forcé de fuir le pays, comme vous. Mais nous en reparlerons, lui promit-il sincèrement. Pour l'instant, il nous faut déguerpir d'ici. Les caméras de circulation nous ont filmés… Eh, merde! jura-t-il en étouffant un gémissement.

— Hé! s'exclama Alyson. Surveillez votre langage devant Josh.

— Désolé! Pour être à l'aise, je dois cesser de respirer. Je vous assure que c'est pénible.

— Deux choses : soit vous avez des côtes fracturées, soit vous souffrez d'une élongation musculaire. Fouillez dans ma trousse, il serait préférable d'appliquer un bandage élastique autour de votre thorax. J'espère pour vous qu'il n'y aura pas d'autres complications, continua Alyson.

— Du genre ? s'enquit Chris.

— Des fractures comminutives… en plusieurs fragments, si vous préférez. L'extrémité d'un des os cassés peut déchirer le tissu pulmonaire et provoquer un pneumothorax. C'est un affaissement partiel des alvéoles pulmonaires causé par la présence d'air dans la cavité pleurale. Il peut alors y avoir un danger d'infection. C'est sérieux, annonça-t-elle d'une compassion toute médicale.

À ces propos impropres à réconforter un malade, Chris se sentit blêmir.

— Merci, pour ces détails…

— Malheureusement, sans effectuer une radiographie thoracique et pulmonaire, il est difficile de poser un diagnostic précis, affirma Alyson.

— Je me suis simplement étiré un muscle, trancha Chris. Il est hors de question d'aller à l'hôpital ! Les agents qui vous poursuivent… qui nous poursuivent, corrigea-t-il, ne manquent pas de moyens pour nous retrouver. Tandis que la seule arme que nous avons est un bistouri ébréché ! En tout cas, tirons-nous de ce tunnel au plus vite et trouvons une autre voiture. Le plan, s'il y en a un, consiste à disparaître dans la nature sans laisser de traces.

— Nous pourrions « mettre les voiles », proposa Alyson.

— Ce serait génial, avoua-t-il.

— Mon papa et ma maman ont un beau bateau, Chris ! s'exclama Josh.

— Hum, l'idée est intéressante, jugea-t-il, mais j'ai peur que nos ennemis l'aient déjà envoyé par le fond.

— J'en doute, riposta Alyson d'un caractère bien affirmé. Nous avons subi les contrecoups du krach boursier, l'an passé.

Chapitre 33

Nous avons craint une saisie des banques et nous avons transféré certains de nos actifs personnels à des sociétés-écrans. Il est peu probable que nos poursuivants parviennent à remonter la filière comme pour la petite maison du quartier Dorchester. Notre voilier est immatriculé aux Bahamas, et son proprio officiel habite au Liberia. De plus, une compagnie bidon l'affrète légalement à un armateur grec. Mais en réalité, il est tout simplement amarré à la marina du Boston Navy Yard.

— Je n'ai rien pigé de votre jargon maritime, mais disons que ça va, déclara Chris.

— Youpi ! se réjouit Josh en battant des mains.

S'efforçant de dissiper un éventuel malentendu, Christopher nuança :

— Houla ! Du calme ! J'avais plutôt en tête de vous déposer à la marina et de filer avec votre voiture. Je préférerais demeurer sur la terre ferme « et ne pas mêler les cartes », termina-t-il tout bas.

— Oh, non ! riposta Josh d'une spontanéité enfantine.

Le jeune garçon posa un regard implorant sur Christopher, à lui fendre le cœur, et ajouta d'une expression angélique :

— Reste avec nous. S'il te plaît !

— Il a raison, renchérit Alyson. Vous l'avez dit vous-même, cette bagnole est identifiée. Et je sais de quelle façon nous en débarrasser. Nous la balancerons au bout du quai !

— Et avez-vous des notions de voile ?

— Une course autour du monde Around Alone en solitaire. Ça vous rassure ?

— C'est évident, répondit Chris après un moment de réflexion. Bon ! C'est d'accord, je vous accompagne. Est-il loin, votre rafiot ?

— Tout près d'ici, répliqua-t-elle, piquée au vif.

— Eh ! Ne vous vexez pas, Alyson. Vous verrez, vous vous détacherez bientôt de ces petits tracas matériels. En passant, combien de temps faudrait-il pour naviguer jusqu'au Panama ?

Chapitre 34

14 juillet 1417
Canton de Vaud, Suisse

Bien qu'ils fussent fortement ancrés dans les valeurs religieuses du XVe siècle, Catherine et Henri avaient terminé leur repas sur une note qui n'était pas dénudée de concupiscence charnelle. Ils s'étaient ensuite allongés, épaule contre épaule, sur une douillette couche d'humus. Henri était torturé d'un ardent désir et devait se faire violence afin de garder la tête froide. Catherine aussi parvenait difficilement à brider ses pulsions galopantes. Elle était animée d'une curiosité insatiable. Sa passion pour Henri était vive et brûlante.

Depuis quelques minutes déjà, un silence embarrassant planait sur les amoureux. Comme la situation commençait à être inconfortable, Catherine essaya de détendre l'atmosphère.

— Je suis désolée de vous avoir entraîné dans cette infortune qui vous a mis en péril, confessa-t-elle.

— Vous n'êtes point à blâmer. Ce sont plutôt ces méprisables crapules qu'il faudrait châtier.

— Je doute que nos modestes moyens nous le permettent. Des paysans de notre lignage ne disposent que du privilège de fuir. Mais dans quelle direction ?

— Vers l'est, à travers les montagnes.

— Et le cheval ?

— Nous l'abandonnerons ici. Il fera certes le bonheur d'un fermier du coin. Nous devrons poursuivre notre route en marchant.

— Le trajet sera éprouvant. On dit que ces sommets sont infranchissables.

— Je suis sûr qu'un jour, affirma Henri, qui rêvassait en regardant au loin la cime escarpée du Grand Muveran, le peuple pensera à autre chose que guerroyer. Après, l'on fera une trouvaille avec laquelle il nous sera loisible de franchir facilement ces montagnes.

— Et quelle serait cette trouvaille, Monsieur le prophète ? L'on capturerait des centaines d'aigles et les attacherait sur la bordure d'une robuste couverture pour s'envoler derrière ce pic ?

— Bien sûr que non ! Mais songez à la manière dont nous avons arraché avec les chevaux une portion de la falaise de Saint-Maurice. Nous pourrions, par exemple, atteler une dizaine de bêtes de somme à un long câble qui passerait d'un côté à l'autre d'une montagne. À l'autre bout, nous fixerions une charrette, et l'attelage la hisserait jusqu'au sommet.

— Vous oubliez la forêt, les crevasses et les rivières.

— Alors, nous accrocherons le câble à la cime des arbres les plus hauts et nous outrepasserons les obstacles…

— Vous êtes un songeur, l'interrompit gentiment Catherine sur un ton maternel. Au vrai, je me demande comment nous parviendrons jusqu'à ces cantons lointains.

— De toute façon, nous n'avons pas le choix de nous éloigner d'ici. J'ai entendu plusieurs rumeurs concernant les cavaliers noirs.

— Dont celle qui bruit à propos de leur invincibilité ? ajouta Catherine, la mine malicieuse.

Chapitre 34

Ils songèrent tous deux au mastodonte qu'ils avaient terrassé à l'abbaye de Saint-Maurice d'Agaune. Ces cavaliers noirs n'étaient manifestement pas invincibles. Henri s'esclaffa. Il avait une grande admiration pour la fine répartie de Catherine.

— N'empêche, cette confrérie essaie de régenter tous les cantons du pays, reprit-il. Pis encore, son emprise s'étendrait au-delà des frontières connues. Un érudit s'est autrefois échappé du château de Sion. Cet homme a révélé des choses incroyables. Les lettrés de la confrérie auraient découvert que la Terre n'est pas plate, mais plutôt ronde. Elle tournerait autour du Soleil, et non l'inverse ! Le Soleil serait… au milieu, paraît-il. L'érudit a même employé une expression savante : une course-ellipse. Enfin, je pense. En tout cas, il a dit que la Terre se déplacerait autour du Soleil en suivant la forme d'un œuf.

— C'est impossible, protesta Catherine. Si la Terre était ronde, l'eau des lacs situés en dessous se renverserait dans le vide.

— Justement, je vais vous prouver le contraire, répliqua Henri en se levant. Est-ce que je vous agace avec mon obstination ?

— Du tout, Henri ! Votre enthousiasme m'ébaudit.

Le jeune homme se perdit un moment dans le bleu pervenche de ses yeux pétillants.

— Où en étais-je ?

Catherine lui prêta main-forte.

— Le fameux érudit qui s'était enfui du château de Sion, dit-elle.

— Ah oui ! Donc, pour justifier ses dires, il s'est servi d'un seau. Mais moi, par exemple, si je prends l'outre et que je la fais tourner vivement avec mon bras… Vous voyez ? Une force mystérieuse empêche le lait de chèvre de couler à terre. Cela se nomme « l'attirance », je crois.

— C'est aisé parce que ce n'est pas pesant ! rétorqua Catherine. Imaginez un instant de tourner la Terre afin de retenir la mer à sa place.

— Elle tourne beaucoup plus vite. Et c'est pour ça qu'il y a les marées.

— Premièrement, Henri, si la Terre tournait très vite, nous peinerions à tenir debout. Et deuxièmement, si cette force mystérieuse, « l'attirance », comme vous dites, existait ailleurs que dans votre imagination, nous pourrions la voir de nos yeux et la toucher !

— Écoutez, Catherine.

Il s'assit près d'elle et mit délicatement ses mains de chaque côté de son visage.

— Une force incroyable m'unit à vous. Celle-ci m'a même donné le courage de combattre un énorme garde. Elle est invisible. Pourtant, je la ressens en moi. La sentez-vous aussi, ma douce ?

— Bien sûr que je la ressens, mais il s'agit d'amour, et non pas d'une quelconque sorcellerie.

Catherine reprit aussitôt.

— Je sais, Henri, que vous préféreriez obtenir l'aval de l'Église et de mes parents… et que vous craignez de me manquer de respect…

— Je vous aime, Catherine, l'interrompit le jeune homme en enlaçant ses doigts à ceux de sa bien-aimée. Mes sentiments à votre égard sont au-dessus de toute tutelle.

— Dans ce cas, prononça candidement la jeune fille en l'entraînant vers elle avec passion, embrassez-moi sans tarder et montrez-la-moi, votre attirance !

Henri ne fit aucun effort pour l'en empêcher.

Chapitre 35

23 septembre 2001, 2 h 30
Boston, États-Unis

À Boston, Big John était assis à l'extrémité du quai de la marina du Boston Navy Yard, le regard dans le vague. Il commençait à ressentir les premiers effets de la fatigue et s'apprêtait à rentrer à la maison, quand il entendit le bruit assourdi d'un claquement de portière. Il tourna la tête. À l'autre bout du quai, une Honda Civic sauta la bordure de béton et plongea dans l'eau du bassin. Cinq secondes plus tard, la voiture sombra au milieu d'un bouillonnement de bulles d'air. John avait souvent utilisé cette bonne vieille méthode pour faire disparaître un véhicule, et ainsi effacer des preuves accablantes. Il ne fut donc pas surpris.

Les trois personnes qui avaient poussé le pare-chocs arrière de la Honda se dirigèrent ensuite d'un pas pressé sur le quai. John se leva et marcha en direction de ces inconnus en prenant soin de ne pas se faire remarquer. Il lui était facile de passer inaperçu, car seules quelques lumières jaunâtres perçaient faiblement l'obscurité. Vis-à-vis du restaurant Tavern on the Water, qui était situé à mi-chemin sur le quai, Big John se cacha à l'ombre du bâtiment pour éviter de rencontrer les inconnus. Il fut étonné d'apercevoir un enfant parmi ces trois personnes. Il songea avec un soupçon d'ironie que ces escrocs à la petite semaine se préoccupaient drôlement de la relève. Contre toute attente, il vit qu'une femme faisait également partie de l'équipe. L'enfant et la dame accompagnaient un homme dont la carrure des épaules lui rappela vaguement quelqu'un…

À ce moment, Big John reconnut Josh Stahl et… Alyson Whitefield. Il crut rêver ! Durant des années, cette femme au corps svelte et à la chevelure blond vénitien nouée au-dessus de la nuque avait été la source de ses nombreux fantasmes masculins. Selon l'opinion personnelle de John, Alyson Whitefield était le croisement idéal entre la mère de famille dévouée et la bête de sexe. Elle était distinguée, ravissante et tellement sensuelle ! Il ne pouvait écarter de son esprit le sculptural justaucorps d'entraînement qu'elle portait, quand il la conduisait au gymnase de North Stratford.

L'été passé, après une affaire de routine qui avait tourné au vinaigre, Alyson avait soigné Big John, en secret, à la magnifique villa du lac Maidstone. Ce dernier était allé percevoir de l'argent à un fabricant d'alcool frelaté, et la discussion s'était envenimée. Le vieux liquoriste en avait assez de payer des redevances au shérif Barry Stahl. Puisque son humeur était en ébullition, il n'avait pas laissé la situation se décanter et avait distillé sa colère sur Big John. Le vieil homme avait répondu d'une manière qui était tout sauf alambiquée. À l'aide de sa carabine tronçonnée de calibre 12, il avait plombé les grosses fesses de Big John, qui avait couru comme un lièvre vers son quatre-quatre.

En conséquence, John s'était retrouvé allongé sur une table, le cul à l'air, sous le regard auscultatoire d'Alyson. La docteure Whitefield avait retiré, un par un, les innombrables plombs logés dans la peau épaisse de son derrière en agrémentant son intervention de propos sarcastiques.

Ce soir, ce n'était manifestement pas le cas. Alyson ne semblait pas disposée à user d'ironie. La mine soucieuse, elle s'occupait de détacher les haussières d'un voilier. Josh, Alyson et l'homme grimpèrent par l'échelle de coupée et montèrent sur le pont. Enveloppé dans l'obscurité, Big John se rapprocha d'eux en se camouflant au bout de la terrasse du restaurant Tavern on the Water. Ils étaient tellement concentrés à appareiller le voilier qu'ils ne s'aperçurent pas de sa présence. John se situait à moins de 10 mètres d'eux. Il arrêta son regard sur l'homme, et là, il fit face au paroxysme du paradoxe : il s'agissait bien de Christopher Ross. Il accompagnait l'épouse et l'enfant de Barry Stahl ! C'était impensable, incroyable, et même au-delà de la raison.

— Nom de nom ! murmura-t-il, stupéfait.

Consterné, Big John pâlit de frayeur. Il craignait que les proches de Barry aient été kidnappés et qu'ils subissent, à leur tour, les foudres de Christopher Ross. Il se rencogna dans l'angle de la terrasse et observa Alyson larguer les amarres. Les bajoues rouges et frémissantes, John était incapable de refréner les affreuses grimaces qui déguisaient son visage. Il se forçait à respirer normalement. Pourtant, l'air qui s'engouffrait et qui ressortait entre ses dents cloisonnées sifflait comme le tchouk-tchouk d'une vieille locomotive à vapeur. Il faillit presque s'étouffer avec sa salive.

Le moteur du voilier démarra. Alyson était à la barre et manœuvrait pour sortir du quai pendant que Christopher et Josh étaient appuyés sur la lisse de tribord. Elle demanda à son fils de descendre en cabine et d'enfiler son gilet de sauvetage. Il devait ensuite rapporter un vêtement de laine appartenant à son père pour le remettre à Christopher. Big John était éberlué d'entendre cela.

— Je te suis, annonça Chris. Je verrai si je peux me rendre utile en préparant du café. J'ai le pressentiment que le reste de la nuit sera long.

Lorsqu'il passa à côté du poste de pilotage, Alyson posa doucement sa main sur l'avant-bras de Christopher et lui dit sur un ton chaleureux :

— Encore mille mercis. Josh et moi, nous vous sommes très reconnaissants pour votre aide.

— Ce n'est rien.

Christopher était embarrassé comme un poisson captif dans un filet. Il changea de sujet.

— Croyez-vous qu'il est prudent de naviguer à l'aveuglette dans ces nappes de brume ?

— Je ne pense pas que vous soyez un exemple de sagesse et de conduite réfléchie, rétorqua Alyson avec un sourire en coin.

— Vous avez raison, compléta Chris en se glissant sous le panneau d'écoutille. Mais nous devrons faire gaffe. Nous affronterons davantage que du mauvais temps. La menace qui plane sur nous est grande !

Big John regarda s'éloigner le voilier, qui prit un aspect fantomatique en se noyant dans le brouillard. Le vent de l'ouest avait forci. Au détour d'une bouée flottante, John vit la grand-voile se déployer, puis les feux de bord s'éteindre. Il était clair que cet équipage improbable mettait le cap sur la mer et qu'il tentait de disparaître en éliminant toute trace de son passage. Trente secondes plus tard, le voilier s'était entièrement dissipé.

Big John se dépêcha de quitter la marina. Il regagna les rues de son quartier, l'estomac serré par l'émotion. Son lit douillet l'attendait, et il souhaitait dormir quelques heures afin d'être en forme pour revoir Sarah le lendemain, en début d'après-midi. Après 20 minutes de marche, un quatre-quatre noir s'arrêta brutalement près de lui. Une nouvelle équipe d'agents matricules s'efforça de lui soutirer des renseignements concernant une Honda Civic bleue en fuite.

Même si la possibilité de monnayer ce renseignement lui traversa l'esprit, Big John s'abstint de tout commentaire. Il ignorait les causes qui les avaient incités à s'associer pour survivre, mais il savait pertinemment que l'adorable Josh et la belle Alyson seraient en sécurité avec Christopher Ross. Il aimait cet enfant et sa mère au charme irrésistible. John aurait voulu avertir ces hommes qui espéraient les attraper qu'ils s'exposaient à un terrible péril. S'il n'avait pas eu peur des représailles, il leur aurait simplement avoué.

— Vous avez l'impression que vous chassez Christopher Ross. Mais écoutez bien mon conseil, oubliez ce gibier de potence et laissez-le filer en paix. Peu importe les moyens ou les armes que vous avez, vous n'êtes pas de taille ! Faites comme moi, sauvez votre peau, pendant qu'il en est encore temps.

Toutefois, il se doutait bien que ces hommes en noir balaieraient du revers de la main ses sages recommandations.

Chapitre 36

À 11 milles nautiques du littoral de Boston, le voilier *Asclépios* se trouvait au centre de la baie du Massachusetts. Alyson se félicita. Tout marchait comme sur des roulettes, même si ces mots sonnaient drôlement pour un bateau qui voguait sur l'eau. Elle avait terminé de gréer le mât, et l'étrave de son voilier fendait les eaux à franche allure. Comme cette baie lui était familière, elle ne fut pas surprise de croiser un énorme cargo et un porte-conteneurs qui regagnaient le port de Boston en jouant de la corne de brume. Alyson était assise au gouvernail. Elle emplissait ses poumons d'air marin et dirigeait son voilier vers les eaux internationales en assurant une garde vigilante. Elle était efficacement secondée par son radar de plaisance Furuno, qui permettait, en plus de surveiller les bateaux naviguant à proximité, de détecter les masses flottantes et les écueils à travers la brume. Cet appareil était en quelque sorte ses yeux dans la nuit.

À 4 h 30 du matin, elle était encore pleine de vivacité ; les émotions intenses qu'elle avait vécues auparavant avaient contribué à son état de veille. Elle en avait complètement oublié le café promis par Christopher. Toutefois, quand elle eut terminé d'équilibrer le voilier, elle ressentit l'urgent besoin de boire un peu de caféine.

— Ah, les hommes! maugréa-t-elle.

Satisfaite des données apparaissant à l'écran du système d'information maritime NAVTEX et de son sondeur, Alyson enclencha le pilote automatique dont elle garda la télécommande à portée de main. Puis, elle lâcha la barre. Elle régla ensuite la zone de garde du radar à 3 milles nautiques. Si quelque chose franchissait ce périmètre délimité, l'alarme sonore se déclencherait. Elle retira également le réflecteur radar du voilier pour empêcher les autres navires de le localiser.

Alyson se frotta les yeux en bâillant et s'étira souplement. Elle passa enfin par le panneau d'écoutille et descendit dans la cabine. Au pied de l'escalier, elle ressentit une fierté étrangement contenue en retrouvant le spacieux et luxueux aménagement intérieur du voilier. Il y avait de cela quelques semaines, les boiseries en acajou, le plan de travail en Corian de la cuisine et les banquettes de cuir blanc auraient flatté son orgueil excessif. Alors qu'aujourd'hui, une simple barque en bois qu'elle aurait frétée d'un vieux pêcheur scorbutique lui aurait suffi. Christopher avait raison : ses priorités changeaient.

La famille Stahl était venue voguer non loin du rivage au cours de la saison estivale. Mais, puisque Barry avait terriblement peur en haute mer, leurs odyssées ne s'étaient toujours limitées qu'à de brèves escales aux multiples ports de la côte est. Il s'agissait davantage de parades nautiques servant à afficher leur réussite financière que de quête de grands espaces. En outre, depuis la naissance de Josh, Alyson n'avait jamais traversé l'océan, et la navigation hauturière lui manquait. Le fait d'avoir été réduite à assumer un rôle de capitaine de caboteur auprès de Barry lui avait été pénible à supporter.

Alyson aperçut Josh et Christopher dans le carré. Ils étaient tous les deux allongés sur le sofa en face de la table en U. C'était beau de les contempler, endormis comme des bébés. Josh se blottissait contre l'épaule de Chris. Après toutes les épreuves qu'il avait subies, il était d'un calme déconcertant. Voir Josh ainsi bercé d'une confiance sereine surprit Alyson. C'était le cas de le dire, Christopher, cet homme qu'elle connaissait à peine, avait pris son fils sous son aile.

Même alourdi par le sommeil, cet étranger au visage taillé à la serpe et à la constitution robuste rayonnait de force. Son regard de chirurgienne remarqua immédiatement les veines gonflées et saillantes sur ses avant-bras musclés qui révélaient une circulation sanguine puissante. Christopher avait un je-ne-sais-quoi qui la fascinait et qui lui donnait envie de se mordre la lèvre inférieure.

Alyson s'assit à la table sur la banquette en U. Elle tira d'une armoire son journal de bord, qui était relié de cuir noir et sentait l'humidité. Elle entreprit de rédiger avec une scrupuleuse minutie du détail le compte rendu de son étonnant voyage, en insistant sur les adjectifs qualificatifs. Elle avait l'impression de puiser dans son cœur l'encre lui servant à écrire l'histoire qu'elle vivait. À chacune des lignes qu'elle noircissait d'une main fébrile, elle jetait une œillade furtive en direction de Christopher et de Josh. Alyson était épuisée. Ses yeux étaient entourés de cernes bleuâtres, et elle ressentait les effets néfastes du stress.

Dès qu'elle eut terminé la mise à jour de son journal de bord, elle se rendit près de Josh, le souleva lentement et alla le déposer sur le lit de la chambre située à la proue du navire. Avant de remonter sur le pont du voilier, elle s'aperçut que Christopher avait commencé à rêver. Ses paupières étaient secouées par des mouvements oculaires rapides, signe de son intense activité cérébrale. Même si cet homme au moral trempé était parvenu à s'endormir en pareille situation, il était flagrant qu'il devait malgré tout affronter ses démons.

Elle n'avait pas tort. Christopher nageait en plein cauchemar, et c'était épouvantable. Dans son mauvais rêve, toute une armada militaire mobilisée par Sentinum visait à l'anéantir. Karl Haustein apparut alors au milieu de cette vision d'horreur. Il enserrait d'une main le cou frêle d'Alexandra et la tenait à bout de bras sur le pont d'un porte-avions. Les jambes d'Alex gigotaient mollement. Il était clair qu'elle faiblissait à vue d'œil. Christopher s'effondra sur ses genoux et hurla à s'en arracher les cordes vocales de libérer Alex. Il se rendait sans condition ! Des larmes abondantes ruisselaient sur son visage. En réponse à cette reddition inconditionnelle, Karl rit à gorge déployée et prononça des mots qui résonnèrent lugubrement.

— Je me suis assez amusé avec toi. Tu la veux ? La voici !

Il accrocha Alexandra au sabot de la catapulte du pont d'envol. Chris poussa dans son cauchemar ainsi que dans la réalité un long cri d'horreur. Heureusement, son hurlement fut étouffé par la paume d'Alyson délicatement posée sur sa bouche.

— Chut ! Chut ! Chut ! Réveillez-vous, Christopher ! Un bateau rôde dans les parages !

C'était une fâcheuse nouvelle, mais bon Dieu qu'il était content de sortir de son mauvais rêve !

— J'espère qu'ils n'ont pas été alertés par vos gémissements.

Chris secoua la tête, encore piégé entre le rêve et la réalité. Il jeta un coup d'œil hagard à Alyson, puis reprit ses esprits.

— Vous m'avez entendu gémir ? Vous avez l'oreille fine !

— Ben, voyons ! Même sourde j'aurais perçu les vibrations de vos cris ! rétorqua Alyson.

Christopher s'assit et posa la main sur son flanc en grimaçant. Il resserra le bandage élastique qu'il avait enroulé autour de son torse dans la Honda. Un examen sommaire pratiqué par Alyson avait démontré que le sang mêlé au mucus qu'il avait expectoré provenait de sa lèvre tuméfiée par le coup de pied fouetté de Daniel Tornay. Il souffrait d'une simple élongation musculaire.

— Désolé pour le café, bredouilla honteusement Christopher. Je me suis endormi. Ce n'était pas très serviable de ma part.

— Ce n'est rien. Mon rôle de mère m'a entraîné à ces veilles nocturnes.

— N'empêche, vous avez besoin de décompresser. Vous ne pouvez pas vous taper tous les quarts ! ajouta-t-il en se levant lentement.

— Ne craignez rien, vous m'aiderez en temps et lieu, affirma Alyson. Ce sera loin d'être une croisière touristique, croyez-moi !

Une série de photos de famille tapissait une cloison du carré. Ces portraits représentaient Alyson, Barry et Josh lors des moments clés de leur vie. Il était insupportable pour Chris de regarder les visages débordants de joie que les pellicules avaient immortalisés. Il éprouvait un vif sentiment de culpabilité pour avoir déchiré cette famille. Il décida qu'il abandonnerait le voilier dès qu'il en aurait l'occasion. Christopher trouverait bien le moyen de s'esquiver lors d'une escale dans un port. Il lui était impensable de se rendre jusqu'au Panama en leur compagnie. En plus de l'empoisonner de remords, ces photos qui évoquaient des souvenirs de bonheur lui donnaient la nausée.

— J'ai le mal de mer. Je me sens sonné comme si j'avais avalé deux bouteilles de vin. Est-ce que ça va finir par passer ?

— Connaissez-vous les cinq F du mal de mer ? lui demanda Alyson. Ce sont le froid, la faim, la frousse, la fatigue et, enfin, les odeurs de fioul. Puisque nous sommes sur un voilier tout neuf, vous n'aurez qu'à vous concentrer sur les quatre premiers. Mais ne vous faites pas d'illusions. J'ai rencontré de vieux loups de mer qui ont enduré le mal de mer toute leur vie.

— C'est rassurant.

— C'est surtout dommage, puisqu'il y a pourtant un peu d'eau salée qui circule dans nos veines. Un héritage de nos ancêtres marins, j'imagine. Maintenant, accompagnez-moi en silence. Nous devons découvrir qui sont ces visiteurs indésirables.

En moins de deux, ils atteignirent le pont du voilier.

— L'écran radar n'indique que des parasites, remarqua Christopher. Comment suspectez-vous la présence d'une embarcation cachée dans cette brume ?

— Intuition féminine ! chuchota-t-elle.

Alyson s'apprêtait à immobiliser le voilier. Elle tira sur la drisse afin d'affaler la grand-voile, mais le cordage lui fila entre les doigts. Elle perdit l'équilibre, chancela et tomba douloureusement sur les fesses. D'un geste précis, Christopher, qui était tout près, agrippa le cordage avant qu'il ne disparaisse dans le palan manuel. Le déroulage s'arrêta net, non sans avoir râpé sa paume de main, ce qui macula la corde d'une longue traînée de sang.

— Manifestement, vous savez vous y prendre. Vous êtes un barreur-né, constata Alyson en le voyant enrouler le cordage autour du taquet.

Christopher ne maîtrisait pas la technique des nœuds marins. Cependant, la solidité du sien était à l'exemple de sa détermination : indissoluble. Alyson songea que, même s'il n'avait aucune formation de navigateur, il comblait cette lacune par des réflexes instinctifs.

— Je suis navré, je n'ai pas de gants de voile de votre pointure, avoua-t-elle en esquissant un sourire fatigué.

Christopher l'aida à se relever.

— Et concernant votre intuition féminine ? s'enquit-il.

— Oui… Je disais que la houle nous a ballottés d'une manière irrégulière et un bourdonnement confus a éveillé mon attention, murmura Alyson. Je suis persuadée qu'une embarcation disposant d'un brouillage radar ou autre gadget qui la rend furtive est passée près de nous il y a moins d'un quart d'heure. Je pense qu'on tient à confirmer notre identité. Durant l'un de mes voyages en solitaire, en 1992, je suis tombée sur une frégate de classe La Fayette. Les superstructures de ce bâtiment d'escorte anti-sous-marine étaient façonnées en composite verre-résine qui absorbait les ondes radars. Cette frégate non armée effectuait des essais au large des Açores.

Chapitre 36

— Croyez-vous que nous avons affaire à un navire de guerre ? l'interrogea Christopher, en tentant vainement de voir à travers le brouillard impénétrable.

Même si le soleil se levait, la portée visuelle n'excédait pas un huitième de mille nautique. Cette apparente tranquillité était pesante et n'était troublée que par l'incessant clapotis des vagues sur la coque.

— Je l'ignore, mais il ne fait aucun doute que le tonnage de ce bateau est important. Et je suis convaincu qu'il a arrêté ses machines et qu'il est à moins de 120 brasses à bâbord.

— Parfait ! J'irai me dégourdir les muscles ! lança Chris en déboutonnant son gilet de laine.

Cinq secondes s'écoulèrent, et il avait déjà dévêtu son torse affublé de bandages élastiques.

Chapitre 37

— Une question en passant, avez-vous des armes à bord ?

— Seulement une .30-06, répondit Alyson. Pour dissuader les pirates. Par contre, j'ai des armes de chasse sous-marine.

— Du genre ? s'enquit Christopher.

— Du genre fusil pneumatique compact Sten.

— Ah bon ! Je rêvais plutôt d'entendre quelque chose qui aurait sonné comme torpille.

— Vous n'êtes pas drôle ! Que mijotez-vous ?

— Je pars à l'abordage !

— Je viens avec toi, Chris, intervint Josh, plein d'espoir.

Le petit garçon avait fait irruption sur le pont du voilier. Il montrait son empressement en tapant des mains. Une grande marque de couverture zébrait son visage ensommeillé, et il ne put réprimer un bâillement. Alyson fit volte-face, désespérée de devoir surveiller deux enfants inconscients. Elle résista néanmoins à l'envie de rabrouer sèchement son fils.

— Josh chéri, je t'en prie, baisse le ton ! Et je t'ai répété, à maintes reprises, de porter ton gilet de sauvetage quand tu montes sur le pont.

— Mais Chris ne le met pas, lui ! s'indigna-t-il.

— C'est différent ! Même s'il donne l'impression du contraire, c'est un adulte... Misère ! Et je ne veux pas en discuter ! Un point, c'est tout !

En entendant Christopher murmurer dans son dos la détestable expression « mère poule », elle pivota sur ses talons.

— Vous vous êtes donné le mot, tous les deux, ou quoi ? Ah, peu importe ! Cette idée de gonfler l'embarcation de sauvetage est carrément farfelue ; son jaune vif fera en sorte qu'ils vous repéreront comme un phare.

— Non, Alyson, rectifia posément Chris. J'irai à la nage.

— Vous sous-estimez les risques. Surtout, vous ignorez à qui vous avez affaire, désapprouva-t-elle, les traits assombris par l'angoisse.

— Ce sera dans les deux sens. Rassurez-vous, je ne suis pas cinglé. La situation semble désespérée, mais nous n'avons pas le choix. Si nous voulons nous en tirer, nous devrons attaquer à l'improviste. Maintenant, assez bavardé ! Filez-moi votre machin-truc Sten !

— Vous pensez que ce sont les mêmes individus qui ont éliminé...

En présence de Josh, Alyson évita de prononcer « Barry ». Christopher fut pris au dépourvu. Il avait l'âme torturée et observa un silence qui reflétait sa compassion.

— N'y a-t-il rien que je puisse dire qui vous découragerait de jouer les héros ? lui demanda Alyson, en désespoir de cause.

— Ça n'a rien à voir ! Et vous savez très bien qu'une attaque-surprise est notre planche de salut. Ne comptez pas sur moi pour poireauter ici en attendant d'être pris pour cible. Ce navire furtif s'apprête à nous balancer un missile ou une autre saloperie du genre. Si les types qui sont à bord n'ont encore rien tenté, c'est qu'ils n'y voient que dalle. Je vais en profiter pour les surprendre avant que le brouillard ne s'éclaircisse. J'ai l'obligation d'essayer et le devoir de réussir.

— Rien de plus simple ! Tuons-les tous jusqu'au dernier ! C'est ça, votre plan ?

— En gros, c'est ça, mon plan, répondit calmement Christopher.

— Waouh ! s'exclama Josh, tout excité.

— Josh ! Surtout, ne te mêle pas de ça ! Mais, comment parvenez-vous à rester aussi zen ? s'enquit-elle.

— Ce n'est qu'une façade. Vous vous méprenez, Alyson, si vous croyez que je n'ai pas peur. Pour tout vous dire, j'ai une sacrée trouille !

Alyson comprenait parfaitement les enjeux. Il lui était pourtant difficile de souhaiter entraîner des gens dans la mort, elle qui, au cours de sa profession médicale, avait activement œuvré à éloigner la mort de ses patients.

— J'espère de tout cœur que vous réussirez, déclara-t-elle enfin, déterminée. Introduisez-vous doucement sur le bateau de ces enfoirés, et prenez-les sauvagement à revers. Ensuite, pas de demi-mesures, butez-les tous !

— Hé ! Surveillez votre langage devant Josh, la nargua Chris.

Mal à l'aise, Alyson esquissa un sourire gêné et conclut :

— Je vais chercher l'équipement.

Tout le monde à bord du voilier était sur le pied de guerre, et l'ambiance était tendue. Christopher jugea nécessaire de réconforter Josh, car le petit garçon s'était renfrogné.

— J'ai vu, Josh, que tu avais un jeu de Battleship dans ta valise. Nous jouerons ensemble à mon retour. Mais avant, il y a des méchants qui veulent faire une vraie partie avec moi. Il ne faudrait surtout pas les décevoir.

Oh, non ! Ces types ne seraient pas déçus ! Christopher ferait même une entorse aux règles du Battleship en tirant plusieurs fois de suite. Ses ennemis se frotteraient à un adversaire qui n'aurait pas peur de tricher, car c'était Daniel Tornay qui lui avait appris à jouer !

Josh ne voulait pas que Christopher quittât le voilier. Treize jours plus tôt, son père avait agi de façon identique en prétextant des trucs urgents à régler, au lieu de demeurer auprès de lui, et il ne l'avait pas revu. Son visage afficha une inquiétude et une tristesse grandissantes, puis il exprima vertement ce qu'il avait sur le cœur.

— Tu jures de revenir, hein ? Mon papa, il a juré la même chose et il n'est plus jamais revenu. Comment savoir si tu dis la vérité ? Mon papa, lui, il est mort pour toujours. Je sais qu'il est au ciel et qu'il ne reviendra plus.

Christopher se détourna, incapable de soutenir le regard insistant de Josh. Il croisa alors le visage attentif d'Alyson, qui arrivait les bras chargés de l'équipement de plongée sous-marine de Barry. Elle avait été témoin de cette scène empreinte d'émotion. Elle déposa l'équipement sur le teck et vola au secours de Chris, mue par une force de caractère peu commune.

— Josh, fais confiance à Christopher. Il reviendra !

Les yeux d'Alyson en disaient long. Advenant un malheur, nul besoin de capacité télépathique pour anticiper la déception et la peine difficilement mesurable qu'éprouverait le petit garçon de sept ans.

Chris tapota affectueusement l'épaule de Josh. Dans son esprit, il n'y avait qu'une façon de détendre l'atmosphère : une bonne dose d'humour et de sang-froid. Christopher trempa le bout de son gros orteil dans la mer et se mit à frissonner exagérément. Lorsqu'il se retourna, il aperçut une moue amusée aux lèvres de Josh.

— Houla ! On est loin des centres de thalasso haut de gamme avec leur petite baignade dans des bassins d'eau glacée ! s'exclama-t-il.

— Pas besoin de mettre des gants blancs pour vous dire que la température de l'eau avoisine les 2 °C, lui indiqua Alyson.

— Ce ne sont pas des gants de latex que vous portez habituellement, docteure ?

— Ha ! Très drôle, Christopher ! Une fois rendu dans l'eau, vous serez bien moins sarcastique !

— Avec votre combinaison à la Jacques Cousteau, je me sentirai au chaud comme un ours polaire.

Il s'assit et essaya d'enfiler la combinaison de plongée. Voyant son embarras, Alyson déclara :

— Ouais ! C'est un peu juste. Votre morphologie squelettique et musculaire est très différente de…

— Attendez, j'ai une solution ! affirma Christopher en retirant le couteau de gilet.

Il trancha la combinaison en deux à la hauteur des hanches, puis pratiqua des entailles au niveau des cuisses, des mollets et des épaules.

— Voilà ce que j'appelle un travail vite fait, bien fait !

— Peut-être, mais je ne vous engagerai pas pour retoucher ma garde-robe ! Et maintenant, vous risquez d'être victime d'hypothermie dans ces eaux froides.

Puis, elle ajouta avec un regard acéré :

— Mais cela ne devrait pas gêner votre activité neurologique bouillonnante.

Chris ignora sa raillerie. Josh lui tendit un filet à langoustes. Christopher le boucla à sa ceinture à l'aide d'un mousqueton et remercia le petit garçon en lui décochant un clin d'œil complice. À l'intérieur du sac, il y avait des pointes de flèche à double ardillon et le fusil pneumatique compact Sten.

— C'est quoi, ça ? s'informa Christopher.

— Une monopalme en carbone. Avec un peu de pratique, vous nagerez comme un poisson dans l'eau. Mais prenez garde aux mauvais mouvements, sinon vous risquez de vous infliger une douloureuse entorse lombaire, l'avertit Alyson.

La monopalme atteignait une largeur de 50 centimètres. Elle était aussi impressionnante qu'il s'estimait ridicule.

— J'ai l'air de la petite sirène, maugréa Chris, qui était incapable, même après avoir coupé l'extrémité de ses chaussons en néoprène, d'y faire entrer parallèlement ses pieds.

Josh eut un fou rire qui détendit son visage.

— Désolée, dit Alyson. Je n'ai rien à votre pointure.

— Ce n'est pas grave. Avec ce couteau, je vais vous montrer mes talents de sculpteur du dimanche. Croyez-le ou non, avant-hier, je me suis mesuré à une fée Clochette de 100 kilos. Et aujourd'hui, je me déguise en Ariel.

Christopher refit un clin d'œil taquin à Josh.

— On jurerait que j'ai le chic pour rencontrer tous les personnages de Disney, poursuivit-il.

— N'escomptez pas le secours d'une ravissante sirène, si votre mission se solde par un échec. En cas de pépin, vous serez laissé à vous-même, murmura Alyson.

— Et l'agence niera toute responsabilité, récita Chris en prenant une profonde respiration. Je connais la chanson, « Jim[8] ». À présent, pourriez-vous me dire comment fonctionne le harpon ?

— Son mécanisme est très simple. Vous insérez une flèche comme ceci. Cela comprime l'air qui propulsera la flèche lorsque vous presserez la gâchette, lui expliqua Alyson.

Elle logea le fusil pneumatique dans l'étui qu'il portait à la jambe. Ponctuant son geste d'une tape sur l'épaule, elle lui rappela de ne pas oublier d'enlever le cran de sûreté. Ensuite, elle ironisa sur l'importance de rincer soigneusement le mécanisme à l'eau douce après usage, en sachant bien que cela le préoccupait peu.

— J'ai pigé l'essentiel. Merci.

Christopher se glissa silencieusement dans l'eau noire et froide, qui lui coupa le souffle. Il bredouilla en levant le pouce :

8. Référence à James « Jim » Phelps qu'a immortalisé Peter Graves dans la série télévisée *Mission impossible.*

Chapitre 37

— Je... je ne m'ennuie pas, mais j'vais... m'grouiller... de rejoindre n-nos nouveaux v-voisins... Hé, Josh ! s'interrompit Chris. J'ai oublié ma m-montre sur la table. Peux-tu aller m-me la chercher ?

— Vous n'avez pas de montre, le gronda Alyson quand Josh eut passé par le panneau d'écoutille. Merde ! À quoi jouez-vous ?

Christopher se sentait si honteux que l'émotion fit cesser net ses tremblements. Fournissant un effort insoutenable, il lui révéla :

— J'ai menti, je ne reviendrai pas.

— Pardon ?

— Déguerpissez au plus vite ! Moi, je retiendrai ces rôdeurs. C'est votre seule chance de vous en sortir. Nous devons nous séparer... C'est pour votre bien. Désolé ! Je ne voulais pas que... Josh entende ça.

— Allez chier avec votre « désolé » ! fulmina Alyson en cédant à un sentiment de désespoir et d'impuissance. Vous êtes cruel d'avoir berné Josh ! Il vous faisait confiance !

Christopher avait l'impression d'avoir planté une épée dans le cœur d'Alyson et ressentait la souffrance qu'il venait de lui infliger. Il avait la sensibilité à fleur de peau et la conscience taraudée de remords, mais puisa malgré tout la force de dire, sur un ton sans appel.

— Je regrette sincèrement. Éloignez-vous de moi... C'est préférable, car j'attire la poisse. Ne vous en faites pas et foncez ! Je trouverai bien un moyen de m'en sortir. Adieu, Alyson !

Quelques secondes plus tard, Christopher s'enfonça dans la brume. Les derniers mots prononcés par Alyson résonnaient comme un grondement étouffé dans sa tête. Ils étaient un mélange de rage et de tristesse réfrénées.

— Salaud ! Vous n'avez pas le droit de nous demander ça !

L'étroit sillon laissé par Chris à la surface des flots s'effaça, pareil aux ondulations qui disparaissent de l'écran d'un moniteur cardiaque après l'ultime soupir d'un mourant. Le calme qui succéda à son départ oppressa Alyson.

Chapitre 38

Cent mètres plus loin, Christopher nageait comme un dauphin handicapé et frileux. Il avalait, presque à chaque brasse, un peu d'eau salée. Il était tourmenté d'avoir effrontément berné le petit Josh. De plus, les perspectives démoralisantes de s'égarer en mer ou de mourir noyé le tenaillaient. Bien sûr, ses tracas affectaient son déplacement aquatique. Ses mouvements de jambes étaient si inharmonieux que le commandant Cousteau se serait certes retourné dans sa tombe s'il l'avait vu se démener autant pour réaliser une performance aussi médiocre. D'autre part, se retrouver immergé dans l'eau froide après avoir tant souffert de la chaleur et de la soif le faisait jurer intérieurement. Christopher n'en était tout de même pas au point de ressentir une bouffée de nostalgie en repensant à l'atmosphère suffocante du studio de cinéma, à Marseille.

Heureusement, Alyson avait dit vrai. Après une période d'adaptation, Chris commença à mieux maîtriser la technique de nage avec la monopalme. Sa combinaison en néoprène lui permettait de flotter facilement, et il se mit à ondoyer son corps de façon plus agile. Les battements de ses jambes devinrent bientôt efficaces et puissants. Il chassa ses tracas, et concentra sa détermination et sa rage sur sa prochaine attaque.

Son estimation de l'emplacement du navire furtif était parfaite. Semblable à un vaisseau fantôme, une masse énorme émergea du brouillard. Ses craintes exagérées à propos des monstrueux requins qu'il suspectait de rôder dans les eaux noires sous lui se dissipèrent. Christopher scruta avec attention le navire ennemi. La superstructure qui se profilait possédait 3 ponts et mesurait au moins 40 mètres de longueur. Dans le jargon maritime, il s'agissait d'un mégayacht.

Bien des années auparavant, Sentinum avait entouré d'un secret absolu la construction de cinq mégayachts qui sillonnaient aujourd'hui les cinq océans de la planète. Ces navires avaient été construits selon un savoir-faire unique dans les chantiers navals d'une société française. En dépit d'un tirant d'eau de 2,5 m, 2 moteurs de 3000 HP propulsaient leur redoutable carène jusqu'à 30 nœuds. Chaque mégayacht avait sa propre hélisurface sur laquelle était posé un hélicoptère EC135. D'astucieux panneaux en verre-résine rétractables et légèrement convexes permettaient la réflexion des ondes radars et les rendaient furtifs. Comme autre raffinement, ils possédaient 2 canons de 40 mm arrimés de chaque côté de la passerelle qui se camouflaient dans des cloisons spécialement aménagées. Enfin, 4 mitrailleuses de 7,62 mm se dissimulaient sous le pont de la plage avant.

Ces vaisseaux exceptionnels de l'armada Sentinum étaient le croisement entre une vedette militaire et un palace flottant. Lorsqu'ils patrouillaient le long des côtes de la mer Méditerranée, les hommes d'équipage composés essentiellement d'agents matricules rangeaient les armes. Ensuite, pour leur plus grand bonheur, on invitait à bord de jolies jeunes femmes en maillot de bain. Ainsi équipés de ces filles au look supercanon, les mégayachts étaient en mesure de se pavaner à Saint-Tropez sans attirer l'attention. Si la situation l'exigeait, ils redevenaient furtifs et participaient à une mission. Les navires de Sentinum étaient sans contredit un modèle du genre.

Lentement et avec précaution, Christopher longea à la nage le flanc bâbord du mégayacht. Son bon sens lui dictait de respecter la prudence la plus élémentaire. Son cœur se serra. La température glaciale de l'océan y était pour quelque chose, mais c'était surtout son degré d'inconscience qui causait son malaise. Les hommes qu'il se préparait à affronter n'étaient pas de simples matelots buvant du whisky et chantant la chanson *Bateau d'amour* de Charles Trenet !

À côté de la plateforme située à la poupe du bateau, des agents matricules vêtus de treillis noir avaient mis à l'eau un canot pneumatique gris. L'embarcation était retenue à la plateforme par un cordage. Christopher nagea sur place en attendant que les agents quittent la poupe. Dès qu'ils furent partis, il dégaina son couteau et entreprit de découper des voies d'eau à travers le fond isolant du canot. L'embarcation pneumatique toujours accostée devint en quelques secondes inutilisable. Il aurait été plus simple pour Chris de couper les amarres et de laisser le canot dériver, mais cela aurait mis la puce à l'oreille aux hommes d'équipage quant à une menace éventuelle. Pour l'instant, personne ne soupçonnait sa présence, et il espérait que cela continue ainsi.

Deux agents matricules munis de scaphandre autonome et de stabilisateur dorsal sortirent soudain de la soute en discutant.

— Il n'est pas nécessaire que tu emportes ton ordinateur de plongée, Alain, bougonna Laurent. Nous nagerons en surface. Nous aurions plutôt besoin d'un bon repérage satellitaire pour être capables de revenir ici. Ah, les foutus ordres ! Quelle merde de s'enfoncer dans cette mélasse glacée !

Laurent poursuivit en imitant son supérieur.

— « Peu importe, nous appliquerons la procédure à la lettre et nous confirmerons leur identité. » Tu parles d'un « nous » à la con ! Le gland, lui, il est à la salle de réunion à siroter son café. Je vais t'apprendre la vérité concernant son « nous », moi. Les vrais « nous » se gèlent les couilles et se font tirer du lit à potron-minet. Et ils n'ont même pas droit au p'tit-déj parce que ça urge !

— La ferme, Laurent ! Cesse de pleurnicher, le rabroua Alain.

— Hé, hé ! Bonjour, la courtoisie !

— Non mais, tu me les gonfles à la fin ! Et n'empêche, ce boulot est moins chiant que notre séjour au commando Hubert à jouer les chuteurs opérationnels. Au lieu de te plaindre comme une gamine capricieuse, pense à la bonne bouffe et au centre multimédia que nous avons sur ce rafiot, déclara Alain en s'assoyant sur le bord de la plateforme qui surplombait la mer d'une vingtaine de centimètres.

— OK, OK ! J'ai compris. Pas besoin d'en faire tout un plat !

— Allez, Laurent. Courage ! Viens dans la flotte. Plus vite on partira, plus vite on reviendra.

Laurent se retourna et, un peu étonné, il vit caler son coéquipier dans les eaux noires de l'Atlantique. Alain n'avait même pas terminé de sangler son masque intégral. Laurent se questionna à propos des motifs qui avaient incité son partenaire à agir avec autant d'empressement. Il eut envie de lui dire « Vas-y mollo ! » Or, il se ravisa et l'interpella en utilisant son émetteur de communication sous-marine Scubaphone.

— Hé, mec ! M'entends-tu ?... Alain ?... Alain ?

Laurent se tenait debout, les pieds en bordure de la plateforme. Il tournait la tête, s'étirait le cou et promenait son regard de-ci de-là en quête d'un signe de vie de son coéquipier. Il sentit soudain un picotement au niveau de ses chevilles. Ah, la poisse ! Ses palmes étaient habituellement aussi confortables que des charentaises. Laurent fléchit les genoux, puis s'inclina pour gratter son insupportable démangeaison. Au même moment, la houle fit tanguer le navire, et il fut incapable de contrebalancer son déséquilibre. Laurent trébucha comme un marin ivre tandis que son interphone crépitait entre ses jurons. Il se retrouva allongé sur la plateforme tel un lézard se prélassant au soleil. Il était bien content qu'il n'y eût aucun témoin de son incompréhensible maladresse. Dos à la mer, il soupira de soulagement quand il entendit un doux clapotis derrière lui.

— Bordel, Alain ! Tu foutais quoi ? Je pensais que tu étais parti sans moi. Bon Dieu que cette crampe aux chevilles me fait…

Laurent s'était retourné et avait aperçu du sang sur le plancher de la plateforme. Pour une raison obscure, ses tendons d'Achille étaient… sectionnés. Ce n'était pas la houle qui avait causé son déséquilibre. En absence de ses tendons d'Achille, ses jambes avaient perdu leurs aplombs, et il avait chuté sur la plateforme. Puis, Laurent sentit une froideur métallique sur son cou. Une forme sombre arrivant des profondeurs marines avait surgi au-dessus de lui : une silhouette qui ne ressemblait pas du tout à celle d'Alain. C'était plutôt celle d'un inconnu qui le prenait d'assaut ! Son ultime réflexe fut de hurler dans son microphone, mais il n'émit qu'un gargouillement inaudible. L'envahisseur venu de la mer lui avait tranché la gorge. En moins de deux, Christopher le dépouilla de son équipement de communication, le désarma et l'entraîna dans l'eau avec lui. Laurent fut avalé par l'abîme océanique et disparut sans laisser de traces.

La plateforme était dégagée. Sans plus attendre, Christopher monta par l'échelle de coupée, puis se débarrassa de sa monopalme et de sa cagoule. Il avança aux aguets, armé du pistolet de Laurent qui était muni d'un laser de visée et d'une lampe Surefire. Chris rinça la plateforme de teck et inspecta le compartiment arrière du bateau où il trouva quatre canots pneumatiques dégonflés. Il les traîna jusqu'à l'extérieur, les attacha à un moteur hors-bord, puis, sans faire de bruit, il les jeta à l'eau.

Le premier objectif de sa mission était rempli : Christopher était monté en catimini à bord du mégayacht et ses ennemis ne possédaient plus d'embarcations de survie qui leur auraient permis de fuir. Il lui restait cependant à détruire l'hélicoptère EC135. Or, la tâche de rendre inopérant cet appareil serait délicate, car son hélisurface se situait à la proue du navire, juste en face de la passerelle de navigation.

Chapitre 39

De loin, la vue était magnifique. Le soleil s'élevait majestueusement au-dessus de la ligne d'horizon et sa lumière profilait à travers la brume l'ombre fantomatique des deux bateaux. Le mât du voilier *Asclépios* ainsi que le pont supérieur du mégayacht perçaient le brouillard matinal. Les deux navires étaient espacés de quelques centaines de mètres.

De près, par contre, la perspective était moins jolie. Le but ultime poursuivi par Christopher était majeur et cruel. En plus de faire couler le mégayacht, il souhaitait qu'il n'y ait aucun rescapé du naufrage. Par conséquent, la partie était loin d'être gagnée. Chris se dressait en bordure de la plateforme de plongée du bateau. Il se répétait ces mots dans sa tête :

« Tuer tout le monde pour qu'il ne reste rien à sauver. Ça fera peur aux prochains qui se lanceront à mes trousses ! »

Deux agents matricules surgirent tout à coup d'un pont de promenade. Ils arrivaient de leur ronde. Christopher se glissa silencieusement dans l'eau et patienta. L'un des hommes avança jusqu'au bout de la plateforme tandis que l'autre pivota en sifflotant une chanson des Beatles. Ce dernier s'apprêtait à regagner l'intérieur du bateau lorsqu'il perçut le son caractéristique d'un faible plouf. Il se retourna et vit son confrère se tenir la gorge en gémissant.

— Gggllloorrg…

— Quoi ?

Sitôt, il remarqua, horrifié, qu'une pointe de flèche sortait près de l'oreille droite de son confrère. Ce dernier était hameçonné comme un poisson et se faisait tirer vers la mer. Christopher halait le filin du harpon qui dépassait de son cou. Il s'aida du contrepoids de l'agent hameçonné pour émerger subitement dans un bouillonnement d'eau salée. L'homme soumis à l'incroyable traction de Chris perdit l'équilibre et sombra dans l'océan.

À ce moment, l'autre agent matricule porta son poing à son arme et voulut crier : « Intrusion ! » Mais Christopher lui projeta avec force le couteau qu'il avait à la main. Son geste fut rapide et précis. Le couteau se planta durement dans la gorge de l'agent. Ce dernier plaqua ses paumes sur son cou et s'affala sur le sol, réduisant à néant tout espoir de déclencher l'alerte.

Christopher s'empara de son fusil d'assaut SIG-552 qu'il se mit en bandoulière. Au pas de gymnastique, il emprunta la coursive centrale du pont inférieur, qui le conduisit résolument au carré. Lorsqu'il y fit irruption, il était saisi d'une fureur froide. Ses jointures blanchies entouraient la crosse du fusil d'assaut. Tous ses mécanismes d'inhibition étaient levés, et Chris ne réprima aucun abus. Stimulé par la rage, il fit un carton.

L'instantanéité de son attaque prit au dépourvu un groupe d'agents matricules au repos. La dernière chose que ces hommes redoutaient était de se faire tomber dessus par un intrus qui était monté en catimini à bord de leur navire. Étonnés et déboussolés, cinq agents qui se vautraient dans des fauteuils en fumant leur cigarette furent rapidement éliminés. À gauche, un homme découvrit que sa tasse de café avait explosé alors qu'il n'en tenait plus que l'anse. Il fut éclaboussé par sa boisson chaude et culbuta sur la table à cartes.

À droite de la pièce, un autre agent matricule était sur le point de manger un savoureux beignet fourré à la confiture de myrtilles. Il eut la possibilité d'apercevoir à travers le trou de son beignet l'éclair de plomb qui le transperça et qui lui fit passer l'arme à gauche. Cet agent avait un sacré coup de fourchette. Il s'était toujours demandé si ses excès de table l'emmèneraient un jour à creuser sa tombe avec ses dents. Le voir coucher sur le buffet bien garni, la bouche défoncée par un projectile, était criant de vérité.

Tous les agents matricules du carré se retrouvèrent étendus un peu partout, comme si Christopher avait retiré le tapis sous leurs pieds. Chris agrippa un paquet d'allumettes qui traînait sur la table à cartes. Il fonça au bout de la coursive, dévala ensuite un escalier et descendit dans les entrailles du mégayacht, là où était située la salle des machines. Une fois en bas, il balaya la pièce d'un regard circulaire. L'endroit était étonnamment désert. Un des deux moteurs Wärtsilä était arrêté tandis que son jumeau fonctionnait au ralenti pour alimenter le navire en électricité.

— C'est la minute de vérité, gronda Chris en brandissant d'une ardeur guerrière son SIG-552 en direction du réservoir de carburant.

Sous la foudroyante puissance de feu du fusil d'assaut, la gerbe de balles perfora non seulement le réservoir de 40 000 litres comme une passoire, mais aussi la membrure et la coque d'aluminium du mégayacht. L'eau jaillit en filets, se mélangeant à la flaque de gazole. Insatisfait du résultat, Christopher canarda tout le groupe électrogène et l'arrosa copieusement d'un déluge de balles. La lumière ambiante clignota, puis s'éteignit, laissant place à l'éclairage d'urgence tamisé. Chris lança une allumette qui embrasa instantanément la cale.

Alors, de la proue à la poupe du navire, un son strident retentit à intervalles réguliers : l'alerte générale avait été sonnée. La donne venait de changer. Un commando d'agents matricules armés jusqu'aux dents apparut au sommet des marches menant à la salle des machines. Averti par son sixième sens, Christopher se tourna vers l'escalier et enfonça la gâchette du SIG-552. Entre-temps, le chef du commando poussa dans la descente les huit agents qui étaient sous ses ordres, insouciant du sort qui leur serait réservé. La lâcheté de son geste donnait aussi froid dans le dos que l'ignoble poussée qu'il leur avait assénée. Les agents furent précipités vers l'avant. Ils déboulèrent les marches pêle-mêle et à découvert sous le feu nourri de Christopher.

Leur chef au comportement inadmissible contre-attaqua en lançant une grenade à main vers Christopher. L'engin explosif rebondit sur une poutre et revint dans sa direction. Il s'agissait vaguement d'un retour à l'envoyeur. Les secondes étaient comptées. Sans aucun remords de conscience, le chef du commando utilisa un de ses agents à l'agonie à titre de bouclier humain. Chris ne fut pas témoin de cet exemple d'inquiétante autorité, puisqu'il courut se mettre à couvert en tirant par-dessus son épaule. Il plongea ensuite sous la surface de l'eau, sur laquelle flottait des nappes d'essence enflammée.

L'explosion secoua le mégayacht en même temps que Christopher se réfugiait derrière une unité de dessalinisation d'eau de mer. Il ressentit une vive douleur aux jambes. La déflagration généra une colonne d'eau qui remonta jusqu'au plafond de la salle des machines. Elle propulsa des éclats métalliques et creva la coque du navire sous la ligne de flottaison. Un fragment de tuyauterie coupa la moitié de la tête d'un agent grièvement blessé par balle, abrégeant ainsi son supplice.

Lorsque ce déchaînement de violence gratuite fut enfin terminé, Christopher quitta sa cachette, les oreilles bourdonnantes et l'esprit en ébullition. Une odeur de poudre à canon mélangée à celle de la chair carbonisée flottait dans l'air. Au milieu des spirales de fumée bleue, il aperçut les cadavres des agents matricules empilés au pied de l'escalier. Il ne comprenait pas la déplorable stratégie qu'ils avaient employée.

— C'était vraiment une bande d'abrutis ! s'exclama Christopher en secouant la tête.

Ses jambes étaient parsemées d'éclats de shrapnels plantés çà et là. Son fusil d'assaut lui avait glissé des doigts lors de l'explosion et il était introuvable. Il boitilla vers l'escalier, accablé par ses blessures. Il s'apprêtait à enjamber l'amoncellement de corps déchiquetés quand il eut la surprise de sa vie : l'amas de corps morts se mit à remuer. Christopher porta instinctivement la main à sa bouche, réfrénant un haut-le-cœur. Une forme cauchemardesque, qui devait un jour avoir revêtu une apparence humaine, se redressa lentement et s'extirpa de sous les cadavres des agents matricules. Poussant le comble de la folie à des frontières infranchissables, cette chose s'exprima en anglais avec une rare éloquence.

— Tomber, c'est propre aux humains, alors que se relever, c'est divin !

Christopher dégaina le pistolet qu'il avait confisqué à Laurent et tira sur la chose. Étonnamment, cela n'élima pas la bravoure insensée de ladite chose.

— Beurk ! Quelle horreur ! grimaça Chris, envahi d'une frayeur puérile comme s'il venait de voir un croque-mitaine sortir du placard.

Son insulte rebondit sur un mur d'indifférence.

— C'est au fond des cales de bateau que l'on trouve les rats. À cette différence près : sur les yachts à 100 millions de dollars, les rats sont comme le proprio… Ils sont plus gras ! ajouta la chose d'un ton impassible.

À son deuxième coup de feu, Christopher entendit un déclic déprimant. Son arme était vide. Au même instant, la sirène d'alarme s'interrompit.

— Tout l'équipage sur le pont ! Abandonnez le navire ! ordonna le capitaine du mégayacht dans les haut-parleurs.

Et la voix rauque de la chose retentit à nouveau.

— Je me présente, Victor Seigner. Mais ne prononce pas mon nom comme seigneur, car je suis loin d'être ton sauveur ! On m'appelle aussi l'Arthropode.

Cela dit, Victor enleva sa chemise dégoulinante de sang.

— Holà, mec ! On se connaît à peine ! s'exclama Chris.

N'eût été son inimaginable blindage, Victor se serait retrouvé torse nu. Mais, aujourd'hui, il était une véritable machine de guerre. En 1980, il avait été laissé pour mort en Iran. Toutefois, Victor avait miraculeusement survécu. C'était en partie grâce à son courage surhumain, mais il avait également bénéficié du soutien de l'équipe médicale de Karl Haustein.

Dorénavant, le corps de Victor était tapissé des mollets à la tête de 450 piercings de style barbell. Leurs tiges métalliques arquées servaient à fixer 900 petits dômes de 3 centimètres de diamètre. Ces coupoles miniatures en alliage de titane robuste se chevauchaient pour couvrir, à l'exception de ses pieds, ses mains et ses yeux, les 2,86 m^2 de sa surface corporelle. Ses globes oculaires étaient quant à eux protégés par de l'aluminium transparent, plus dur et résistant que le verre pare-balles.

Son surnom, l'Arthropode, venait du fait que son armure permanente aux petits dômes ressemblant curieusement à des écailles de poisson s'apparentait à une sorte d'exosquelette flexible. Avec un peu d'imagination, elle rappelait aussi l'armure des combattants chinois de l'armée de terre cuite de la légendaire dynastie Qin. Victor avait bien sûr bénéficié d'une reconstruction musculaire complète, qui avait considérablement augmenté sa force. Malgré le poids du titane qui le couvrait, il était capable d'exécuter des mouvements complexes.

L'eau de mer leur montait déjà jusqu'à la taille. Victor fléchit les genoux et rinça son blindage de titane maculé de sang. Lorsqu'il se redressa, il étincelait comme s'il sortait de la fonderie. Pendant ce temps, Christopher se plia en deux et chercha à tâtons sous l'eau un objet pour se défendre. Il ramassa finalement un bout de pipe en acier et ne se fit pas prier pour viser la tête de Victor. L'Arthropode, qui était loin d'être immobile comme une statue de terre cuite, contra efficacement son offensive du coude. Il fut toutefois atteint au front par ricochet. Le bruit résonna comme si Christopher avait tapé sur un gong. Il répéta maintes et maintes fois son geste, produisant une sonorité métallique qui aurait enorgueilli n'importe quel amateur d'orgue à tuyaux. Les coups de Christopher étaient féroces et barbares, mais cela n'avait rien à voir avec un orgue de Barbarie…

À cet instant, le navire commença à gîter sérieusement sur bâbord. L'incendie de la salle des machines prit de la vigueur. L'eau montait continuellement et des rubans de flammes se déroulaient à sa surface. Le mégayacht gronda sourdement. À travers ce bruit qui ressemblait à une longue plainte étouffée, on entendit des tintements de casserole fêlée. Christopher frappait à grands coups sur Victor, mais cela n'empêchait pas ce dernier d'avancer. Chris était en mode de rétropédalage. À chaque foulée en arrière, ses pieds seulement chaussés de bas butaient douloureusement contre les obstacles immergés.

Il se fit acculer à l'armature du moteur en tentant d'esquiver un direct au ventre. Ce n'était qu'une feinte de Victor pour l'empoigner à la gorge. L'Arthropode portait des gantelets métalliques entièrement articulés. Son incroyable poigne de fer se resserra sur le cou de Chris comme les mâchoires d'un étau tandis que son poing libre lui donna un bon coup dans le flanc. Christopher ressentit une douleur fulgurante sous sa combinaison de néoprène et son bandage élastique.

Christopher avait le visage rougi et respirait avec difficulté. Lorsque ses talons quittèrent le sol, il fut gagné par le découragement. Cet Arthropode était sans comparaison aux autres adversaires avec lesquels il avait eu à se mesurer. La gorge serrée par bien plus que l'angoisse, Chris n'était pas convaincu cette fois-ci de s'en sortir indemne.

Chapitre 40

L'attaque-surprise de Christopher avait semé la confusion et décimé l'équipage du mégayacht. Il ne restait que le capitaine à la passerelle de navigation, trois agents matricules et le pilote de l'hélicoptère sur le pont. Victor Seigner était à la cale. Il s'était personnellement engagé à liquider Christopher, et personne ne s'en était mêlé. Sa réputation sanguinaire le précédait. Tous étaient d'avis que le dossier était en bonnes mains.

Les survivants se fixèrent deux objectifs ambitieux : éliminer le voilier *Asclépios* et faire en sorte que leur hélicoptère réussisse à décoller. Comme l'hélisurface du mégayacht était fortement inclinée sur bâbord, leur entreprise serait malaisée. Les hommes craignaient un glissement latéral de l'hélicoptère s'ils détachaient prématurément les courroies qui l'arrimaient au pont d'envol. Cela conduirait inévitablement à un basculement dynamique de l'appareil dont les conséquences seraient catastrophiques. Un agent matricule devrait donc s'occuper de détacher les courroies de l'EC135 juste avant qu'il ne quitte l'hélisurface.

Mais, puisque la manœuvre d'élever verticalement l'hélicoptère serait extrêmement délicate pour le pilote, aucun agent ne souhaitait travailler à proximité des patins de l'EC135 quand celui-ci s'envolerait. Il y aurait là un risque inhérent à se faire happer par les pales de l'appareil en cas de perte de contrôle. Les agents matricules n'avaient pourtant pas le choix des tâches à accomplir. Dès l'instant où ils s'étaient rendu compte qu'il n'y avait plus aucun canot pneumatique sur le mégayacht, cet hélicoptère était devenu leur unique espoir de survie.

Dans la cale du navire enfumée et à moitié remplie d'eau, Victor étranglait Christopher, qui se débattait férocement. En dernière ressource, Chris lui flanqua un coup de genou dans les parties. Cette riposte vicieuse n'eut malheureusement pas l'effet escompté. Elle attisa au contraire la colère de Victor, et son agressivité grimpa en flèche.

Son espoir de délivrance arriva à point nommé : une bouffée de fumée noire s'engouffra dans la bouche de l'Arthropode. Victor se vit alors impuissant à réfréner une toux et relâcha la pression qu'il appliquait sur la gorge de Christopher. Son cou moite glissa sur le fer recouvrant l'intérieur du gantelet de l'Arthropode. Quand Victor sentit sa prise lui filer entre les doigts, Christopher avait déjà disparu sous l'eau sombre qui emplissait la cale.

Victor sonda furieusement le fond du bateau avec de longues et rapides enjambées. Il contourna une flaque de diesel en feu qui dansait à la surface de l'eau. Christopher essaierait certainement de regagner l'escalier à la nage ; Victor supposa qu'il n'aurait aucun mal à le repêcher en lui barrant la route. À travers les traînées de flammes ondoyantes, l'Arthropode remarqua soudain que le treuil du pont roulant glissait sur tribord. Ce déplacement était singulier, étant donné qu'il était contraire à l'inclinaison du navire. Le mouvement de ce treuil échappait aux lois élémentaires de la physique. Christopher résolut l'énigme, quand il émergea brusquement devant lui. Il empoignait le crochet de la chaîne du treuil, qu'il enroula autour du cou de Victor. Ne négligeant aucun détail, Chris inséra la pointe du crochet sous les petits dômes de titane, qui s'écartèrent comme des branchies.

Ce fut un moment décisif. Christopher actionna manuellement le dispositif de levage tandis que Victor s'évertuait à se défaire de sa pendaison. L'Arthropode monta jusqu'au plafond en se tortillant au bout de la chaîne. Christopher le poussa ensuite vers une nappe stagnante de gazole en feu. Victor se balançait à présent au-dessus des flammes. Il exhala un râle sinistre et jura de se venger.

Christopher se plia en deux et dut prendre quelques secondes pour récupérer. Son flanc était douloureux. Les plaies de shrapnels sur ses jambes brûlaient au contact de l'eau salée. Toutefois, une brève pensée pour Josh et Alyson lui redonna le courage de poursuivre son assaut.

— Adieu, l'affreux ! s'exclama-t-il en direction de Victor avant de gravir l'escalier.

Il accéda au pont supérieur avec tous ses sens aux aguets. Dès qu'il fut à l'extérieur du bateau, il huma avec gratitude la brise océane qui était exempte des relents de fumée. Sa vision était légèrement embrouillée par des résidus d'huile. Or, cela ne l'empêcha pas d'apercevoir au loin les voiles blanches de l'*Asclépios*. À son grand regret, Alyson traînait encore dans les parages.

— Bon sang que cette femme a la tête dure ! fulmina Chris.

Puis, il entendit démarrer les turbines de l'EC135. Il semblait improbable de s'approcher à découvert de l'hélisurface protégée par un agent matricule sans courir un énorme risque. Il avait d'ailleurs perdu toutes ses armes pendant son combat contre Victor, mis à part un pistolet de détresse qu'il avait recueilli par hasard en montant sur le pont supérieur. Pour ajouter au malheur, à la proue du mégayacht, un agent armé d'un lance-roquettes se préparait à viser l'*Asclépios*. Christopher poussa un faible soupir de découragement. Il était en pleine panne d'inspiration.

Il s'accroupit derrière la passerelle de navigation et secoua la tête. Comment était-ce possible ? Tous ses efforts ne pouvaient pas être gaspillés en pure perte. Les agents matricules de l'organisation Sentinum ne devaient pas compléter leur mission : rayer de la carte le voilier du petit Josh et d'Alyson, puis rejoindre la terre ferme en hélicoptère. Quant à lui ? Il sombrerait avec le mégayacht, puisqu'il avait eu la « prévoyance » de détruire toutes les embarcations de sauvetage…

Non ! Impossible ! Cela ne se produirait pas ainsi. Soudain, Christopher se rendit compte que la solution lui sautait aux yeux !

— Voyons voir ce qui se cache sous cette adorable jupe, chuchota-t-il en arborant un sourire malveillant.

Il saisit une housse amovible qui battait au vent et la retroussa pour regarder dessous, comme un adolescent curieux de découvrir ce qui se cache sous la robe de sa copine. Il trouva exactement ce qu'il convoitait : 2 bombonnes contenant 17,4 litres de propane sous pression. Elles reposaient tranquillement sur le chariot d'un barbecue et ne demandaient qu'à se faire caresser la valve. Christopher dévissa les raccords de tuyauterie et retira les bombonnes de propane de sous le chariot. Puis, il tourna les molettes et desserra à fond les obturateurs des deux réservoirs. Malgré la douleur à son flanc, il reprit ensuite la technique inimitable des lanceurs de disque : il pivota sur lui-même et jeta en l'air, l'une après l'autre, les bombonnes de propane qui sifflaient en éjectant leur gaz sous pression.

Un des agents matricules situés à la proue du navire repérera aussitôt les deux traînées blanchâtres qui tourbillonnaient en direction des pales de l'hélicoptère.

— Dites-moi que je rêve ! s'exclama-t-il.

Ces objets étrangement familiers, qui étaient passés par-dessus la passerelle de navigation, aboutiraient forcément sur le rotor principal de l'EC135. Le moral de l'agent était en berne. Il sut immédiatement que l'hélicoptère ne décollerait jamais de l'hélisurface.

Chapitre 40

— Surtout, ne fais pas ça ! STOP ! cria-t-il à son confrère qui était sur le point de réduire en miettes l'*Asclépios* avec son lance-roquettes.

Son avertissement n'était pas dénué de bon sens, puisqu'il s'apprêtait à ne pulvériser rien de moins que leur planche de salut ! En effet, le mégayacht grinçait sourdement et prenait l'eau de toute part. Les ballasts de son système d'équilibrage automatique étaient incapables de suffire à la demande, et il coulerait d'un instant à l'autre. À ce stade-ci, l'océan Atlantique paraissait bien vaste et sombre aux yeux de l'agent matricule, qui aurait fondu en larmes s'il avait été moins orgueilleux.

Les bombonnes de propane sifflantes étaient en fait des bombes à retardement. Lorsqu'elles surplombèrent le rotor de l'hélicoptère, Christopher tira une fusée éclairante au centre du nuage blanchâtre de gaz propane, qui s'embrasa. Le résultat espéré par Chris fut à la hauteur de ses plus ardentes aspirations : les deux bombonnes se métamorphosèrent en feux de Bengale gigantesques qui allèrent se fracasser sur la voilure tournante de l'EC135. Elles explosèrent et libérèrent des centaines de particules solides et incandescentes. Celles-ci criblèrent la carlingue de l'hélicoptère ainsi que ses réservoirs de kérosène, remplis à ras bord.

Même s'il se situait aux premières loges, le capitaine du mégayacht ne vit pas grand-chose de l'explosion. Il hurlait au téléphone satellitaire de dépêcher une équipe d'évacuation quand le fond d'une bombonne de propane passa à travers l'immense pare-brise de la passerelle de navigation. Le pauvre la reçut en pleine figure. Une demi-seconde plus tard, tout l'hélicoptère, excepté ses patins équipés de tube autogonflant, se désintégra dans un vacarme de ferraille. La salle de navigation et le pupitre de commande du capitaine volèrent en éclats.

La déflagration propulsa de tous côtés des pièces de fer chauffées à blanc qui se transformèrent en armes meurtrières. Le pilote de l'hélicoptère fut grillé et transpercé de part en part. La poutre de queue se disjoignit de l'EC135 et alla heurter l'agent matricule qui se trouvait près de l'hélisurface. L'homme, qui avait été lent à réagir, se fit affreusement déchiqueter par son rotor anticouple. Les morceaux de chair sanguinolente de l'agent haché menu bombardèrent le pont du mégayacht en tombant çà et là : ploc ! ploc ! ploc !

L'agent qui épaulait le lance-roquettes fut aspergé de kérosène enflammé. Le souffle de la déflagration le catapulta brutalement sur le bastingage, puis il passa par-dessus bord. On entendit ensuite un bref pschitt, la même sonorité évocatrice qu'une allumette enflammée plongée dans l'eau.

Quand l'explosion survint, Christopher était accroupi derrière la passerelle de navigation. Il fut projeté par une cloison, tomba du haut du troisième pont et atterrit dans une petite piscine circulaire. Une fraction de seconde plus tard, de gros morceaux de cloison s'abattirent sur lui et le retinrent prisonnier sous l'eau. Christopher poussait lourdement les débris. Il étouffait. Son organisme était à court d'oxygène. Il parvint enfin à se débarrasser du dernier morceau et remonta d'urgence à la surface de la piscine. Dès que sa tête émergea de l'eau, il prit une profonde inspiration par la bouche. Il ressentit aussitôt une vive douleur à son flanc meurtri. Christopher se hissa péniblement en dehors de la piscine et s'allongea sur la terrasse de teck, hors d'haleine. Il fut malmené par une toux qui ne fit qu'aggraver son état.

« Pitié ! implora-t-il dans sa tête. Juste un brin de repos pour reprendre des forces. »

Chris ferma les yeux un moment. Lorsqu'il les rouvrit, une mauvaise surprise l'attendait : un agent matricule brandissait une hache au-dessus de lui. L'homme menaçant et titubant avait été à moitié défiguré par l'explosion, mais il tenait bon. Une interminable seconde plus tard, un coup de feu retentit. L'agent matricule s'écroula, mortellement touché par une balle en plein cœur.

À 800 mètres du mégayacht, Alyson releva son œil droit de son télescope à l'instant où l'homme s'effaça de sa ligne de mire.

Chapitre 40

— L'as-tu eu, maman ? s'enquit Josh en enlevant ses mains de ses oreilles.

— Ouais ! répondit fièrement Alyson en abaissant le canon fumant de la .30-06. J'ai fait mouche, et Chris est vivant !

Le petit garçon fut transporté de joie.

Le luxueux yacht n'était plus qu'une épave qui s'enfonçait lentement dans l'océan. L'eau froide bouillonnante monta jusqu'à la hauteur de Christopher et le revigora. Il se mit péniblement en branle pour rejoindre l'*Asclépios* à la nage. Cela allait sans dire, il était soulagé que le voilier fût encore dans les parages. Il eut peur au départ de se faire entraîner dans le remous engendré par le naufrage. Cependant, le plus grand danger fut d'affronter cette inexplicable léthargie qui le submergeait. Sans sa combinaison qui le maintenait partiellement à flot, il se serait noyé.

— Allez, mon p'tit père ! s'encouragea-t-il. Il faut te requinquer !

Christopher nageait sans sa monopalme. Il ingurgitait davantage d'eau salée qu'à l'aller. À chaque gorgée, il réprimait à grand-peine ses haut-le-cœur. Il aurait bien aimé pouvoir extraire les éclats de shrapnels plantés dans ses jambes pour que ses battements soient plus puissants. Le peu d'énergie qui l'animait était canalisé dans son épreuve de nage. Il devait également localiser l'*Asclépios* à travers les vagues. Ce voilier blanc qu'il désirait tant quitter était devenu son oasis, un minuscule îlot artificiel au milieu d'un désert d'eau. Après quelques brasses, Chris était épuisé. Il se tourna sur le dos et regarda le ciel. Le vent ténu chargé d'humidité fouettait doucement son visage. À cette faible hauteur, l'horizon paraissait infini, et il avait l'impression que son trajet durerait éternellement.

Il se raisonna enfin, se retourna et recommença à nager. Le froid le pénétrait jusqu'à la moelle, et il était préférable de se concentrer sur le défi qu'il avait à surmonter. Dans sa tête, le roulis de l'océan se traduisait comme le roulement des tambours d'un régiment en marche. Mais il n'y avait pas plus de bataille à mener qu'il ne restait de soldats sur le sentier de cette guerre d'usure.

Chapitre 41

14 juillet 1417
Canton de Vaud, Suisse

Catherine et Henri étaient bien décidés à célébrer leur mariage avant de le consommer. Bien entendu, l'absence d'un curé bouleverserait le rituel sacré et traditionnel de leur bénédiction nuptiale. N'empêche, les amoureux avaient conclu d'aller de l'avant, coûte que coûte. Au diable la publication des bans, obligation qui était de rigueur depuis le quatrième concile œcuménique du Latran ! Après les épreuves redoutables qu'ils avaient surmontées, la peur de l'enfer, cette arme de prédilection faisant partie de l'arsenal dissuasif de l'Église chrétienne, était selon leurs dires beaucoup moins inquiétante.

La cérémonie était d'une simplicité touchante. Placés de part et d'autre d'un pin sylvestre, Catherine et Henri tenaient chacun dans leur main une brindille qu'ils avaient enroulée en forme de jonc. Catherine avait également tressé avec minutie une couronne de marguerites et de lierre grimpant. En silence, Henri contempla sa bien-aimée et déposa délicatement la couronne de fleurs sur sa tête. Il dut résister à l'envie d'appuyer ses lèvres sur les siennes.

Leur cheval fourbu était installé en retrait. Couché à l'ombre d'un aulne, il chassait les mouches en remuant sa queue. Le jour déclinait, et ils avaient d'ores et déjà convenu d'établir leur campement pour la nuit ; leur première nuit de noces. L'eau de l'Avançon dévalait doucement la pente pour aller s'unir plus loin à celle du Rhône. Le clapotis de la cascade berçait les amoureux. Sa bruine retombait lentement comme des pétales de fleurs. Elle faisait miroiter le soleil rasant de cette fin de journée et formait un minuscule arc-en-ciel. Autour d'eux, les passereaux s'étaient réunis. Les oiseaux chanteurs ponctuaient la cérémonie de gazouillis mélodieux.

L'instant était magique. L'amour inconditionnel et sans limites que nourrissaient l'un pour l'autre ces adolescents n'avait point d'égal. Sur un ton sérieux, ils prononcèrent ensemble leurs vœux religieux.

— Nous, Catherine Dinan, fille de Rodolphe, et Henri Constantin, fils de Charles, jurons devant Dieu de nous aimer, de nous protéger, de nous chérir, de nous servir et de nous être fidèles jusqu'à ce que la mort nous sépare. Que cette alliance soit le gage de notre amour éternel.

Ils glissèrent ensuite leur anneau de mariage fait de brindille à l'annulaire droit de chaque époux, comme la tradition le voulait.

Le regard pétillant et d'un ton enjoué, ils ajoutèrent en chœur :

— Vous pouvez maintenant embrasser la mariée !

Chapitre 42

23 septembre 2001, 11 h
Genève, Suisse

À Genève, l'orage couvait et menaçait d'éclater. Le nom de Christopher Ross était sur toutes les lèvres. La nervosité des agents matricules chargés de remettre à Karl Haustein le rapport concernant l'échec des hommes du mégayacht était palpable. Tous craignaient les violentes sautes d'humeur de leur patron. De ce fait, personne ne voulut se salir les mains, et l'on ne trouva aucun volontaire assez brave pour aller annoncer la mauvaise nouvelle au dirigeant suprême. Les agents en panne de faux-fuyants pensèrent utiliser comme bouc émissaire le fidèle secrétaire de Karl, Vincent Théret, et, en fin d'avant-midi, la patate chaude aboutit sur le bureau du vieil homme chétif.

Vincent lut en diagonale l'épineux rapport et examina brièvement les photos prises par les satellites-espions, tout en allant rejoindre Karl Haustein à la bibliothèque. Il interrompit sa lecture devant les doubles portes de chêne finement ouvragées, entra en silence et balaya du regard la pièce somptueuse où étaient rangées les collections de livres remarquables appartenant à Sentinum.

Harmonieux mélange d'architecture gothique et romane, cette bibliothèque de forme pentagonale respirait la magnificence. Quatre colonnes de granit rose soutenaient son plafond voûté qui était orné de feuilles d'or de 24 carats. Un oculus percé au centre de la voûte diffusait une tendre lumière solaire. Les étagères de livre s'étendaient du sol de marbre blanc jusqu'au plafond de la bibliothèque et une passerelle de fer forgé longeait les plus hauts rayons. L'ensemble faisait une grande impression.

Malheureusement, à cause du déménagement précipité de Karl, la moitié des étagères de la bibliothèque étaient vides. Des boîtes de bois soigneusement remplies par des bibliothécaires étaient empilées sur le plancher et du matériel cartonné destiné à protéger les livres jonchait le sol, çà et là. Vincent déplorait ce désordre. Les bourres tombées par mégarde l'agaçaient.

Karl Haustein émergea de l'ombre d'une colonne. Il était majestueusement juché sur la passerelle de fer forgé parcourant le rayonnage supérieur de la bibliothèque. Le dirigeant suprême plein de morgue feuilletait différents ouvrages littéraires sous une arcade en ogive. Il adoptait la posture favorable de l'homme à tête laurée qui ne devait sa réussite à personne.

Vincent repéra enfin son patron. Il remonta ses lunettes et alla le rejoindre d'une démarche traînante. Il agrippa le pilastre sculpté de l'escalier en colimaçon, sans toutefois y monter. Puis, il brisa le recueillement de Karl.

— Monsieur, dit Vincent, sans bonjour ni sourire. Je suis navré de vous déranger, mais voilà, la mission qui se déroulait dans l'Atlantique est un fiasco.

Karl conserva ses traits augustes et posa sur son précieux collaborateur qui était toujours en bas un regard étonnamment serein. Après sa dernière crise de nerfs à l'endroit de son messager, il s'était juré de garder son calme en toutes circonstances. Il fut malgré tout incapable de ne pas répliquer.

— À mon avis, cher Vincent, l'expression « faire naufrage au port » serait mieux appropriée. Et dire qu'il y a à peine quelques heures, on parlait d'une simple formalité. Christopher Ross nous a encore une fois ridiculisés. Heureusement que le ridicule ne tue pas.

Karl tenait dans ses mains l'exemplaire traduit du premier traité de stratégie militaire, *L'art de la guerre*, écrit par Sun Tzu, au VIe siècle avant Jésus-Christ. Il ouvrit le livre dépourvu d'enluminures à une page marquée d'un signet.

— Fort heureusement, ce vieux bouquin n'était pas encore emballé. Écoutez ce passage digne d'intérêt, Vincent. Sun Tzu a dit : « Connaissez l'ennemi et connaissez-vous vous-même. En 100 batailles, vous ne courrez jamais aucun risque. Si vous ne connaissez pas l'ennemi, mais que vous vous connaissez vous-même, vos chances de victoire ou de défaite seront égales. Si vous ne connaissez ni l'ennemi ni vous-même, vous êtes certain d'être en péril dans la bataille. »

Le secrétaire au visage cadavéreux observa un généreux silence et soutint le regard glacé de son patron. Selon la perspective inférieure de Vincent, Karl, qui se tenait bien droit sous l'arcade en ogive, semblait porter le plafond de la bibliothèque sur ses épaules.

— La dernière phrase nous interpelle directement, Vincent. Nous ne nous connaissons pas plus que nous connaissons Christopher Ross. Voilà pourquoi nous accumulons les défaites, affirma Karl.

— Cela est bien malheureux, monsieur, déclara le secrétaire en posant son pied frêle sur la première marche de l'escalier.

Karl savait que Vincent était sujet aux vertiges. Il ferma son livre et s'exclama, en affichant un air doucereux :

— Ne bougez surtout pas ! Je viens.

Karl s'empressa de descendre l'escalier en colimaçon sans se servir de la rampe. L'octogénaire vigoureux atterrit sur le carrelage de façon énergique, semblable à un enfant débarquant d'un bus scolaire.

— Relire ce vieux bouquin de stratégie militaire m'a fait le plus grand bien, Vincent. Je retrouve enfin ma perspicacité. Vous savez, Sun Tzu recommande : « Ne poussez pas à bout un ennemi aux abois. » Rien n'est plus vrai ! Les bêtes sauvages aux abois se battent avec le courage du désespoir. C'est plus vrai encore lorsqu'il s'agit d'hommes. Un homme pris au piège dans une situation désespérée se battra jusqu'à ce que mort s'ensuive. Voilà précisément ce que fait Christopher Ross !

Karl s'accorda une pause et entraîna Vincent au salon de lecture.

— Force m'est d'admettre que nous avons appliqué exactement le contraire de ce que nous enseigne *L'art de la guerre*. Ne nous étonnons pas aujourd'hui d'essuyer de sévères pertes en nous heurtant à la ténacité de cet homme. Maintenant que nous l'avons poussé à bout, jamais nous ne célébrerons sa reddition. Vincent, j'ai besoin de la profondeur de votre sagesse pour m'éclairer. Que suggérez-vous ? s'enquit Karl.

— Monsieur, je puis vous proposer de suivre ce judicieux conseil de Sun Tzu : « Il faut laisser une issue à un ennemi cerné », récita par cœur le vieux secrétaire. Cessons d'attaquer Christopher Ross et attendons patiemment. Au moment où il se croira en sécurité, nous le frapperons sans effort ! conclut-il tandis qu'un éclair sournois illuminait son regard derrière ses lunettes cerclées d'or.

Chapitre 43

23 septembre 2001, 11 h
Corse, France

Au même instant, Alexandra Richard terminait son copieux petit déjeuner à bord du paquebot de croisière *Le joyau de l'océan*. Son embarquement avait eu lieu comme prévu à 9 h. Le navire de 300 mètres était toutefois demeuré à quai pour la journée. Il ne reprendrait la mer qu'à 17 h. Plusieurs passagers en avaient profité pour enfourcher des vélos et aller découvrir les attraits touristiques de la Corse.

Un garçon de service avait conduit Alexandra vers les prestigieuses cabines des ponts supérieurs. Il l'avait installée dans une suite VIP au décor contemporain. Il s'agissait en fait d'un loft luxueux avec un plafond d'une double hauteur. La chambre à coucher était située sur une mezzanine à aire ouverte. Elle surplombait un salon spacieux et une salle à manger. Le tout bénéficiait d'une vue spectaculaire sur l'océan. En effet, de grandes fenêtres panoramiques couvraient un mur entier, du plancher jusqu'au plafond.

Elles s'ouvraient sur un balcon privé à la surface généreuse agrémenté de chaises longues et d'un autre espace de repas.

Comme une lady de haute volée, Alexandra avait choisi de déguster son petit déjeuner sur le balcon. Elle était assise sous un parasol qui la protégeait des chauds rayons du soleil. Une brise tiède faisait bouffer sa robe seyante en viscose. Elle devait sans cesse rabattre le tissu léger à imprimé fleuri sur ses cuisses, surtout lorsqu'un garçon de service approchait avec les bras chargés d'un plateau de nourriture.

Quand la table fut desservie, un préposé aux passagers l'invita à aller sur le pont du *Deck Spa* afin de profiter du fameux centre de thalassothérapie du paquebot. Alexandra fit un brin de toilette, rangea son sac sport en sécurité dans le coffre-fort de sa penderie et s'y rendit.

Une réceptionniste l'accueillit au spa avec empressement et bienveillance.

— Madame Spencer ! Nous vous attendions !

— Vous m'en direz tant, répondit Alexandra en ouvrant grand les yeux.

Encore une surprise ! On lui avait réservé tout un après-midi de soins corporels. Elle se questionna. Mais qui avait bien pu organiser toutes ces petites attentions à son égard ? Et ne s'habituerait-elle donc jamais à se faire aborder sous le patronyme d'Anna Spencer ?

La réceptionniste afficha un sourire aimable et lui demanda si elle était prête à se faire dorloter. Alexandra acquiesça à cette suggestion par un hochement de tête. La dame lui remit un peignoir de molleton blanc et la guida vers une cabine de change. L'endroit était étonnamment désert. Elle semblait être l'unique cliente du centre de thalassothérapie. C'était curieux, puisque le paquebot transportait plus de 3000 passagers.

À partir de ce moment, une équipe attentionnée veilla à traiter Alexandra aux petits oignons. Elle savoura les vertus thérapeutiques reminéralisantes et fortifiantes d'un enveloppement aux algues marines. Puis, elle se prélassa dans un bain rempli de lait de chèvre. La préposée qui avait déposé des pétales de rose à la surface du lait lui avait révélé, avant de quitter la pièce :

— Selon la légende, ce traitement unique était le secret de la peau lisse et veloutée de Cléopâtre.

Après son bain, Alexandra passa plusieurs minutes au sauna finlandais. Elle était tellement à l'aise qu'elle imita une chatte paresseuse, elle s'étira et s'étendit nue sur le banc. Elle revêtit à nouveau son bikini avant de quitter le sauna, puis déambula nonchalamment jusqu'au bain nordique, où elle fit trempette. L'immersion dans l'eau très froide lui parut brusque. Or, elle était nécessaire afin de refermer les pores de sa peau. Ses mamelons durcirent au contact de l'eau froide, mettant joliment ses seins en valeur sous le tissu moulant de son bikini. Alexandra le remarqua avec une pointe de fierté.

D'une certaine désinvolture, elle erra çà et là en ayant l'impression de se promener sur une île déserte. C'était d'ailleurs partiellement vrai, car, au *Deck Spa*, il y avait une petite île artificielle entourée d'une piscine d'eau salée. Le jour, les rayons du soleil perçaient un dôme vitré, éclairant cet univers féerique. Le sable de la plage était blanc. Il était parsemé de coquillages roses et de plantes exotiques. Subjuguée par la beauté de cette île, Alexandra retira le haut de son bikini et plongea sans plus attendre dans les eaux translucides de la piscine. Elle rejoignit l'île où elle se coucha, à poitrine découverte, sur le sable fin et chaud. C'était comme un rêve : le soleil traversait la verrière et réchauffait sa peau.

Après un bon moment à lézarder au soleil, elle se leva, se rinça dans la piscine et sortit de l'eau. Elle prit une tranche de melon dans un plat contenant des fruits exotiques, puis mordit à belles dents le fruit sucré et juteux. Ce fut à cet instant qu'on la ramena à la réalité. Un garçon de service approchait. Il portait un plateau d'argent d'une main et, de l'autre, une serviette de bain. Alexandra s'empressa de remettre le haut de son bikini. Le jeune homme fit mine de rien et la regarda droit dans les yeux. Il lui offrit une bouteille d'eau de source et la serviette. Il l'informa également des risques associés à la déshydratation. Alexandra mit la serviette sur son épaule et le remercia poliment.

À 16h, on la convia à une séance de massage ayurvédique à quatre mains. Ce fut en quelque sorte le clou de l'après-midi. Le petit local peint aux couleurs d'ardoise était comme un havre de paix. Il était orné d'une lumière tamisée bleutée et de fontaines décoratives qui s'écoulaient en diffusant des murmures de douceur dans la pièce. Une musique indienne envoûtante s'harmonisait à merveille avec la paisible mélodie de l'eau. Alexandra se dénuda et s'allongea sur la table de massage, à plat ventre sous une couverture.

Deux massothérapeutes entrèrent dans le local. Un homme retira délicatement la couverture pendant que l'autre lui recouvrit les fesses d'une serviette pliée en deux. Elle sentit ensuite une huile d'olive tiède et parfumée couler sur sa chute de reins. D'un effleurement presque imperceptible au début, quatre mains expertes commencèrent à exécuter des mouvements lents et fluides destinés à étendre uniformément l'huile à massage sur sa peau.

Pendant que les 20 doigts habiles enduisaient sa peau en restaurant son élasticité, Alexandra avait l'impression de flotter dans un espace antistress. La musique indienne et la paisible mélodie de l'eau la berçaient. L'intensité du massage se raffermit peu à peu. Certains gestes visaient à rétablir son énergie vitale alors que d'autres étaient exclusivement voués à la bichonner. Les massothérapeutes exerçaient parfois des pressions localisées pour soulager ses tensions profondes. Les muscles endoloris d'Alex se relâchèrent bientôt et ses articulations s'assouplirent. Décrivant des allers-retours suaves, les massothérapeutes remontèrent jusqu'en haut de ses jambes fuselées. Cet agréable malaxage d'une fermeté ouatée favorisa sa circulation sanguine et fit beaucoup de bien aux mollets douloureux d'Alex, qui avaient tant couru à Toulouse.

Alexandra sentit tout son corps se réchauffer. C'était pour elle une sublime sensation et une source de bien-être. Elle se délectait de ce moment de détente. Les yeux clos, elle appréciait pleinement l'atmosphère de sérénité qui l'entourait. Une délicieuse heure s'écoula, puis on lui demanda poliment de se retourner sur le dos. L'éclairage feutré était idéal pour la circonstance. D'une décence irréprochable, on utilisa tout de même la couverture pour cacher sa nudité. On recouvrit ensuite son pubis et sa poitrine de serviettes. Le massage reprit de plus belle. Un homme s'occupa scrupuleusement de son ventre et de ses cuisses tandis que l'autre se préoccupa de son cuir chevelu, de ses épaules et de ses tempes. Alexandra atteignit un niveau de relaxation inégalé et s'assoupit sous les caresses. Quand elle s'endormait dans un tel état de bien-être, elle était incapable d'empêcher ses orteils et ses pieds de remuer doucement ; cela l'apaisait davantage.

Après une période indéterminée de somnolence passée dans cette ambiance zen fort plaisante, Alex constata qu'une seule main frictionnait son cou. Elle fut drôlement étonnée qu'on puisse engager des manchots comme massothérapeutes.

« La compagnie a un sérieux problème de recrutement », pensa-t-elle en réprimant un fou rire.

Craignant de l'indisposer, elle garda les paupières fermées. L'homme nota pourtant l'inconfort de sa cliente.

— Désolé, Madame Spencer, dit-il calmement.

Sa voix rauque intrigua Alexandra. Elle ouvrit discrètement un œil et remarqua qu'un bandage recouvrait un des avant-bras ainsi que la main de son interlocuteur.

— Ce n'est rien, voyons, l'encouragea-t-elle. Que vous est-il arrivé ?

— J'ai été victime d'un accident de travail.

— Ah oui ? réagit Alexandra.

Elle avait de plus en plus de mal à réfréner son envie de rire pendant que le massothérapeute continuait de frictionner agréablement son cou de sa main puissante.

— Je ne souhaite pas être indiscrète, mais j'aimerais savoir comment vous êtes-vous retrouvé avec un bras dans cet état tout en faisant votre boulot ? J'espère que ce n'est pas en glissant sur de l'huile à massage !

— Non, simplement en proposant un duel à l'épée à Christopher Ross.

Le sourire d'Alexandra se figea, et tous ses muscles se raidirent d'un coup.

Chapitre 44

23 septembre 2001, 6h40
Océan Atlantique, à 60 milles nautiques à l'est de Boston

Alyson et Josh avaient observé l'explosion de l'hélicoptère du mégayacht à travers la brume. Celle-ci se dissipait tranquillement sous le vent qui s'était levé. Seuls 4 yeux, 2 nez et 16 petits bouts de doigt sortaient du rebord du voilier. Quelques centaines de mètres plus loin, le luxueux navire de Sentinum s'enfonçait dans la mer et disparaissait lentement du paysage. Ils sortirent de leur cachette quand ils virent la poupe du mégayacht s'élever à la verticale juste avant de sombrer dans les profondeurs de l'Atlantique.

Josh était transporté d'admiration. Il se mit à crier :

— Touché, coulé ! Waouh ! T'es super cool, Christopher !

Alyson hissa immédiatement la grand-voile. Maintenant que la menace des agents matricules était écartée, elle irait à la rescousse de Chris. Encore fallait-il le trouver parmi les vagues. Les yeux rivés à ses jumelles, elle scrutait la zone du naufrage.

— Maman, je l'ai repéré ! lança fièrement Josh en abaissant sa longue-vue télescopique. Là-bas !

Alyson laissa vagabonder son regard sur l'océan à l'endroit pointé par son fils. Elle fut soulagée d'apercevoir Christopher à travers les vagues.

— Dieu merci, il est en vie ! OK, Josh ! Va chercher la gaffe, je m'occupe de la bouée. Mais, avant toute chose, attache ton fichu gilet de sauvetage ! On dirait que je ne te le répéterai jamais assez.

Quelques semaines auparavant, Alyson aurait catégoriquement interdit à son jeune fils de s'approcher de la gaffe, cette longue perche munie d'une pointe et d'un croc pointus, pour ne pas risquer qu'il égratigne l'apprêt lustré de son beau voilier. Aujourd'hui, elle se moquait éperdument de ce détail esthétique.

Trois cents mètres plus loin, l'*Asclépios* s'approcha de Christopher. Alyson immobilisa le voilier et enclencha la fonction « homme à la mer » pour que le système GPS enregistre la position actuelle. Josh était bien trop petit pour arriver à repêcher seul un homme mouillé et musclé. Alyson lui avait demandé de l'attendre. Mais le jeune garçon impatient d'aider son ami ignora les recommandations de sa mère. Il descendit les marches de la poupe et avança la gaffe vers Chris. Ce dernier était exténué. Il allongea le bras en souriant péniblement.

— Josh, mon ami. Comme je suis content de te revoir en un seul morceau !

— Tiens bon, Christopher ! Attrape le bout de la gaffe, l'encouragea-t-il. Tu y es presque.

Josh était extrêmement fier d'épauler un homme apparemment invincible. Soudain, une voix rauque menaçante retentit dans le dos de Christopher.

— Oh, non ! Ce n'est pas fini ! Ça ne fait que commencer !

Les minuscules poils blonds sur les avant-bras de Josh se dressèrent au son de la voix de Victor Seigner. Du haut de ses sept ans, le petit garçon se heurtait à une menace qui excédait de beaucoup ce à quoi un enfant de cet âge pouvait s'attendre. La chose monstrueuse qui avait émergé derrière Christopher lui avait enfoncé la tête sous l'eau. Victor gonfla son gilet de stabilisation pour se soulever ; vu le poids du titane qui couvrait son corps, son gilet autogonflant fait sur mesure l'empêchait de couler à pic et lui permettait de flotter dans l'eau, à la profondeur désirée. Il agrippa le crochet de la gaffe, qu'il tira facilement à lui. Quand le manche fila entre ses doigts, Josh poussa un cri d'effroi suraigu et se figea, hypnotisé par la vision de ce monstre.

Alyson courut sur le pont, déterminée à prêter main-forte à son fils. Malencontreusement, elle trébucha contre un chaumard, se rattrapa de justesse et poursuivit sa course effrénée vers la poupe du bateau. Victor retourna la gaffe contre le petit garçon, crocheta son gilet de sauvetage et le hala rudement. Josh se débattit de toutes ses forces.

— Détache ton gilet ! lui cria Alyson.

Josh descendit la fermeture éclair de son gilet de sauvetage.

— Bien joué, le môme ! Mais c'est pas suffisant. Viens voir papa ! ricana Victor.

— Maman ! s'écria Josh.

Alyson arriva sur ces entrefaites. Horrifiée, elle vit son fils passer par-dessus bord. Pendant ce temps, Christopher buvait la tasse. L'ivresse suscitée par son espoir de sauvetage s'était évaporée. Ses poumons étaient sur le point d'éclater. Il était incapable de se défaire de l'emprise de Victor. Il puisait dans ses dernières réserves d'oxygène en implorant le ciel de lui donner un peu d'air.

Sans réfléchir, Alyson s'élança au secours de Josh. Cependant, à la minute où elle plongea dans l'eau, elle prit conscience que son acte impulsif avait été suicidaire ; leur voilier sans capitaine partirait inévitablement à la dérive. Son plongeon forma de la houle à la surface de l'eau. De grosses vagues ballottèrent Victor. Christopher réussit à se libérer de son emprise et à reprendre son souffle.

Il était temps.

Victor hala violemment Christopher vers lui avec la gaffe. Le croc pointu pénétra le tissu de sa combinaison en néoprène et son bandage élastique, puis lacéra son flanc. La douleur fut atroce. Ne faisant ni une ni deux, Christopher frappa la gorge de Victor avec le tranchant de sa main ; cet endroit névralgique était, d'une certaine manière, son talon d'Achille. Les piercings de titane fixés à la peau de son cou s'enfoncèrent dans sa trachée et gênèrent son apport en oxygène. Victor se mit à gargouiller.

Quant à Christopher, il respirait bruyamment. Une force obscure continuait de l'animer bien qu'il souffrît le martyre. Cela tenait de son instinct de survie. Il s'éloigna de Victor au milieu des bouillons d'eau turbide et des embruns. Il rejoignit Josh et Alyson. Chris exhorta cette dernière à retourner au bateau en lui assurant qu'il veillerait sur son fils. Alyson lui accorda sans hésitation toute sa confiance et partit immédiatement à la nage. Elle écumait de colère pour avoir plongé à l'eau plutôt que d'avoir tiré sur le monstre avec sa carabine ! Pour parvenir à réussir son épreuve de natation hors norme, elle canalisa sa rage sur l'objectif d'atteindre son voilier sans capitaine. Quand elle aurait rétabli la gouverne de son bateau, elle n'oublierait pas cette fois d'utiliser sa carabine.

Pendant ce temps, Josh se cramponnait tellement fort au cou de Christopher que ce dernier dut lui dire :

— Tout doux, Josh ! Tu m'étouffes.

Victor avait repris son souffle et se rapprochait d'eux en forçant l'allure.

— L'affreux est de retour ! s'exclama Chris en incitant Josh à se grouiller.

Josh grelottait.

— Je gèle, Christopher, se plaignit-il.

— Il faut vite dégager, mon grand. Reste dans mon dos et bats des jambes pour m'aider à nager. En plus, ça va te réchauffer.

— Tu saignes, et ta combinaison est déchirée, s'inquiéta Josh.

— Ouais, ma partie de Battleship n'a pas été facile.

Chapitre 44

Le soutien de Josh se révéla salutaire. Sans lui, Christopher n'aurait jamais réussi à distancer Victor en attendant le retour d'Alyson. D'ailleurs, en raison de son état de faiblesse, il se demandait comment ils étaient parvenus à réaliser un tel exploit.

Alyson rattrapa enfin le voilier. Elle était hors d'haleine. Elle monta difficilement par l'escalier de bain, ne prit même pas le temps de reprendre son souffle et se rendit immédiatement à la barre. Elle effectua aussitôt un demi-tour et navigua jusqu'aux coordonnées géographiques indiquées par le système GPS. Elle repéra bientôt Josh et Christopher. Elle ralentit le voilier, puis l'arrêta de façon à l'interposer entre eux et Victor. Alyson leur lança une bouée de sauvetage à bâbord. Ensuite, elle courut à tribord, appuya solidement sa carabine contre la lisse et fit feu sur le monstre.

Victor entendit la détonation en même temps qu'il vit l'impact de la balle à la surface de l'eau, près de lui. La position de tir d'Alyson était idéale. Elle le tenait à sa merci. Victor avait le soleil en pleine figure. Sa cuirasse de titane luisait comme les écailles d'une truite arc-en-ciel parmi les flots. Il savait que, dans l'eau, sa force se limitait à son gilet de stabilisation. S'il advenait à être crevé, il coulerait au fond, entraîné par le poids de son armure. À court d'options, il entreprit de nager dans la direction opposée au voilier.

Alyson dégagea la douille vide en faisant glisser la culasse de sa carabine. Puis, d'un geste mécanique, elle inséra une nouvelle cartouche dans la chambre de la .30-06. Elle fit feu à nouveau. Contre toute attente, sa balle perça le fond de la bouteille de plongée de Victor. L'air comprimé jaillit de la bouteille, qui se transforma alors en propulseur dorsal. Victor partit en trombe, laissant derrière lui un sillon d'écume blanchâtre. Cette scène défiait toute logique.

Alyson se précipita à la poupe, descendit l'escalier de bain et saisit les menottes brandies de son fils.

— Trésor ! Tu es frigorifié.

Sa peau était bleutée et il tremblotait. Christopher poussa sur les fesses du petit garçon transi pour l'aider à monter. Alyson l'enveloppa aussitôt dans une couverture de laine. Elle exprima toute sa gratitude, la gorge enrouée par l'émotion.

— Merci infiniment, Christopher. Je n'ose imaginer quel malheur serait advenu si vous n'aviez pas été là.

— Merci à vous, Alyson… d'être venue me secourir. Je suis désolé… pour notre dispute de tout à l'heure.

— Ce n'est rien, oubliez ça.

Chris entreprit tant bien que mal de grimper sur l'escalier de bain. Ses hémorragies externes à son flanc et sur ses jambes criblées d'éclats de shrapnels l'avaient grandement affaibli. Ce fut à quatre mains qu'on dut le remonter à bord.

— Seigneur ! Vos blessures sont sérieuses ! s'exclama Alyson.

Une longue coulure de sang maculait les marches de la poupe. Christopher pointa le ciel du doigt et marmonna d'une voix éteinte :

— Les satellites, Alyson… allez à la barre et foncez dans le brouillard… ce n'est pas prudent de traîner à découvert.

Chapitre 45

23 septembre 2001, 13 h
Genève, Suisse

Karl et Vincent s'assirent confortablement au salon de lecture. Ce boudoir baigné d'une lumière tamisée était attenant au hall de la bibliothèque. Leurs fauteuils de cuir capitonnés dégageaient une agréable odeur. Ce salon représentait une oasis de tranquillité comparativement à l'ambiance angoissante qui planait en ce moment au siège social de Sentinum.

Vincent déposa sur une table de travail en chêne noueux une série de photos satellites. Quoiqu'elles aient été prises à une altitude orbitale de 400 kilomètres, elles étaient d'une netteté surprenante.

— Le capitaine a déclenché l'alerte à 6 h 15, heure locale, annonça le vieux secrétaire en essuyant ses lunettes dorées. Et à 6 h 30, le brouillard était suffisamment dissipé pour permettre à la NGA de réaliser ces clichés. Voici Christopher Ross à l'œuvre.

Karl feuilletait avidement les photos. Il les étala sur la table et se mit à les déplacer, comme s'il tentait de mettre en ordre chronologique les images d'une bande dessinée. À mesure qu'il visualisa le déroulement de l'action, il dut lutter intérieurement afin de conserver son calme.

— Deux douzaines d'agents, Monsieur Haustein. Trente petites minutes d'intervention et cent millions de dollars à faire passer aux pertes et profits.

Le regard de Vincent était étrange.

— Je sens que quelque chose vous brûle les lèvres. Voudriez-vous m'en faire part ? lui demanda Karl.

— Pourquoi ne pas tout bonnement embaucher Christopher Ross ? Aucun de nos agents ne possède une telle efficacité, répondit le vieil homme pince-sans-rire.

— Cher Vincent, vous avez mal compris votre rôle de chasseur de têtes ! s'exclama Karl en esquissant un pâle sourire. Mais n'entretenez aucun espoir de vous faire limoger. Je vous connais trop bien pour vous prendre au sérieux.

Le vieux secrétaire avait atteint son objectif. Son ironie avait déridé le visage sévère de son patron. Malheureusement, ce changement d'humeur fut de courte durée.

— Il manque des photos, remarqua Karl, irrité. Nommément celles du voilier.

— Les opérateurs de la NGA se sont concentrés à photographier l'action qui se déroulait sur notre mégayacht. Après le naufrage, ils ont dû repositionner le satellite sur le voilier. Ils n'avaient qu'une fenêtre de quelques minutes pour le retracer et ils ont fait chou blanc. Le voilier s'était déjà enfoncé dans les nappes de brouillard. Plus tard, lorsque la couverture nuageuse s'est enfin dissipée, il s'était volatilisé. Ce n'est pas tout : Alyson Whitefield est une navigatrice chevronnée. Elle possède à son actif une course autour du monde Around Alone en solitaire. L'hypothèse la plus probable serait qu'elle ait vogué jusqu'à l'intense trafic maritime du corridor Boston-New York.

— Je vois, répondit Karl en se pinçant le menton.

Chapitre 45

— Devons-nous infliger des sanctions aux opérateurs du satellite, monsieur ?

— S'il fallait châtier tous les imbéciles et les incompétents de notre organisation, je dirigerais un empire de solitude, Vincent !

Karl survola à nouveau les images en haute résolution, puis rompit le silence.

— Attendez un instant ! Même si l'odeur de la crétinerie empeste dans ce dossier, j'ose espérer que le satellite a zoomé sur ce point sombre… là ? s'enquit Karl, vivement intrigué et promenant le doigt autour de la zone sensible.

— Oui, voici le cliché. Il y a une bonne nouvelle qui ressort du lot de déceptions : on m'a certifié qu'il s'agit de l'agent matricule Victor Seigner, affirma Vincent en remontant ses lunettes.

— Hum… Il est toujours solide au poste, constata Karl, songeur. Quel coup du sort ! Après sa traversée du désert, le voilà perdu en mer !

— Si tant est qu'il soit vivant. Voulez-vous que je dépêche une unité Medevac ?

— Cela va de soi. Mais dites-moi, Vincent, quelle est cette traînée d'écume derrière Victor ? Notre département technique a-t-il mis au point un nouveau type de propulseur ?

— Je l'ignore, monsieur.

— Et cette masse sombre qui le poursuit, est-ce bien ce que je pense ? interrogea Karl en y regardant de plus près.

Il avait étrangement retrouvé son sourire.

— Ici, les opérateurs de la NGA sont catégoriques : il s'agit d'un grand requin blanc. La bête fait dans les cinq mètres et fonce droit sur Victor. Je crains que les secours n'arrivent trop tard, monsieur. Ces photos ont été prises il y a 45 minutes. À l'heure actuelle, il y a fort à parier que Victor Seigner est d'ores et déjà mort.

— Inquiétez-vous plutôt du pauvre requin, rétorqua Karl, en posant avec familiarité une main sur l'épaule décharnée de Vincent.

Le vieux secrétaire leva un sourcil déconcerté et s'informa.

— Est-ce cet agent qui a été défiguré dans un accident d'avion en 1980 ?

— Oui. C'est bien lui, mais le mot défiguré est faible. Ce soldat a frôlé la mort au cours de l'Opération Eagle Claw. Cette opération militaire visait à libérer 53 otages retenus prisonniers dans l'ambassade américaine à Téhéran. Comme vous le savez, les incidents fâcheux se sont enchaînés : problèmes techniques, tempêtes de sable, etc. Comble de la malchance, en décollant dans le désert, les pales d'un hélicoptère ont déchiqueté un avion de transport C-130 Hercules, qui a pris feu. De plus, les munitions embarquées dans la soute du cargo ont explosé, ce qui a eu pour effet d'endommager trois autres hélicoptères. Victor était à bord du C-130, blessé et en flammes. Il a évacué la carlingue et a désespérément essayé d'éteindre ses vêtements en plongeant dans ce qu'il croyait être une flaque d'eau. Par malheur, c'était du kérosène.

Ensemble, ils observèrent un moment de silence tandis que Karl leur versait deux tasses de thé.

— Victor s'est transformé en torche vivante. Il s'est roulé dans le sable pour éteindre les flammes, puis il a perdu connaissance. On l'a cru mort, le pauvre. Ensuite, les soldats ont dû partir en abandonnant sur place les corps de leurs compatriotes, car il ne restait plus assez d'aéronefs. Dans leur déroute, ils ont même oublié de rapporter leurs dossiers ultrasecrets. L'Opération Eagle Claw s'est soldée par un échec comparable à nos déboires des derniers jours. C'est peu dire !

Karl secoua la tête, croisa les jambes et s'inclina légèrement vers son secrétaire, qui sirotait son thé.

— Vous le devinez aisément, Victor s'est retrouvé seul au milieu du désert et grièvement brûlé. Puis, il a disparu. À la mi-septembre, un tireur d'élite chargé de surveiller les travaux d'enfouissement de notre oléoduc aux monts Zagros a tué un jeune berger kurde. C'est en effaçant toutes les traces de l'existence de ce berger, dans sa cahute complètement à l'ouest de l'Iran, que nos mercenaires ont par hasard retrouvé Victor. Il était immergé dans l'eau d'une baignoire, semi-conscient. Nos hommes l'ont formellement identifié au moyen des plaques d'identité incrustées dans sa peau. On l'a rapatrié à Genève, où l'équipe médicale de Sentinum l'a pris en charge. Je vous épargnerai les détails entourant ses nombreux traumatismes, ses infections, la perte de son pénis, etc. Bref, il a subi de multiples xénogreffes de peau porcine. Ces transplantations cutanées lui ont procuré une nouvelle structure dermique ultrarésistante, plus dure et plus épaisse que des callosités. Nos médecins ont aussi procédé à une reconstruction complète de sa musculature. Il n'en reste pas moins que, sous son enveloppe métallique, il est affreux à voir. Certes, les contrecoups de cette tragédie vont au-delà de ses séquelles physiques. Tout son corps est chamboulé, de la sécrétion de son endorphine à la gestion de la peur. Les récepteurs sensoriels de Victor ont été sévèrement endommagés. C'est tous les stimuli qui transitent par son système nerveux central qui s'en sont trouvés affectés. Son métabolisme s'est adapté en faussant sa perception de la douleur retransmise à son cortex cérébral.

Karl inspira profondément avant de reprendre le récit rétrospectif de Victor.

— Une fois physiquement rétabli, bien que nous l'ayons exhorté à s'en abstenir, il a tenté de revoir sa femme et sa fille en Alabama. Je vous rappelle que, comme Victor avait été porté disparu, ses funérailles avaient eu lieu un an auparavant. Tel que nous nous y attendions, sa famille l'a carrément rejeté. Ce fut pour Victor un autre calvaire. Après cela, il fut incapable de se regarder dans la glace. Il décida de revêtir à jamais une armure qu'il ne retire que pour des questions d'hygiène corporelle. En passant, bien que je ressente un dégoût inexprimable à son égard, je ne peux que louanger l'incroyable courage dont cet individu a fait preuve pour recouvrer un semblant de vie normale. Il est devenu un des meilleurs agents matricules de Sentinum. Aussi fidèle que sans pitié, rien ne le déconcentre de son objectif. Depuis 10 ans déjà, lors de nos festivités de Noël, Victor et Daniel s'affrontaient au corps à corps devant tous les agents matricules de l'organisation. Ah ! Vous auriez dû voir ces combats ! C'était épique ! Au fait, où en est l'autopsie de l'agent Tornay ?

— Son cadavre est dans un état lamentable, répondit Vincent, mais notre médecin légiste est parvenu à confirmer son identité grâce à une analyse de l'ADN. Tout porte à croire qu'il s'agirait d'un règlement de compte qui a mal tourné. Daniel Tornay aurait organisé en secret un duel à l'épée contre Christopher Ross. Notre superagent matricule voulait assouvir sa vengeance personnelle. Il aurait ravi Christopher Ross aux policiers de Marseille pour l'emmener dans un studio de cinéma. Mais son combat, qu'il avait prévu facile, se serait transformé en courte honte !

— Sale prétentieux ! s'exclama Karl. Ceci classe le dossier. Par contre, la mort de Daniel Tornay doit demeurer confidentielle. Rien ne doit filtrer d'ici jusqu'à nouvel ordre. Faites croire à tous qu'il est vivant.

Chapitre 46

23 septembre 2001, 17 h
Corse, France

Alexandra s'assit d'un coup, stupéfaite. Elle reconnut Daniel Tornay au premier regard. Par contre, selon son souvenir, il avait les cheveux blond cendré, et non pas noirs. Elle recouvra rapidement ses esprits et rabattit sur elle une des serviettes qui étaient tombées afin de couvrir sa nudité. Son cœur battait la chamade. Bien sûr, l'effet tonique de sa séance de massage s'était propagé dans son corps et avait stimulé son muscle cardiaque, mais c'était surtout cette surprise qui dépassait les bornes. En fait, c'était la deuxième fois en autant de jours que le superagent matricule la voyait nue. C'en était trop.

Alex sauta de la table de massage. Dans sa précipitation, elle faillit perdre la serviette qu'elle avait enroulée autour de son corps. Elle se sentit aussitôt vaguement étourdie, comme si elle avait avalé quelques verres de vin. Daniel Tornay venait de la ramener à la dure réalité de la vie. Elle comprenait maintenant que tout ce flafla ridicule — la croisière VIP, les jolis vêtements, le bichonnage

— n'était destiné qu'à l'entraîner dans un piège diabolique : comme elle était coincée sur ce paquebot, toute fuite serait vaine.

En dépit de son bon sens, elle s'arma d'un flacon d'huile à massage et menaça Daniel.

— N'avancez plus, sinon je hurle ! s'écria-t-elle.

Alexandra était vraiment sur les nerfs. Les mèches rebelles de ses longs cheveux châtains encadraient ses joues rouges d'indignation. Ses yeux étincelaient de colère. Daniel observa attentivement leurs iris. Étaient-ils saphir ou azur comme sur les photos de son dossier de mission ? Peu importe, ils étaient d'un bleu magnifique. Un sourire admiratif erra sur les lèvres de Daniel, et Alexandra se méprit sur ses intentions.

— Ah, ça vous amuse de me surprendre à poil ! fulmina-t-elle.

Elle recula d'une démarche incertaine. Ses jambes étaient en coton, mais ses pieds huileux lui posaient particulièrement problème. Elle avait l'impression de patiner sur la glace.

Daniel tenta de l'avertir.

— Doucement, Alex…

Trop tard. Elle buta sur une fontaine, tituba dangereusement et frôla la chute. Elle se rattrapa au dernier moment, d'une manière athlétique. Son faux pas fit toutefois sortir un de ses seins rebondis hors de la serviette.

La gêne mêlée d'indisposition d'Alexandra ne manqua pas de divertir Daniel Tornay. Il constatait à quel point cette femme était séduisante. Il reprit son aplomb imperturbable puis, du bout de la table de massage, il lui dit de sa voix rauque :

— Voyons, Alex, calmez-vous. Vous ne croyez tout de même pas que j'ai fait tout ce cinéma pour vous tuer. Je ne suis pas un monstre ! Vous ne risquez rien, je vous en donne ma parole. J'ai monté cette petite mise en scène simplement pour vous prouver ma bonne foi. Vous êtes libre, Alex. Christopher pète le feu, et notre paquebot vogue vers le Panama à sa rencontre. Que pourriez-vous demander de plus ?

Chapitre 46

Alexandra essaya de parler, mais Daniel l'interrompit et ajouta sur un ton qui s'apparentait à celui de la bienveillance paternaliste.

— Maintenant, assez bavardé. Pour le reste de l'après-midi, utilisez le spa à votre guise. Les installations vous sont exclusivement réservées. Prenez le temps de vous laver tranquille. Je vous assure que personne ne vous embêtera. Ensuite, si ça vous chante, venez prendre l'apéro avec moi. Je serai au bar Le vieux pirate, à partir de 18 h 30. Et je paie la première tournée ! À 20 h, nous dînerons à la table du capitaine et je répondrai à toutes vos questions, promis ! Ah j'oubliais, profitez-en donc pour vous pomponner et enfiler une belle robe du soir. Vous devriez mettre celle en taffetas blanc, ornée de bandes contrastantes et d'un voile de dentelle. Vous verrez, elle est craquante ! Si vous ne voulez pas dîner avec moi, sachez que le paquebot fera escale demain à Barcelone. Comme je vous l'ai dit, je ne vous retiens pas à bord contre votre gré. Vous serez libre de débarquer au port d'Adossat et de vous rendre au Panama par vos propres moyens, compléta-t-il en tournant les talons.

Alex n'essaya même pas de placer un mot. Comme le paquebot de croisière, Daniel Tornay avait déjà largué les amarres.

Chapitre 47

23 septembre 2001, 7 h 30
Océan Atlantique

Alyson et Josh soutinrent Christopher, qui peinait à tenir debout. Il était considérablement affaibli et frisait l'évanouissement. Il grelottait de fièvre tout en se plaignant d'une douleur intensive au thorax. Arrivé au carré, Chris s'affala au sol entre les banquettes. Alyson demanda à Josh d'aller chercher de toute urgence sa trousse de médecin. Son changement de position atténua quelque peu ses vertiges. Néanmoins, Christopher se sentait toujours nauséeux.

— J'ai froid, gémit-il en claquant des dents. Et j'ai terriblement soif.

— J'ai allumé le chauffage au gaz, répondit Alyson en s'agenouillant auprès de lui pour évaluer son état de santé. Pour ce qui est de votre soif, elle devra patienter, car vous devez rester à jeun.

De manière oculaire et tactile, elle examina la gravité des blessures de Christopher. À première vue, son flanc avait été affreusement lacéré. Des objets coupants avaient tailladé sa peau en de multiples endroits et ses jambes étaient criblées d'éclats de shrapnels. Heureusement, toutes ses hémorragies étaient externes. Alyson utilisa du papier essuie-tout pour recouvrir les lésions cutanées de Chris. Elle pratiqua des points de compression pour endiguer les saignements plus importants. Josh revint en traînant sa trousse de médecin comme un boulet. Alyson y plongea la main et trouva facilement ce qu'elle cherchait : une pochette de granulés hémostatiques QuikClot. Elle déchira le sachet d'agent coagulant avec ses dents et saupoudra les plaies de Chris. Puis, en évaluant le poids de son patient à 95 kilogrammes, elle lui injecta une dose de 10 milligrammes de morphine. La fréquence ventilatoire de Chris était solide, alors elle répéta l'exercice cinq minutes plus tard.

Christopher était toujours conscient. Toutefois, Alyson s'aperçut qu'il avait un pouls filiforme. Craignant un collapsus cardiovasculaire qui l'aurait conduit à une mort certaine, elle lui donna des ordres en parlant haut et fort.

— Christopher, ouvrez les yeux ! Et serrez ma main ! Immédiatement ! Chris ? insista-t-elle en haussant le ton.

— Inutile de crier, murmura-t-il. Je suis blessé, pas sourd.

Alyson constata avec soulagement que l'étincelle de la vie brillait encore dans les prunelles de Christopher. Visiblement, ce patient était unique en son genre ; il n'avait pas besoin qu'on le rassure constamment.

— J'ai énormément de boulot à faire pour vous remettre sur pied. Vous avez perdu beaucoup de sang. Votre corps et surtout vos jambes sont couverts de plaies et de brûlures. Mais, avant toute chose, je dois m'assurer que le voilier ne court aucun danger dans ce brouillard. Je reviens dès que possible.

Elle pivota sur ses genoux et demanda à Josh de veiller sur Christopher avant de regagner le pont du voilier. La combinaison noire de néoprène masquait le rouge du sang. Josh dut réprimer un haut-le-cœur lorsque Chris arracha de lui-même un éclat métallique planté dans son épaule.

— C'est dégueu, frissonna-t-il.

Chapitre 47

Avant que la profonde entaille ne se remplisse de sang, Josh vit clairement l'enveloppe musculaire au fond de la plaie ouverte. Au niveau de son flanc, c'était encore plus repoussant. Josh s'imagina que la peau de Chris avait été lacérée par les griffes d'un animal sauvage et qu'il entrevoyait ses os.

— Josh, s'il te plaît, donne-moi de l'eau. Surtout, ne le dis pas à ta mère. Tu la connais !

Alyson revint au moment où Christopher posait les lèvres sur le goulot d'une bouteille d'eau de source. Elle secoua la tête.

— J'aurais dû m'en douter. Vous êtes désespérants, tous les deux ! C'est à se demander qui est l'adulte et qui est l'enfant. Tiens, Josh. Change tes vêtements mouillés. Et garde un œil sur Christopher. Surveille s'il continue de respirer normalement et entretiens la conversation. Préviens-moi de la moindre complication. OK ?

— OK, maman !

Bien qu'elle n'eût pas dormi depuis 24 heures, Alyson s'affaira à diriger le navire à l'extérieur des voies maritimes. Elle actionna les aides à la navigation et augmenta la voilure. Peu de temps après, le voilier fendait les eaux. Sa carène dessinait un V d'écume blanchâtre dans son sillage. Quand les réglages furent terminés, elle appela Josh afin qu'il grimpe sur le pont pour superviser les paramètres des régulateurs. Le petit garçon obtempéra bien qu'il fût peu enclin à quitter le chevet de son ami. Il avait même revêtu un gilet de sauvetage sans que sa mère le lui demande.

— Tu grandis trop vite, mon trésor, se rendit compte Alyson en croisant son fils dans l'escalier.

Une fois installé dans le poste de pilotage, Josh était anxieux. Il était incapable de détourner son regard du panneau d'écoutille ouvert. Il observait sa mère à l'œuvre. Elle découpa la combinaison de néoprène pour dénuder Christopher. Cela fait, elle entreprit d'extraire, un à un, les éclats métalliques qui parsemaient sa peau.

Jamais au cours de sa carrière médicale Alyson ne s'était retrouvée aussi émotionnellement concernée par un patient ; même lorsqu'elle avait retiré le rein de Barry pour le greffer à son ami Stanley. Josh et elle devaient la vie à la bonté providentielle de Christopher Ross. Alyson lui en serait éternellement reconnaissante. Elle avait l'impression que ce sentiment intense se transformait peu à peu en une affection profonde à son égard. Et puis, il y avait Josh. Son fils était lui aussi tombé sous le charme de Christopher. Il le tenait en haute estime.

Un râlement sourd de Christopher tira Alyson de ses réflexions personnelles. Elle était bien déterminée à le sauver, mais, pour bien accomplir son travail, elle aurait eu besoin de six bras. En son for intérieur, elle était honorée de porter secours à cet homme qui paraissait invincible. C'était sa façon de lui renvoyer l'ascenseur. Elle s'essuya le front du revers de la main et se rendit compte qu'elle avait oublié d'enfiler ses gants de latex. Elle avait négligé la précaution la plus élémentaire des règles régissant les interventions chirurgicales. Alyson avait du sang jusqu'aux coudes, sur le front et sur les joues. En réalité, elle s'en moquait : la priorité numéro un était d'arrêter les hémorragies de Chris en suturant ses plaies.

Christopher était aux frontières du délire. Il était rongé par la culpabilité. Il prit le bras d'Alyson et dit faiblement :

— Écoutez, il y a un truc que vous devez savoir. C'est important…

— Relaxez, Christopher, déclara-t-elle sur un ton bienveillant. Ce qui est réellement important, c'est de vous retaper. Respirez lentement et profondément. Je prends soin de vous. Reposez-vous. C'est à mon tour de vous montrer de quel bois je me chauffe !

— C'est pour ça que je refusais de vous dire la vérité.

— Que me chantez-vous là ?

Alyson interrompit sa tâche et mit de côté son aiguille traumatique. Ensuite, elle posa délicatement sa main sur la poitrine de

Christopher. Alyson ne comprenait pas ce qui se produisait. Cette subite effusion de sentiments de sa part était inexplicable. Était-ce de la fatigue additionnée au stress des derniers événements ? Était-ce la peur de perdre Christopher ? Ou était-ce le concentré d'émotions fortes qu'elle avait vécues qui embrouillait son jugement ? Quoi qu'il en soit, il lui était impossible de réfréner ses élans passionnels. La sensualité grave et la virilité que cet homme dégageait la faisaient craquer. Et tous ses attributs mâles éveillaient des fantasmes qu'elle croyait remisés pour longtemps aux oubliettes. Cette ambivalence de sentiments la troublait.

« Misère ! Que t'arrive-t-il ? Ressaisis-toi, ma vieille ! » se dit Alyson.

Son sang bouillonnait dans ses veines. Jamais elle n'avait ressenti une passion aussi vive pour un homme. Elle n'était pourtant pas du genre à se jeter dans les bras du premier venu. Égarée entre réserve affective et dévoilement amoureux, Alyson avança ses lèvres à cinq centimètres de la bouche de Christopher et s'apprêta à lui donner un baiser.

— Arrêtez, Alyson, s'opposa Chris avec un sens passablement rugueux de la diplomatie.

Le charme était rompu. Après ce moment d'égarement, un silence fort embarrassant plana sur eux. Alyson avait espéré un tout autre résultat à l'égard de son épanchement sentimental. Elle piqua un fard et s'efforça de dissimuler sa déception. Puis, elle chercha ses mots, comme si elle avait enfreint le code de déontologie de l'ordre des médecins et qu'elle passait devant le comité de discipline en vue d'une radiation.

— Euh… Je vous prie de pardonner cet écart de conduite, dit-elle en replaçant une mèche de cheveux par-dessus son oreille, les joues rosies par la gêne. Je vous jure que ce n'est pas dans mes habitudes de…

— Ce sera plutôt à vous de me pardonner l'impardonnable, murmura Chris.

Mal à l'aise, elle serra les lèvres, et son sourire s'estompa. Tout espoir d'entichement s'était évaporé. Elle plissa les yeux, en proie aux pires inquiétudes. Cela fit ressortir ses pattes-d'oie, qu'elle détestait.

— J'ai tué votre mari, avoua Chris dans un souffle.

— Pardon ? répliqua-t-elle d'une voix menaçante.

Alyson tomba des nues à la suite de cette confidence. Elle recula abruptement et sembla secouée. Un voile de scepticisme la submergea tout à coup. Cet aveu semblait invraisemblable. Elle reprit son calme et, affichant une incrédulité inconcevable, elle dédramatisa la situation en suggérant à Christopher de consulter un bon psychiatre. Chris parvint cependant à la persuader du contraire.

— Le 10 septembre, lui confessa-t-il sans énergie, Barry a kidnappé Alexandra, ma femme. Et il a essayé de me tirer une balle dans la tête. C'est la cicatrice que vous voyez sur ma tempe. J'ai miraculeusement survécu et je me suis vengé.

Les coins de la bouche d'Alyson retombèrent, effaçant sa grimace de dégoût. Elle arborait un air interloqué, car elle ne savait plus quoi penser. Elle était convaincue que la raison de Christopher était altérée par le manque d'oxygène.

— V-V-Voyons, bredouilla-t-elle, vous divaguez. De toute façon, je ne vous crois pas. Barry savait se défendre…

— Et tous ceux que j'ai tués à Boston et sur le yacht, vous vous imaginez que c'étaient des bleus ? C'est la guerre, Alyson. Il y a des victimes. Je suis tellement désolé pour vous, affirma-t-il d'un air dépité et le visage crispé par la souffrance.

Progressivement, la vérité réclama son dû et le chagrin la saisit. La partie immergée du mystérieux passé de Christopher venait de faire surface. Maintenant, Alyson était au courant que sa surprenante apparition dans leur vie n'était qu'un tissu de mensonges. Josh et elle avaient été bernés. Évidemment, sa tristesse se transforma en état de choc, puis en colère.

Chapitre 47

— Maman ? Est-ce que ça va ? lui demanda Josh du poste de pilotage.

— Oui. Ne te fais pas de souci et ferme le panneau d'écoutille, mon grand.

Alyson porta sa main à son ventre. Elle suffoquait d'indignation et regardait Christopher comme un pestiféré.

— Vous êtes ignoble, fulmina-t-elle, scandalisée.

L'atmosphère était lourde. Le moral plombé, elle écouta confusément le récit de Christopher, qui était loin de la faute vénielle. On y était ; ils avaient atteint le point nodal de leur aventure. À ce moment, les paroles prononcées par Chris devinrent un mélange de français et d'anglais. Il prouva la véracité de ses propos en lui citant des noms : Big John, le sergent Stanley L. Wiseman, Charley Flint, le *junky*, et, enfin, William, l'agronome du campement de contrebande. Alyson les connaissait tous ! Au passage, Christopher décrivit le luxueux édifice du complexe de culture hydroponique, où il avait finalement assassiné Barry. Il compléta en articulant péniblement que son fils et elle étaient condamnés, car ils étaient dans le collimateur de l'organisation Sentinum.

Le visage d'Alyson se tordit. Ses yeux saturés de larmes dardaient des éclairs haineux qui transperçaient Christopher. Elle se résigna à accepter la crédibilité de son témoignage et se détourna, horrifiée. Se ravisant, elle cracha au visage de Chris et frappa sur la table.

— C'était ça, votre « truc » que je devais savoir ? tonna Alyson. Vous avez un sacré culot de m'annoncer ça maintenant ! Allez au diable, Christopher Ross ! Et si vous pensez que vos bonnes actions peuvent vous racheter, vous vous fourrez un doigt dans l'œil !

Elle tourna les talons et alla rejoindre son fils sur le pont du voilier. Abandonné à fond de cale comme un malade dans un lazaret, Christopher sombra dans les ténèbres. Le papier essuie-tout finissait de se gorger de son sang. Il rendrait l'âme sous peu.

Or, il pouvait mourir en paix ; sa conscience était tranquille. Ce qui était loin d'être le cas de celle d'Alyson Whitefield.

Chapitre 48

14 juillet 1417
Canton de Vaud, Suisse

Catherine et Henri s'embrassèrent avec effusion. Ils s'agenouillèrent, puis, enivrés par l'amour vrai, ils perdirent la notion du temps.

Cédant au désir, Catherine défit le corsage de sa robe de lin beige et, d'une pudeur angélique, elle la laissa tomber à terre. Puis, elle retira l'une après l'autre les bretelles de son long jupon de coton blanc, dénudant ainsi ses épaules délicates. Le jupon glissa doucement et s'arrêta vis-à-vis de sa poitrine généreuse. D'une gestuelle timide, Henri dégagea le tissu de coton presque transparent. Il fut subjugué par la pureté de ses seins nus s'offrant gracieusement à sa vue. Ses doigts fébriles furent irrésistiblement attirés vers eux. Leurs petits mamelons roses durcirent en réponse à ses caresses. Puis, sa bouche ne put résister à la tentation de titiller leurs pointes dressées.

Pendant que la langue d'Henri léchait ses seins, Catherine faisait courir ses mains sur les hanches de son amoureux afin de descendre son pantalon rapiécé. À la vérité, elle mourait d'envie de le lui arracher d'un coup. Quand elle eut enfin réussi, elle écarta les jambes et, la mine ravie, elle l'entraîna vers le sol. Henri s'allongea sur elle et se perdit dans le bleu pervenche de ses yeux. Sans modérer leurs élans passionnels, ils s'embrassèrent avec fougue. Catherine étreignit étroitement Henri entre ses cuisses, puis leurs corps se soudèrent. Avant d'abaisser ses paupières, elle poussa un petit cri d'inconfort physique en regardant un passereau qui voltigeait avec la légèreté d'un papillon. L'oiseau regagna son nid, ne se préoccupant guère des ébats amoureux qui se déroulaient sous ses pattes.

Catherine et Henri découvraient mutuellement les joies extatiques de l'amour sous le soleil couchant. Transporté par le bonheur de ce moment béni, Henri était parcouru de frissons. Il était totalement envoûté par la respiration sensuelle de Catherine. À cette époque où les odeurs corporelles n'étaient pas masquées par des parfums commerciaux, il humait les effluves épicés et musqués de sa compagne. Ses fragrances enivrantes envahissaient son espace vital.

— Je vous aime, Henri, susurra Catherine en mordillant le lobe de son oreille.

Elle expérimentait des sensations qui lui étaient jusque-là inconnues. Ce qu'elle ressentait en cet instant était infiniment meilleur que les petits plaisirs solitaires qu'elle se procurait à l'occasion. Leurs corps s'harmonisèrent, et une cadence rythmée suppléa à celle maladroite des débutants. Selon les confidences de ses copines, Catherine savait comment son amoureux terminerait l'augmentation subite de la cadence. Elle entrouvrit discrètement un œil et contempla son doux visage. Henri eut une dernière cambrure de reins qui comprima son pubis, puis il écarquilla les yeux. Catherine referma aussitôt les siens, soucieuse de préserver son intimité pendant qu'il s'abandonnait aux plaisirs charnels.

C'était du moins ce qu'elle supposait.

Catherine rouvrit soudain les yeux. Tout près de sa figure, elle vit la pointe maculée de sang d'une redoutable épée dont la lame tranchante traversait la poitrine d'Henri. Elle tressaillit d'horreur en comprenant que son amoureux mourait réellement en elle. Catherine était tellement grisée par la volupté de ses sens qu'elle n'avait pas entendu le fil de la lame percer la cage thoracique d'Henri. Le coup, d'une lâcheté ignominieuse, lui avait facilement brisé les os et l'avait transpercé de part en part.

Henri saignait abondamment sur le ventre de Catherine. Il savait que sa fin approchait. Le visage pétrifié, il ressentait une sensation atroce de brûlement à l'estomac, comme si ses viscères avaient été arrachés et qu'on les lui avait remplacés par du sable chaud. La loi de l'équilibre le rattrapait, et elle réclamait son dû. Il avait péché en faisant l'amour avec Catherine sans la bénédiction de l'Église. Il était convaincu de subir à l'instant la punition de Dieu. La vision brouillée, il présumait que les ténèbres de l'enfer commençaient à l'engloutir. Dans un ultime effort, il balbutia sur un ton lourd de remords qu'il regrettait d'avoir été incapable d'accomplir son devoir de protecteur envers elle ; au lieu de demeurer ici à forniquer, il aurait été préférable de fuir en s'enfonçant au cœur des montagnes. Puis, il fléchit sous son poids.

— Ça me fend le cœur d'écourter vos ébattements, lança une voix rauque faussement navrée.

On retirait l'épée qui avait fracassé l'échine d'Henri. Le mouvement diffusa un gargouillis ferreux et juteux. Catherine était tellement concentrée à regarder son amoureux s'affaler pesamment sur son abdomen qu'elle n'avait pas remarqué le chef des cavaliers noirs. Ce dernier s'était matérialisé derrière Henri comme un spectre. Vu du sol, il avait l'air d'un géant. Il déplia son bras et, d'un geste rageur, il empoigna par les cheveux le cadavre du jeune palefrenier, qu'il jeta au loin comme un vulgaire sac de jute.

Les entrailles de la jeune fille, qui avait été une délicieuse oasis pour Henri, se nouèrent. Elle fut prise d'un tournis douloureux en apercevant le reste de la troupe composée d'une douzaine d'hommes. Catherine n'en menait pas large. Son front se perla de sueur tandis qu'elle observait les soldats à la physionomie menaçante. Les sourires libidineux qui tordaient leurs visages partiellement recouverts de leurs casques suffirent à la terroriser. Rongée par un incommensurable chagrin, nue et vulnérable, elle tenta de ramasser ses effets pour se vêtir.

— Ce n'est pas la peine de t'attifer, annonça le chef en écrasant sa poitrine avec sa botte de fer.

D'une impatience courroucée, il héla un de ses sinistres acolytes pour qu'il ramène un seau d'eau afin de débarbouiller la jeune fille.

— Sale impure ! J'étais chargé de livrer une pucelle au château. Et v'là que j'vais me présenter à Sion avec une putain ! hurla-t-il, penché vers elle.

Il baissa le ton, puis ajouta cruellement :

— À mon tour d'en profiter ! Je n'ai plus à craindre d'offenser la pucelle réservée au dirigeant suprême. Voyons voir si tu t'amuses autant avec moi qu'avec ton minable palefrenier !

— Pitié ! Laissez-moi ! Je vous en prie ! le supplia Catherine d'une voix chevrotante, presque inaudible.

— Ferme-la !

Le chef dépourvu de compassion fit mettre un bâillon sur la bouche de Catherine, puis, manifestant un dédain glacial, il désigna du menton la dépouille d'Henri.

— Débarrassez-nous de cette charogne. Nous établirons ici notre campement pour la nuit.

Le chef des cavaliers noirs détacha sa cuirasse dans un lugubre tintement qui réveilla l'écho de la honte. Il s'avança vers Catherine. On lui immobilisa les bras en croix et on lui écarta rudement les jambes. Catherine bascula alors dans un autre monde. Pendant que l'on souillait à jamais son âme et son corps, ses doigts grattaient pitoyablement la terre. Elle était en état de choc. À un certain moment, elle manqua de défaillir. Pour survivre à cet acte immoral, elle s'imagina que son esprit quittait son corps et s'envolait avec le vent.

Le mal profana son alcôve qui, quelques minutes auparavant, avait été le théâtre de la sublimité de la vie. Ce fut comme si un démon de perversité avait défoncé les portes du paradis.

Chapitre 49

23 septembre 2001, 18h
Mer Méditerranée

De retour dans sa cabine, Alexandra s'accorda quelques instants pour se calmer. Elle s'assit sur le canapé, plia ses jambes contre son torse, les entoura avec ses bras, puis posa son menton sur ses genoux. Christopher adorait la voir se figer dans cette posture pensive.

Elle s'aperçut soudain que l'on avait déposé des bouquets de fleurs un peu partout dans sa suite. Décidément, Daniel Tornay faisait le grand jeu. « Mais lequel ? » se demanda-t-elle. Qu'espérait-il obtenir en retour ?

— Il est vraiment con, s'il pense me séduire, extériorisa-t-elle à voix haute.

Après ce court moment de réflexion, Alex se leva et sortit sur le balcon. Elle contempla le magnifique coucher de soleil qui enflammait l'horizon. La mer donnait l'impression de livrer une chaude bataille à l'astre de feu. Les côtes de la Corse avaient disparu du paysage, noyées dans la Méditerranée. Alexandra observa particulièrement les vagues ; comme la mer, elle se sentait ballottée par les flots du destin. Un océan la séparait de Christopher, et son absence creusait un vide dans son cœur, si profond qu'elle aurait pu y engloutir toute cette eau.

S'arrachant à ces sombres pensées, elle alla humer l'odeur ensorcelante des roses rouges. Il y avait un flacon de N°5 de Chanel et un coffre à bijoux plein à craquer près de la corbeille de fleurs garnissant la table de la salle à manger. Alexandra vaporisa le parfum sur son poignet, et la suavité enchanteresse de la fragrance imprégna délicieusement l'atmosphère. Sur la mezzanine, de magnifiques bouquets de dahlias roses étaient posés sur chaque table de chevet et une boîte de chocolat Godiva s'était échouée sur son oreiller. L'emballage luxueux aux nuances dorées était orné du logo de Lady Godiva, cette femme nue sur son cheval qui aurait parcouru, vers l'an 1000, les rues de Coventry en Angleterre afin d'inciter son époux à diminuer la fiscalité imposée à ses citoyens.

Alex succomba à la tentation ; elle dénoua le ruban et goûta à un cœur noir fourré d'une ganache finement aromatisée au cognac. Emportée par la fatigue, elle s'allongea sur le lit, sans replier l'édredon. Elle s'endormit aussitôt. Lorsqu'elle se réveilla, il était 19 h. Alex ignora la suggestion vestimentaire de Daniel. Elle enfila une robe bustier noire très sexy. Cette robe courte et moulante épousait sublimement ses courbes. Son décolleté en V dénudait divinement son dos jusqu'à la taille. Ensuite, elle se coiffa et se maquilla soigneusement. Alexandra passa une dernière fois ses mains sur sa robe pour lisser le tissu satiné en se regardant attentivement dans la glace. Elle était très satisfaite de l'image qu'elle projetait. Parée de ses plus beaux atours, elle ferait des ravages.

— À nous deux, Daniel Tornay ! s'exclama-t-elle, fermement décidée à l'affronter.

Quinze minutes plus tard, Alexandra débarqua au bar Le vieux pirate. Le décor était une reproduction fidèle du Queen Anne's Revenge, la frégate du célèbre pirate Barbe-Noire. Au lieu de marcher comme si elle se rendait à l'abattoir, Alex afficha l'attitude hautaine qu'ont les mannequins lors des défilés de mode. Tous les regards convergèrent dans sa direction. Si de réels corsaires avaient été debout au bar, ils seraient tombés de leur jambe de bois.

Alexandra était époustouflante. Tous les hommes présents, excepté Daniel qui était devant le comptoir à dépiauter des cacahuètes, se retournèrent pour la contempler. Certains chuchotaient en admirant sa démarche lente et aérienne. Quant aux dames, surtout celles qui étaient moches, elles l'épiaient jalousement. Elles veillaient aussi à ce que leurs conjoints ne soient pas déconcentrés par cette jolie femme juchée sur des talons vertigineux qui martelaient le plancher de chêne aux larges lattes savamment vieillies.

Alex traversa la section des tables en passant sous un Jolly Roger ; le légendaire pavillon noir à tête de mort frémit presque. Elle se fraya un chemin jusqu'au buffet. Les mets étaient posés sur une table ayant l'aspect d'une chaloupe canonnière. Alexandra prit une fraise bien mûre et la porta à sa bouche. Ses lèvres en forme de cœur aussi rouge que le fruit s'entrouvrirent. Puis, elle croqua délicatement la fraise jusqu'à la queue, avant d'abandonner la tige sur un baril de bois. Son geste aguichant fit perdre le peu de moyens qu'il restait à la gent masculine.

Quand elle arriva à proximité du bar, Daniel discutait avec le barman. Il interrompit sa conversation empreinte de philosophie de comptoir et haussa le ton afin d'être entendu d'Alexandra.

— Vous voyez, Bill, j'ai un rancard avec la plus belle femme du bateau. Et ce, même si je ne suis qu'un pauvre éclopé. Je suis un sacré veinard ! Je pourrais mourir ce soir, mon âme serait en paix !

Le serveur esquissa un sourire en coin. Armé de son torchon humide, il essuya la surface vernie à l'endroit où Alexandra était censée s'asseoir, puis s'éloigna. Le brouhaha reprit autour d'eux. Daniel, qui était vêtu d'un smoking blanc, s'appuya sur un coude, fixa Alexandra directement dans les yeux et amorça doucement la conversation.

— Vous n'aimiez pas le parfum que je vous ai offert ? constata-t-il en ne flairant pas la subtile fragrance de Chanel parmi les innombrables odeurs de la pièce. C'est sans importance. Permettez que je vous complimente, Alexandra. Vous êtes exquise.

— Assez joué, Daniel. Que voulez-vous ? répliqua-t-elle d'un ton sec et désobligeant.

— Holà ! Ne sortez pas vos griffes, mais votre plus beau sourire !

— Vous avez abusé de ma confiance au spa.

— Bon ! Avant d'aller plus loin, je tiens à rectifier certains faits. D'une part, vous avez accepté de plein gré l'invitation au spa. Et de l'autre, je n'ai commis aucun geste inconvenant. À titre d'information, je suis dûment diplômé de l'Institut national de massothérapie de Belgique. Alors, où est le problème ?

— Vous êtes complètement cinglé ! fulmina Alex, outrée de colère. C'est ça, le problème !

— Traitez-vous toujours vos amis de cette façon ?

— Comment osez-vous prétendre être mon ami ? D'ailleurs, oubliez notre dîner à la table du capitaine !

— Nous sommes d'accord sur ce point : ce genre de repas est trop ringard. Ensuite, pour répondre franchement à votre question, selon moi, un type qui vous protège, qui s'efforce de vous trouver un asile sûr et qui libère votre mari de prison peut prétendre être votre ami, affirma Daniel.

— Je ne comprends rien à votre histoire. Tout ce qui me vient à l'esprit concerne les mots poursuite, séquestration, vol de bijou et tentative de meurtre ! rétorqua Alex.

— Libre à vous d'envoyer un courriel à Karl Haustein pour vous plaindre ! Mais ce serait mal venu. Je vous le jure, le bonhomme tuerait pour découvrir que vous êtes à bord de ce paquebot. Les choses ne sont pas aussi simples qu'elles y paraissent, Alex, lui révéla Daniel en poussant un exemplaire du journal français *Le Figaro* sous ses yeux.

Chapitre 49

En gros titre, un article relatait qu'un mystérieux donateur avait remis au musée du Louvre le Florentin un diamant d'une valeur inestimable disparu depuis 1922.

— Tout n'est pas noir, blanc ou jaune, ajouta-t-il en souriant. Il y a des zones grises. S'il vous plaît, Alexandra, posez votre adorable popotin sur le banc et déstressez-vous. Vous êtes trop tendue.

— Vous avez un sacré culot !

— Je souhaiterais que vous ne vous donniez pas en spectacle.

Daniel vida son verre de whisky d'un trait et fit signe au barman d'apporter deux consommations. Ensuite, il s'inclina vers Alexandra.

— Je vous assure que votre vie n'est pas menacée.

— Arrêtez votre baratin et dites-moi immédiatement ce que vous avez fait à Christopher.

— Je vous le répète, il va bien. Il est en sécurité et il vous attend au Panama, répondit calmement Daniel.

— Comment avez-vous su pour le Panama ?

— Simplement en interrogeant un motocycliste terrifié du nom de Pierre Robin.

— Seigneur ! s'exclama Alex. Vous ne l'avez tout de même pas…

— Mais non ! Il a vidé son sac sans que je le lui demande. Le tout s'est très bien passé.

— Vraiment ? C'est à peine pensable, murmura-t-elle en secouant la tête.

Ces révélations inattendues ébranlèrent le scepticisme d'Alexandra. Elle resta cependant sur ses gardes et ne laissa transpirer aucune émotion.

— Évidemment, je ne vous apprends rien en vous avouant que je suis un agent matricule, ou plutôt un assassin pour le compte de Sentinum…

Désirant connaître la suite, Alex était suspendu aux lèvres de Daniel, ce qui ne déplaisait nullement au principal intéressé. Ce dernier était en train de placer habilement ses pions sur l'échiquier de l'émotion. Il envisageait de ravir le cœur d'Alexandra, car, tant qu'à disparaître du paysage, autant le faire avec une femme qui partageait sa situation. Et puis, d'un côté pratique, elle était splendide, de quoi égayer ses longues soirées de célibataire endurci. Mais il y avait davantage : la stimulation de la rivalité destructrice qui l'opposait à Christopher Ross. En réalité, cette intrigue amoureuse l'obsédait. Daniel savait toutefois que la partie ne serait pas aisée. Alexandra était une femme de tête ; elle ne se laisserait pas facilement embobiner. De plus, elle était visiblement orgueilleuse et un brin rancunière. Or, mis à part le fait qu'elle avait du caractère, c'était surtout l'omniprésence de son mari, plus grand que nature, qui compliquait l'affaire. D'une certaine manière, sa chasse n'en serait que plus excitante. Et son triomphe ? Définitif !

Daniel Tornay déploierait ce soir son artillerie lourde de vil séducteur. Il entreprenait la mission la plus difficile de sa carrière : il conquerrait le cœur d'Alexandra Richard !

Chapitre 50

23 septembre 2001, 7 h 30
Océan Atlantique

Alyson termina de se laver les mains dans le lavabo de la minuscule salle de toilette attenante à la cabine arrière du voilier. L'âme chavirée, elle pleurait en silence. Elle fit les cent pas, respira un bon coup et appuya fermement ses paumes de chaque côté du lave-mains. Elle regarda fixement son visage torturé dans la glace. Au bout d'un moment, elle essuya les larmes qui roulaient sur ses joues et trouva le courage d'aller rejoindre son fils au poste de pilotage.

— Tout va bien, maman ? Est-ce que Christopher est guéri ?

— Non. Je dois prendre une pause, Josh. Je suis trop fatiguée.

— Hein ? réagit son fils en l'interrogeant de ses yeux graves.

Il semblait avoir vieilli de 10 ans en une fraction de seconde.

— Christopher, lui, il ne prendrait pas de pause ! Il est venu nous sauver. Et là, c'est à ton tour de l'aider, sinon il va mourir ! T'es un docteur, maman. Il a besoin de toi !

La dure réalité de l'existence plaçait Alyson devant un terrible dilemme moral et professionnel. Elle essaya de consoler son fils avec toute l'empathie que seule une mère a la possibilité d'exprimer.

— Je comprends que tu l'aimes, Josh. Mais j'ai tellement de peine que ton père soit mort...

« Même s'il était un bandit et qu'il a essayé de tuer Christopher », s'abstint-elle d'ajouter.

— ... Christopher est un adulte, mon lapin. Malheureusement, les grandes personnes ont de vilains défauts.

— Ça ne me dérange pas ! hurla-t-il. Il est toujours là pour nous sauver !

— C'est exact, admit-elle en contenant sa tristesse. Christopher n'abandonnerait pas. Rien ne l'obligeait à venir nous aider à Boston. Il avait même toutes les raisons du monde d'en vouloir aux Stahl. D'ailleurs, il aurait pu faire comme la majorité des mecs : foutre le camp lorsque le torchon brûle !

Émue jusqu'aux larmes, Alyson renifla. Elle était tiraillée entre devoir et fidélité. Elle posa les mains sur les frêles épaules de son petit garçon, qui était blême.

— Tu as raison, Josh, dit-elle, la voix brisée par les sanglots. On ne peut pas abandonner Christopher. Je ferai tout ce qui est en mon pouvoir pour le guérir, c'est promis.

Alyson pivota sur ses pieds et dévala l'escalier. En refermant le panneau d'écoutille, elle croisa les yeux anxieux de Josh. Elle se rendit près de Christopher et se jeta sur les genoux. Elle en avait gros sur le cœur.

Le regard froid et impénétrable et les poings serrés, Alyson lança :

— Ne t'imagine pas que tu t'en tireras aussi facilement. D'accord, le médecin en moi va te soigner. Mais quand tu seras sur pied, et crois-moi j'y veillerai, tu auras à te justifier à la mère et à la femme ! Pardonne-moi, Barry, compléta-t-elle.

Quelques minutes plus tard, le carré prit les allures d'un hôpital de campagne. L'heure d'or n'était pas encore écoulée, alors, bien que Christopher eût perdu beaucoup de sang, il avait d'excellentes chances de survie. Dans l'immédiat, elle prévoyait poursuivre son intervention en refermant les blessures de moindre importance au moyen d'une colle cutanée fabriquée à base de cyanoacrylate : de la bonne vieille Super Glue.

En achevant une série de sutures à fil résorbable au flanc meurtri de Christopher, elle se rendit compte que son pouls était imperceptible. Elle pressa l'ongle de son index gauche. À regret, son doigt ne retrouva sa coloration rosée qu'après quatre secondes. De plus, son épiderme était exsangue et sa fréquence cardiaque grimpait à une valeur inquiétante. Alyson calcula mentalement son indice de choc pour constater qu'il était élevé. En résumé, l'état de Christopher était critique ; il était à un cheveu d'un collapsus cardiovasculaire.

Alyson ne possédait pas de pochette de perfusion intraveineuse afin de prévenir l'effondrement complet de la pression sanguine de Chris, qui aurait abouti à une défaillance de son cœur. Elle s'apprêta à réaliser ce que bien peu de chirurgiens seraient prêts à accomplir pour sauver la vie de leur patient : une transfusion de sang d'homme à homme ou, dans ce cas-ci, plus spécifiquement de femme à homme. Alyson conservait jalousement un dispositif de transfusion sanguine muni d'un piston de métal chromé et datant de la Seconde Guerre mondiale. Cette antiquité lui avait été offerte en cadeau par son père, lors de la remise de son diplôme universitaire. Toutefois, même dans ses rêves les plus fous, elle n'avait jamais imaginé se servir réellement de cette méthode archaïque. Qui plus est, entre elle et un patient à l'article de la mort.

Naturellement, Alyson savait qu'elle appartenait à un groupe sanguin universellement compatible et qu'elle ne représentait aucune menace virale. La sécurité du receveur était donc assurée. Le défi de cette transfusion homologue consistait plutôt à minimiser les risques de contamination bactérienne. La stérilisation des instruments à la vapeur lui causa des tracas, car le temps jouait contre elle. Néanmoins, elle se rassura en pensant qu'ils se situaient au centre d'un univers salin.

Alyson accomplit un véritable don de soi. À chaque coup de piston du dispositif, elle visualisait son sang se mélangeant à celui de Christopher. En plus d'être attendrissante, cette transfusion sanguine devenait tranquillement un toast à la santé de la vie. Elle revêtait un aspect émotif qui dépassait de loin le dévouement prôné par les professions médicales affichant le célèbre bâton d'Asclépios.

Une faiblesse musculaire envahit peu à peu Alyson, contrairement à la circulation artérielle de Christopher, qui reprenait de la vigueur. Cette fatigue inouïe apaisa sa souffrance intérieure. Elle était bercée par le roulis de la mer; l'atmosphère était relaxante. Ce fut remplie d'une quiétude sereine qu'elle retira enfin les deux seringues de transfusion, cessant l'échange de fluide. Alyson avait le regard dans le vague et les paupières pesantes. Elle exécutait machinalement chacun de ses gestes. Elle administra à Christopher une dose d'antibiotique à large spectre pour lui éviter une infection bactérienne. Puis, elle banda ses plaies avec des gazes stériles. Au final, Christopher était couvert de pansements et ressemblait à une momie partiellement démaillotée.

En dépit de son indéniable savoir-faire, Alyson avait les idées troubles et confuses. Ses excès émotionnels et physiques l'usaient; elle se sentait perdue. La détresse psychologique qu'elle éprouvait la menait irrésistiblement vers Christopher. Malgré son état de santé précaire, il lui apparaissait comme une bouée de sauvetage au milieu de cet océan de menaces. Au cours de sa vie, et surtout durant ses voyages autour du monde en solitaire, Alyson avait connu des hauts et des bas. Elle avait affronté du gros temps, mais, en ce moment, c'était fort différent. Ce mauvais garçon, par son comportement doux et impitoyable, exerçait sur elle une fascination paradoxale. L'affection particulière qui l'unissait à Christopher en était une d'amour-haine et, quoi qu'elle puisse en penser, elle était irrépressible. Son fils ne devrait jamais apprendre la vérité à ce sujet.

Chapitre 50

Le sentiment d'injustice qui habitait Alyson depuis que Christopher lui avait parlé des agissements malhonnêtes de son mari se transformait lentement en triomphe de la vertu.

— Maintenant, murmura-t-elle en enveloppant Christopher dans une couverture moelleuse, repos complet.

Le visage endormi de Chris reprenait graduellement des couleurs. Alyson plaça les embouts auriculaires de son stéthoscope dans ses oreilles. Elle ferma les yeux, puis ausculta Christopher. Les battements de son cœur avaient retrouvé leur rythme régulier. Il recouvrait visiblement ses forces. Alyson se pencha et lui chuchota que tout allait bien, qu'il était hors de danger. Elle jeta un coup d'œil à l'horloge numérique. Il était 15 h 15, le 23 septembre 2001. Alyson se leva péniblement ; elle avait les genoux en compote. Elle ramassa une petite serviette de tissu-éponge qu'elle imbiba d'eau, puis la pressa délicatement au-dessus des lèvres entrouvertes de Christopher. Inconsciemment, il s'humecta la bouche comme un nouveau-né fragile.

Même si elle ne pesait que 55 kilogrammes, Alyson se laissa lourdement tomber sur la banquette. Elle était exténuée. Elle s'appuya sur les coudes pour observer Christopher. Il était étrange de le voir aussi vulnérable. Alyson se remémora leur course-poursuite à Boston. Elle abaissa les paupières et esquissa un sourire fatigué. De puissants flashs lui revenaient à l'esprit ; elle revoyait Christopher travailler en équipe avec son fils afin de couper au scalpel les courroies de la semi-remorque. Leur connivence était manifeste. Elle se rappela également les frissons qui l'avaient parcourue lorsque les immenses tuyaux de béton avaient déboulé sur la Suburban dans un fracas inimaginable. La scène avait été gigantesque, méchante même. Mais, avant toute chose, cela avait été magnifique de se sortir du pétrin de cette manière. Au sens propre ou au sens figuré, cet homme coriace était l'ultime rempart entre eux et cette redoutable organisation qu'il nommait Sentinum. À ses yeux, elle vivait une version modernisée de David contre Goliath.

Lorsque le sommeil la rattrapa, Alyson songeait aux souvenirs de fraîche date qu'ils avaient partagés ensemble. Ce n'était rien de comparable à un vieux couple d'amoureux, mais ces souvenirs évoquaient des émotions hautement condensées, et ils étaient les leurs.

Une voix familière résonna soudain au fond de la coursive. Alyson s'arracha brusquement de sa rêverie somnolente.

— Maman ! Maman ? Est-ce qu'il y a un truc à bouffer ? Je meurs de faim !

Chapitre 51

23 septembre 2001, 21 h
Mer Méditerranée

Pendant l'heure du dîner, le bar Le vieux pirate se vida passablement de sa clientèle. Alexandra et Daniel étaient assis sur une banquette isolée en forme de U. Ils discutaient paisiblement ; la tension qui régnait aux premiers instants de leur rencontre s'était atténuée. Alexandra restait néanmoins vigilante. Elle s'efforçait depuis plusieurs minutes d'aborder le sujet de Christopher, en vain. Daniel défrayait habilement la conversation.

Il racontait son passé en buvant son cocktail. Il avait nonchalamment allongé son bras valide sur le dossier, près d'Alexandra. Il tentait de manière détournée de lui caresser les cheveux. Quand il lui avait massé le cou quelques heures plus tôt, au spa, alors qu'elle était couchée nue sur la table de massage, Daniel s'en était donné à cœur joie. Il s'était souvenu de la citation d'Eugène Briffault à propos des desserts dans *Paris à table*, paru en 1846 :

« Ces splendeurs s'adressent surtout au regard : le vrai gourmand admire sans y toucher. »

Visiblement, la tentation avait été trop forte. Daniel avait été incapable d'admirer Alexandra sans la toucher. Son comportement avait été difficile à justifier ; or, il s'était dit qu'il était toujours préférable de tâter les aliments avant de les consommer ! Il se rendait bien compte à présent qu'Alexandra était farouche et qu'elle ne se laisserait pas facilement approcher. Mine de rien, elle s'éloignait de lui. Ce n'était pas grave. Maintenant qu'il s'était retiré du service actif de Sentinum et que Christopher Ross était absent du décor, il avait tout son temps.

Le récit de la disparition tragique de Melissa Green toucha énormément Alex. Daniel n'eut pas à surjouer sa peine, car la mort violente de son amie de cœur était tristement authentique et, même si cela remontait à plus de trois ans, il en était encore ému jusqu'au tréfonds de son âme.

— Donc, reprit-il après un moment de silence, en janvier 1998, quand Karl Haustein a fait assassiner l'amour de ma vie, j'ai commencé à préparer ma démission. Je ne pouvais pas aisément déserter Sentinum, car seule la mort nous soustrait à notre engagement envers l'organisation.

— Comment Sentinum a-t-elle réussi à vous enrôler ? Vous semblez intelligent.

— Je vais le prendre comme un compliment.

— Ce n'est pas ce que je voulais dire.

— Je rigole. Pour être honnête, il y a longtemps que je ne me suis pas senti aussi relax. Pour revenir à Sentinum, j'ai simplement été envoûté par le poste. Quel jeune de 19 ans ne serait pas séduit à l'idée de piloter un appareil expérimental stationné à la base militaire secrète de la Zone 51 à Groom Lake, au Nevada ! Ou d'aller dans l'espace à bord d'un Boeing X-37 ?

— Vous blaguez, hein, Daniel ? Ce prototype de navette spatiale n'a aucun équipage, et son premier vol n'a pas encore eu lieu.

Chapitre 51

— En êtes-vous certaine, Alex? Ne le prenez pas mal, mais vous êtes naïve si vous gobez tous les bobards que l'on raconte dans les journaux. Vous auriez tout avantage à faire preuve d'un peu plus de scepticisme. Très peu de choses sont comme elles ont l'air d'être. En tout cas, nous en reparlerons. Disons seulement que c'était le beau côté de mon boulot. Le revers de la médaille, par contre, était beaucoup moins reluisant.

Il soupira et poursuivit.

— Après le meurtre de Melissa, j'ai mûri une stratégie afin qu'un jour Karl Haustein me croie mort. Au diable le serment d'allégeance éternel, et bonjour le déserteur! Il me manquait toutefois un ingrédient essentiel.

— Un adversaire digne de ce nom, répliqua finement Alex.

— Exactement! Et Christopher Ross était l'homme de la situation! Avec les multiples revers qu'il avait infligés à Sentinum, je pouvais aisément faire avaler à Karl Haustein que Christopher m'avait liquidé. Je lui en dois une.

— D'où vous est venue l'idée d'orchestrer cette mise en scène médiévale et ce duel à l'épée? s'enquit Alexandra.

— Ça, c'est en me renseignant à propos du château de Sion. Karl Haustein souhaite y déménager le siège social de Sentinum. Il m'a chargé de concevoir le système de sécurité de son nid de hiboux. J'ai pensé au duel à l'épée quand j'ai étudié comment le château a été détruit en 1417. Souvent, il ne suffit que d'une étincelle pour mettre le feu aux poudres.

Même si la liste des points à éclaircir était longue, Alex sentait qu'elle orientait la conversation à son avantage.

— Et Christopher, il a marché?

— Ce n'était pas de la tarte! s'exclama Daniel. Mon bras peut en témoigner. Je vous le jure, toute cette mise en scène a exigé des efforts considérables : trouver un cadavre compatible, lui ajouter des plaques de titane sur son squelette. Sans oublier que je me suis fait arracher des dents pour les planter dans les gencives du macchabée. Tout ça pour m'apercevoir au bout du compte que mon plan ne tiendrait pas la route devant un médecin légiste un tantinet futé.

— Qu'avez-vous fait, alors ?

— Ce que j'aurais dû faire dès le départ, continua Daniel. Je l'ai soudoyé pour qu'il trafique l'analyse de l'ADN.

Le barman leur apporta deux autres margaritas. Daniel le gratifia d'un sourire reconnaissant et lui dit :

— Merci, Bill. Vous êtes un ange. Hé, Bill ! Voudriez-vous amener le toutou ?

— Quel toutou ? Non ! s'exclama Alex. S'agit-il de Gus ?

— Ah ! Il s'appelle Gus ! Je l'ignorais.

Le barman revint avec Gus dans ses bras, et Alex lui gratta doucement les oreilles.

— Vous ne l'aviez pas tué ?

— Tuer un chien ? s'offusqua Daniel. Non mais, vous me démonisez ou quoi ? Nous avons seulement ralenti son métabolisme avec une injection d'anesthésique. Bill l'a adopté, mais, si vous y voyez un problème, vous pouvez le reprendre. Je suis sûr qu'il comprendra. N'est-ce pas, Bill ?

— Oui, monsieur.

— Non, ça ira. Il m'est impossible de m'occuper d'un chien, pour l'instant. Heureusement, je constate qu'il est en bonnes mains. Au revoir, mon beau.

Alexandra flatta une dernière fois le museau de Gus. Elle secoua la tête et remit un peu d'ordre dans ses idées.

— Revenez au duel avec Christopher, lui demanda-t-elle en observant le barman quitter la table.

— Oui, oui. Bon ! Lorsque nous étions au sommet du donjon, je me suis placé au-dessus de l'atelier du maréchal-ferrant, puis je lui ai révélé ma prochaine mission. Il a explosé de rage et m'a porté un brillant coup de Jarnac. J'ai failli y rester. Finalement, je suis tombé d'une dizaine de mètres au milieu de la toiture en feu.

— Vous êtes quand même en un seul morceau ! rétorqua Alex, incrédule. La chute a dû être brutale.

— J'avais installé un coussin de sécurité de cascadeur. Il a brûlé dans l'incendie. C'est le côté pratique du feu ; ça efface les preuves.

— Parlant de preuve, où est le document de projets secrets que vous nous avez volé à Toulouse ? Celui qui détaille le réacteur à fusion nucléaire tomahawk.

Avec un détachement moqueur, Daniel refoula un fou rire et corrigea son lapsus.

— C'est tokamak.

— Je sais. Je vérifiais si vous connaissiez cet engin.

— Hum… j'admets que c'était astucieux, Alex. Mais ce dossier ne vous concerne pas.

— Vous avez pourtant dit que vous répondriez à toutes mes questions, sans exception, souligna-t-elle en soutenant son regard. Dois-je conclure que vous êtes un menteur ?

— Je n'avais rien à faire de ce tas de papiers. Je l'ai détruit.

— Oh, non ! Ce secret devait être révélé ! L'humanité a besoin de la fusion nucléaire autant que l'homme des cavernes a eu besoin du feu ! Cette source d'énergie est propre, et son rejet de combustion, inoffensif. Elle sonnerait le glas du pétrole et du charbon.

— Waouh ! Tout un discours humanitaire, riposta Daniel du tac au tac. Maintenant que je suis libre et plein de fric, j'aspire à me la couler douce, Alex. Boire un verre, dîner tard en soirée, dormir dans des draps de satin, sortir du lit au milieu de l'après-midi, aller au cinéma et achever ma brique du *Seigneur des anneaux*. Voyez-vous ce que je veux dire ? Mais surtout, surtout, m'éloigner de tous conflits, qu'ils soient idéologiques ou armés, termina-t-il en jetant un coup d'œil à sa montre. En attendant de poursuivre cette agréable discussion philosophique, j'ai prévu une petite escapade ! Venez, accompagnez-moi ! Je suis certain que vous apprécierez.

Inconsciemment, en s'abreuvant de chaque parole de Daniel, Alexandra avait mis le doigt dans l'engrenage de sa machination de vérité et de mensonge.

Chapitre 52

Un quart d'heure plus tard, Alexandra et Daniel avaient gagné l'hélisurface du paquebot. Un hélicoptère Agusta A109E y était en marche et les attendait pour décoller.

— Si ce n'est pas trop indiscret, où allons-nous? s'informa Alex en criant.

En plus d'avoir les cheveux tourbillonnants, cela l'énervait de harceler Daniel avec des questions qu'elle trouvait idiotes.

— Nous naviguons à 70 milles nautiques de Monaco, alors je vous propose d'aller faire sauter la banque du casino! hurla-t-il en tendant révérencieusement la main à Alexandra.

— Je sais, répliqua Alex en se penchant pour embarquer à l'arrière de manière sécuritaire. Nous y serons dans une trentaine de minutes.

Visiblement, songea Daniel, Alexandra n'était pas une novice en matière d'aviation. La porte coulissante se referma sur eux. Alex replaça sa robe, s'assit et boucla sa ceinture. Souhaitant faire bonne mesure, Daniel avait eu la délicatesse d'emporter un pique-nique dont le panier regorgeait d'aliments savoureux. Alexandra était affamée ; les émotions lui avaient creusé l'appétit. Elle examina avec gourmandise les dagoberts jambon-fromage contenus dans les barquettes.

— Je vous en prie, ne vous gênez pas. Servez-vous, la convia Daniel.

L'hélicoptère s'envola en prenant un cap nord-est. Quelques secondes suffirent pour que sa vitesse atteignît près de 300 kilomètres à l'heure. Le paysage nocturne était magnifique. Tout en dégustant un pâté de foie gras, Alex contempla le paquebot de croisière. Le navire qui voguait en direction de Barcelone illuminait les ténèbres. Ses centaines de hublots éclairés se mélangèrent bientôt au ciel étoilé. Un croissant de lune descendait lentement vers la Méditerranée. La mer luisait comme de l'huile et les feux anticollision de l'Agusta se réverbéraient sur sa surface.

— J'adore voler la nuit, lui avoua spontanément Daniel. C'est tranquille, et il n'y a pas d'apprentis aviateurs pour nous embêter.

— Essayez-vous de m'impressionner avec tout ce flafla?

Daniel prit une gorgée de sauternes. Le mieux à faire consistait à changer de sujet.

— Et si je cause du shérif? Non pas celui de Nottingham, mais plutôt celui de North Stratford, Barry Stahl, est-ce que je vous impressionne?

Venant de la bouche de Daniel Tornay, ce nom sonna curieusement.

— Ce ripou était inscrit en grosses lettres à mon agenda. Pas directement lui, car Christopher s'était déjà chargé de le zigouiller, mais plutôt sa famille : Alyson et le petit Josh.

— Mon Dieu ! murmura Alex, renversée par la nouvelle. Chris avait raison de s'inquiéter pour eux.

Un épouvantable frisson lui traversa l'échine. Sans voix, elle s'efforçait d'assembler les éléments de cet énigmatique puzzle.

Daniel brisa le silence.

Chapitre 52

— Qu'avez-vous, Alex? Le mal de l'air?

— Non. À North Stratford, j'ai discuté avec cette femme au téléphone cellulaire. Durant la conversation, j'ai entendu son fils lui parler. C'est une longue et triste histoire.

— J'ai tout mon temps.

Daniel prêta une oreille attentive au récit d'Alexandra. Elle lui confia aveuglément les événements qui s'étaient produits deux semaines plus tôt à North Stratford. Pour Daniel, chaque détail qui sortait de la bouche d'Alex était une inépuisable source de renseignements susceptibles de l'aider à la séduire. D'autre part, il était hypnotisé par ses lèvres sensuelles, qu'il aurait volontiers embrassées à pleine bouche. Il resta toutefois concentré et la laissa s'exprimer, sans l'interrompre.

— Vous en avez bavé, Alex. J'en suis navré. Ce fut la même chose pour moi, à Genève, lorsque j'ai vu les photos d'Alyson et de Josh qui se terraient à Boston. Mon sang s'est figé dans mes veines. À cet instant précis, je me suis juré de ne plus tremper dans les sordides magouilles de Karl Haustein. Mais je ne pouvais refuser cette mission sans m'exposer à de grands risques.

— Votre courage vous fait honneur, le nargua Alex.

Daniel fit la sourde oreille.

— J'étais rongé. J'en ai même perdu le sommeil.

Il retira d'une poche de son veston les photographies de la petite maison du quartier Dorchester. De manière à y voir de plus près, Alex se leva et vint s'asseoir à ses côtés. Les révélations de Daniel la sidéraient ; ces renseignements concordaient en tous points avec ce que Christopher lui avait dit. Son esprit en ébullition oscillait à présent entre le scepticisme et la confiance. Elle essayait de décortiquer le vrai du faux.

— D'une part, je ne pouvais me résigner à les assassiner, poursuivit Daniel. De l'autre, abandonner cette femme et son fils à une mort certaine m'était insupportable. J'aurais aimé accomplir un beau geste, soit les sauver moi-même, mais cela était inenvisageable.

— Mais encore ? articula Alex, impassible.

— C'est là que Christopher Ross est apparu dans ma vie. Il m'a permis de tirer ma révérence à Sentinum et d'épargner ces innocents. Je lui suis grandement redevable.

— Mon œil ! grinça Alex en retournant sur la banquette d'en face. Qu'avez-vous magouillé, Daniel ?

— Tout était minutieusement planifié.

Il glissa son index sur les coutures du siège en cuir et s'exclama :

— Des banquettes cousues main, Alex ! Après mon atterrissage sur le coussin de sécurité au studio de cinéma, continua-t-il, j'ai quitté le brasier par une trappe dérobée. Ce passage secret m'a conduit au sous-sol, et je me suis finalement retrouvé à l'air libre. Dans les minutes qui ont suivi, je me suis rendu à une clinique clandestine qui soigne nos agents à Marseille.

Daniel peinait à tartiner son croûton. Il sourit gentiment à Alexandra, qui s'empressa de lui donner un coup de pouce. Il la remercia chaleureusement.

— Qu'avez-vous magouillé, Daniel ? répéta Alex, en durcissant le ton.

— Vous vous foutez pas mal de mon histoire, hein ?

— Vous n'êtes pas loin de la vérité, rétorqua-t-elle.

— Comme je l'avais prévu, Christopher a usurpé mon identité et est monté à bord de l'Embraer. Il allait selon toute vraisemblance sauver Alyson et Josh en Amérique. À ce stade, mon plan progressait très bien.

— C'est gros, Daniel, riposta Alex, qui secouait la tête en signe de désaccord. Vous dites que Christopher a volé le jet de Sentinum ?

— Pas juste le jet, répondit Daniel, mais aussi un demi-million en diverses devises. Oh ! je ne vous demande pas de me croire sur parole. Mmm ! Goûtez aux baklavas, ils sont exquis !

— Je n'ai plus faim.

Daniel exhiba d'autres photos où l'on apercevait Christopher, nu, devant l'écran plasma qui diffusait un film pornographique.

Chapitre 52

— L'Embraer est étroitement surveillé par un système de caméra, lui révéla-t-il. Heureusement que j'ai de bons contacts à la centrale de surveillance ! J'ai intercepté ces bandes vidéo avant qu'elles n'atterrissent sur le bureau de Karl Haustein.

Aucun doute possible ; il s'agissait bien de Christopher. Les propos de Daniel étaient donc corroborés. La méfiance instinctive d'Alexandra se dissipa. Sur la sixième photo, il y avait une jolie copilote, au chemisier trop déboutonné, qui était superbement placée devant Christopher. Submergée par un égoïsme individuel, Alex oublia momentanément le sort réservé à la famille Stahl. Sous la lueur du plafonnier, elle laissa errer son regard félin sur cette petite garce qui salivait d'envie devant son mari. Alexandra lui aurait volontiers crêpé le chignon ! Les yeux séchant de jalousie, elle se sentait trahie.

— J'ai veillé à garnir la garde-robe de vêtements et de chaussures à sa taille, déclara Daniel. Que voulez-vous, j'ai l'œil pour ce genre de truc. C'est mon penchant esthète.

— Je vois, constata Alex en observant la photo suivante sur laquelle Christopher endossait le costume de cachemire des agents matricules.

— Regardez son profil sur ce cliché. Il est pas mal du tout ! S'entraîne-t-il régulièrement ? J'y songe, il incarnerait un James Bond très crédible. On envisage justement de remplacer Pierce Brosnan après le film *Die Another Day* qui paraîtra l'an prochain. Qui sait ?

— Vous êtes loin d'être comique.

L'allusion de Daniel quant aux nombreuses frasques sexuelles de James Bond était volontaire. Elle piqua au vif l'amour-propre d'Alexandra.

— Revenons à nos moutons, dit-il. À 23 h, heure locale, le jet de Sentinum a décollé de Marseille pour filer vers l'Amérique. Christopher allait secourir la veuve et son fils, du moins je le supposais.

— Se salir les mains à votre place ! corrigea Alex d'un ton vexé.

— Écoutez, Alex, il y a toujours deux côtés à une médaille. Et je sais pertinemment que je n'ai pas été tout à fait réglo avec Christopher. Cela dit, il ne serait jamais sorti de taule sans mon soutien.

— Pas réglo ! Misère ! Le mot est faible. Christopher a risqué sa vie pour vos états d'âme ! C'est bien ça, hein ? Je vous pose la question.

— J'espérais faire d'une pierre deux coups et je vous assure que j'avais minimisé le danger pour lui à Boston. Les agents matricules que j'avais recrutés ne me connaissaient ni d'Ève ni d'Adam.

— Oui, oui, c'est ça…

— Dans ce cas, vous ne serez pas déçue d'apprendre qu'il s'est dégonflé.

— Je n'en crois pas un traître mot. C'est impossible ! Pas Christopher !

— Mais si ! En survolant le Portugal, Christopher a décidé de dérouter l'Embraer vers les Îles Canaries. Une fois l'avitaillement complété, il a mis le cap sur l'aéroport international de Marcos A. Gelabert, au Panama, sain et sauf.

Une foule d'idées contradictoires se heurtaient dans l'esprit d'Alexandra. Les doutes et les conjectures l'assaillaient et lui causaient des vertiges.

— Voyez par vous-même, annonça Daniel en dépliant un exemplaire du *Boston Globe*.

Le quotidien américain était savamment truqué. Il affichait en gros titre à la une : *Une femme et son jeune fils de sept ans sauvagement assassinés par le crime organisé.*

— Ils ont été… ils ont été… éliminés ! s'exclama Alex, révoltée.

Feignant la consternation du coupable qui se repentit, Daniel baissa les yeux.

— Seigneur Dieu ! souffla-t-elle, atterrée par cette violence gratuite.

Chapitre 52

Alexandra était choquée par l'ambivalence de ses sentiments à l'égard de cette affaire. Elle aurait hurlé sa rage. Comment Christopher avait-il pu abandonner les Stahl à leur triste sort ? D'un autre côté, il n'aurait jamais dû se trouver devant un tel dilemme.

— Êtes-vous fâchée, Alex ?

— N'en rajoutez pas, OK ?

— Qu'est-ce que vous vouliez que je fasse ? Ça ne s'est pas passé exactement comme je l'avais prévu.

— Merde ! Vous auriez pu simplement appeler les flics de Boston ! tempêta Alex, qui était incapable de contenir son indignation. Ils sont payés pour ça !

— Je ne suis pas idiot. Quand je me suis rendu compte que Christopher n'atterrirait jamais à Boston, je me suis rué sur le téléphone. Feuilletez les pages du journal. Il y a eu 22 policiers qui ont péri lors de l'assaut.

Cette fois, l'information journalistique était vraie. Fier comme un paon, Daniel fit glisser ses doigts dans ses cheveux, qui semblaient pour l'occasion être son plumage. Son plan se déroulait à merveille. Il était en pleine maîtrise de ses moyens et improvisait sur un canevas de vérité. Il aiguillait la conversation à son avantage pendant qu'Alexandra développait une attitude agressive à son égard. C'était là un passage obligé ; Alex devrait toucher le fond du baril de ses émotions avant de rebondir dans ses bras et de tomber dans son lit. Le voyage jusqu'au Panama durerait trois semaines. Daniel avait tout son temps. Il se consacrerait corps et âme dans le peaufinage de sa stratégie.

Dans ce combat pour ravir le cœur d'Alexandra, tous les coups étaient permis. Daniel était bien déterminé à parvenir à ses fins et, pour y arriver, il emploierait les pires tactiques, quitte à commettre quelques turpitudes morales. Il déboulonnerait de son piédestal Christopher Ross, ce héros au comportement exemplaire, à grand renfort de mensonges. Oh, oui ! Lorsque Chris dégringolerait de son Olympe de fascination, sa culbute serait épique !

Avant d'arriver au casino, tandis que la côte de Monaco se profilait majestueusement, Daniel se félicita. Au jeu de la séduction, il avait la main ! En plus d'être le croupier, il avait un atout inestimable dans sa manche : Alexandra était avec lui ! Daniel misait sur le fait que les dés étaient pipés et que Christopher était loin de la table. L'incertitude et la déception gagnaient progressivement le cœur d'Alexandra.

« Les jeux sont faits, Christopher ! Rien ne va plus ! » se dit-il.

Daniel avait parié sa chemise pour gagner à ce jeu scabreux. Pourtant, à bien y penser, ce qu'il souhaitait ardemment, c'était plutôt de la perdre dans les bras d'Alex !

Chapitre 53

À 23 h 30, l'Agusta A109E était en approche basse pour l'héliport de Monaco. La plateforme aérienne longeait le littoral méditerranéen. Elle était située dans le quartier de Fontvieille, à moins de cinq minutes du centre-ville.

La conversation était interrompue. Alexandra était perdue dans ses pensées. Rompue de fatigue, elle se disait que la journée avait été longue et émotionnellement chargée. Elle observait d'un regard distrait la beauté de cette principauté de la Côte d'Azur, qui brillait de mille feux. Elle fut arrachée à ses réflexions lorsque le pilote sortit de la soute le train d'atterrissage tricycle escamotable. Ce dernier utilisa le chapiteau blanc de Fontvieille comme point de référence. L'Agusta suivit une trajectoire descendante régulière. Il se posa enfin, tout doucement et sans rebond, sur l'hélisurface illuminée.

Quelques secondes plus tard, Alexandra et Daniel marchaient vers le parc paysager de Fontvieille.

— Le parc est fermé depuis 20 h, mais ne vous tracassez pas, lui dit Daniel. On m'a donné une permission spéciale.

— Je me demande bien pourquoi je ne suis pas étonnée, répondit Alexandra, sans ambages.

— Une voiture nous attend près du stade Louis-II. Elle nous conduira au casino de Monte-Carlo.

À gauche, un homme courait vers eux à toutes jambes. Alexandra eut un mouvement de recul.

— Ne craignez rien, il est avec moi. Les chiens qui font du bruit ne sont pas dangereux. C'est pareil pour les gens !

L'homme remit une enveloppe à Daniel.

— Pour vous, Monsieur Tornay.

— Merci, Germain. Ce sera tout. Rentrez chez vous.

L'agent matricule tourna les talons et disparut dans la nuit.

— Pour une personne soi-disant décédée, vous profitez d'un style de vie pas mal branché ! s'exclama Alex.

— J'ai passé la majeure partie de ma vie à sacrifier mon bonheur pour mon travail. Dans la mesure du possible, ça n'arrivera plus. Évidemment, je ne crierai pas sur tous les toits que je suis en vie. Mais est bien malin celui qui suspectera que je me balade ce soir avec vous au casino. Ah ! Un sain d'esprit creuserait un trou et se cacherait dedans. Pas moi ! Je connais l'approche cartésienne de Karl Haustein. Je suis persuadé que son orgueil l'empêche d'ébruiter ma disparition. J'ai fait ma petite enquête : aucun agent matricule ne sait que je suis mort. J'ai supposément été affecté à une mission clandestine pour une durée indéfinie. Du moins, c'est la version officielle de Sentinum.

Alexandra l'écoutait distraitement ; le sort funeste qui avait été réservé à la famille Stahl occupait sa pensée. Daniel en profita pour jeter un coup d'œil au contenu de l'enveloppe remise par Germain. En voyant le résultat du montage qu'il avait fait réaliser, il faillit s'étrangler. Les photos demandées étaient parfaites, même un peu trop. Daniel s'empressa de refermer l'enveloppe ; il attendrait le moment propice pour les montrer à Alex.

Chapitre 53

Ils déambulèrent dans les allées tranquilles et sinueuses du parc paysager de Fontvieille. Daniel luttait contre l'envie qui lui démangeait de prendre la main d'Alexandra. La peau de ses bras nus semblait aussi douce que le duvet d'un cygne. L'attachement sincère et la chaleur d'une femme lui manquaient terriblement. Cependant, une vie passée à orchestrer des complots d'envergure planétaire ne se balayait pas en éprouvant de bons sentiments. Les mauvaises mœurs laissaient des traces. Sa seconde nature cruelle et sans pitié de superagent matricule était solidement ancrée dans sa réalité.

En passant à proximité d'un étang, un frisson parcourut Alexandra. L'air frais de l'automne n'en était que partiellement responsable. En fait, c'était plutôt l'assassinat d'Alyson et de Josh commandité par Sentinum qui la troublait. Ce coup du sort était injuste. Un curieux sentiment de déception à l'égard de l'apparente lâcheté de Christopher s'insinuait dans son esprit ; un ressentiment amer qui estompait graduellement sa méfiance instinctive envers Daniel Tornay.

D'une œillade furtive, Daniel vit trembler le dos nu d'Alex. Il retira sans se faire prier son veston et, sous le couvert d'une politesse raffinée, il utilisa fièrement ce bon vieux truc de séducteur.

— Vous frissonnez, Alexandra. Laissez-moi couvrir vos épaules.

— Merci, Daniel, formula-t-elle machinalement.

— Il n'y a pas de quoi, murmura-t-il en soulevant les épaules.

Il feignit aussitôt une souffrance musculaire, pour vérifier si cela éveillerait la sollicitude d'Alex à son égard.

— Avez-vous mal, Daniel ?

— Non, non. C'est OK.

Ils suivirent un chemin piétonnier, puis traversèrent un pont qui enjambait un petit étang. Ils s'arrêtèrent au milieu. Le chapiteau blanc accueillant chaque année le Festival international du cirque de Monte-Carlo se dressait sur la rive d'en face. Alexandra était peu bavarde. Quant à Daniel, il semblait au-dessus de tout soupçon de malveillance.

Or, l'infâme bassesse qu'il était sur le point d'accomplir le déshonorerait à tout jamais. Peu lui importait, il s'agissait du prix à payer pour séduire Alexandra. À 42 ans, Daniel n'avait pas de temps à perdre à courir les agences de rencontre à la recherche de l'âme sœur. Il avait choisi cette femme et il ferait l'impossible pour qu'elle s'intéresse à lui. Alexandra n'apprendrait jamais la vérité ; il emporterait son inavouable secret dans son cercueil.

Daniel soupira et reprit son rôle de composition ; il paraissait avoir été conseillé par un dramaturge.

— Encore une fois, je suis désolé, mentit-il en affichant une mine navrée, même s'il retenait en son for intérieur ses cris de vainqueur. J'étais certain qu'il volerait à leur secours. Mais Christopher n'est pas à blâmer ; il s'est dépêché de se rendre au Panama, vite fait, bien fait, comme convenu.

Il était parfaitement au courant que Christopher avait secouru Josh et Alyson à Boston et qu'il avait coulé le mégayacht de Sentinum. En dépit de moyens limités, ce dernier avait réalisé un exploit remarquable.

— Écoutez, Alex. Ce que je m'apprête à vous montrer va vous déplaire, enchaîna-t-il, avec un air de commisération immense.

— Il n'y a plus grand-chose pour me surprendre, avoua tristement Alex.

— J'en doute… à moins que vous n'ayez une sorte d'arrangement.

Daniel veillait à distiller ses révélations avec parcimonie.

— Je ne comprends pas où vous voulez en venir.

— Je n'ai nullement l'intention de m'immiscer dans votre vie de couple ou de créer de la bisbille, affirma-t-il. Ce ne sont pas mes oignons. Je suis confus et je ne sais pas trop comment vous dire ça.

— Alors, arrêtez de tourner autour du pot ! lui reprocha Alex.

C'était le signal du départ ; la lumière venait de passer au vert. Daniel glissa les photos hors de l'enveloppe remise par Germain.

Chapitre 53

— Nous l'avons suivi au Panama...

— Qui ? Christopher ? balbutia-t-elle.

Sous les lueurs nocturnes, Alex feuilleta les photos truquées en fronçant les sourcils. Ces clichés étaient insupportables à regarder. Elle était sidérée. Le parc paysager de Fontvieille était censé être un lieu de sérénité ; elle y éprouvait pourtant de fortes palpitations.

— Ces photos ont-elles été prises à partir des caméras de surveillance d'un casino ? lui demanda-t-elle. Ma foi ! C'est la copilote de l'avion ! reprit-elle sans laisser à Daniel le temps de répondre. Cette pétasse est-elle demeurée avec lui au Panama ?

Frôlant la surenchère indécente, Daniel se contenta d'un grognement affirmatif. Alexandra était clouée sur place. Elle encaissait difficilement ces nouveaux renseignements.

— Les mots me manquent, souffla-t-il après un moment. Le jet est resté à l'aéroport, et le personnel navigant est en permission... jusqu'à nouvel ordre.

Les photos avaient été falsifiées par un maître de l'animation numérique qui avait fait ses classes en travaillant pour de prestigieux studios de cinéma de la Californie. Évidemment, le technicien avait eu accès à un équipement très sophistiqué. Son montage photographique frauduleux était impeccable. Christopher avait été numérisé en 3D, à 360°, par les caméras du jet Embraer. Son portrait avait ensuite été inséré dans l'environnement festif d'un casino. Les hôtesses y étaient jeunes, ravissantes et ultra-attentionnées.

Alexandra n'y vit que du feu. Ces photos criantes de vérité eurent pour elle l'effet d'un direct au cœur. Devant l'ampleur de ce désastre, elle baissa la tête en signe de profond renoncement. Son visage était d'une pâleur lunaire. Elle digérait mal l'offense de Christopher. Alexandra appuya ses coudes sur le parapet du pont. La surface de l'eau qui miroitait en contrebas projetait son reflet diaphane. Le lourd silence qui s'ensuivit fut seulement entrecoupé par le coassement des grenouilles. Le regard d'Alex lançait des éclairs tandis qu'elle fixait les nénuphars sauvages, sans les voir. Découragée, elle s'aperçut qu'elle respirait avec peine et porta la main à sa poitrine. Elle était étouffée par l'indignation. Elle ne s'expliquait pas la conduite de Christopher ; ses gestes étaient tellement éloignés de son comportement habituel.

Alexandra laissa tomber les photos dans l'eau du lac. Il était clair qu'elle refoulait ses sanglots.

— Daniel, murmura-t-elle d'une voix éperdue en ramenant une mèche de cheveux rebelles derrière son oreille. Excusez-moi, mais je suis incapable d'aller au casino. Je souhaite retourner sur le paquebot. J'ai besoin d'être seule. Pouvez-vous faire cela pour moi ?

Le désenchantement se lisait sur le visage d'Alexandra. N'importe quel soi-disant devin à la noix aurait déchiffré sa moue assombrie.

— Naturellement. Tout ce que vous désirez, Alex. De toute façon, je déteste jouer.

Que c'était merveilleux que l'accusé soit absent et inapte à assurer sa défense ! Devant le lourd fardeau de la preuve, aucune présomption d'innocence ne pouvait alléger les blâmes portés contre Christopher. La sournoiserie faisait jubiler Daniel. Au cours de sa carrière, il avait connu de mauvais et de bons jours, mais, aujourd'hui, il qualifiait celui-ci d'excellent.

— Je partage votre peine, Alex. Mais ne soyez pas trop dure avec Chris et, surtout, ne vous laissez pas abattre, conseilla-t-il en conservant un ton placide. Après avoir frôlé la mort, il est tout à fait normal qu'il tente d'assouvir sa rage de vivre.

En tablant sur la frustration affective afin de désorienter émotionnellement Alexandra, Daniel avait exploité le bon créneau. Il avait réussi à brouiller ses repères. Dès le début de ses manigances, il avait abandonné l'idée de lui annoncer la mort pure et simple de son mari. Cette option, alors que la cote de popularité de Christopher était enviable, aurait poussé Daniel vers une voie sans issue. Son inconsolable chagrin aurait amené Alexandra à considérer Daniel comme l'unique responsable du décès de son mari.

Donc, pour entuber Alexandra et l'emmener dans son lit, Daniel devait au préalable détruire l'aura idyllique de Christopher Ross. Ensuite, quand le désappointement d'Alexandra se serait adouci, il s'attellerait à la tâche de la faire rire. Une touche d'humour, un subtil brin d'exotisme, de délicieux frissons, et il parviendrait à la conquérir.

Qui plus est, Christopher Ross était au large et encore sous les feux de la rampe de Sentinum. Daniel le considérait d'ailleurs comme un mort-vivant. Les jours de Chris étaient comptés ; il avait pratiquement un pied dans la fosse. D'ici peu, la foudre de Karl Haustein se déchaînerait sur lui, et jamais il n'atteindrait le Panama. Tout s'enchaînait logiquement. Daniel gardait les mains propres, et il les promènerait bientôt sur Alexandra. Il sourit sous cape, transporté par l'exaltation de la victoire. Il songea qu'inévitablement Christopher Ross ne trouverait que la froideur de la mort comme nouvelle compagne de vie !

Chapitre 54

Quelques jours plus tard, Alexandra se prélassait sur le balcon de sa suite en attendant son petit déjeuner. Il faisait un temps radieux, et le ciel était beaucoup plus clément que son tempérament. Même si les photos montrant les agissements de Christopher lui avaient causé une peine amère, elle avait décidé de ne pas s'apitoyer sur son sort. Depuis, Alex avait essayé de se changer les idées sur le gigantesque paquebot de croisière qui foisonnait d'activités. Malheureusement, la moyenne d'âge des passagers à bord devait être dans les trois chiffres et Alexandra s'y ennuyait pour mourir. La veille, entre deux parties de jeu de palets en compagnie de Mariette et d'Ovila, elle s'était surprise à attendre la prochaine visite de Daniel Tornay. Il était toutefois demeuré absent du paysage.

Daniel s'était fait remarquablement discret ces derniers jours. Il avait limité leurs rencontres à quelques dîners au restaurant et à de brèves baignades à la piscine du paquebot. Moulé dans un maillot de bain qui laissait bien peu de place à l'imagination, il lui avait démontré sa capacité à attirer l'attention des femmes lézardant sur les transats. Daniel parlait très peu de lui, préférant écouter Alexandra, qui s'entretenait de tout, sauf de Christopher. Pourtant, partout où elle portait les yeux, la décoration clinquante lui faisait penser à son mari qui, lui, ne semblait pas se morfondre, au casino. Elle le revoyait sur les photos jouer au craps avec la copilote du jet Embraer assise sur ses genoux. Cette dernière tenait un verre de vodka martini dans une main et affichait un sourire large comme son autre bras enroulé autour de son cou. Le regard de Christopher était profond comme le décolleté de cette pétasse, quand elle se penchait vers lui pour souffler sur les dés d'une manière aussi choquante que suggestive.

On frappa timidement à la porte. Alexandra s'arracha à ses douloureuses pensées. Elle se leva de sa chaise longue et, en traversant le salon, elle replaça le slip de son bikini anthracite. Son visage sombre se dérida quand elle aperçut Daniel Tornay. Il l'attendait au beau milieu de la coursive, vêtu de la livrée blanche et or des préposés aux passagers.

— Je le savais ! rigola Alex. Vous avez trop dépensé, si bien qu'à présent vous devez travailler pour rembourser vos folies !

— Vous ! Vous avez l'air en forme ce matin !

Daniel n'avait plus d'écharpe à son bras. Il portait un grand plateau de nourriture avec ses deux mains.

— Laissez-moi vous aider, s'empressa-t-elle d'ajouter. Comment va votre bras ?

— Bah ! C'était juste un petit bobo, répondit Daniel. Mon médecin m'a assuré que je m'en remettrai.

— Tant mieux ! Maintenant, si vous n'avez rien au menu, je vous invite à prendre le petit déjeuner.

— Ce sera avec joie.

Alexandra déposa le plateau de nourriture sur la table du balcon, puis noua sur ses hanches un paréo fuchsia translucide. Elle était réellement sexy. Daniel l'aurait volontiers enlacée pour l'embrasser.

Chapitre 54

Ils s'attablèrent en silence. Daniel était songeur et peu bavard. Il semblait avoir l'esprit ailleurs.

— Merci pour ce délicieux petit déjeuner, Daniel.

— Vous êtes trop gentille. J'ai tenu à tout préparer moi-même, mais, franchement, ce n'est pas un succès. Les œufs bénédictine ne sont pas à mon goût.

— Voyons ! Ne soyez pas trop dur envers vous-même. Ce repas est excellent.

— Tout à l'heure, à la cuisine, le chef était dans tous ses états. Il a même essayé de m'empêcher de partir avec mon plateau.

— Le pauvre ! répliqua Alexandra en riant. Il ne savait vraiment pas à qui il avait affaire !

— Je n'ai pas mon pareil pour réchauffer mes rations de combat au corned-beef. En revanche, j'ai pas mal perdu l'habitude de cuisiner, lui avoua Daniel.

Il avala une gorgée de café. Son visage était fatigué, et il était mal à l'aise. Depuis deux jours, il était obligé de se soûler pour s'endormir. Il s'était imaginé qu'il oublierait rapidement sa machination et ses mensonges à l'égard d'Alexandra, que la douceur de la jeune femme atténuerait sa honte. À son grand désespoir, il n'avait jusqu'à présent ressenti aucun effet cathartique. Au contraire, plus le temps passait, plus ses agissements douteux pesaient sur sa conscience.

— Maintenant que le sujet passionnant de mes talents culinaires est épuisé, reprit-il, il y a autre chose dont je voudrais discuter avec vous. C'est familial et un peu délicat.

— Je suis tout ouïe.

— Bon… Je n'ai pas vu mes parents depuis 15 ans, commença Daniel. Ils ont pleuré ma mort en 1986. Sentinum leur a fait croire que je m'étais tué dans un accident d'avion.

— Aïe ! lâcha-t-elle en plissant la figure.

— J'ignore totalement comment les aborder et de quelle manière ils prendront la nouvelle. Mais, en tout cas, si ça vous tente, j'aimerais beaucoup que vous m'accompagniez.

— Où ?

— Ils demeurent à Haute-Nendaz, en Suisse, tout près de Sion. Leur chalet est construit à 1400 mètres d'altitude et la vue sur la vallée du Rhône est sublime. Si nous nous grouillons un peu, nous pourrions y être…

— … En fin d'après-midi, je sais ! J'accepte avec plaisir, Daniel, acquiesça Alex sur un ton déterminé. De plus, j'ai vraiment besoin de me changer les idées. J'étouffe, ici.

— Ah oui ? Dans ce cas, si vous avez vraiment envie de vous éclater et que vous n'avez pas froid aux yeux, je prépare ma revanche sur Karl Haustein. Je vous réserve donc un siège ?

— Dites-m'en plus, vous m'intéressez.

— Oh, non ! Oubliez ça ! Ça n'a aucun sens. Sans vouloir vous vexer, ce ne sera pas la place d'une femme !

Alexandra se leva d'un bond, furieuse. Elle ferma les poings en position de combat.

— Mon œil que ce ne sera pas la place d'une femme ! Approchez, Daniel Tornay !

— OK, OK ! Ça va ! réagit-il vivement en agitant sa serviette de table comme un drapeau blanc. Je me rends. Mais, je tiens à vous avertir, ce ne sera pas une balade pour les froussards ! Euh, pardon, pour les froussardes !

— Croyez-vous que j'ai peur ? Je suis partante, Daniel ! Emmenez-moi avec vous.

Alexandra cachait naturellement quelques scrupules à s'embarquer dans cette aventure hasardeuse ; la vengeance ne lui inspirait que du dégoût. Mais le pouvoir d'attraction de ce vilain garçon associé à son envie de se changer les idées l'avaient convaincue.

Comme convenu, ils s'envolèrent au début de l'après-midi en direction de Haute-Nendaz. Les retrouvailles de la famille Tornay furent émouvantes. Les parents de Daniel, qui avaient tant souffert depuis sa disparition, remercièrent le ciel de la grâce qui leur était accordée de revoir leur fils bien-aimé. Évidemment, personne ne devrait apprendre la nouvelle, mais garder ce secret serait si facile en comparaison de vivre avec la douleur de sa mort.

Le lendemain, tous prirent tranquillement le petit déjeuner sur la terrasse de la résidence familiale des Tornay. Daniel avait dit vrai : la vue panoramique sur la vallée du Rhône coupait le souffle. L'atmosphère était chaleureuse. Alexandra découvrait une nouvelle facette de la personnalité de Daniel. Elle constatait à quel point il pouvait être affectueux avec ses proches.

Pendant que l'on sirotait le café, Daniel s'isola quelques instants à l'autre bout de la terrasse. Il braqua une longue-vue sur l'éminence rocheuse de Tourbillon, située en bas des montagnes de Haute-Nendaz, à une douzaine de kilomètres au nord-est. Il examina attentivement le château de Sion.

— Wow… Les travaux progressent pas mal vite, murmura-t-il. Si le vieux fou savait que je suis ici, il en aurait une syncope !

Daniel préparait soigneusement sa vengeance contre Karl Haustein. Il offrirait bientôt à Alexandra un feu d'artifice à la hauteur de sa passion pour elle !

Chapitre 55

23 septembre 2001, 18 h
Océan Atlantique

La fuite qui suivit la submersion du mégayacht de Sentinum fut épuisante pour Alyson. Elle riva sans répit son regard aux cartes hydrographiques, aux aides à la navigation et à la proue pendant qu'elle était à la barre du voilier. Elle réussit à conserver sa vigilance en dépit de la charge psychologique qui l'accablait ; même si elle bénéficiait d'une excellente condition physique, le poids de ses responsabilités pesait lourd sur ses frêles épaules. En longeant les îles de Nantucket et de Martha's Vineyard, elle craignit à plusieurs reprises que l'*Asclépios* s'échoue sur leurs côtes. Heureusement qu'elle était une habituée du secteur. Alyson joua ensuite à saute-mouton parmi les criques bordant le littoral américain avant d'enfin accoster son voilier à la marina Gateway, à Brooklyn. Elle était exténuée.

Ce port de plaisance se situait à 17 kilomètres au sud de Manhattan et près d'un des aéroports les plus achalandés des

États-Unis, l'aéroport international John F. Kennedy. Bien qu'il se trouvât non loin des gratte-ciel du centre-ville de New York, l'endroit était discret. En effet, la marina Gateway était isolée au fond d'une anse, la Dead Horse Bay. Ironiquement, Christopher se sentait d'ailleurs un peu comme un cheval mort. Il se remettait lentement de ses blessures, à demi conscient dans la chambre de la poupe.

La première journée d'escale, Alyson s'occupa de réapprovisionner le voilier. Elle souhaitait appareiller dès qu'elle se serait acquittée de certaines formalités administratives. Elle rechargea les batteries, puis remplit les réservoirs de carburant, d'eau douce et de propane. Les nombreux rangements furent aussi bourrés de denrées alimentaires et de vêtements en prévision de leur prochain départ. Heureusement, Alyson, qui était native de Brooklyn, comptait encore quelques bons amis à New York. Elle put se fier à la discrétion — et à la camionnette — de son ancien instructeur de voile, maintenant à la retraite.

Alyson mena de main de maître le réapprovisionnement du voilier. Elle agit en véritable leader infatigable, sans se plaindre, et en dissimulant sa peine, qui était profonde comme un abîme. Elle portait douloureusement le pénible fardeau de son naufrage marital. Consciente de sa dérive intérieure, elle se motivait pour éviter à tout prix de succomber au fort potentiel mélodramatique de ce malheur. Une lutte pour la survivance était engagée, et le prochain round débuterait bientôt. Cela avait un caractère gravissime en regard de son deuil.

Lors du deuxième jour, un homme vint les photographier afin de réaliser de nouveaux papiers d'identité. Selon les dernières directives de Barry Stahl, Alyson était tenue d'entrer en contact avec ce faussaire de Brooklyn. Leur voilier était amarré si près de la ville que les garde-côtes ou les policiers pouvaient à tout moment les soumettre à un contrôle d'identité. Elle redoutait cette menace par-dessus tout. L'homme falsifia également l'enregistrement et l'immatriculation de leur bateau, qui se nommerait dorénavant *Lux*. À la faveur de la nuit, Alyson utilisa un pochoir pour repeindre les lettres ornant la poupe du voilier.

Le troisième jour, au cours d'un passage dans le quartier où elle avait grandi, Alyson effectua une brève visite à l'hôpital qui l'avait accueillie en internat. Tout en renouant avec de vieilles connaissances, elle parvint à dérober des médicaments d'ordonnance pour regarnir l'armoire à pharmacie du voilier. Sur le chemin du retour, elle s'arrêta à une librairie de quartier pour acheter des manuels scolaires. Deux semaines auparavant, Josh avait abruptement quitté l'école primaire, et Alyson était bien décidée à remplacer son institutrice. Ce soir-là, épuisée de fatigue, elle but une bouteille de vin avant d'aller dormir.

Le matin suivant fut triste et gris. La pluie tombait à seaux, le ciel était sombre et, au loin, l'horizon océanique était voilé par la brume. Le trafic maritime était inexistant à la marina. De grosses gouttes automnales tambourinaient contre le pont du voilier tandis que l'eau de la baie clapotait sur sa coque. Cela amplifiait l'aspect somnolent et monotone de la journée. Le *Lux* ondoyait et butait contre la structure portuaire. Il était semblable à une bouteille à la mer. Et si des messages avaient effectivement été insérés à l'intérieur de cette bouteille géante, on aurait pu lire que Christopher se faisait du souci pour Alexandra, qu'il espérait de tout cœur la revoir ; Josh aurait dessiné au crayon son souhait de voir Chris remplacer son père absent ; Alyson aurait noirci le papier à gros traits. La rage qui l'envahissait à propos des agissements malhonnêtes de Barry n'avait d'égale que le sentiment d'échec qu'elle ressentait.

Depuis 18 h, Alyson dormait, enfermée dans la cabine de la proue. Celle qui avait regrettablement célébré seule son anniversaire en naviguant entre les écueils avait grand besoin de se jeter dans les bras de Morphée.

L'incessant trafic de l'aéroport John F. Kennedy s'ajoutait au roulis de la mer afin de bercer l'équipage qui s'accordait un moment de repos bien mérité. Jusqu'à maintenant, Chris, Alyson et Josh étaient passés à travers les mailles du filet des autorités. D'ailleurs, qui aurait bien pu suspecter leur présence dans une marina située à un kilomètre et demi de l'aéroport Floyd Bennett, là où étaient stationnés les hélicoptères de la police de New York…

Christopher recouvra progressivement ses forces. Il émergea de son état de somnolence dans la matinée du cinquième jour, soit le 29 septembre 2001. Il était allongé sur le dos et écoutait le martèlement du rideau de pluie qui s'abattait sur le pont du voilier. Il tentait de mettre les derniers événements en ordre chronologique. Ceux-ci restaient pour l'instant assez flous. Par contre, il se souvenait parfaitement d'avoir enlevé son masque de mensonge à l'égard d'Alyson, l'obligeant à composer avec la dure réalité de la vérité.

Quittant l'obscurité du sommeil, Christopher se frotta les yeux et s'offrit quelques secondes pour reconnaître son emplacement. Il braqua son regard au plafond. Sa vision se désembrouillait à mesure que ses douleurs physiques s'exacerbaient. Chacune de ses respirations était laborieuse. C'était navrant pour un geste aussi naturel. Les flashs de lucidité qu'il avait eus pendant sa semi-conscience lui revenaient sans cesse en mémoire. Il lui semblait qu'un personnage invisible jouait au yo-yo avec sa tête, alternant le rêve et la réalité. Chris reprit peu à peu sa présence d'esprit. Il découvrit Josh, replié en boule à côté de lui. Le petit garçon dormait paisiblement au milieu des pions du jeu de société Battleship.

Ému d'être en vie, Christopher ferma les paupières. Il se souvenait qu'Alyson l'avait examiné au lendemain de son intervention chirurgicale. Elle avait alors employé des mots épouvantables pour quelqu'un qui ne pouvait se rendre à l'hôpital. Elle avait évoqué la possibilité de lésions internes comme une rupture de rate ou de péritoine. Cela pouvait dégénérer en une péritonite aiguë provoquant du sang dans ses urines et dans ses selles. En fait, tout ce qui était médicalement désagréable à entendre. Heureusement, les jours s'étaient écoulés en apportant leur lot de nouvelles encourageantes. Ses symptômes alarmants s'étaient rapidement résorbés ; Christopher avait eu plus de peur que de mal.

Même s'il était fortement courbaturé, il se prépara à s'arracher du lit. Il devait impérativement se mettre quelque chose sous la dent. Son jeûne involontaire l'avait affaibli et amaigri d'une dizaine de kilos. Christopher poussa la couverture et observa son caleçon. Il trouva étrange au sortir du lit de ne pas reconnaître son sous-vêtement, qu'il se souvenait encore moins d'avoir enfilé. Il se leva lentement, la raideur de ses membres était extraordinaire ; les dégâts ligamentaires et musculo-cartilagineux ne se dénombraient plus. Le mouvement le plus anodin déchaînait des élancements abominables dans toutes les parties de son corps.

Envahi d'une fatigue inouïe, il revêtit une robe de chambre trop petite pour sa taille et traversa la coursive d'une démarche incertaine semblable à celle d'un boiteux. Un arrêt au cabinet de toilette lui rappela combien ses reins avaient souffert des impacts et de la déshydratation. Le plafonnier de la pièce exiguë répandait une lumière blafarde, identique à la couleur de son teint dans la glace. Christopher soupira en apercevant enfin la cuisine.

— On jurerait que je suis passé à la moulinette, murmura-t-il sourdement. Vivement le petit-déj !

Il avait envie de manger tout ce qui lui tomberait sous la main. Il déboucha une canette de V8 qu'il versa dans un verre retiré de l'égouttoir. Chris avala une bonne lampée de jus de légumes ; il eut aussitôt l'impression que Victor Seigner lui avait broyé le larynx. Malgré la forte dose d'analgésique qu'Alyson lui avait donnée, il ressentit une douleur intense dans son cou et réprima une grimace. Il fouilla ensuite dans le réfrigérateur où il dénicha un reste de potage aux vermicelles. Il alluma un brûleur de la gazinière pour réchauffer sa soupe, tout en continuant de boire son V8 à petites gorgées.

Il s'assit à la table avec son bol fumant en adoptant la position caractéristique d'un ivrogne. Son potage, qu'il agrémenta de pain frais, était délicieux. Ce repas lui procura l'énergie qui lui faisait défaut et atténua ses vertiges. Christopher constata qu'Alyson avait décroché les photographies où apparaissait Barry Stahl. Cette marque d'attention le troubla. En même temps, cela faisait ressortir le moral solidement trempé de cette mère de famille. Il lui avait certainement été difficile de ranger les souvenirs révélant la facette la plus avantageuse de son mari.

Christopher était de moins en moins étourdi et nauséeux. Il se sentait revivre. Jamais il n'avait éprouvé une telle sensation de fourmillement. Chaque millimètre de sa peau qui guérissait lui démangeait. Il aurait sans hésiter enlevé ses pansements et gratté ses plaies pour se soulager.

À ce moment, celle qui l'avait rasé, nourri à la cuillère, lavé à la main, qui lui avait brossé les dents et servi à boire pendant les derniers jours apparut dans le carré.

— Tiens, la faim fait sortir le loup du bois ! s'exclama-t-elle.

Chris ne put s'empêcher de considérer Alyson avec admiration.

— Bonjour ! répondit-il.

Elle était pieds nus et vêtue d'une courte chemise de nuit. Son abondante chevelure en bataille tombait en cascade sur ses épaules. Elle ajouta d'une voix posée très paternaliste :

— Tourne-toi, Chris. Je vais refaire les bandages et en profiter pour appliquer une pommade antiseptique sur tes plaies.

— Rien ne presse. Vous devriez prendre le temps d'avaler quelque chose, Alyson.

Malgré sa coiffure négligée, elle était d'une beauté fascinante. Christopher remarqua ses dents, aussi alignées et blanches que les touches d'un piano. Et lorsque sa voix n'était pas tendue comme une corde de violon, elle était incroyablement mélodieuse. Il secoua la tête, chassant de son esprit tout ce que cela impliquait. Visiblement embarrassé, il lui coula un regard oblique et poursuivit :

— Merci pour vos bons soins, Alyson. Mais je n'ai pas les moyens de me payer une garde-malade privée. Et encore moins un toubib.

Chapitre 55

— Après ce que nous avons partagé, je pense que le vouvoiement n'est plus nécessaire, Chris.

— Cette transfusion sanguine n'était pas un rêve, alors? chuchota-t-il en palpant son avant-bras, à la recherche du trou de la seringue.

— Eh oui! Plus d'un litre de mon sang circule à présent dans tes veines. Et ne t'en fais surtout pas, j'ai désinfecté l'aiguille avec de l'alcool avant de la piquer dans ton bras! rétorqua Alyson en se plantant dans son dos.

Son ton baignait dans un cynisme grinçant. Manifestement, elle était bien éveillée! Un silence pesant s'ensuivit, entrecoupé par Alyson qui arrachait sans délicatesse le ruban adhésif collé sur l'épaule de Christopher. Elle suspendit son geste le temps de lui donner un manuel d'initiation à la voile.

— Finies les vacances! dit-elle. Tu devras lire ce bouquin et tout apprendre par cœur.

D'une main experte, Alyson continua à changer ses pansements.

— Tu récupères vite, constata-t-elle d'un œil aiguisé de chirurgienne, mais certaines blessures ne guériront jamais.

Chris redressa son dos voûté, puis se tourna vers elle. Il la dévisagea un moment. Puis, d'un regard franc et pensif, il s'exprima en laissant tomber les paroles inutiles.

— Écoute, Alyson, pendant que Josh n'est pas là, je voulais te dire qu'il sera préférable que je débarque ici.

— Non, trancha-t-elle avec un accent agressif qui trahissait ses origines irlandaises. C'est à toi de m'écouter. Personne n'abandonnera le navire. Tu as besoin de moi pour te remettre sur pied et atteindre le Panama. Et nous… et nous…

Dans l'esprit d'Alyson, les scènes de carnage des derniers jours et les sourires éclatants de Josh s'entrechoquèrent à un rythme hallucinant. L'espace d'un instant, elle songea à la manière dont son fils contemplait Christopher. Le regard de son enfant en disait long sur la nature de ses sentiments à propos de cet adulte qui paraissait capable d'étaler le vent et les tempêtes. Après la perte tragique de son père, la disparition de Christopher dans l'univers de Josh serait un choc terrible. Le constat d'Alyson était simple : il était hors de question de se détacher de Chris.

— Dans cette histoire, reprit-elle à la suite d'une poignante hésitation, nous avons tous souffert. À titre de conjointe de Barry, j'assume les conséquences de ses magouilles. Point à la ligne. Josh et moi, nous devons maintenant nous reconstruire et, en toute honnêteté, tu facilites notre cheminement.

Christopher était accablé de culpabilité d'avoir à jamais désuni cette famille. Il baissa les yeux et déclara sur un ton passablement fautif :

— Je voudrais bien rester et vous aider, mais j'ai vraiment du mal à m'adapter à notre étrange relation de complicité. Je vous aime bien tous les deux, mais j'étouffe ici. Il y a zéro intimité. Et je suis tellement désolé pour vous.

— Comme ce concert de bons sentiments est mignon ! répliqua Alyson. Seulement, cela n'effacera pas ce qui s'est passé à North Stratford. Barry était conscient des dangers liés à ses magouilles. Ce qu'il vous a infligé, à toi et à Alexandra, est inexcusable. C'est rude, mais j'arrive à te comprendre. Je t'aurais imité si l'on avait agressé quelqu'un que j'aime. D'ailleurs, il y avait sûrement d'autres pères de famille parmi ceux que tu as tués à Boston et à bord du mégayacht. Malheureusement pour eux, ils étaient du mauvais côté.

D'un faible mouvement de tête, Christopher approuva.

— Nous te devons d'être encore en vie, continua Alyson. À cet égard, tu mérites mon estime. Voilà pourquoi je t'ai donné mon sang, malgré le fait que je bouillonnais de colère et que j'avais envie de te tuer. Pour être honnête, j'espérais ainsi régler mes dettes.

— Tu ne me dois rien.

Alyson ne se laissa pas déconcentrer et poursuivit.

Chapitre 55

— Je sais que tu es un homme bon, Chris. Josh le sent dans son cœur, et moi, dans mes tripes. Tu as risqué ta vie pour nous protéger. Ton soutien est allé bien au-delà d'un simple acte de rédemption. Je le répète, tu es un homme bon. Tu m'en as fourni la preuve en me disant la vérité au sujet de Barry. Rien ne t'obligeait à m'avouer que tu l'avais tué. J'ai été très étonnée que tu craches le morceau. Mais il n'y a plus rien à ajouter ou à justifier. Je ne veux plus jamais en parler, OK?

— OK.

— Et pour ce qui est de l'espace restreint, tu t'accoutumeras. Maintenant, je prépare du café ; j'ai une sacrée migraine.

Alyson termina sa phrase de manière émotive en lançant les gazes blanches sur la banquette. Au bout du rouleau, elle fondit en pleurs. De chaudes larmes inondèrent bientôt ses joues pâles.

D'une compassion toute masculine, Chris esquissa un sourire pincé.

— Alyson, voyons, ne t'en fais pas, l'encouragea-t-il.

Ses propos se heurtèrent aux sanglots d'Alyson comme les flots sur la coque du voilier. Désorienté, Christopher oublia son devoir de réserve. Il enlaça tendrement Alyson pour lui témoigner sa sincère sollicitude.

Josh ouvrit soudain la porte de la chambre au bout de la coursive. Christopher relâcha doucement son étreinte en lui soufflant :

— Allons, Alyson, ça ira… Je suis là.

Chapitre 56

5 octobre 2001, minuit
Amman, Jordanie

Alexandra Richard et Daniel Tornay embarquèrent dans un avion militaire C-130 Hercules appartenant à l'armée de l'air jordanienne. Cet avion, des plus menaçants, avait été modifié selon les recommandations de Daniel Tornay. Véritable forteresse volante, il avait en fait les mêmes capacités offensives que le Lockheed AC-130 Spectre, un avion d'attaque au sol et d'appui aérien rapproché de type *gunship* utilisé uniquement par la United States Air Force.

Le décollage eut lieu à minuit vingt, comme prévu, à la base aérienne King Abdullah I. Quarante minutes plus tard, le C-130 volait au ras du sol en plein désert de Syrie. Il remontait vers le nord en longeant à faible distance la frontière ouest de l'Irak. La vibration des quatre turbopropulseurs à hélices de l'avion était envahissante. Alexandra s'était installée sur l'un des sièges alignés le long de la carlingue. Elle avait l'impression d'être assise sur une poudrière, vu les tonnes d'armes et de munitions solidement amarrées au milieu du plancher du C-130. Elle ne participerait visiblement pas à une mission humanitaire ! Pour renforcer l'effet oppressant, il n'y avait aucun hublot lui permettant de contempler à la lueur de la lune le magnifique paysage désertique de la Syrie. Quatorze militaires de l'armée jordanienne s'affairaient autour d'elle.

Après 20 minutes d'absence, Daniel revint enfin auprès d'Alex. Il était en petite tenue et transportait deux combinaisons anti-g toutes neuves. Elle lui adressa un sourire chaleureux, quand elle aperçut son nom brodé sur un des deux vêtements.

— Nous traverserons bientôt la frontière de l'Irak par la province d'Al-Anbâr et nous rencontrerons sûrement de la résistance en sol irakien. Nous avons cinq minutes pour nous changer, Alex.

— Ici ? Comme ça !

— Désolé, soupira Daniel d'un ton piteux. J'ai pensé à tout, sauf aux cabines de change.

Alexandra ne se laissa pas impressionner. En moins de deux, elle se déshabilla et revêtit sa combinaison de vol. Daniel avait servi d'écran et, à part lui, personne n'avait vu les jolis sous-vêtements roses en fine dentelle qui épousaient ses formes sublimes. Alex se rassit, et Daniel s'accroupit pour serrer correctement les sangles de son siège. Elle fut troublée par cette soudaine proximité. Le corps musclé de Daniel vêtu de son slip blanc, sa peau basanée et l'odeur enivrante de son eau de toilette éveillèrent sa sensualité. Elle se surprit même à le désirer. C'était impensable, voyons ! Alexandra se ressaisit aussitôt, puis détourna son regard, ébranlée.

Daniel eut à peine le temps d'apercevoir la douce lueur de ses prunelles. Il se redressa d'un air satisfait ; elle commençait enfin à succomber à ses charmes ! Il enfila sa combinaison et prit la place vacante à ses côtés. Un officier de conduite de tir vint lui annoncer :

— Tous les systèmes sont opérationnels, mon commandant.

— Parfait ! Nous sommes fin prêts ! déclara Daniel en serrant le poing de son bras fraîchement cicatrisé.

— Est-ce bien ce que je pense ? lui demanda Alex.

Chapitre 56

— J'ai eu des injections de nanomatériaux à base d'acide nucléique qui ont accéléré la guérison de mon bras, lui expliqua-t-il.

— Non ! répliqua-t-elle en secouant la tête.

Puis, elle désigna la pochette sur sa combinaison anti-g. Daniel lui sourit gentiment, avant de répondre :

— Eh oui ! C'est pour la vomissure. J'avoue que ce n'est pas très sexy.

Après 80 minutes de vol, le pilote reprit de l'altitude. Quand le C-130 se situa à 60 kilomètres au nord de Baïji, il survola une carrière de phosphate qui sembla de prime abord abandonnée. Heureusement, l'équipage décela à temps dans l'obscurité des baraquements militaires que l'armée de Saddam Hussein avait fraîchement érigés parmi les bâtiments miniers délabrés. Une série de feux rouges se mit à clignoter au centre de l'allée.

— Enfin de l'action ! Ça, c'est vraiment sexy ! se réjouit Daniel en faisant un clin d'œil à Alex. Mettez votre casque ! Ça va faire du bruit !

Il se leva d'un bond, comme s'il y avait des aiguilles sur son siège.

Le pilote vira sur l'aile de tribord. Au même instant, le C-130 essuya les tirs de défense d'un système antiaérien mobile SA-9 Gaskin, monté sur un véhicule blindé BRDM-2. Les deux artilleurs de garde sur la base militaire irakienne venaient de lancer trois missiles sol-air. Ils étaient persuadés d'abattre une proie facile, par exemple, un simple avion de transport égaré. Toutefois, quand les contre-mesures du C-130 s'éjectèrent sans plus de cérémonie des nacelles à leurres situées sous ses ailes, le doute s'insinua dans leur esprit. Les nombreuses charges pyrotechniques de l'avion strièrent le ciel nocturne et la fumée qu'elles dégagèrent se mélangea aux vortex de l'appareil, dessinant dans le ciel d'encre les ailes spectrales d'un ange menaçant. Les artilleurs irakiens constatèrent avec effroi que le C 130 Hercules n'était pas surnommé l'ange de la mort pour rien. Au final, les contre-mesures explosèrent et brouillèrent le guidage des trois missiles sol-air. Mais ce n'était pas fini.

Paniqués, les deux artilleurs irakiens s'empressèrent de déclencher l'alarme pour tirer du lit les autres soldats postés sur la base militaire. Le brouilleur électronique de communication du C-130 les empêcha toutefois de transmettre une alerte de violation du territoire à Bagdad. Au sol, ce fut la panique générale. Tous s'habillèrent en vitesse et coururent vers leur poste de combat. Beaucoup avaient trop bu de vodka la veille ; ils étaient encore en état d'ébriété.

Entre-temps, l'avion était redescendu à 300 mètres du sol. Il avait accompli un demi-arc de cercle et revenait à la charge. Les opérateurs radars du C-130 balayèrent le terrain avec leurs capteurs infrarouges et localisèrent les cibles ennemies au sol. Puis, les canonniers contre-attaquèrent à l'aide d'une arme incroyable, le GAU-8 Avenger. D'ordinaire, ce canon automatique de 30 mm était monté sur le nez des avions A-10 Thunderbolt et il était exclusivement réservé aux forces américaines. Quelques années auparavant, Daniel Tornay avait toutefois réussi à se procurer une version expérimentale de cette arme qu'il avait donnée à l'armée jordanienne en échange du vol aller-retour jusqu'en Iran qu'il effectuait cette nuit ; avec le temps, Daniel était devenu un virtuose des échanges de bon procédé.

Le puissant canon GAU-8 Avenger était installé sous le nez du C-130. Il était long comme une limousine. Pourtant, le bout de ses sept tubes rotatifs ne dépassait l'avion que d'un mètre. La majeure partie de son canon était logée sous la cabine de pilotage. Une fois chargé à bloc de cartouches de 30 cm, il pesait 2000 kilogrammes et avait une cadence de tir de 3800 coups par minute.

La riposte fut fulgurante. Le C-130 fonça à 250 nœuds sur la base militaire irakienne en tirant dans toutes les directions. Il était comparable à un ouragan de feu. Les soldats irakiens, qui n'avaient jamais rien vu de tel, furent incapables de fuir cette tempête du désert. Le son émis par le GAU-8 Avenger retentit sur la terre ferme à des kilomètres à la ronde. Il plongea les soldats dans une angoisse intolérable. Les munitions incendiaires d'uranium appauvri qui sortaient de son canon semèrent l'effroi et percèrent le blindage des véhicules BRDM-2 qui étaient à découvert. Les artilleurs n'eurent jamais le temps de recharger les SA-9 Gaskin.

La réaction d'Alexandra excita énormément Daniel Tornay. Nullement bouleversée, choquée ou intimidée, elle semblait en redemander. Son visage, qui rayonnait la veille lors d'un dîner à la chandelle, s'était illuminé sous le feu du raid aérien. C'était sublime.

« Sacrée gonzesse ! C'est bien elle qu'il me faut ! » se dit-il tandis qu'il tirait du mortier de 105 mm.

Le C-130 s'était incliné sur son aile de bâbord et tournait autour de ses cibles en déversant un flot ininterrompu de destruction. Une grêle d'obus de vingt-cinq kilogrammes fit exploser une colonne de véhicules blindés BRDM-2 qui sortait lentement des abris bétonnés. Véritable scène de guerre apocalyptique, ce spectacle nocturne était saisissant. Les salves nourries déchiraient la nuit ; personne ne fut épargné. Les 4 mitrailleuses M61 Vulcan de 20 mm se chargèrent de l'élimination complète des batteries antiaériennes.

Dès que la base militaire fut anéantie, le C-130 reprit son vol en direction de l'Iran, en rase-mottes afin d'éviter la détection radar. Ce n'était plus nécessaire, mais Alexandra était encore cramponnée à son siège. Elle recommença à respirer normalement quand l'équipage se remit à circuler entre les caisses d'obus et les ceintures de munitions entreposées. Elle enleva son casque et replaça ses cheveux. Elle n'en revenait toujours pas d'être à bord de cet avion avec Daniel Tornay, qui avait si affectueusement enlacé ses parents avant son départ de la Suisse quelques jours auparavant. Il leur avait promis qu'il repasserait les voir dès que possible. Son père l'avait taquiné en lui disant qu'il serait le bienvenu… à la condition qu'Alexandra l'accompagne de nouveau !

Daniel réapparut auprès d'elle. Le cœur d'Alex bondit, et elle secoua la tête ; décidément, il avait le même regard étincelant et le même charme enjôleur que son père.

Après 900 kilomètres de vol, le C-130 franchit la frontière nord-est irakienne et fit son entrée en Iran. À 50 kilomètres au sud de Bukan, le commandant de bord établit une communication sécurisée avec le détachement militaire iranien chargé de surveiller l'aérodrome désaffecté où il devait atterrir. L'opérateur radio de l'aérodrome dut révéler sur-le-champ son indicatif d'appel : Glow Worm. Une fois la confiance installée avec le détachement militaire au sol, la pression diminua d'un cran à bord du C-130.

L'avion vira à gauche et, à 200 mètres du sol, il se plaça dans l'axe de la piste en dur des installations de fortune. Il était parfaitement aligné sur un radar mobile. Le pilote réduisit les gaz et adopta la vitesse d'approche tactique de 130 nœuds. Puisque la piste était seulement éclairée par la faible lueur de la lune, son altimètre et son horizon artificiel jouaient un rôle capital. Il apporta quelques corrections mineures d'assiette, sortit le train d'atterrissage et ajusta le taux de descente du C-130 à 1200 pieds par minute, soit une inclinaison longitudinale de 5°. Malgré le fait que ses quatre turbopropulseurs soulevaient des colonnes de poussière, l'avion se posa sans encombre sur la piste fendillée de moins d'un kilomètre.

Le C-130 rejoignit ensuite un camion lourd à la vitesse d'un homme à pied sur le tarmac. Le roulement était inconfortable, car le revêtement d'asphalte de la piste avait souffert du temps et des intempéries. Un Mirage IV, un bombardier stratégique de l'armée de l'air française, était parqué à côté du camion. Cet appareil avait un look d'enfer. Ses fameuses ailes en delta lui procuraient les lignes profilées d'une formule 1. Un ami de l'escadron français avait dû faire des pieds et des mains pour être en mesure de prêter son appareil à Daniel.

— Nous y voilà ! Major Brunet, vous avez toute mon admiration, murmura-t-il, satisfait, quand il aperçut le Mirage IV de son ami à travers un minuscule hublot d'observation.

Vis-à-vis de l'emplanture du bombardier, deux hommes s'occupaient à retirer les housses de protection de ses entrées d'air. Les autres membres de l'équipe au sol armaient l'appareil et remettaient le parachute ralentisseur dans son compartiment.

Les roues du C-130 s'immobilisèrent au point de rendez-vous. La poussière se dissipa, puis la porte basculante peinte aux couleurs du camouflage hexachromique de l'armée de l'air jordanienne se déploya. Avant de descendre de l'avion, Daniel alla serrer chaleureusement la main du pilote, un jeune musulman élancé tout juste âgé de 25 ans.

— Félicitations, Samir ! s'exclama-t-il. T'es solide aux commandes. Continue comme ça !

— Merci, commandant, pour tout ce que vous avez fait pour moi et ma famille, répondit-il, reconnaissant.

Daniel dévala l'escalier et lui cria en sautant à terre :

— Ce n'est rien, Samir. Laisse tourner les moteurs, veux-tu ? Nous ne lambinerons pas en route !

Alexandra le suivit de près, les cheveux ébouriffés. En contournant les moteurs du C-130, elle observa au clair de lune le décor montagneux de cette province de l'Azerbaïdjan habitée par des Kurdes. Elle se sentait comme dans un rêve où tout était plus grand que nature. Elle avait totalement perdu la notion du temps en effectuant cette mission à l'autre bout du monde. En fait, le temps semblait même s'être arrêté.

Daniel offrit sa main à Alexandra, puis ils coururent ensemble vers le Mirage IV.

— Venez, Alex ! Nous allons nous envoyer en l'air ! Je voulais dire… au sens propre, rectifia-t-il, faussement scandalisé de son allusion grivoise.

Chapitre 57

15 juillet 1417
Canton du Valais, Suisse

Catherine Dinan était séquestrée, comme une bête farouche, dans un chariot de fer. Cette prison sur roues dépourvue de suspension fonçait à un train d'enfer vers le château de Sion. Le cocher criait à tue-tête quand il fouettait son attelage formé de quatre chevaux. Derrière lui, 11 cavaliers en armure noire escortaient le convoi. L'un d'eux brandissait l'étendard de velours rouge orné d'un aigle d'or de la confrérie Sentinum.

On était en pleine touffeur de juillet. Catherine cuisait sous les chauds rayons du soleil passant à travers les barreaux plats du chariot. Elle était souillée, meurtrie et inspirait sans contredit la pitié. L'incessant bruit des sabots qui claquaient contre le sol lui donnait mal à la tête. La piste cahoteuse étrécie par les broussailles ballottait le chariot dans tous les sens. Le dos courbé, Catherine se sentait nauséeuse, agenouillée sur une immonde paille imbibée d'urines. Même si ses genoux étaient maculés de sang, elle était trop faible pour se mettre debout.

Son âme était comme ses vêtements : en lambeaux. Elle murmura une prière à l'intention d'Henri. En dépit de ce qu'elle avait elle-même enduré, Catherine n'arrivait pas à enlever de son esprit les images de sa mort ignominieuse. Les derniers moments d'Henri s'étaient révélés atroces. La souffrance qu'elle avait lue dans ses yeux ocre la hantait encore. Cela s'ajoutait à la douleur, au désespoir et à l'impuissance qu'elle avait éprouvés pendant qu'elle subissait la pire humiliation que la malveillance avait inventée. À l'heure actuelle, supposa-t-elle en sanglotant, il était indisputable que les loups achevaient de dévorer le corps de son amoureux. Catherine se demandait quelle puissance divine elle avait offensée pour payer un si lourd tribut.

À 3 h de l'après-midi, le convoi longea le lac de Montorge sur un sentier muletier. Au détour d'un bisse en bois, Catherine aperçut la cité de Sion. Un tel panorama, à la fois beau et sinistre, lui coupa le souffle. Jamais elle n'était allée aussi loin de chez elle. Les éminences rocheuses de Valère et de Tourbillon dominaient la cité construite au creux de la vallée du Rhône. Le plateau du plus haut sommet servait d'assise au château. La basilique de Valère était juchée sur l'autre.

Au fur et à mesure que Catherine s'en approchait, ce château lui apparaissait de plus en plus menaçant. Ses mains ensanglantées et crasseuses s'agrippaient aux barreaux plats du chariot ; elle souhaitait contre tout espoir qu'ils tombent par enchantement. Il lui était terrifiant de penser à ce qui l'attendait derrière ces remparts inexpugnables ; de la manière dont on la traitait, Catherine savait que ce serait bientôt la fin de son court périple sur terre.

À moins d'être un excellent grimpeur, il y avait deux trajets permettant d'atteindre le château de Sion. Le premier, le seul passage connu des villageois, était extérieur et praticable depuis la cité. Il s'agissait d'un sentier qui serpentait le flanc escarpé du mont Tourbillon. À mi-parcours, des gardes postés dans une tour crénelée à laquelle on avait percé une porte d'arche surmontée d'une galerie à mâchicoulis contrôlaient rigoureusement les allées et venues. Les visiteurs reprenaient ensuite leur marche jusqu'au sommet. Cela allait sans dire, cet itinéraire tortueux était long et épuisant.

L'autre trajet, celui-là inconnu des villageois, consistait à contourner Sion en longeant le Rhône et en passant à travers les pâturages verdoyants. Les cavaliers noirs évitaient ainsi les regards indiscrets. De l'autre côté de l'éminence rocheuse, un passage souterrain s'enfonçait dans les entrailles du mont Tourbillon, jusqu'en dessous du château.

Le convoi s'arrêta devant la lourde grille bloquant l'accès au passage secret. Un coup d'œil vers le sommet confirma à Catherine qu'il était impossible d'assaillir ce château. Les machines de siège ne pouvaient pas s'approcher suffisamment pour lui infliger des dégâts. Il était également infaisable d'y dresser des échelles, car le château de Sion était juché trop haut. Et ceux qui étaient déterminés à entreprendre des travaux de sape afin de se glisser sous ses remparts avaient intérêt à s'armer de pic, de pioche et de patience. Il restait le blocus pour en venir à bout. Encore là, ce serait une tâche compliquée, car, même en situation de siège prolongé, l'eau ne ferait pas défaut. Des canalisations souterraines et des bisses acheminaient l'eau du Rhône jusqu'au château au moyen d'une série de stations de pompage manuel. De plus, des centaines de moutons, de poulets et de bœufs maintenus en captivité à l'intérieur des remparts contribuaient à prévenir la famine.

Les gardes ouvrirent la grille, puis le convoi s'engagea dans le passage souterrain. Catherine eut l'impression que la montagne se refermait et qu'elle était en passe de se faire avaler. À l'intérieur, la chaleur suffocante de l'été laissa sa place à une fraîcheur humide. Un vaste réseau de galeries avait été creusé sous le château au fil des ans et il ne cessait de s'étendre. Ce labyrinthe obscur servait à déjouer les attaques d'un ennemi qui escompterait l'utiliser pour envahir le château. Quiconque oserait s'aventurer sans guide expérimenté dans ce dédale de galeries, d'escaliers, d'impasses et de pièges s'égarerait infailliblement. À l'évidence, même si Catherine parvenait à se libérer de ses geôliers, il lui faudrait davantage qu'un fil d'Ariane pour fuir d'ici.

Catherine vit défiler quelques torches accrochées çà et là dans les couloirs sombres tandis que l'écho entêtant de la galopade se répercutait sur les parois rocheuses. Il était oppressant d'y circuler à haute vitesse. Après plusieurs minutes, le convoi rejoignit une écurie et s'arrêta. Des centaines de chevaux occupaient les nombreuses stalles. Apeurée, Catherine recula le plus loin possible de la porte du chariot. Un garde l'extirpa malgré tout de sa prison. Il lui fut pénible de se redresser, puis de marcher. Ses genoux étaient raides, et elle était fortement courbaturée. L'homme la tira jusqu'au bout d'un couloir où il y avait une porte de bronze. Curieusement, la porte s'ouvrit en coulissant à l'intérieur de la paroi rocheuse. Il empoigna Catherine par un coude, puis la poussa sans ménagement dans une cage métallique pouvant loger une vingtaine de personnes. Ensuite, il y eut un raclement de fer, et la porte de bronze se referma sur Catherine et son garde.

Il faisait presque noir dans la cage. Catherine se pinça le nez pour ne pas sentir l'haleine du garde qui empestait l'eau-de-vie et le tabac à chiquer. Le plancher se mit soudain à vibrer. L'espace d'un instant, Catherine crut qu'un tremblement de terre secouait le pays. Mais quelle ne fut pas sa surprise de constater que c'était en fait la cage métallique qui s'ébranlait pour monter au centre d'un tunnel vertical ! Étourdie par le vertige, elle vit le sol s'éloigner lentement par les interstices du grillage.

Un niveau plus haut, une ouverture aménagée dans la paroi rocheuse donnait accès à un atelier de forge impressionnant. Des bêtes de somme étaient attachées autour d'une grande roue de bois dentée. Elles faisaient tourner les engrenages d'un ingénieux système de soufflets servant à attiser la flamme d'un feu de forge monstrueux. Leur ventilation puissante propulsait des tisons et des scories dans toutes les directions. De part et d'autre, des maîtres forgerons courbés sur leur labeur martelaient des pièces d'armure sur leur enclume. Certains trempaient dans l'eau la lame rougie de l'épée qu'ils venaient de terminer. À droite, des artisans agrémentaient les boucliers d'un aigle d'or. Et à gauche, des soldats éprouvaient les armes. Il se dégageait de cette forge une intolérable odeur de soufre, et les différents bruits qui y retentissaient donnaient le tournis. Mais le plus spectaculaire restait à venir.

Il fit noir à nouveau dans la cage métallique. La paroi rocheuse défila un moment, puis s'ouvrit encore. À ce niveau se trouvait une fabrique. On y assemblait des chars de combat en fer et en bronze. Ils étaient ensuite attelés à des destriers recouverts d'une armure moulée à leur taille. Sur le dessus des chars, on installait des canons qui pivotaient sur un axe. Des tonnes de boulets y étaient entreposées. Cet endroit faisait également office d'armurerie et de centre d'entraînement des gardes.

Le vacarme industrieux de cette fabrique s'atténua progressivement. Il fit noir, et la paroi rocheuse défila encore. Puis, la cage métallique traversa une vaste salle éclairée à profusion au moyen de torches. Ce que Catherine eut le temps d'y voir était proprement incroyable. C'était comme si un homme gigantesque était en gestation, couché sur le dos, dans le ventre de la montagne. Il s'agissait en fait du Colosse de Rhodes, une statue plaquée de bronze représentant Hélios, le dieu du Soleil. Cette sixième des sept merveilles du monde antique avait été érigée à Rhodes, en Grèce, vers l'an 292 avant Jésus-Christ. À l'époque, cette statue qui dépassait les 30 mètres accueillait les bateaux à l'entrée du port. Le Colosse de Rhodes s'était malheureusement cassé, puis il s'était échoué dans les fonds marins du port à la suite d'un tremblement de terre survenu en l'an 226 avant Jésus-Christ.

En 654, Sentinum avait réussi à acheter d'un marchand juif tous les morceaux brisés de la statue. Plusieurs années avaient été nécessaires pour transporter discrètement à Sion tous les fragments et les sections servant à la remodeler. Quand même, en ce jour de juillet 1417, le Colosse de Rhodes reposait désormais en secret dans les caves humides du château de Sion, et il était clair qu'il ne reverrait jamais la vivifiante lumière du soleil.

Chapitre 58

4 octobre 2001, 20 h
New York, États-Unis

Défiant toute logique, Alyson, Josh et Christopher étaient sortis dîner dans un restaurant huppé de Manhattan. Leur repas était presque terminé. Ce soir, ils prendraient le large à la faveur de la nuit. Leur appareillage était judicieusement fixé à minuit, soit l'heure du changement de quart de la garde côtière américaine, car, même si tous leurs documents étaient en règle, ils ne désiraient courir aucun risque.

À la suite de ce « repos du guerrier », tout l'équipage était frais et dispos. Christopher récupérait de ses blessures et sa santé se rétablissait à vue d'œil. En bon homme de la maison, il avait passé les derniers jours à manger, dormir, boire de la bière et à exécuter des exercices d'assouplissement. Il s'était aussi permis quelques séries de pompes et de tractions. Mais, surtout, il avait jeté par-dessus bord ses remords de conscience à l'égard d'Alyson et de Josh.

Le chef de rang du restaurant vint s'informer de la qualité du service et de la nourriture. Ils le complimentèrent chaudement. Dès que l'employé fut parti, Christopher se tourna vers Alyson et lui demanda à voix basse :

— Combien reste-t-il d'argent dans la petite caisse ?

— Si je déduis les achats pour réapprovisionner le voilier, calcula Alyson, les faux papiers, la quantité de bouffe que tu ingurgites…

— T'as pas idée combien j'ai faim, répliqua-t-il.

— …et, surtout, ton complet Versace de… de 6000 dollars ! Seigneur ! Six mille dollars pour un complet ! Je dois certainement rêver !

Alyson était assise sur le bout de sa chaise et son index tambourinait la table. Un témoin attentif aurait juré entendre un vrai couple discuter des tracas du quotidien.

— Combien reste-t-il ? lui redemanda Chris.

— Un peu moins de 10 000 dollars.

— Aïe ! On ne tiendra pas longtemps avec cette somme, constata-t-il, songeur.

Christopher mordit dans la dernière bouchée de son énorme bifteck de contre-filet de 20 onces, avant de déposer sa fourchette. Il était enfin rassasié. Josh en profita pour aller s'asseoir sur ses genoux. Avec sa serviette de table, le petit garçon se fit un devoir d'essuyer une goutte de sauce au poivre à la commissure des lèvres de Chris.

— Tu t'es chargé de réapprovisionner le voilier, super ! Maintenant, c'est à mon tour de regarnir ton compte bancaire, déclara Christopher.

Il était appuyé sur un coude, la mine sévère. Il regardait Alyson directement dans les yeux.

— T'es drôle, Chris, quand tu fais cette tête-là ! lança Josh. Maman, trouves-tu qu'il ressemble à mon entraîneur de soccer ?

— Oui, Josh.

Chapitre 58

Quand Christopher avait cette lueur étincelante dans les yeux, Alyson ressentait immanquablement un trouble délicieux au creux de son ventre. Heureusement qu'elle était bien assise, car la flamme du combattant qui éclairait le regard de Chris transformait ses jambes en coton ! Cette détermination courageuse qu'il affichait avant la bataille la faisait tout simplement craquer. Elle lui aurait sans hésiter sauté au cou.

— Prépares-tu un mauvais coup ? s'enquit-elle, sans laisser paraître ses émotions. Est-ce ce pour quoi tu tenais tant à venir dîner dans ce resto hors de prix la veille de notre départ ?

— Oui. Et c'est également la raison pour laquelle j'ai apporté un flingue et un couteau, lui avoua calmement Christopher avant de vider son verre d'eau.

Alyson avait compris que le ton n'était pas à la discussion. Elle ne put toutefois s'empêcher de rétorquer.

— J'ignore ce que tu as l'intention de faire et, honnêtement, je préfère ne pas le savoir. Mais il y a des limites à forcer la chance, Chris. Je suis sûre que nous n'aurons pas besoin de plus d'argent et, sinon, nous nous organiserons autrement.

— Tss-tss ! désapprouva-t-il. L'occasion est bonne pour renflouer nos coffres. Puisque nous sommes dans le coin, autant en profiter !

— Ma foi, tu es un vrai pirate ! Dans ce cas, ne fais pas de quartier et rapporte le butin sur notre bateau, railla-t-elle d'un air sceptique.

— Le butin, comme tu dis, est simplement l'argent de poche d'un type plein aux as. Il ne s'en rendra même pas compte.

Josh s'amusait avec son nœud papillon. Christopher l'incita gentiment à descendre de ses genoux.

— C'est l'heure. Retournez au voilier en taxi. Je vous rejoindrai plus tard.

Ils réglèrent l'addition et se levèrent. Josh ouvrit la marche jusqu'à la sortie. Alyson tenta de s'adresser discrètement à Christopher en pivotant sur un pied, mais ce dernier l'en empêcha.

— Fais-moi confiance. Je ne vous fausserai pas compagnie, murmura-t-il dans son dos.

— Ce n'est pas ce qui m'inquiète, rectifia-t-elle.

— Alors, c'est quoi?

— C'est que tu ne reviennes pas en un seul morceau. Je suis à peine remise de ma saignée!

— Quoi? Tu viens d'avoir tes règles? la taquina-t-il.

— Ce que tu m'énerves quand tu fais l'idiot! fulmina-t-elle.

— Navré, Alyson! Ça me relaxe de rigoler et, crois-moi, j'en ai besoin!

Josh et Alyson montèrent dans un Yellow Cab. Christopher leva un pouce en signe de son optimisme à toute épreuve et les regarda s'éloigner dans le taxi jaune. Ensuite, il releva le collet de son élégant complet Versace, enfonça sa tête entre ses épaules et commença à marcher sur 58th Street. À 20 h 30, Christopher s'immobilisa, dos à la devanture du théâtre Paris. Il contempla un instant l'hôtel The Pierre. Sa toiture de cuivre construite dans un style château français s'élevait au-dessus de la cime des arbres. Le gratte-ciel de 42 étages culminait à 160 mètres du sol. Il était situé un peu plus loin, à l'angle de Fifth Avenue et 61st Street, juste en face de Central Park. L'emplacement de ce luxueux édifice était exceptionnel.

— Bonté divine, visez un peu cette piaule! Ce mec doit vivre comme un coq en pâte! s'exclama Christopher, époustouflé.

Il parcourut rapidement le terre-plein de Fifth Avenue. Quelques secondes plus tard, il pénétra dans le hall de l'hôtel. La décoration ouvrée à l'or fin ne laissait personne indifférent. La beauté des lieux était à la hauteur de la réputation d'excellence de cet établissement somptueux.

— Bonsoir, je viens rencontrer Teddy Metcalf, annonça-t-il au préposé qui était à l'accueil.

— Je doute qu'il soit raisonnable d'importuner monsieur Metcalf, lui répondit-il, présomptueux.

Chapitre 58

— Transmettez-lui ce message, alors, riposta Chris d'une intonation abrupte où l'on dénotait l'accent de son français maternel. Dites-lui que Karl Haustein m'envoie et que c'est urgent. Allons, ne me faites pas poireauter comme un idiot !

— Oui, monsieur ! Tout de suite, monsieur ! s'exclama le préposé devant le sérieux imparable de Christopher.

Il agrippa le téléphone et composa immédiatement le numéro du *penthouse*. Il y eut cinq secondes d'un silence insoutenable et, après un murmure imperceptible, le jeune homme acquiesça de la tête, puis raccrocha l'appareil.

— Si vous voulez bien patienter près des ascenseurs privés, quelqu'un viendra vous chercher, monsieur, déclara-t-il de façon aimable, cette fois.

Teddy Metcalf — Ted pour ses proches — était un ami intime du docteur Gustav Böhm. Ce dernier avait consigné dans son agenda électronique des détails fort intéressants à son sujet. Selon Gustav, Ted était l'un des plus fervents admirateurs de l'organisation Sentinum. Il habitait les trois derniers niveaux de l'hôtel The Pierre, un appartement réservé aux riches de ce monde. Cela semblait irréel à Christopher qu'une personne occupât seule cet immense *penthouse* hors de prix situé en plein cœur de Manhattan. Ce détail l'avait tellement surpris que les renseignements concernant Teddy Metcalf étaient restés gravés dans sa mémoire. Il ne pouvait malheureusement pas revérifier les notes de Gustav, puisque les circuits électroniques de son agenda avaient grillé lors de la décharge électromagnétique qu'avait subie son hélicoptère, le 21 septembre dernier, à Toulouse.

Teddy Metcalf était titulaire d'une maîtrise en économie de l'Université Johns-Hopkins, à Baltimore. Ce véritable *self-made-man* avait accumulé une fortune colossale en réalisant des placements aux rendements mirobolants, année après année. Il était capable, entre autres choses, de redresser en quelques mois une compagnie en difficulté. En 1960, il avait fait un mariage de convenance qui s'était rapidement terminé par un divorce, peu après la naissance de son second enfant.

D'autre part, Teddy n'avait pas toujours amassé ses profits de façon honnête. En 1965, son système financier illégal basé sur le principe d'une chaîne de Ponzi avait été mis à jour, et on l'avait arrêté pour fraude. Cette brillante escroquerie avait amené Karl Haustein à s'intéresser à ce jeune homme d'affaires talentueux. Sentinum avait habilement graissé les rouages de l'appareil judiciaire pour régler le litige, et Teddy Metcalf avait évité de justesse la prison. Il se sentait depuis redevable envers Karl Haustein, qui avait ensuite largement abusé de son expertise financière.

Les années subséquentes, Teddy Metcalf avait scrupuleusement veillé à cacher son passé trouble et son homosexualité, car ses visées politiques étaient énormes. Il était devenu membre du Parti républicain. Il se montrait quand même libéral sur les questions environnementales et le mariage gai, bien sûr. Autour de la cinquantaine, on l'avait nommé ambassadeur des États-Unis au Canada, mais la « Grosse Pomme » lui manquait. Il était donc revenu s'établir à Manhattan.

Aujourd'hui âgé de 65 ans, Teddy Metcalf était président d'une des plus importantes sociétés d'investissement de Wall Street. Toute son expérience nourrissait son ambition. Son domaine de prédilection ? Les groupes de presse ; il affectionnait particulièrement la télévision et l'Internet. L'homme d'affaires hors pair entretenait aussi d'étroites relations avec les plus grandes dynasties industrielles européennes. Bien entendu, ses détracteurs de la gauche se plaisaient à dénoncer sa richesse scandaleuse à la population.

Il était devenu l'une des figures politiques les plus influentes de New York. Il était charismatique et éblouissant. Il se lançait souvent dans des envolées oratoires spectaculaires. À cet égard, monsieur Metcalf prévoyait se présenter à l'élection municipale de 2005, et ainsi s'installer dans le prestigieux bureau du maire au New York City Hall. Pleinement conscient de la moindre rumeur circulant dans Manhattan, il avait fait de la lutte au désengorgement automobile son cheval de bataille ; ironiquement, il ignorait que ses deux artères coronaires étaient bouchées à 80 %.

Évidemment, Karl Haustein désapprouvait le fait que Teddy aimât braquer sur lui les projecteurs en dépit de son passé peu reluisant. Les performances de ce dernier avec les produits dérivés enchantaient toutefois le département financier de Sentinum. Les bénéfices engendrés par le biais de sa titrisation de certaines créances hypothécaires calmaient d'ailleurs la réprobation de Karl concernant sa surexposition médiatique.

Teddy Metcalf n'avait jamais eu le privilège de rencontrer Karl Haustein. Il en mourait pourtant d'envie, selon l'agenda de Gustav. Quand Christopher s'étais rendu compte qu'il se situait dans la même ville que ce riche sympathisant de Sentinum, l'idée avait germé dans son esprit d'aller rendre une visite de courtoisie à ce bon vieux Ted pour renflouer la petite caisse d'Alyson. Ce soir, Christopher comptait bien utiliser ce précieux renseignement pour soutirer de l'argent à ce vil pantin de l'organisation !

Chapitre 59

Le cœur de Christopher battait la chamade. Il espérait avoir bien mémorisé les renseignements contenus dans l'agenda électronique de Gustav Böhm, faute de quoi il redoutait de rater son coup. La cabine d'ascenseur arriva au rez-de-chaussée. Il serait bientôt fixé. Ses portes coulissantes s'élargirent, puis un homme à la chevelure grisonnante ramenée vers l'arrière et à la moustache bien garnie se précipita hors de la cabine. Frappé d'étonnement, Chris recula d'un pas, les sourcils froncés. Il faillit brandir son arme.

— Il y a belle lurette que je n'ai pas eu le privilège de rencontrer un représentant de l'organisation, s'exclama Teddy Metcalf en tendant le bras pour donner une franche poignée de main à Christopher. La dernière fois, c'était pour m'éviter la taule en 1965 !

Il était enveloppé dans un long peignoir de soie et portait des pantoufles de tissu molletonné. Il replaça un pan de son vêtement d'intérieur, resserra sa ceinture, puis invita cordialement Christopher.

— Venez, accompagnez-moi dans mon humble demeure.

Pendant que la cabine de l'ascenseur s'élevait en direction du *penthouse*, Teddy poursuivit d'un style truculent en le regardant au-dessus de ses petites lunettes de lecture.

— Vous avez les épaules d'un footballeur. Vous auriez sûrement pu jouer pour les Giants ! Moi, je passe des heures au club de gym, mais, comme vous pouvez le voir, les résultats sont décourageants. Quel est votre secret ?

Christopher n'eut pas le temps de répondre. Teddy reprit aussitôt.

— Votre costume, est-ce un Versace ? demanda-t-il en brossant le cachemire de la manche. Hum… il est un peu juste au niveau des épaules, mais, dans l'ensemble, il tombe très bien. Si vous le désirez, je peux vous présenter mon tailleur. Il fait des merveilles avec les ventrus, alors imaginez ce qu'il ferait avec vous !

Un déclic inattendu illumina soudain son regard perçant. Teddy fixa Christopher en penchant la tête de côté.

— Bon sang ! Ça vient de faire tilt ! Je vous reconnais, vous êtes ce pilote d'hélicoptère héroïque qui a sauvé plusieurs pompiers, lors d'un incendie de forêt au Canada.

— Oui… hasarda Chris, passablement pris au dépourvu.

— J'en étais sûr ! Je n'oublie jamais un visage. Si mes souvenirs sont bons, c'était en…

— … 1985, compléta Chris.

Teddy rassembla ses idées et déclencha l'opération charme, comme s'il avait un public à séduire.

— Ross… Ça me revient… Christopher Ross ? Est-ce bien ça ?

— Re-oui, risqua-t-il à nouveau.

— C'est un grand honneur de vous serrer la main, monsieur. À cette époque, j'étais l'ambassadeur des États-Unis au Canada. Mes fils et moi avons assisté à la cérémonie où l'on vous a rendu hommage. Je me rappelle que nous étions entassés sur la pelouse de la Colline parlementaire, à Ottawa, les yeux rivés au ciel en attendant impatiemment votre arrivée en hélicoptère. Quelle splendide journée ! Votre passage à basse altitude au-dessus du canal Rideau, votre lente rotation à quelques mètres de la Tour de la Paix, et le moment où vous avez atterri en compagnie du premier ministre du Canada, tous en avaient la chair de poule ! La gouverneure générale vous a ensuite décoré de la Croix de la Vaillance. Quelle prestance vous aviez ! Je ne suis nullement surpris que l'organisation vous ait recruté !

Teddy espérait une confidence ou une réaction émotive de la part de Christopher, mais il n'eut que ceci :

— Vous savez, cela remonte à longtemps.

— Étiez-vous sérieux lorsque vous avez dit à l'interviewer avoir agi comme tout bon pilote en pareille circonstance ?

— Non.

— J'en étais sûr ! s'exclama Teddy. La majorité des gens auraient fait dans leur froc juste d'y penser. Mais vous aviez raison d'être politiquement correct devant la foule.

L'ascenseur s'arrêta au *penthouse*. La porte coulissante de la cabine s'ouvrit sur un escalier double en marbre noir. En haut des marches, ils arpentèrent une salle de bal majestueuse au plafond incurvé d'une hauteur de sept mètres. Ils traversèrent ensuite un salon surdimensionné où Teddy présenta son compagnon de vie à Christopher.

— Monsieur Ross, voici mon ami Charles.

Christopher le salua de la main ainsi que d'un sourire. Teddy le convia à entrer dans son bureau, s'excusa auprès de son conjoint et ferma la porte.

— Nous serons plus à notre aise pour discuter. Puis-je compter sur votre discrétion concernant Charles ?

— Cela va de soi, répondit posément Christopher. Je n'en attends pas moins de vous quant à notre entretien confidentiel de ce soir.

— Pauvre de moi ! s'exclama soudain Teddy. Je manque aux règles minimales de la courtoisie. Puis-je vous offrir un verre ?

— C'est délicat de votre part, mais je dois refuser. Je suis en devoir.

— Hum ! C'est dommage ! J'ai une bonne vieille bouteille de cognac L'Esprit de Courvoisier qui vous aurait certainement fait tourner la tête !

Christopher était immédiatement tombé sous le charme de Teddy, qui était franchement sympathique. Son intervention destinée à lui soutirer de l'argent se compliquait.

— Enfin, reprit Ted à la suite d'une pause, je ne voudrais pas lever un lièvre, mais que me vaut l'honneur de votre visite à cette heure pour le moins particulière ?

— C'est l'heure de votre initiation, Monsieur Metcalf ! Vous deviendrez bientôt un membre officiel de l'organisation Sentinum.

— Êtes-vous sérieux ? s'enquit Teddy en s'affalant dans son fauteuil de cuir. Ouf ! Je n'arrive pas à le croire, après toutes ces années de sollicitation.

Il ressemblait à un enfant trop crédule. D'un enthousiasme naïf, il ne dissimula pas son émotion.

— Ce n'est pas tout, poursuivit Christopher. Monsieur Haustein m'a aussi parlé de la mairie de New York.

— Faites-moi plaisir, Monsieur Ross, asseyez-vous.

Craignant que son inspiration lui fasse défaut, Christopher resta debout. Il inventait cette histoire saugrenue au fur et à mesure, jouant son rôle à la perfection.

— La mairie vous attend, Monsieur Metcalf, ajouta-t-il sans rire. Et si vous bossez comme il faut, d'ici une dizaine d'années, il est envisageable que vous remplaciez votre jet Global Express par l'Air Force One !

Les larmes aux yeux, Teddy secoua la tête et lui demanda :

— Aurai-je enfin le privilège de rencontrer monsieur Haustein ?

Christopher adopta une contenance hautaine.

— Le jour de votre initiation, affirma-t-il. La date prévue est le 3 décembre, à Genève.

Chapitre 59

Il n'en revenait pas d'inventer un tel tissu de mensonges. Et le plus étonnant était que Teddy Metcalf, cet homme riche, puissant, intelligent et respecté, qui s'était forgé au fil des ans une solide notoriété, se laissait aussi facilement duper. Il écoutait religieusement chaque mot lâché au hasard par Christopher, comme si son bluff était parole d'évangile.

— Je serai bref. La première étape se fait ce soir. Tout d'abord, vous me remettez un million de dollars. C'est en quelque sorte un tribut d'honneur dédié à monsieur Haustein. Je sais, continua Christopher, qui redoublait d'ardeur créative, la somme est symbolique, mais c'est l'une des deux choses qui n'a pas subi d'inflation en ce bas monde.

— Et quelle est la deuxième ? demanda Teddy, intrigué.

— Ben voyons, Ted, c'est l'amour !

Chapitre 60

Trente minutes plus tard, Christopher sortit de l'hôtel The Pierre avec une mallette contenant un million de dollars et trois verres de cognac L'Esprit de Courvoisier dans l'estomac ; cela avait été si facile de voler cet argent qu'il n'avait pu s'empêcher de trinquer avec Teddy et son ami Charles. Il était très fier de lui, car, sur un plan strictement financier, l'avenir de Josh et d'Alyson serait désormais assuré.

— Eh ben ! Un million ! Un suivi de six zéros. Ça fait une sacrée somme exempte d'impôts ! murmura-t-il, incrédule.

Il secoua la tête et renchérit en tirant les poignets de sa chemise.

— Dire qu'il y a des gens qui conservent autant de liquide dans le coffre de leur maison !

Et le plus merveilleux, toujours selon les notes consignées dans l'agenda électronique de Gustav, était qu'il restait encore quelques sympathisants de Sentinum qui attendaient avec impatience le jour de leur initiation.

« Ces lèche-culs, songea méchamment Christopher en traversant la voie réservée aux autobus de Fifth Avenue, seront prêts à tout pour gagner les faveurs du dirigeant suprême, et j'en profiterai ! »

À l'intersection de 59th Street et de Fifth Avenue, Christopher hâta le pas et bifurqua vers le square Grand Army Plaza. L'excitation ressentie chez Teddy Metcalf laissa sa place à la fatigue. Il fit le décompte des minutes qu'il lui restait avant de retourner au voilier. Il ne pensait qu'à se glisser sous les couvertures, car il savait que Josh veillerait à le tirer du lit très tôt demain. En face de la statue équestre du général William Tecumseh Sherman, Christopher fut arraché à ses réflexions. Il eut un frisson lorsqu'il entendit dans son dos :

— Monsieur ?

Il ferma les yeux et grommela un juron typiquement québécois. Son enthousiasme s'assombrit. Il était certain que cette interpellation le concernait.

Le corps bien droit, Christopher se comporta comme un enfant ignorant les appels répétés de sa mère. Cela provoqua un rappel fort insistant.

— Hé, l'homme à la mallette ! Veuillez vous immobiliser ! Vous êtes en état d'arrestation !

Les ordres du policier à cheval excédèrent largement le bruit des sabots ferrés de semelle caoutchoutée de sa monture qui piaffait sur le trottoir pavé. Ils ébranlèrent le moral de Chris, qui éprouva un pénible sentiment de désespoir. Christopher ralentit sa foulée, s'approcha d'un muret et se retourna. Le policier sublimement juché sur son Quarter Horse américain l'identifia formellement. Il fit signe aux passants de se tenir à l'écart, s'empara de son microphone agrafé sur sa poitrine et marmonna une phrase dont les seuls mots compréhensibles furent « besoin de renfort ».

Un silence lourd s'installa. Les témoins de la scène demeurèrent passifs, comme s'ils étaient hypnotisés par ce qu'ils voyaient. Christopher brandit son Beretta 92 en direction du policier.

Chapitre 60

— Attention ! Il est armé ! hurla un homme.

— Je n'ai rien contre toi, le flic de 10 pieds. Passe ton chemin.

Christopher avait pris un verre de trop chez Teddy ; son ton était cinglant. Inconsciemment, ces derniers exploits l'avaient rendu arrogant, et l'alcool ne faisait rien pour tempérer ses propos. Il avait dit exactement ce qu'il ne fallait pas à un officier frais émoulu de l'école d'équitation de la police de New York.

— Ne fais rien de stupide, l'avertit l'agent du NYPD[9], la main à 5 centimètres de son Glock 17. Dépose ton arme sans mouvement brusque.

— T'es jeune, et je sais que tu meurs d'envie de faire tes preuves, mais, crois-moi, pas ce soir. Laisse-moi partir !

À 22 h 30, la ville qui ne dort jamais souffrait véritablement d'hyperactivité nocturne. Les témoins s'affolèrent, et le policier dut s'efforcer de tranquilliser sa monture.

— Woh ! Tout doux, Star !

Malgré son entraînement en milieu urbain, le cheval s'ébroua et tenta de se cabrer. La nervosité gagnait son cavalier, et il le ressentait.

Ce fut à ce moment qu'un inconnu décida de jouer les héros américains. Il se voyait déjà faire la une des journaux à sensation le lendemain matin. Ce gardien de sécurité zélé commençait sa ronde de surveillance à minuit, mais, d'une scrupuleuse ponctualité, il pointait toujours à 23 h 15. Il surgit de l'obscurité, grimpa sur le muret de pierre sur lequel il courut, bondit au bout et atterrit finalement sur le dos de Christopher, comme un boulet de canon. Sous l'effet de la surprise, ce dernier pressa la gâchette de son Beretta, puis laissa tomber son arme à terre.

Quand le coup de feu retentit, la foule céda à la panique. Le policier fut atteint à la cuisse et désarçonné de sa monture. Entretemps, Christopher fut plaqué au sol par le gardien de sécurité. Il parvint, en se débattant, à saisir le poignard qu'il portait sous son

9. New York City Police Department (Service de police de la ville de New York).

veston. La force qu'il déploya pour le planter au milieu de l'avant-bras du gardien était sans commune mesure. La lame du couteau entra près du coude et glissa jusqu'à son poignet en se frayant un chemin entre son radius et son cubitus. Le gardien de sécurité hurla à la mort. Son cri couvrit momentanément la clameur de la foule.

Le policier cuisait aussi de douleur. Il roula sur le ventre, puis, dans un geste de défense désespéré, il tira à trois reprises vers Christopher. Une balle lui écorcha l'épaule. Le deuxième projectile frappa le gardien en plein visage. Finalement, la troisième balle se logea dans le mollet d'une femme qui s'empressait de se mettre à couvert. Fouetté par l'adrénaline, Chris poussa sans ménagement le cadavre du gardien de sécurité. Les oreilles bourdonnantes, il se releva d'un bond. Quant au jeune policier, qui n'avait jamais tué personne, il souffrait d'un violent choc nerveux. Chris profita de sa vulnérabilité pour lui donner un bon coup de pied sur la main, ce qui lui fit lâcher son Glock 17. Christopher agrippa sa mallette, puis les rênes de Star. Le cheval désorienté piaffait autour de son cavalier blessé. Le brouhaha était assourdissant. Les sirènes des voitures de police et des ambulances se rapprochaient. La foule de curieux était épouvantée ; plus personne ne songeait à jouer au héros. La peur d'étoffer la rubrique nécrologique les tenait à distance.

Une seconde plus tard, Christopher avait un pied dans l'étrier. L'instant suivant, il était en selle et murmurait à l'oreille du cheval pour le calmer. Le Quarter Horse américain cessa de se regimber. Bien qu'il fût soumis à un stress indescriptible, Christopher adopta vis-à-vis du cheval une approche ferme, autoritaire et naturellement douce. La confiance s'établit rapidement ; l'animal comprit à quel genre de leader il avait affaire. Christopher connaissait parfaitement le comportement du cheval et les protocoles définissant ses règles de conduite. Avant que son domaine agricole ne soit réduit en cendres par Sentinum, il était propriétaire d'une douzaine de bêtes.

— Allez, Star ! Hue, mon beau ! commanda-t-il en l'éperonnant.

Chapitre 60

Pendant ce temps, une chasse à l'homme de grande envergure se mettait en branle dans Central Park. Tout autour du lieu de villégiature qui faisait la fierté des New-Yorkais depuis 1873, des dizaines et des dizaines de véhicules d'interception bloquaient toutes les issues alors que les voies carrossables internes étaient surveillées par d'autres voitures de patrouille. La stratégie opérationnelle était élémentaire : puisque Christopher Ross s'était replié dans le parc, on tâchait de l'encercler.

Les policiers à cheval de New York répondirent rapidement à l'agression commise envers l'un de leurs confrères. Comme une division de cavalerie montant à l'assaut, ils ratissaient les pelouses et les chemins piétonniers de Central Park. Du haut des airs, les hélicoptères de la police affluèrent de toute part. Les pilotes munis de lunette de vision nocturne étaient brillamment appuyés par leurs caméras thermiques qui balayaient chaque parcelle de terrain.

Le maire de New York avait été averti de cette étrange poursuite quelques minutes après le déclenchement de la chasse à l'homme. Pour reprendre les termes du chef de police : « L'affaire sera bouclée dans une trentaine de minutes. Vous pouvez retourner au lit et dormir sur vos deux oreilles, Monsieur le Maire. »

Sur la foi de renseignements de première main, l'individu, à présent désarmé, chevauchait dans Central Park en costume de soirée, une mallette à la main. En l'état actuel des choses, c'était du gâteau !

Toutefois, même si tout se déroulait comme prévu, un événement inusité se produisit et compliqua les recherches. En fait, semblable à une invasion touristique, on accourait sur les traces de Christopher. La nouvelle qu'un cavalier distribuait dans son sillage des billets de 100 dollars se répandit comme une traînée de poudre. Il s'agissait en quelque sorte d'une version capitaliste du Petit Poucet. Emportés par la fièvre du gain, les citadins, dont plusieurs étaient sous l'influence de l'alcool, couraient derrière Chris et grappillaient l'argent liquide qu'il jetait. Les billets verts semblaient par miracle avoir poussé çà et là.

Les policiers s'acharnaient à contenir les débordements de cette cohue urbaine. Ils essayaient de peine et de misère de repousser les indésirables hors de Central Park. Pendant ce temps, les pilotes d'hélicoptère inondaient les ondes radio. Ils répétaient qu'ils étaient dans l'impossibilité de suivre les traces de l'individu à la mallette à travers tout ce monde. Ils avaient d'ailleurs aperçu des policiers ramasser eux-mêmes des billets de banque et les glisser dans leurs poches. Ce comportement était inacceptable. De plus, les réserves de kérosène diminuaient à vue d'œil. En ce sens, il était primordial que les effectifs au sol concentrent leurs efforts à éloigner les curieux !

Christopher cavalait comme un fou. Il traversa le parc d'attractions Victorian Gardens. Ce parc estival était fermé depuis la mi-septembre afin d'y installer une patinoire en plein air. Comme sa monture était peu habituée aux folles chevauchées, il fut préférable de ralentir la cadence. Chris s'arrêta un instant au sommet de Cherry Hill. Le monticule surplombait un lac.

— Woh, Star ! commanda-t-il près d'un podocarpus.

Pendant que son cheval se désaltérait dans un abreuvoir aménagé pour les calèches, Christopher descendit de la selle. Il examina sa blessure à l'épaule. Heureusement, elle était superficielle. Son beau costume Versace était par contre dans un état lamentable. Le pli impeccable de son pantalon n'était plus qu'un souvenir. Une branche de chêne avait déchiré l'une de ses poches, et il avait perdu son nœud papillon.

— J'avais promis de le donner à Josh, murmura-t-il, déçu.

Six mille dollars gaspillés ! Alyson aurait raison de le sermonner à son retour. Star chauvit soudain des oreilles. Les sens fortement aux aguets, Chris fit de même. Il tendit le cou et discerna les sons discordants qui avaient attiré l'attention du cheval.

— Et l'escouade canine entre en scène ! s'exclama-t-il.

Chapitre 60

Il n'y avait aucun doute : à travers l'incessant bourdonnement des hélicoptères, les aboiements furieux des équipes de maîtres-chiens se rapprochaient. Les autorités organisaient une battue générale. Décidément, on ne lésinait pas sur les moyens pour l'attraper. Christopher était convaincu d'une chose : son cas était loin de s'améliorer. Il remonta sur son cheval et détala au galop. Pour l'instant, il n'y avait rien d'autre à faire que de cavaler au hasard. Il se jura à lui-même de ne plus jamais forcer la chance de cette manière. Pareille imprudence frôlait la folie. S'il s'en tirait, il demanderait à Alyson de filer directement au Panama afin de rejoindre Alexandra. Ils se feraient déposer sur l'île la plus déserte du globe. Sa femme et lui vivraient ensuite d'amour et d'eau fraîche, retirés du monde, pour toujours.

Il aboutit au niveau inférieur, sur la terrasse Bethesda. Un rai de lumière aveuglant perça soudain l'obscurité et le plaça bien malgré lui en avant de la scène. Le faisceau lumineux passa entre les ailes de la statue de bronze d'un ange féminin installée au sommet d'une fontaine. L'ombre des ailes s'étira sur le sol, comme si elles se déployaient démesurément. Christopher avait été localisé. Les yeux plissés et la main devant la figure pour se protéger de l'éblouissement, il regarda, comme hypnotisé, l'hélicoptère qui fonçait vers lui.

L'Agusta A119 Koala effectua un arc de cercle tout en continuant de l'éclairer. Il resta en stationnaire au sommet d'un escalier situé 10 mètres plus loin. De chaque côté de son fuselage, trois hommes de l'escouade aéroportée descendirent en rappel par l'ouverture de ses portes coulissantes. Cinq secondes plus tard, l'hélicoptère se rendit à l'extrémité opposée de la terrasse afin d'y larguer une autre équipe d'intervention. Les policiers planifiaient de l'encercler entre la terrasse au sud et le lac au nord. Pour l'avoir 100 fois répété avec son unité des Forces canadiennes, Chris connaissait cette tactique employée par les policiers, à la différence que, ce soir, il était la cible.

Christopher tint fermement sa mallette et se mit en équilibre sur les étriers afin de libérer le dos de son cheval. Heureusement qu'il avait de longues jambes, car leur ajustement avait été réglé en fonction de la promenade, et non pour franchir des obstacles de manège. Star réagit admirablement. D'une finesse étonnante, il s'élança, plana par-dessus le mur de pierre délimitant la terrasse et atterrit de l'autre côté, sur l'herbe. Ils se faufilèrent adroitement parmi les arbres, puis le cheval enchaîna avec assurance le prochain obstacle. Il sauta par-dessus la clôture du sentier forestier conduisant au Bow Bridge. Christopher le félicita chaleureusement. Il avait l'impression de participer à une véritable épreuve de steeple-chase. Ils galopèrent à fond de train pour traverser le pont, effrayant au passage une colonie de parulines en halte migratoire.

L'hélicoptère était toujours à ses trousses. Christopher fit un virage raide et fonça dans une lisière de sycomores américains, où il faillit être désarçonné par une branche. Il slaloma un moment sous leur feuillage, ce qui le protégea temporairement du repérage visuel, mais pas des détecteurs thermosensibles. Les pilotes à bord du cockpit de l'Agusta suivaient facilement le point vert représentant Christopher sur le fond noir de leur écran cathodique. Et pour cause, la robe de son cheval était luisante de sueur ! Au bout de 100 mètres à zigzaguer à travers les fourrés, il aboutit dans une clairière, devant un obélisque égyptien de 21 mètres de hauteur.

Le projecteur de l'hélicoptère se braqua à nouveau sur Christopher. On lui ordonna dans un mégaphone de s'immobiliser sur-le-champ. Il était en état d'arrestation. S'il n'obéissait pas, on ouvrirait le feu sans autre sommation. Tout à coup, un cavalier à la fougue intrépide surgit de derrière l'obélisque de granit rose, le chargeant avec bravoure. On aurait dit que ce policier se prenait pour John Wayne. Il se mit debout sur sa selle, les guides de son cheval bien tendues. Il sauta ensuite vers Christopher dans une cascade digne de l'époque du Far West. Il espérait ni plus ni moins le saisir au passage. À son grand désarroi, Chris agrippa le pommeau de sa selle et passa sa jambe par-dessus. Ses deux jambes se retrouvèrent du même côté de Star. Le pauvre policier happa le vide avant de s'écraser sur l'obélisque. Il retomba inerte dans les broussailles.

Christopher se laissa descendre de façon mesurée jusqu'à ce que ses pieds touchent le sol. Cela lui donna la force d'impulsion nécessaire pour remonter à cheval sur sa selle. Il contourna l'obélisque et reprit sa folle équipée de cross-country, à la barbe des pilotes de l'hélicoptère. Son galopeur était en pleine forme et lui aussi ; jamais on ne l'attraperait vivant. Personne n'aurait le plaisir de l'offrir en pâture à Karl Haustein ! Christopher était prêt à l'impossible pour se tirer de ce guêpier. En se creusant un peu les méninges, il était convaincu de trouver une manière de se sortir de ce mauvais pas avec finesse.

Chapitre 61

5 octobre 2001, 3h05
Iran, 50 kilomètres au sud de Bukan

Alexandra Richard et Daniel Tornay coururent vers le Mirage IV sur la piste fendillée de l'aérodrome désaffecté. Le bombardier stratégique aux lignes épurées luisait dans la nuit. Il était majestueux. Peu importe où Alexandra portait son regard, des soldats s'affairaient aux préparatifs du décollage.

Le tout était rondement mené. Une équipe se hâtait de purger les deux réservoirs auxiliaires attachés sous chacune des ailes du bombardier. L'idée était de diminuer la masse de l'appareil au décollage, car l'ajout de deux bombes à guidage laser sous le Mirage ferait osciller la balance à 30 tonnes. D'autres soldats passaient la piste au peigne fin de manière à déceler le moindre objet susceptible d'endommager les pneumatiques du bombardier. Derrière eux, un camion-citerne s'approchait du C-130 Hercules pour le ravitailler.

Les deux verrières du Mirage étaient relevées. Alexandra gravit l'échelle qui se trouvait sur le flanc de l'appareil et s'assit sur le siège du navigateur. Ce dernier vint lui donner quelques consignes de sécurité. Il lui montra où se situaient les poignées du siège éjectable, l'oxygène, le volume de la radio et ainsi de suite. La faible visibilité tourmentait Alexandra. Elle était enfoncée dans un trou, et il n'y avait que deux petits hublots latéraux sur la verrière. Le navigateur lui conseilla de regarder l'écran du périscope DOA, le fameux dispositif optique asservi qui permettait d'observer le sol depuis la carlingue.

Pendant ce temps, Daniel était en grande discussion avec le pilote du Mirage IV, le major Olivier Brunet. Ce pilote de l'armée de l'air française était rattaché à l'Escadron de reconnaissance stratégique 1/91 Gascogne. Le major Brunet était posté à la base aérienne d'Al Dhafra, aux Émirats arabes unis. Il y effectuait les préparatifs de l'Opération Héraclès qui viserait à renverser le régime taliban en Afghanistan. Il devait, cette nuit-là, réaliser des clichés de repérage avec les caméras trimétrogones regroupées dans le conteneur photographique CT52 fixé sous son bombardier. Mais, au lieu de se balader tranquillement à 15 000 mètres au-dessus de l'Afghanistan, le major Brunet avait décidé de mettre son appareil à la disposition de Daniel Tornay. En échange, ce dernier lui avait promis de ramener au bercail son Mirage IV sans une égratignure, en plus d'une généreuse compensation monétaire pour lui et son équipe.

Daniel et le major Brunet s'entretenaient sous la perche nasale employée pour le ravitaillement en vol du bombardier.

— Daniel, il est capital que je me pointe à la verticale de la mer d'Oman à 5 h ce matin, sinon…

— Sinon quoi? insista Daniel. Ta femme se posera des questions?

L'ambiance ne se prêtait guère à la plaisanterie. La blague de Daniel, aussi savoureuse qu'elle fût, ne lui arracha qu'un sourire forcé. À l'heure qu'il était, le major et son navigateur étaient censés être en mission à 1200 kilomètres à l'est. Cela allait sans dire, les opérateurs du centre de commandement aérien de l'OTAN étaient de mèche avec Daniel Tornay. Il avait une fenêtre de six heures pour mener à bien son opération « coup de poing », comme il disait. Passé ce délai, le major Brunet aurait de très gros ennuis s'il ne réapparaissait pas dans l'espace aérien surveillé par l'OTAN. Il se raidit et riposta.

— Sinon, bonjour les emmerdes ! Et vous me faites flipper avec vos combinaisons anti-g. T'as l'intention de faire des galipettes, hein ? Et tu crains le voile noir. Ai-je raison de me faire de la bile, Daniel ?

— Bien sûr que non, Olivier, déclara calmement Daniel. Tu me connais mieux que ça.

— Justement ! C'est ça qui m'inquiète.

— Et si jamais il y a le moindre pépin, je réglerai la note.

— Misère ! Tu parles comme si je te prêtais ma bagnole et que j'avais peur que tu la bousilles. Daniel, je t'en prie, rassure-moi ! s'exclama le major.

— Olivier, s'il te plaît, cesse de râler. J'ai amplement le temps de faire mon petit numéro. Donne-moi une heure, et je te ramène ton Mirage. Il sera nickel ! C'est promis.

— Cool !

— Y a-t-il autre chose qui te dérange, ou on a fait le tour ?

— Je ne voudrais pas être indiscret, mais comment as-tu fait pour te procurer ces bombes à guidage laser ?

— Si je te dévoile mes trucs, se moqua Daniel en enfilant ses gants de vol, je vais devoir te tuer.

— Pour une fois dans ta vie, Daniel, sois sérieux, dit sèchement Olivier. As-tu réfléchi à la traçabilité de ces bombes ? Et à ce petit détail de rien du tout : il y a l'insigne de l'armée de l'air française sur mon Mirage.

— Il est un peu tard pour les remords.

— En tout cas, assure-toi de ne pas être repéré. Tu n'imagines pas le drame si cette histoire venait à s'ébruiter. Et j'y pense, qu'est-ce que tu fous avec cette gonzesse ? s'enquit le major. T'es pas au *drive-in*, ici !

Daniel se tourna vers le soldat qui terminait d'attacher Alexandra. Il dégageait une confiance immodérée.

— Jeune homme ! cria-t-il. Veillez à bien ajuster son casque et les sangles de son harnais. Ensuite, vous masquerez avec du ruban chatterton les logos imprimés sur le fuselage.

— Oui, monsieur, répondit immédiatement le soldat.

Daniel pivota et s'adressa de nouveau au major Brunet.

— Primo, les numéros de série des deux bombes ont été burinés. Secundo, elles ont été retirées du fichier central de l'OTAN. Et tertio, cette gonzesse, comme tu dis, se nomme Alexandra !

— Désolé, Daniel, j'ai les nerfs à vif, s'excusa Olivier. Je ne voulais pas te vexer.

— Ce n'est rien, nous sommes tous un peu tendus.

Le major Brunet observa son ami monter dans l'échelle du Mirage IV avec une drôle de sensation au creux de l'estomac.

« N'empêche, songea-t-il, dépité, j'ai le pressentiment d'avoir donné des allumettes et un bidon d'essence à un singe. »

Daniel héla un soldat qui arrivait de sous l'empennage du bombardier.

— Un spot laser a-t-il été positionné sur la cible ?

— Oui, monsieur, affirma le soldat. Un éleveur de moutons s'en est occupé avant de fuir le secteur. Voici ses coordonnées GPS, monsieur.

— J'espère qu'il ne s'est pas gouré, car, si les bombes ne trouvent pas leur chemin comme supposé, je te jure qu'il aura de mes nouvelles !

Une fois les verrières du Mirage abaissées, Daniel condensa les procédures de prévol au strict minimum. Il tambourina avec son index sur le compas à sphère qui était accroché sur le montant central du pare-brise. Daniel effectuait ce rituel chaque fois qu'il pilotait un appareil pour appeler les faveurs de dame Fortune. Il démarra les moteurs du Mirage IV, alluma l'écran du système NAVSTAR et enregistra les coordonnées géographiques de la cible.

Chapitre 61

Le silence radio avec l'équipe au sol était de mise pour éviter tout repérage. Un soldat debout sur la piste leva ses deux pouces pour interroger Daniel : « Prêt ? » Daniel lui répondit en fermant son poing et dressant son pouce à son tour. Il demanda ensuite à Alexandra si elle l'entendait distinctement dans ses écouteurs intégrés.

— Je vous reçois cinq sur cinq, Daniel. Et vous ?

— Clair et fort ! déclara-t-il au moment où les turbines atteignaient leur température nominale d'opération. Prête, Alex ? On fonce !

Il desserra le frein à main du bombardier et commença à rouler. Il mima au major Brunet que tout allait comme sur des roulettes. Huit minutes plus tard, les turboréacteurs du Mirage tournaient à 8500 tours par minute, presque à puissance maximale. Les pétales des tuyères étranglaient l'échappement. Daniel lâcha les freins et poussa la manette des gaz à fond. En plus d'être fendillée, la piste était trop courte et le biréacteur, trop chargé pour effectuer un décollage sécuritaire. Daniel utilisa quatre moteurs-fusées JATO pour donner une poussée supplémentaire de cinq tonnes au bombardier. Ces fusées auxiliaires étaient fixées sur un bâti largable sous le ventre de l'appareil. Elles fonctionnèrent durant une dizaine de secondes de manière à compenser l'excès de poids des bombes à guidage laser.

Les roues du Mirage IV quittèrent enfin le bitume, et l'appareil déchira le ciel nocturne iranien comme un éclair. Daniel rentra le train d'atterrissage et ramena le manche. Le bombardier vibra et se cabra, adoptant une trajectoire d'ascension presque verticale. L'équipe au sol ne vit que les flammes bleues des gaz d'échappement mêlées à une traînée de condensation scintiller dans la nuit.

Le cœur chaviré, Alexandra regarda s'éloigner la terre sur l'écran du périscope. Le DOA lui offrait une vue du sol exceptionnelle. Elle était clouée à son siège éjectable, subissant la force foudroyante de l'accélération. À cet instant, peu lui importait de savoir si les sangles de son siège étaient bien serrées. Mais, lorsque le Mirage IV atteignit 2000 mètres et qu'il plongea aussitôt après, elle sentit en apesanteur que ses courroies étaient un peu lâches. En réaction à cette chute vertigineuse, elle ferma la bouche et ravala sa salive. Celle-ci avait le goût douteux du corned-beef de la ration de combat réchauffée qu'elle avait mangée plus tôt.

Daniel descendit à très basse altitude, dans une vallée isolée. Le décor rocailleux défilait de part et d'autre du Mirage à un rythme hallucinant. Une crête déchiquetée surgit soudain dans un virage prononcé. Il n'eut d'autre choix que d'exécuter une manœuvre agressive. Il inclina l'appareil à 90°, et la dérive du bombardier évita de justesse le surplomb rocheux.

— Ce coucou date des années 1960, et il a la fâcheuse manie de dériver vers la gauche. Désolé pour le secouage.

Pour Alex, les flambées d'excitation se succédaient sans arrêt depuis sa rencontre avec Daniel.

— Je sais que nous devons passer sous la couverture radar pour réduire notre signature, mais sommes-nous obligés de voler aussi bas et aussi vite ? s'enquit-elle.

« Passer sous la couverture », répéta Daniel dans sa tête.

— Je ne veux courir aucun risque, répondit-il décemment. Nous sommes à bord d'un bombardier stratégique, non pas d'un avion de chasse. Même s'il se débrouille bien, le Mirage IV n'a pas été conçu pour accomplir des acrobaties aériennes.

— Alors, pourquoi avez-vous arrêté votre choix sur cet appareil ?

— Premièrement, il était disponible. Mais le Mirage IV a surtout pour moi une importance symbolique. Il a réalisé son premier vol d'essai le 17 juin 1959, le jour de ma naissance. Voilà ! Vous connaissez la vérité : je suis un grand romantique.

— Encore chanceux que vous ne soyez pas né une semaine avant, répliqua Alex.

Chapitre 61

— Pourquoi ?

— Parce que vous auriez certainement jeté votre dévolu sur le premier sous-marin nucléaire américain, le *USS George Washington*. Imaginez quelle fière allure nous aurions en sous-marin, dans ces montagnes !

— Vous connaissez ce détail ? observa Daniel, surpris.

Décidément, Alexandra lui plaisait de plus en plus. Laissant libre cours à son imagination, il voyait déjà éclore les fleurs de la romance tandis que l'amour lui donnait réellement des ailes.

Daniel ajusta sa lunette de vision nocturne et poussa la manette des gaz. Le Mirage IV amorça un virage abrupt à une vitesse transsonique. Il emprunta un profond ravin se terminant par un pic rocheux. Afin d'épouser le relief accidenté, il montait et dévalait les pentes comme s'il suivait un circuit de montagnes russes. Plus loin, un bourdonnement saccadé retentit dans leurs oreilles, prouvant que leur bombardier avait été détecté par le faisceau radar aéroporté d'un appareil ennemi. Un MiG-23 chargé de surveiller les dômes salins de Sentinum les avait dans le collimateur.

— Nous avons de la compagnie, grinça Daniel en serrant les mains sur les commandes.

Le pilote du MiG-23 replia à 16° les ailes à géométrie variable de son chasseur, qui devint redoutablement agile. Il se lança aux trousses du Mirage IV, plus gros et plus lourd.

Le ravin exigu semblait sans fin. Propulsée au cœur de l'action, Alexandra était muette. Intimidée par les changements de direction brutaux de Daniel, elle se faisait sauvagement ballotter de tous les côtés et se cramponnait de son mieux. Elle était tellement étourdie qu'elle en avait perdu le sens de l'orientation. La figure rougie par l'émotion, elle s'efforçait tant bien que mal d'évaluer la démesure de cette mission. Une chose était sûre : en virevoltant dans cet univers aéronautique, elle était enfin parvenue à décrocher de la réalité. Cela lui permettait pour un temps d'oublier le violent dépit qu'elle éprouvait envers Christopher.

Le pilote du MiG-23 avait le Mirage IV dans sa mire à la fois sur le viseur de son casque et sur son afficheur tête haute. Il actionna sa gâchette de tir. Un missile AA-11 Archer glissa sur son rail, puis dépassa l'aile gauche du MiG dans un flash éblouissant. Daniel trouvait que cela commençait à chauffer un peu trop. Il aurait bien aimé larguer les deux volumineux réservoirs auxiliaires et le conteneur photographique CT52 du Mirage, mais le major Brunet aurait ensuite été incapable d'expliquer à son supérieur la mystérieuse disparition des composantes externes de son appareil.

Espérant se débarrasser du missile infatigable qui les pistait, Daniel activa le lance-leurres Alkan F1A embarqué dans la soute arrière du bombardier. Les paniers de cartouches infrarouges de 40 mm se vidèrent, mais le missile AA-11 ne les lâcha pas. Au détour d'un promontoire, Daniel s'esquiva dans un défilé rectiligne en lançant une série de contre-mesures Barax NG depuis les conteneurs situés à l'extrémité des ailes du Mirage. Il exécuta une suite de gestes précis et mesurés. Au dernier moment, il vira à gauche et s'engagea dans une crevasse de 20 mètres de large. Le missile AA-11 enfin dérouté s'écrasa sur une falaise. Le MiG-23 traversa la boule de feu du missile pulvérisé et tira encore. Heureusement, le Mirage IV avait déjà déguerpi, car Daniel avait allumé la seconde rangée de moteurs-fusées JATO. Le bombardier fut projeté vers l'avant au milieu des parois menaçantes de la crevasse, puis le missile perdit sa trace.

Daniel trouvait que ce Mirage IV, malgré ses 6000 heures de vol au compteur, se comportait admirablement bien. En fait, il était contrarié que l'armée de l'air française envisage de mettre au rancart cet avion mythique en activité, comme lui, depuis quatre décennies. À présent, le Mirage était relégué aux fâcheuses missions de reconnaissance à haute altitude. Toutefois, durant les années 1970, il était l'élément essentiel de la stratégie de dissuasion nucléaire française. Cet appareil équipé de deux réservoirs auxiliaires externes avait la possibilité de transporter une bombe nucléaire AN22 de 60 kilotonnes à 4000 kilomètres de son point d'envol. Cette nuit, grâce à Daniel, le Mirage IV retrouvait sa place dans le panthéon de l'aviation militaire.

En plus de son incroyable autonomie de vol, plusieurs autres caractéristiques distinguaient le bombardier. Le pilote du MiG-23 s'en rendit compte lorsqu'en fouillant le ciel à la recherche du Mirage IV, il le vit apparaître derrière son chasseur. Daniel cribla le MiG-23 de munitions incendiaires, à l'aide de 2 canons aériens DEFA de 30 mm spécialement installés pour l'occasion. Les balles traçantes à haute vélocité jaillirent de leurs tubes comme des éclairs de feu. Elles décrivirent une portion de cercle dont les conséquences furent aussi fulgurantes que dévastatrices. L'empennage du MiG-23 fut touché de plein fouet et perforé de toute part. Il s'écrasa en flammes au fond du ravin. Le bourdonnement sinistre du signal radar hostile se tut dans le cockpit du Mirage.

Daniel relâcha la gâchette de tir. Le pilote du MiG-23 avait eu le réflexe salutaire de déployer son siège éjectable avant l'assaut meurtrier du Mirage. L'abominable turbulence de l'éjection l'avait désorienté, et tous ses repères sensoriels étaient brouillés. Il était placé en plein dans la trajectoire du Mirage IV, facilement abattable. Les deux pilotes s'observèrent derrière leur visière respective. Cela généra une insoutenable incertitude. Devant le spectre d'une mort imminente, le parachutiste en péril avait le regard d'un enfant apeuré. Il croyait avoir livré son dernier combat aérien. Daniel décida finalement de l'épargner. Il ralentit sa vitesse, s'inclina et passa sur sa droite. Alexandra ne manqua pas de remarquer la clémence de Daniel.

— Maintenant qu'on s'est échauffés comme il faut, passons aux choses sérieuses, déclara-t-il pour briser le silence.

Il poussa la manette des gaz et tira sur le manche. Le Mirage IV prit de l'altitude. Ses moteurs ronflaient comme une forge. Alexandra s'enfonça à nouveau dans son siège. Elle avait la sensation de carburer à l'adrénaline ; elle se surprit même à oublier sa réserve habituelle.

— Montons-nous au septième ciel ? s'enquit-elle.

— Ne brûlons pas les étapes, Alex ! Avant de vraiment nous éclater, nous commencerons par un cocktail de fin de soirée !

Même si cela était impossible, Daniel eut la délicieuse impression de humer l'odeur enivrante d'Alexandra à travers le système d'air conditionné du Mirage. Son désir lui jouait sûrement des tours.

Chapitre 62

4 octobre 2001, 23 h
New York, États-Unis

Du haut de sa terrasse privée, Teddy Metcalf adopta une attitude contemplative sur Manhattan. Christopher Ross était parti de son *penthouse* depuis plusieurs minutes avec son million de dollars. Teddy sourit en pensant à ce cadeau empoisonné qu'il lui avait offert. À l'heure actuelle, Central Park était bouclé. Même un écureuil ne parviendrait pas à s'en échapper. Tout cela l'excitait au plus haut point, mais il se forçait à contenir sa joie. Il remplit son verre ballon de L'Esprit de Courvoisier 100 ans d'âge. Il déposa sa carafe Lalique sur la balustrade de pierre, puis leva son cognac sous son nez, afin d'en humer les arômes complexes de bois de santal. Il se tourna ensuite vers Charles et porta un toast en l'honneur de Christopher Ross.

— Santé, petit con !

Puis, il entoura les épaules de son compagnon de vie et dégusta une longue gorgée de cognac. Teddy était fier de sa performance.

— Dommage, se désola Charles. Il était peut-être con, mais il était mignon comme tout, ce petit. J'espère qu'ils ne seront pas trop durs avec lui. Dis-moi, Ted, étais-tu obligé de lui donner l'accolade avant qu'il parte ?

— Voyons, Charles ! Pour notre sécurité, je me devais de jouer mon rôle à la perfection, et ce, même si j'avais un trac fou.

— Là, tu exagères…

— Ah, j'exagère ? l'interrompit Teddy. Je te demande bien pardon ! Nous avons risqué notre peau, Charles. Je te le jure, quand ce type était dans mon bureau, ça n'a pas été de la rigolade. Heureusement que j'ai su y faire ! Je trouve navrant d'être obligé de te rappeler que ce type-là était une vraie brute !

— Une brute, une brute, mon œil ! Je ne suis pas jaloux, affirma Charles. Je pense plutôt que tu as profité de la situation.

— Quoi ? Ah non ! Tu ne vas pas encore me faire une scène !

Teddy Metcalf avait manipulé Christopher comme un pion. Ce dernier n'avait rien suspecté, pas même en filigrane. Chris supposait à tort qu'un policier perspicace l'avait reconnu dans Central Park. Jamais il n'avait soupçonné que Teddy était derrière tout cela. À la vérité, cet expert en trafic d'influence l'avait simplement vendu à Sentinum. Le richissime homme d'affaires savait de source sûre que l'organisation ne l'incorporerait jamais officiellement dans ses rangs. Insatisfait de cette décision, il attendait patiemment le jour où il aurait une carte à jouer. Ce jour était arrivé avec Christopher Ross, et il avait finement monnayé cette information.

Chez Sentinum, on éprouvait une vive joie. Après tout ce qui avait été entrepris pour éliminer Christopher Ross, recevoir un appel en provenance de Teddy Metcalf révélant qu'il venait tout juste de quitter son *penthouse* de Manhattan était inespéré. L'état dans lequel on capturerait Christopher importait peu au dirigeant suprême. Naturellement, Karl Haustein aurait apprécié l'attraper vivant et rivaliser d'imagination afin de le voir souffrir le martyre, mais il était las de toute cette histoire. Ce qu'il souhaitait sincèrement, c'était qu'il meure ce soir, point final.

L'organisation ne ménagea aucun effort. En plus des policiers du NYPD, Sentinum impliqua l'Arthropode, Victor Seigner. Il fut dépêché d'urgence d'Atlantic City par hélicoptère. Comme Victor n'avait enfilé qu'un pantalon de treillis noir, son armure étincelante attira grandement l'attention des membres d'équipage chargés de le transporter à Central Park. Aigri par un ressentiment qui était ineffaçable comme les cicatrices de ses brûlures, il n'espérait qu'une chose : arriver avant la mort de Christopher Ross. L'incroyable affront qu'il lui avait fait subir sur le mégayacht ne pouvait se payer que par une terrible revanche. Toutefois, la discrétion était de mise. Les forces de l'ordre étaient sur les lieux, et Victor avait promis au dirigeant suprême de ne pas transformer l'opération policière en bain de sang, d'exécuter seulement Christopher et de ne faire aucune autre victime. Central Park ne devait pas non plus devenir un champ de bataille. Lors de sa négociation avec Sentinum, en plus d'obtenir la certitude qu'il serait admis dans le petit cercle des initiés de l'organisation, Teddy s'était assuré que son lieu de villégiature favori resterait intact. Sentinum offrirait d'ailleurs 100 000 dollars en prime à celui qui ramènerait Christopher Ross sans tout saccager.

L'hélicoptère de Victor se posa au milieu des terrains de baseball de Great Lawn. Christopher, toujours à dos de cheval, galopait à près de 70 kilomètres à l'heure. Il passa sous l'arche d'un pont en baissant la tête. Il ignorait qu'en se ruant dans cette direction il accourait à la rencontre de Victor. Mais il y avait pire : un hélicoptère était encore à ses trousses et quatre cavaliers surgirent devant lui. Christopher bifurqua abruptement, revint sur ses pas, et croisa un second détachement de policiers à cheval. Découragé, il rebroussa chemin. Ses opposants, qui étaient moins fatigués, grignotaient du terrain et se rapprochaient dangereusement. L'étau se resserrait sur Christopher. Malgré cela, il refusait de se résigner à jeter l'éponge.

Il s'accrochait à l'idée de s'en tirer. À travers les clôtures, les pointes de terre, les lampadaires et les arbres, ce n'était qu'une question de temps avant qu'il ne soit désarçonné de sa monture.

Christopher se fit acculer dans une impasse. Il balaya la zone d'un regard perçant. Il n'avait d'autre choix que de passer par-dessus 79th Street, qui se situait en contrebas, entre deux murets de pierre. Même s'ils prenaient le maximum d'élan, il craignait que la distance à couvrir fût trop importante pour son pauvre cheval surmené. Il s'élança malgré tout, au galop, fusionnant ses gestes avec ceux de sa monture. Exactement à une enjambée du muret, Christopher hurla à Star :

— Saute !

Une demi-seconde plus tard, les pattes arrière du cheval déployèrent une impulsion extraordinaire, et il se jeta à corps perdu vers l'avant. Christopher retint son souffle, comme si cela avait une incidence dans l'exécution de son tour d'adresse. L'espace d'un instant, le temps se figea et tout se déroula comme au ralenti. Lorsque les policiers le virent s'envoler du muret et passer par-dessus 79th Street, ils constatèrent que cette poursuite effrénée à cheval était loin d'être terminée.

Après ce qui sembla être une éternité, le cheval atterrit de l'autre côté de la rue. Christopher avait franchi une distance de 8,15 mètres ; il était à un doigt de battre le record du monde de saut équestre en longueur de 8,40 mètres détenu par André Ferreira depuis 1975.

Les conducteurs des voitures de patrouille qui circulaient plus bas sur 79th Street furent extrêmement surpris par cette prouesse. Ils freinèrent brusquement, et leurs véhicules se heurtèrent les uns aux autres. Les cavaliers à la poursuite de Christopher arrêtèrent leurs chevaux in extremis au bord du muret. Certains tentèrent d'imiter Christopher. Malheureusement, la peur paralysa leurs chevaux, qui regimbèrent à la vue de cet obstacle. Leurs braves cavaliers culbutèrent, puis tombèrent en bas du muret sur le dos ou sur le ventre, sur la chaussée ou sur les voitures de police.

Christopher reprit sa galopade et tourna la tête. Il regarda, satisfait, le tumulte qu'il laissait derrière lui en gratifiant son cheval.

— Super, Star ! Tornado serait jaloux !

Pendant ce temps, au théâtre en plein air Delacorte situé en plein cœur de Central Park, les organisateurs marchaient sur des œufs. Malgré l'ordre d'évacuation des policiers, ils attendaient la fin de la pièce de Shakespeare, *Richard III (The Life and Death of Richard the Third)*, pour inciter les spectateurs à quitter les estrades. Pourquoi gâcher cette superbe soirée ? Ils étaient convaincus que cette chasse à l'homme se terminerait avant la fin de la représentation.

La pièce de théâtre était à son dernier acte. Les spectateurs assistaient à une reconstitution mémorable et de belle facture de la bataille de Bosworth. Le tyran Richard III et son armée avaient été battus. Son cheval factice était écroulé sous lui. L'acteur qui incarnait Richard III allait mourir sous les coups de son adversaire, Henri Tudor, comte de Richmond. Aux abois, il cria cette phrase désormais célèbre :

— Un cheval ! Un cheval ! Mon royaume pour un cheval !

À cet instant précis, Christopher bondit avec Star par-dessus la clôture de l'amphithéâtre et atterrit sur la scène.

— Woh, Star ! commanda-t-il.

L'effet théâtral fut grandiose et à la hauteur des espérances de l'auditoire. Christopher trotta jusqu'au milieu de la scène, puis sauta à terre. Le silence enveloppait le public. Il avança vers Richard III pendant que le faux comte de Richmond reculait dans l'ombre, dérouté par cette improvisation. Christopher flatta le chanfrein de Star et, d'une prestation scénique, il remit les rênes au comédien qui incarnait Richard III.

— Tenez, mon ami ! En voici un, cheval, et un vrai par-dessus le marché ! Un peu de nerf, que diable ! Profitez-en pour réécrire l'histoire.

Victor Seigner se fraya un passage à travers les chevaliers médiévaux et apparut sur la scène. Christopher interrompit brusquement son spectacle. Il se sentait incrédule, comme s'il était dans un cauchemar. Il se demanda même s'il n'était pas victime d'une hallucination.

« Comment est-ce possible ? » se dit-il, contrarié.

Victor brillait sous les feux des projecteurs. L'aluminium transparent recouvrant ses yeux scintillait tandis qu'il dévisageait Christopher. Il annonça d'une voix haineuse :

— Je te ferai la peau. Ensuite, je danserai sur ton cadavre !

— Ne le prends pas mal, mais ce sera pour une prochaine fois, l'affreux ! s'exclama-t-il.

En moins de deux, Christopher arracha les rênes du cheval des mains de Richard III.

— Désolé, mon vieux !

Des voitures de police arrivèrent, et un mouvement de panique indescriptible s'installa. Les gens affolés quittaient les estrades et s'éparpillaient dans tous les sens. Christopher remonta en selle, contourna la première rangée de bancs vides et reprit sa progression par le côté des gradins du théâtre en plein air. Victor se lança à ses trousses avec son 9 mm au poing. Il bousculait tout sur son passage.

Les hélicoptères se tenaient à l'écart. Aucun pilote n'aimait voler au-dessus d'un rassemblement populaire à très basse altitude. Quelques minutes auparavant, un des pilotes avait frôlé la hampe érigée au sommet de la tour du château Belvedere. Le drapeau américain était en berne depuis le 11 septembre, et le mât qui le dépassait était difficilement visible la nuit. Le pilote un peu secoué avait ensuite préféré survoler les terrains de baseball de Great Lawn, qu'il trouvait plus sécuritaires. Un coup d'œil à son niveau de kérosène lui rappela qu'il serait bientôt temps de retourner à la base. Il repéra tout à coup Christopher sur son cheval. Il venait directement à sa rencontre. Le pilote le survola et effectua un demi-tour de manière à positionner son Agusta A119 pour le suivre.

Chapitre 62

En revenant sur les traces de Chris, il reçut un coup de coude de son copilote. Ce dernier lui imposa le silence radio et lui fit signe de regarder le marbre du terrain de baseball numéro deux. La mallette d'argent y était ouverte, et Christopher était absent du paysage. Le point vert sur l'écran cathodique de leur radar thermique confirmait que Chris se dirigeait vers le réservoir Jacqueline Kennedy Onassis. Ce plan d'eau qui s'étendait sur presque toute la largeur de Central Park était l'endroit tout désigné pour l'appréhender. Le NYPD avait établi un cordon de sécurité de part et d'autre du réservoir. Chaque personne y était contrôlée.

Le pilote à court de carburant chargea un autre appareil de suivre Christopher Ross, car il devait retourner à la base. Mais, avant toute chose, une considération « environnementale » l'encouragea à faire un petit détour par le premier but ; il aurait été dommage d'abandonner tous ces billets de banque ! D'un commun accord, les pilotes décidèrent de nettoyer le terrain pour ensuite se partager le fruit de leur labeur. Tout alla à la vitesse de l'éclair. Après un atterrissage sans vol stationnaire, l'hélicoptère glissa sur le monticule du lanceur et s'immobilisa entre le troisième et le deuxième but. Le copilote ouvrit sa porte, courut vers la mallette et réinséra l'argent à l'intérieur. Il regagna précipitamment son siège, mit la mallette entre ses cuisses, puis l'Agusta s'éleva verticalement. Temps total écoulé : 15 secondes.

Le pilote poussa le manche cyclique en prenant un cap de 170° vers la base de Floyd Bennett Field, là où étaient stationnés les hélicoptères de la police de New York. Deux minutes plus tard, il survolait Brooklyn. La Jamaica Bay était à gauche et la marina de la Dead Horse Bay, à droite.

En approche des installations policières, l'Agusta survola une vieille route désaffectée à proximité du rivage. Ce chemin d'asphalte fendillé où l'herbe poussait péniblement leur servirait de cachette secrète. Il leur était impensable de se présenter au poste de police avec la mallette sous le bras. Il ne fallait pas non plus qu'elle se brise et disperse au gré du vent ses précieux billets verts. Le pilote aux commandes rasa la grève et diminua sa vitesse. À trois mètres du sol, le copilote donna un baiser sur le cuir mordoré de la mallette et la serra bien fort dans ses bras, comme un bébé.

— Tout doux, tout doux. OK, baisse un peu. Parfait. Je lâche le paquet. Bye-bye, mon trésor, murmura-t-il en la saluant de la main.

Il l'observa tomber jusqu'à ce qu'il la perdit de vue sous la carlingue de l'Agusta. Puis, elle rebondit et termina sa course près d'un bosquet touffu en bordure du front de mer.

— Allez, grouille ! Qu'on revienne la chercher au plus vite !

D'ici 30 minutes, leur rapport et leur compte rendu de vol seraient complétés. Ils viendraient récupérer leur précieuse mallette. Elle devait au bas mot contenir 200 000 dollars.

Tout cet argent obnubilait l'esprit des pilotes. Voilà pourquoi ni l'un ni l'autre n'avait senti le léger mouvement de tangage quand Christopher avait lâché les patins tubulaires de leur hélicoptère. À trois mètres du sable, sa chute s'était révélée bien plus violente qu'il ne l'avait prévu. Chris avait fait un roulé-boulé, puis un second. Il avait fini sur le dos à contempler les étoiles, le souffle coupé. Il se revoyait à Central Park ramper hors du fourré et courir vers l'hélicoptère pendant que les pilotes étaient polarisés sur la récupération de la mallette au terrain de baseball. Il avait rasé la poutre de queue de l'Agusta alors que le rotor tournait à haut régime. Sa promenade en plein ciel à 90 nœuds avait été éprouvante. Le visage fouetté par le vent, il s'était agrippé au marchepied à l'aide de ses bras et de ses jambes.

L'Agusta s'éloignait vers sa base. Avec courage, Christopher replia les ongles de ses doigts, qui s'étaient retournés durant ses dernières péripéties. Ses yeux se remplirent de larmes sous l'effet de la douleur aiguë. Il ressentait péniblement le contrecoup de ses excès. Christopher prit une profonde inspiration ; il était las de dépenser autant d'énergie et de risquer sa vie pour rien.

Chapitre 63

15 juillet 1417
Sion, Suisse

Après avoir monté dans les entrailles de la montagne, la cage métallique s'immobilisa sans à-coup au niveau de la cour intérieure du château de Sion. La porte coulissante s'ouvrit, et Catherine Dinan apparut dans la lumière éblouissante du midi. Elle plissa les yeux ; sa vision, qui s'était habituée à l'obscurité des caves sombres, eut besoin de temps pour s'accoutumer à l'éclat aveuglant du soleil. Le garde la bouscula en dehors de la cage, puis ils traversèrent ensemble la grande place. La chaleur y était accablante, étant donné que les remparts gênaient le passage du vent.

Au milieu de la place bouillonnait une fontaine. La manière dont on s'y prenait pour faire jaillir immuablement cette eau constituait un mystère pour Catherine. Elle avait si soif qu'elle se serait jetée à corps perdu dans la source pour se rafraîchir, mais le garde lui tenait fermement le bras. Elle réfréna à grand-peine son envie. Elle parcourut du regard la cour intérieure. La beauté des bâtiments était impressionnante. Les dalles recouvrant le sol formaient une mosaïque à la fois complexe et colorée représentant une carte plane du monde connu. Elle eut une pensée pour Henri, qui croyait que la Terre était ronde. Celle-ci était pourtant bien plate : elle en avait la preuve sous ses pieds !

Plus loin, une tour carrée perçait le ciel. Catherine leva les yeux. De gros canons placés sur plusieurs niveaux pointaient aux quatre vents de la tour. À la moindre rumeur d'attaque, ces bouches à feu répandraient la mort dans la vallée. Les boulets de canon qu'elle avait vus dans les caves du château seraient bien plus redoutables que des flèches ou des lances. Même les faucons tournoyant autour des fortifications paraissaient chargés de surveiller un éventuel envahisseur. Partout où se posait le regard de Catherine, il y avait des maçons et des charpentiers qui s'affairaient à entretenir le château de Sion et ses remparts. Elle avait l'impression que cet endroit appartenait à un autre monde.

De délicates odeurs de gibier rôti parvinrent à son nez, et une douloureuse crampe à l'estomac lui rappela qu'elle n'avait rien avalé depuis deux jours. Personne ne porta attention à elle, excepté un adolescent aux cheveux blonds et à la démarche athlétique qui jouait aux billes dans une venelle étroite. Il la considéra fixement avant qu'un vieillard ne lui criât par la tête :

— Jacob ! Espèce de chenapan, remets-toi à la tâche !

Le jeune homme se détourna et répondit :

— Oui, oui, je viens, Albert !

— Je t'ai déjà dit de m'appeler maître !

Au moment où Jacob franchit le pas de la porte, le vieillard lui donna une petite tape sur la nuque en guise de correction. Albert dut lever haut sa main, car Jacob le dépassait d'une tête.

— C'est heureux que tu sois aussi doué, Jacob, car je te salerais sévèrement !

— Et qui vous assisterait ensuite dans vos recherches, maître ?

— Il est hardi, en plus, le chenapan ! s'exclama Albert.

Chapitre 63

— Ce n'est pas ce que vous avez dit quand j'ai fabriqué l'amorce du fusil!

— Jacob, glissa Albert entre ses dents, tais-toi, rentre séance tenante et mets-toi à l'ouvrage!

Le jeune homme marmonna une phrase incompréhensible sur la vieillesse et disparut derrière la porte. Catherine entendit la bobinette choir, puis Albert hurler.

— Viens ici que je t'attrape! Je te montrerai si je suis vieux!

— Vous n'y parviendrez pas, Albert, répliqua effrontément Jacob. Quand bien même je vous laisserais faire!

Puis, le jeune homme éclata de rire. Visiblement, il avait du caractère. Cette prise de bec arracha un pâle sourire à Catherine. Tout comme son estomac affamé, son esprit tourmenté était en carence de joie de vivre.

À gauche, un remarquable vitrail circulaire ornait le fronton d'une église. Cette rosace flamboyante finement détaillée représentait des moments importants de la vie de Jésus. Le visage de Catherine s'assombrit d'un chagrin dévorant. Elle n'arrivait pas à comprendre pourquoi le Tout-Puissant interdisait aux amoureux de consommer les plaisirs de la chair avant le mariage. Elle était d'avis qu'Henri et elle ne méritaient pas un châtiment aussi sévère pour s'être simplement aimés.

Ils gagnèrent un escalier extérieur qui entourait un imposant corps de logis fortifié. Au sommet des marches en colimaçon, son garde ouvrit une porte de bois bardée de fer, puis ils s'engouffrèrent à l'intérieur. Avec la même hâte et sans mot dire, il l'emmena jusqu'au fond du couloir, où ils s'arrêtèrent en face d'une autre porte.

— Qu'allez-vous faire de moi? interrogea Catherine alors qu'il la poussait dans un réduit mansardé.

Elle eut peine à reconnaître le son de sa propre voix, qui avait résonné comme le grincement rauque des charnières du lourd battant se refermant derrière elle. Le claquement de la porte et le bruit de la serrure que l'on verrouille lui servirent de réponse. Malgré la touffeur de juillet, ses mains moites et tremblotantes étaient glacées. Elle respirait difficilement. Une fois seule, elle étancha sa soif à même un cruchon d'eau. Une écuelle de terre rouge garnie de fruits frais et de viande des Grisons était posée à côté. Ce bœuf suisse séché auquel on avait ajouté du sel, des épices et des herbes des Alpes avait l'air délicieux. Catherine arracha un bout de pain qu'elle fourra de fines lamelles de viande. Incapable de choisir l'ordre dans lequel elle devait faire les choses, elle mâchait de grosses bouchées de quignon et buvait goulûment dans le cruchon d'eau, en même temps. Derrière elle, une minuscule ouverture percée à travers la toiture de lauze donnait sur la partie nord de la vallée. Elle traversa la pièce pour sonder les barreaux de cette fenêtre. Naturellement, ils étaient on ne peut plus solides et, même si cela n'avait pas été le cas, à la hauteur où on l'avait emprisonnée, sa chute aurait été mortelle.

Soudain, la porte s'ouvrit de nouveau, et on lui apporta une tisane odorante. Catherine, qui était transie de peur, ne se fit pas prier pour avaler le breuvage chaud à petites gorgées. Quand elle eut terminé, elle se dirigea vers la couchette placée dans un coin du réduit. Une grande robe de taffetas noir était étendue sur l'édredon. Au moment où elle s'en approcha, Catherine éprouva un curieux et inexplicable vertige. Sa vision s'embrouilla, et la pièce mansardée se mit à tournoyer. Elle s'assit difficilement sur la couchette pour finalement s'effondrer sur le dos. Elle eut l'impression que les murs du réduit se refermaient sur elle. Catherine essaya de battre des paupières afin de se garder éveillée, mais, quelques secondes plus tard, elle s'engourdit dans une fatigue somnolente et perdit connaissance.

La pauvre jeune fille ignorait qu'elle venait d'ingurgiter un puissant sédatif. Une décoction inodore obtenue à partir d'un savant composé de plantes médicinales dont des racines de mandragore et de valérianes avait été incorporée à la tisane qu'elle avait bue. Catherine était à présent comme la confrérie Sentinum voulait que tous ceux qui étaient sous son giron soient : calme et docile.

Chapitre 64

5 octobre 2001, 3 h 17
Monts Zagros, Iran

Le Mirage IV monta à 5000 mètres dans le ciel nocturne de l'Iran, à une vitesse ascensionnelle de 2600 mètres par minute. Le bombardier stratégique se trouvait précisément à la verticale de la réserve de pétrole de Sentinum, située dans les dômes salins des monts Zagros, près de la frontière irano-irakienne. Les oléoducs souterrains de l'organisation convergeaient tous à cet endroit névralgique.

Depuis 1960, Sentinum avait déversé l'équivalent d'un milliard et demi de barils de pétrole brut dans ces cavernes de dimension kilométrique. Et ce n'était pas fini. De formes variées et biscornues, ces grottes de sel hermétiques représentaient une capacité totale de stockage de 700 millions de mètres cubes. Il y avait de quoi frémir en songeant qu'un superpétrolier pouvait « seulement » contenir deux millions de barils de pétrole brut dans ses cales.

À 5000 mètres, Daniel Tornay vérifia son ordinateur de bord ; il repéra parfaitement le faisceau laser installé sur la cible par l'éleveur de moutons. Il était temps de passer à l'étape suivante. Daniel fit demi-tour et amorça son attaque en piqué. Il descendit à plein régime, utilisant la gravité terrestre en plus de la postcombustion de son appareil. La vitesse devint en un rien de temps hallucinante. Heureusement qu'Alexandra portait un masque à oxygène ! Elle avait tout de même de la difficulté à respirer. Tandis que le Mirage plongeait à toute allure, la pression déformait ses joues et son harnais lui serrait les épaules. À mesure que les secondes s'écoulaient, le massif montagneux des Zagros grossissait, grossissait et grossissait.

— Daniel... Daniel... DANIEL ! répéta-t-elle dans son microphone.

— Ça va, Alex. Ne vous inquiétez pas, tout est sous contrôle !

Naturellement, les unités de défense chargées de protéger les dômes salins de Sentinum étaient en état d'alerte. Les systèmes antiaériens mobiles SA-9-Gaskin montés sur des véhicules blindés BRDM-2 postés autour du périmètre tentaient de verrouiller le Mirage IV. Leur canonnade furieuse fusait de part et d'autre du bombardier. Daniel pilotait de main de maître, luttant contre les rafales éblouissantes qui striaient le ciel. Comme il faisait nuit et que les missiles vétustes avaient une portée maximale de huit kilomètres, les artilleurs ne parvenaient pas à atteindre le Mirage. De plus, la faible cadence de tirs de leurs SA-9 ne facilitait en rien leur tâche. Ils tiraient donc au petit bonheur la chance.

Au dernier moment, Daniel largua l'une après l'autre ses deux grosses bombes à guidage laser. Alexandra les sentit se détacher sous la carlingue. La première, la GBU-28 Super Penetrator, avait une charge pénétrante, comme son nom l'indique, composée d'uranium appauvri. Dans le jargon du métier, on la surnommait la *bunker buster*. Elle pesait 2268 kilogrammes. La seconde, une BGL 1000, avait une charge conventionnelle.

Chapitre 64

Daniel procéda ensuite à un redressement brusque du Mirage. Alexandra fut écrasée dans son siège. Sans la combinaison anti-g, elle aurait sûrement perdu connaissance. À 8 g, la pression était à la limite du supportable. Son champ de vision était rétréci et son sang affluait dans ses membres inférieurs. Toute la carlingue craqua. Alex était certaine que les ailes seraient arrachées du fuselage de l'appareil. Libéré de son fardeau, le Mirage IV vira abruptement à droite. Daniel passa en vitesse supersonique et s'esquiva derrière les monts Zagros. Il stabilisa le bombardier, se détendit et résista à la tentation de basculer sur l'aile de tribord afin de contempler le spectacle à venir. Il ne souhaitait pas que son appareil devienne une proie facile.

L'énergie cinétique accumulée par les bombes à guidage laser défia l'entendement. Durant leur descente, un sifflement lugubre se fit entendre. Mais il faisait noir, et ce bruit fut masqué par celui des batteries de défense antiaérienne. Pour le personnel au sol, il ne fut pas aisé de suspecter ce qui surviendrait. Un arc lumineux réverbéra soudain une lueur aveuglante, puis un grondement sourd fit vaciller la terre. Certains ouvriers pensèrent qu'une foreuse souterraine s'était mise en branle afin d'agrandir la réserve de pétrole. D'autres couraient dans tous les sens, mais il était trop tard pour abandonner leur position ; toute fuite se révélerait impossible.

Lorsqu'elle explosa, la bombe GBU-28 secoua toute la zone. Elle pulvérisa la coupole d'halite de 50 mètres d'épaisseur qui coiffait l'ensemble des dômes salins comme s'il s'agissait d'un biscuit sec. La seconde bombe pénétra ensuite profondément dans les entrailles visqueuses du flanc rocheux éventré. La collision fut gigantesque et un bang assourdissant retentit. La force libérée par la dernière bombe fut titanesque. Elle créa une crevasse qui prit l'aspect d'un canyon. L'énergie dormante du milliard et demi de barils de pétrole entreposés dans la réserve stratégique de Sentinum n'attendait qu'une étincelle de vie pour s'exprimer et reproduire un minuscule big-bang. La détonation atteignit en une fraction de seconde 194 décibels, soit le son le plus puissant dans l'air. À 50 kilomètres du lieu d'impact, la puissance sonore était encore à 150 décibels.

Ce fut comme si les bombes avaient défoncé une chambre magmatique. Leur explosion propulsa un volumineux panache de pétrole en feu et de particules à 10 kilomètres de hauteur. La violence fut telle que le ciel nocturne se fendit en deux. Tous ceux qui se trouvaient dans l'entourage immédiat de la déflagration furent atomisés. Ils ne se rendirent même pas compte qu'ils étaient devenus instantanément sourds et aveugles avant de mourir. Le flanc sud-ouest de la montagne avait été arraché et vomissait désormais des torrents de lave noire en fusion. Cet océan de pétrole en combustion coulait furieusement vers les baraquements miliaires et ouvriers construits au pied du massif montagneux.

Les énormes pompes situées en amont des oléoducs acheminaient encore du pétrole vers les dômes salins, alimentant les canalisations des pipelines déchiquetés. Certains étaient écrasés et ces restrictions sévères du débit créaient une pression de sortie fantastique. Des geysers enflammés de pétrole s'élevaient dans le ciel, évoquant une scène d'apocalypse. En gros, c'était comme si l'humanité était de retour à l'époque des grands bouleversements tectoniques de l'ère cambrienne.

À 400 kilomètres au-dessus des monts Zagros, les astronautes à bord de la station spatiale internationale furent d'ailleurs étonnés de cette brusque éruption. Ils supposèrent qu'elle était d'origine volcanique. Le commandant pointa sa caméra portative dans le hublot d'observation du module Destiny pour filmer l'explosion. Au Centre spatial Lyndon B. Johnson, au Texas, sa voix retentit dans les haut-parleurs de la salle de contrôle numéro deux.

— Houston, visionnez ces images…

Le contrôleur de vol et la douzaine de personnes présentes dans la salle contemplèrent sur leurs consoles la gerbe de feu monstrueuse observable depuis l'espace. Ils auraient juré que le dieu du feu, Héphaïstos, travaillait à forger un nouveau monde. Était-ce les premiers signaux de la fin du monde ? Puis, un gigantesque panache de fumée noire obscurcit la visibilité des astronautes. De l'espace, le spectacle était fini.

Mais pas sur la Terre. La vague de pétrole enflammé sortant du flanc de la montagne se déversa comme un tsunami sur les baraquements militaires et ouvriers. Ce flot tumultueux de feu atteignant une hauteur de 30 mètres balaya tout sur son passage. Cela allait sans dire, un complexe pétrolier de cette envergure bénéficiait d'un aérodrome privé aménagé au pied de la montagne. Les explosions avaient affecté ces installations, mais une cinquantaine de pilotes et de techniciens avaient miraculeusement survécu à l'intérieur d'un hangar de protection bétonné. Ils essayaient de prendre la fuite à bord d'un hélicoptère de transport à deux rotors en tandem CH-47 Chinook.

Dès que sa porte basculante fut refermée, l'appareil s'envola pesamment. Au fur et à mesure que le tsunami enflammé avançait, l'air se réchauffait et se raréfiait. Pour un hélicoptère, voler dans de telles conditions était suicidaire. Les passagers affolés virent arriver la vague de feu qui roulait sur elle-même comme un tube de surf. Le fuselage de l'hélicoptère fut léché et sa température interne atteignit le seuil critique. Mais le pilote n'avait pas dit son dernier mot. Avec courage, il tira au maximum sur le levier de pas collectif et tenta d'accélérer.

Cette course contre la montre était cependant inégale. Le pétrole enflammé s'agglutina sur la partie arrière du Chinook ; l'hélicoptère ressemblait à une guêpe dont le derrière était englué dans du miel. Le pilote priait sainte Agathe, la protectrice des tremblements de terre, des éruptions volcaniques et des incendies, de les sortir de cette catastrophe. Or, quand l'arrière de son appareil commença à fondre, il se mit à jurer comme un possédé. La situation dramatique l'incita à solliciter les moteurs du Chinook au-delà de leur capacité. Le contrecoup de cette surpuissance se traduisit par l'effondrement de la vitesse de rotation des deux rotors. L'hélicoptère roula sur le côté. Ses hélices battirent désespérément le pétrole en combustion avant de s'immobiliser. La densité du pétrole permit au Chinook de flotter un moment. Néanmoins, il fut bientôt enroulé dans cette sorte de suaire mortuaire enflammé. L'hélicoptère sombra, emportant corps et biens dans la mer incandescente.

Toutefois, le plus étrange restait à venir. Cinq minutes après la seconde explosion, une pluie de feu s'abattit sur le paysage chaotique qui constituait auparavant la réserve pétrolière florissante de Sentinum. Ses gouttes de pétrole enflammé constellaient le ciel masqué par la fumée plus noire que les ténèbres, produisant un effet quasi hallucinogène.

Chapitre 65

5 octobre 2001, 1 h
New York, États-Unis

D'une démarche traînante, Christopher passa sous le pont levant Marine Parkway-Gil Hodges. La nuit était tranquille. À 20 mètres au-dessus de lui, la circulation automobile de l'avenue Flatbush s'effectuait au ralenti. Les traits tirés, il boitillait, mais continuait d'avancer, se souciant peu de son état. Après sa chevauchée endiablée à Central Park, il avait les fesses en compote. De plus, il s'était cassé des orteils et tordu une cheville. Christopher laissait des empreintes irrégulières dans le sable ; il avait retiré une de ses chaussures, car l'enflure de son pied devenait insupportable. De loin, il ressemblait à une créature marine rejetée par la mer se dirigeant vers la ville pour terroriser les citadins. Pourtant, ce n'était pas le cas. Christopher ne pensait qu'à regagner le voilier, mettre une compresse de glace sur son pied et se coucher.

À gauche, il apercevait les lumières de la péninsule de Rockaway. Le ciel était couvert et de petites vagues clapotaient en se brisant sur le rivage. Il suivait la plage de la Dead Horse Bay. Il avait été contraint de parcourir trois kilomètres pour rejoindre la marina Gateway. Sa « marche forcée » aurait pu être coupée de moitié s'il avait traversé les installations aéroportuaires de Floyd Bennett Field, mais il avait tenu à passer inaperçu. Christopher avait son compte. Il avait suffisamment été à l'avant-scène au cours de la soirée.

Contre toute attente, il avait abandonné la mallette d'argent, là où elle était tombée, près de la vieille route désaffectée. La raison en était fort simple : même si les pilotes de l'hélicoptère ne rapportaient pas le vol de leur butin, la mystérieuse disparition de la petite valise leur aurait certainement mis la puce à l'oreille au sujet de son évasion de Central Park. De toute façon, Christopher se foutait de cet argent. S'il le fallait, il mangerait des bananes et s'habillerait avec des feuilles de palmier pour le restant de sa vie !

Malgré la brise fraîche, il était en bras de chemise et tenait son veston dans ses mains. De multiples fragments de coquillages piquèrent son pied enflé, le déprimant davantage. Il baissa les yeux et regarda encore une fois ses doigts ensanglantés en secouant la tête.

— Bonjour, le travail de manucure, soupira-t-il d'une voix à peine audible et un peu découragée en estimant le temps nécessaire à un ongle arraché pour repousser.

Heureusement, après une dernière indentation de la côte, la marina était en vue. Il souffrait d'une crampe au mollet, et sa blessure à l'épaule élançait terriblement. Tous ses « petits bobos » lui firent penser à sa mère et à toutes les occasions où elle l'avait gentiment grondé lorsqu'il rentrait à la maison, tout coupaillé, à la suite d'une chute à vélo. Il l'entendait de nouveau le réprimander avec tendresse : « Nom de nom, Christopher ! Vas-tu finir par être prudent ? Un beau jour, tu te feras vraiment mal, et je ne serai pas là pour prendre soin de toi ! »

Plusieurs années s'étaient écoulées depuis ces tendres souvenirs qui remontaient à son enfance. Sa mère lui manquait énormément.

Ce soir, il aurait tout donné pour qu'elle s'occupe de lui et qu'elle le berce dans ses bras. Puis, il songea à son père, Armand.

Au printemps 1982, Christopher avait 21 ans. Il venait d'obtenir son brevet de pilote professionnel d'hélicoptère, et la vie lui souriait. Connaissant la passion de son père pour la chasse, il avait décidé de lui offrir un voyage inoubliable au nord du 55ᵉ parallèle. Bien entendu, ce dernier avait accepté son invitation avec empressement. Ainsi, le 10 octobre de la même année, Christopher et Armand avaient effectué un trajet de 900 kilomètres en voiture jusqu'à Sept-Îles, située dans la région de la Côte-Nord. À partir de là, ils avaient loué un hélicoptère qui les transporterait à 500 kilomètres plus au nord, à Schefferville ; cette ville minière à la frontière du Nord-du-Québec était accessible seulement par le train ou l'avion. Rendu à l'aéroport municipal, Christopher avait rempli les réservoirs de leur hélicoptère de location. Ensuite, il avait accroché une palette de bois supportant quatre barils de kérosène au bout d'une élingue. Pour le trajet du retour, les barils de carburant seraient remplacés par quatre caribous.

Le visage radieux et l'âme légère, ils avaient décollé en direction de la toundra afin d'aller à la rencontre du troupeau de caribous de la rivière Georges, le plus important cheptel de rennes d'Amérique migrateurs de la planète. Cette harde de presque un million de bêtes accomplissait sa transhumance annuelle vers le Grand-Nord québécois. Le regard portant sur l'infini, ils avaient survolé des centaines de lacs, des collines et des vallons, pour finalement accéder, trois heures plus tard, à la limite territoriale du Québec et du Labrador. À basse altitude, ils avaient longé un interminable esker et croisé une dizaine de caribous qui s'étaient éloignés du troupeau. Ce groupe égaré se situait près du secteur où ils faisaient du repérage en vue d'établir leur campement. Il ne leur restait qu'à localiser un emplacement dénudé d'arbustes sur les rives du lac.

— Atterris ici ! avait commandé Armand. Les Montagnais ont installé des inukshuks pour rabattre les caribous vers ce lieu d'embuscade. C'est exactement ce dont nous avons besoin.

— Tu sais, ce n'est pas une compétition, papa. C'est un voyage d'agrément ! avait répondu Christopher.

Quelques minutes plus tard, l'hélicoptère s'était posé tout doucement. Une fois débarqués, ils s'étaient étirés et avaient enfilé leur parka de duvet avant de planter leur tente. Armand s'était ensuite armé de sa canne à pêche.

— Je m'occupe du souper, fiston. Seras-tu capable de t'arranger tout seul avec le feu ?

— Je vais réussir ou je mourrai en essayant, papa !

— Alors, à l'ouvrage, mon garçon ! Et fais bien attention de ne pas te brûler les doigts. Ah, n'oublie surtout pas d'ouvrir une bouteille de vin ! Du blanc, de grâce ! Avec du poisson, on boit du vin blanc !

— Oui, papa, c'est promis. Je te jure, des fois, on dirait que tu penses que je suis encore un bébé !

— Ben non, tu te fais des idées. Oups ! Mais qu'est-ce que je vois traîner là ? Christopher, j'ai trouvé ta doudou ! Ha ! ha !

Le paysage sur les basses terres environnantes était unique. Les arbrisseaux y poussaient péniblement et la végétation était rachitique. Toutefois, pour les caribous en migration, la mousse et le lichen semblaient bien appétissants. Armand réalisait le rêve de sa vie, perdu ainsi en plein Nord-du-Québec, ce territoire inhospitalier pouvant contenir la France et la Belgique.

Le soir venu, Christopher et son père avaient discuté autour du feu en finissant de déguster les truites qu'Armand avait pêchées. Son poisson cuit en papillote était succulent. Les aurores boréales nordiques avaient contribué à rehausser cette ambiance de plein air parfaite. Au loin, les hurlements des loups avaient rappelé aux campeurs que, la nuit, certains prédateurs nocturnes étaient à l'œuvre.

Chapitre 65

Un ours noir était soudain venu rôder autour de leur campement. La délicate odeur des touladis l'avait attiré. Armand avait déposé son télémètre sur une table pliante, puis s'était levé souplement. Ensuite, il avait lancé un regard intense à Christopher avant de braver audacieusement la bête.

— Allez, ouste, mon gros balourd ! Débarrasse le plancher, ou tu vas faire peur à nos *bucks*[10] ! Ramène-toi lorsque nous aurons un permis de chasse à l'ours !

Pendant ce temps, Christopher s'était rué vers sa carabine .30-06 Browning. Il avait dû fouiller de fond en comble la soute de l'hélicoptère avant de mettre la main dessus. Quand il l'avait enfin sortie de son étui, il s'était retourné, haletant, pour viser l'ours. C'était trop tard : l'animal s'enfonçait dans la nuit. À gauche, son père revenait calmement vers sa chaise de camping, son verre de vin en plastique à la main. Sous les flammes dansantes du feu de bois, alors qu'une lueur taquine traversait son regard amusé, il l'avait sermonné :

— Baisse un peu ton canon, Christopher ! Tu sais qu'on ne pointe jamais une arme vers les gens.

Ce soir-là, Armand lui avait appris que les animaux étaient en mesure de percevoir la confiance chez les humains.

— Habituellement, cette confiance est suffisante pour les garder à distance, affirma-t-il, fier de lui.

Il avait rappelé à Christopher ce qu'un chasseur montagnais lui avait déjà dit : « C'est une parcelle de ton âme que tu perds chaque fois que tu enlèves la vie à un animal. »

Plus tard, ils avaient éteint les braises, puis étaient allés dormir ; la journée avait été longue, et Armand voulait être frais et dispos au lever du jour. À 22 h, ils avaient déroulé leurs sacs de couchage sur les matelas isolants Therm-a-Rest, puis ils s'étaient couchés côte à côte. Christopher avait fermé la valve de la lanterne au propane Coleman, puis l'obscurité les avait enveloppés.

10. Appellation familière des caribous mâles.

— Bonne nuit, papa. Je suis super content d'être ici, avec toi.

Il y avait eu un moment de silence, et Armand avait dit :

— Demain, j'abattrai le *buck* avec les plus gros bois de la toundra et quand je reverrai mes amis, j'aurai du « panache » !

— Excuse-moi, mais je n'ai pas pigé ton truc de panache, lui avait répondu Christopher.

— Je vois que tu n'as pas encore lu *Cyrano de Bergerac*, le livre que je t'avais suggéré. Bon, alors, je me lance : avoir du panache, c'est avoir de l'éclat, une bravoure spectaculaire. J'ai simplement fait un jeu de mots avec les bois du caribou — son panache — et le panache de Cyrano !

— Je pense que ça ira, j'ai compris.

Plein de verve moqueuse, Armand continua.

— Au lieu de courir les filles et de suer au gym, tu devrais faire un peu plus de lecture. Ça donne de l'esprit !

— Eh ! Ce n'est pas vrai que je cours les filles, avait riposté Chris.

— Je t'agace, fiston ! Et tu fais bien de t'entraîner, si tu veux gagner contre moi au tir au poignet, un de ces jours. Bonne nuit.

— Bonne nuit, papa. Je t'aime.

— Moi aussi. Ta mère et moi, nous sommes très fiers de toi. Astheure, assez placoté ! On dort. J'ai tellement hâte à demain ! Et essaie de ne pas trop ronfler !

Au réveil, Christopher s'était aperçu que son père était déjà parti chasser. Dans sa hâte, Armand n'avait pas emporté sa radio bidirectionnelle. Debout devant la tente, Christopher avait scruté le paysage dépouillé à sa recherche.

— Eh, merde ! À quoi tu joues ? avait-il murmuré. T'étais pas obligé de partir aussi vite. C'est comme au bras de fer, je t'aurais gentiment laissé tirer sur le plus gros *buck* !

Tout était mortellement calme. Le temps était maussade, et il avait commencé à neiger. Le vent froid s'était également mis de la partie. En s'approchant d'un affleurement rocheux, Chris avait eu une vue dégagée sur des kilomètres à la ronde. Il avait soudainement compris que l'hiver était hâtif. En fin d'avant-midi, Chris avait été envahi d'un sombre pressentiment. Il redoutait que son père se fût égaré. Il avait tiré plusieurs coups de feu en l'air de manière à attirer son attention. En dépit d'une averse mêlée de grésil, il avait décollé en hélicoptère afin de survoler le secteur. À cette période de l'année, l'obscurité arrivait tôt et, lorsque le soleil s'était couché au milieu de l'après-midi, interrompant ses recherches, la peur l'avait saisi. Mais jamais à cet instant il n'aurait pu se douter qu'il ne reverrait pas son père. Il y avait eu ensuite d'intenses recherches orchestrées par l'armée canadienne, la Sûreté du Québec et par la population montagnaise. Pour sa famille et lui, cela avait été un drame épouvantable. D'ailleurs, sa mère ne s'en était jamais remise. Elle était décédée deux ans après sa disparition.

— Merci, mon Dieu ! Merci d'avoir entendu mes prières !

C'était Alyson. Elle accourait à la rencontre de Christopher sur le quai de la marina Gateway. Brusquement arraché à ses souvenirs, il s'arrêta net. Ce ne fut pas le cas d'Alyson qui, stimulée par la joie de revoir Christopher, lui sauta au cou, enroula ses cuisses autour de sa taille et le couvrit de baisers. Enchaînée par l'attraction irrésistible qu'il exerçait sur elle, Alyson était prisonnière de ses sentiments. Elle était bien déterminée à ne plus réfréner la passion indéfectible qu'elle éprouvait à son égard.

— La chasse n'a pas été aussi fructueuse que je l'espérais, poursuivit Christopher, perdu dans ses pensées.

— Je me fiche de l'argent ! Ce qui compte, c'est que tu sois en un seul morceau, répliqua-t-elle.

— Non, je parle de ma chasse dans le Grand-Nord avec mon père…

Alyson n'écoutait pas. De nouveau, ses lèvres se soudèrent à celles de Christopher.

— Viens, dit-elle en redescendant de ses hanches. Nous devons partir au plus vite.

Christopher resta interdit. Le regard dans le vague, il était mentalement absent. Alyson fit un pas de côté et posa doucement sa main sur sa poitrine. Il y eut une longue pause. Après ce moment de réflexion, elle ne put s'empêcher d'intervenir sur un ton anxieux.

— Mais que t'arrive-t-il, Christopher ? Je t'en prie, parle-moi.

D'un débit lent, il se confia.

— Ça t'intéresse de savoir ce que j'ai fait en revenant de la chasse ?

Alyson fut préoccupée par les propos incohérents de Christopher. Il lui semblait que son esprit battait la campagne. Par politesse, elle ne laissa toutefois rien paraître de son inquiétude.

— Bien sûr que ça m'intéresse, répondit-elle, les yeux rivés sur lui.

— J'ai couru à la librairie du coin pour m'acheter *Cyrano de Bergerac*. Et je l'ai lu au moins à cinq reprises ! s'exclama Chris. Ça raconte l'histoire d'un amour impossible.

— Le moment est mal choisi pour discuter littérature, mais tu as raison : j'ai lu ce roman à la fac, et il est excellent ! Selon la légende, Edmond Rostand se serait inspiré d'une personne réelle pour créer le personnage de Christian. Il s'appelait Christophe. Comme le héros du livre, cet homme était beau, courageux et, après avoir amorcé une relation amoureuse basée sur l'imposture, il fut capable d'authenticité. Comme toi, mon ange !

Chapitre 66

15 juillet 1417
Sion, Suisse

Durant le sommeil artificiel de Catherine Dinan, les derniers préparatifs entourant l'initiation du nouveau dirigeant suprême de Sentinum allèrent bon train. Les participants à la cérémonie, des initiés recrutés parmi les membres influents de la noblesse et de la haute bourgeoisie, étaient tenus au plus grand des secrets ; quiconque rendrait publique l'existence de Sentinum le paierait de sa vie. C'était le tribut exigé pour faire partie du cercle des initiés de la confrérie.

Ils se réunirent dans l'église du château. Le décor à l'intérieur des murs sacrés était à la mesure de l'ambition du nouveau dirigeant suprême. La fébrilité ambiante contribuait également à hausser d'un cran l'image mystique qu'avait la confrérie. Celui qui monterait aujourd'hui sur le trône de Sentinum n'avait ménagé aucun effort pour en mettre plein la vue à ses initiés. Les participants, au nombre de 30, étaient tous habillés d'une tunique pourpre. Ils étaient debout, placés en arc de cercle autour d'un autel de marbre noir au-dessus duquel était suspendu un dais de velours rouge arborant l'aigle d'or de la confrérie Sentinum. Ils respiraient les volutes odorantes aux effets hallucinogènes se dégageant d'un encensoir doré.

Le soir était venu. Des lampions assuraient un éclairage tamisé et doux, et le vitrail de l'église filtrait la luminosité spectrale de l'astre de la nuit, qui brillait exactement au centre de la rosace. La cérémonie avait d'ailleurs été savamment planifiée un soir de pleine lune. Un homme revêtu d'une toge blanche récitait à voix basse les lignes obscures d'un grimoire. Il était impossible pour les initiés de déchiffrer ses paroles, qui paraissaient provenir d'une langue inconnue. À l'occasion, l'homme haussait le ton, à l'effet de varier l'intensité de sa lecture incompréhensible. En fait, la fumée hallucinogène lui donnait de l'inspiration dans l'improvisation de ses textes.

Soudain, une silhouette encapuchonnée apparut derrière les relents d'encens. Le dirigeant suprême émergea de l'obscurité sur la tribune centrale dans une toge émeraude tissée d'or et sertie de pierres précieuses qui scintillaient comme des étoiles. Il leva les bras vers l'assemblée, puis, comme s'il était investi d'un pouvoir magique, il disparut mystérieusement dans un nuage de fumée. Il réapparut un instant plus tard sur un immense trône de fer forgé. Son auditoire était stupéfié, mais ce n'était qu'un vieux truc de prestidigitateur faisant usage de poudre noire.

Plusieurs siècles auparavant, à la suite de voyages en Chine, les émissaires de la confrérie avaient établi des liens étroits avec la dynastie Tang. Depuis ce temps, la poudre noire, ou poudre à canon, faisait partie de l'arsenal stratégique de Sentinum. À cela s'étaient ajoutées d'autres inventions renversantes comme le char de combat, la grenade à corps de fonte et la fusée à étages qui explosaient en répandant des flèches dans toutes les directions. Naturellement, à l'époque du Moyen Âge, toutes ces armes de guerre semblaient miraculeuses. Leur effet dissuasif était incroyable. Souvent, une simple démonstration suffisait à refroidir les visées expansionnistes ou belliqueuses des opposants de la confrérie. Personne ne se mettait en travers du chemin de Sentinum.

À l'autre bout de l'église, les lourdes portes de bois s'ouvrirent en grinçant. Catherine arriva à l'extrémité de la voie processionnelle, couchée sur une natte de raphia tressé. La jeune fille vêtue d'une robe noire était endormie. Quatre hommes en armure la transportaient silencieusement. D'une manière cérémoniale, ils l'emmenèrent jusqu'à l'autel. Ensuite, ils la transférèrent avec précaution sur la surface de marbre froid. Les doigts noués sur son abdomen, Catherine était parfaitement sereine, allongée sous le dais de velours rouge. Le dirigeant suprême se leva et s'approcha d'elle d'une démarche pesante. Il nota aussitôt les marques de violence sur ses poignets, sur son cou et sur son visage ; même si l'on avait adroitement tenté de camoufler ces sévices corporels, c'était le genre de détails qui n'échappait pas au dirigeant suprême. Il ne manqua pas de décocher un regard furieux au chef des cavaliers noirs. Quand le rituel d'initiation serait terminé, il s'occuperait personnellement de châtier le responsable de cette faute.

D'un signe de tête, il enjoignit aux quatre hommes de quitter la salle. Dès qu'ils furent sortis de l'église, il releva les bras et commença à lancer de surprenantes incantations. Après un moment qui sembla infini pour l'assemblée, le dirigeant suprême s'arrêta net et laissa tomber sa toge émeraude au sol. Il était nu. Tout autour, des torches s'allumèrent. Les élus plissèrent les yeux. Ils étaient déroutés et s'habituaient difficilement à cette clarté aveuglante.

— Tout ce que vous avez vu depuis le début de la cérémonie n'était que tromperie. C'en est assez ! Je me présente en face de vous sans artifice ! cria le dirigeant suprême en brandissant un couteau sacrificatoire.

D'une expression impérieuse, il continua.

— Toute cette mise en scène n'était qu'une lamentable comédie destinée à séduire les idiots ! Mais pas vous, initiés de Sentinum.

Même lorsqu'il n'était pas sur une tribune, il était imposant. Ce grand homme aux traits durs avait l'habitude des champs de bataille et l'expérience de ses 50 ans. Cet ancien cavalier avait vu les combats de près ; il lui manquait des doigts et des orteils à cause des engelures. Une longue cicatrice au thorax témoignait de ses états de service. Il était revenu de la guerre de Cent Ans en boitillant. Malgré ce handicap, il était encore capable de broyer un crâne humain avec un pied.

Le dirigeant suprême déposa son couteau entre les seins de Catherine et poursuivit.

— En vérité, il n'y a pas plus de pouvoir mystique que de pouvoir divin. Il n'y a que la richesse et les hordes de paysans, comme cette créature étendue sous vos yeux. Ces gens sont à l'œuvre pour nous. Ils cultivent nos terres, édifient nos châteaux, nous protègent et nous nourrissent, mais, par-dessus tout, ils donnent naissance à d'autres manouvriers qui prendront la relève lorsque la vieillesse, les fléaux ou la maladie les auront terrasés. Bien dressés, ils se battront pour nous, jusqu'à la mort s'il le faut. Et si nous l'exigeons, ils vivront dans des bourgs crasseux, dormiront avec les animaux, et accepteront que nous, les privilégiés, insista-t-il avec conviction, nous vivions dans l'opulence. Une minorité silencieuse dirigeant la majorité bruyante ! Le mystère est là ! Si nous devons prier un Dieu, que ce soit cette femme ; nous avons une dette à son égard !

Le dirigeant suprême s'interrompit, méditatif, puis il reprit.

— Cessez de chercher dans les énigmes insondables, les paroles sacrées ou les rituels initiatiques. Je vous le répète : le plus grand mystère de notre monde est allongé devant vous et il coule dans ses veines. Ces paysans dépensent leur sang précieux à nous enrichir. Rendons-leur grâce en le buvant !

— Venez, mes fidèles ! Approchez-vous et abreuvons-nous de cette jeune vierge !

Chapitre 66

Il se pencha ensuite pour ramasser un calice sous la table. À ce moment, il vit trembler les paupières de la sacrifiée, comme si elle luttait afin de les garder fermées. De petites perles de larmes mouillaient le coin de ses yeux clos. C'était impossible ! La potion soporifique avait un effet de longue durée. Il se faisait des idées ; les substances hallucinogènes lui jouaient sûrement un mauvais tour.

Une seconde plus tard, alors qu'il se relevait, Catherine agrippa le manche en ivoire du couteau sacrificatoire et passa à l'action. Il n'y avait plus de doute possible : le vieux Albert ou son jeune apprenti avait mal suivi la recette. Elle planta le couteau dans une jugulaire du dirigeant suprême, qui retira aussitôt la lame de fer. Son sang gicla une toise plus loin, directement dans la bouche d'un initié. Étonnamment, ce dernier n'était nul autre que Mircea Ier de Valachie, le père du voïvode Vlad II Dracul, dont la descendance sanguinaire inspirerait la légende de Dracula.

Catherine bondit de l'autel en se démenant comme un diable dans un bénitier. À voir les visages consternés de l'auditoire, ce n'était pas le rituel initiatique que l'on s'était imaginé. Les fantasmes de magie empreinte de surnaturel en prenaient un coup. Le dirigeant suprême avait les jambes roides. Il tituba et s'effondra au moment où un initié dévoué accourait vers lui. Même s'il appuyait sa paume sur sa plaie, son sang fuyait entre ses doigts à chaque battement de cœur. Il mourut dans les secondes qui suivirent.

Ce jour de juillet 1417 fut la dernière initiation sacrificielle de Sentinum. Après cette date fatidique, plus jamais on n'enleva de jeune vierge afin d'en boire le sang. Les dirigeants suprêmes qui se succédèrent ne firent que de simple cérémonie, s'attardant à remettre des pièces d'or pur aux nouveaux initiés.

Chapitre 67

5 octobre 2001, 4 h 05
Iran, 50 kilomètres au sud de Bukan

Le Mirage IV se posa sur la piste fendillée de l'aérodrome désaffecté, puis son parachute-frein de nylon se déploya. Daniel utilisa les aérofreins supérieurs et inférieurs afin de ralentir le bombardier stratégique. Au bout de la courte piste, le major Olivier Brunet jeta un coup d'œil à sa montre. Daniel était revenu dans les délais prévus, mais le plus important était qu'il n'y avait aucune égratignure sur son Mirage IV. Le major Brunet était rassuré quant à l'état de santé de son « bébé », comme il disait. Il contempla son appareil, incapable de cligner des yeux.

— Dieu soit loué ! soupira-t-il.

À l'intérieur du cockpit, assise dans le siège du navigateur, Alexandra rassemblait ses idées. Selon le plan initial, Daniel et elle reprendraient dans quelques minutes le C-130 Hercules pour retourner à la base King Abdullah I à Amman, en Jordanie. Daniel l'avait informée qu'ensuite il ne remonterait pas à bord du paquebot de croisière. Alex se sentait déchirée, comme le dôme salin qui venait d'exploser, mais elle cachait ses émotions.

Elle inspira bruyamment et prit les devants ; malgré sa peine, elle devait lui faire part de ses projets.

— Où allez-vous, Daniel ? s'enquit-elle.

— Dès que nous serons immobilisés, je cours au petit coin ! répondit-il en riant.

— Sérieusement, que ferez-vous ? lui redemanda-t-elle en détachant son harnais.

— Écoutez, Alexandra. Dans ma condition, il est préférable de dissimuler mes plans. Mais, pour vous, je ferai une exception : je pars en Tunisie. Maintenant que tout est terminé, je me retire loin de tout ceci. J'en ai assez. Pour la première fois depuis mon adolescence, j'aurai une maison, une vraie. Et dès demain matin, je m'attellerai à améliorer mes œufs bénédictine !

Pour une fois, Daniel était sincère. Alexandra ne méritait pas un homme comme lui. Il était mieux qu'ils se séparent ici et qu'elle aille retrouver Christopher au Panama. Raconter tous ses mensonges à une femme dont il était tombé amoureux lui minait le moral. Malheureusement, il était incapable de dire à Alex de s'éloigner de lui, qu'il était une ordure de la pire espèce ! Il manquait étonnamment de courage. Il ne pourrait jamais lui révéler qu'il lui avait menti au sujet de Christopher et il avait de plus en plus de difficulté à la regarder dans les yeux. La perspective qu'il fût devenu plus vicieux que Karl Haustein le dégoûtait.

— Ça vous dirait d'avoir une compagne de voyage ? se surprit-elle à lui demander.

Secouant la tête, Alexandra corrigea le tir.

— Mais n'allez surtout rien vous imaginer !

— Oui… bien sûr, ce serait avec joie. Si ce n'est pas trop indiscret, que faites-vous de Christopher ?

— J'ai besoin de prendre du recul, répliqua-t-elle instinctivement.

Chapitre 67

Alexandra en voulait à Christopher. Elle lui reprochait de l'avoir trahie et, en même temps, elle blâmait sa naïveté. Elle repensait à toutes les missions confidentielles de Chris ; chaque fois que son bipeur avait sonné au milieu de la nuit, était-il allé sauver des gens ou faire la fête ? La confiance d'Alex était ébranlée et le doute s'insinuait dans son esprit. Le fil d'Ariane qui la guidait vers Christopher, au Panama, s'était cassé dans le parc de Fontvieille, à Monaco. Depuis ce jour, son cœur était brisé en mille morceaux. L'amour était fragile, Alexandra le savait. Cependant, jamais elle n'aurait pu suspecter que son histoire d'amour avec Chris était constituée de verre.

— Je pense, reprit-elle à la suite d'une pause, qu'il n'aura pas de mal à s'en remettre. De toute façon, il a jeté ses dés.

En cet instant où il aurait dû savourer son triomphe, Daniel avait envie de vomir.

— Minute ! s'exclama Alex. J'ai oublié mon argent dans le coffre de ma cabine, sur le paquebot. Je dois absolument le récupérer !

— Vous savez, Alex, c'est de la petite monnaie. J'ai amplement de quoi subvenir à nos besoins.

Elle se cabra, furieuse.

— C'est hors de question ! Ce n'est pas aujourd'hui que je commencerai à dépendre d'un homme. Je vous rejoindrai plus tard en Tunisie.

— Holà ! Ne vous fâchez pas ! Je ne voulais pas vous vexer, seulement être aimable. Donnez-moi le temps de passer un coup de fil.

Le Mirage IV s'immobilisa. L'équipe au sol s'affaira aussitôt à remplir ses réservoirs externes et à éliminer toutes traces des bombes. Daniel ferma le système radio, enleva son masque à oxygène Ulmer et son casque, puis ouvrit les verrières du bombardier stratégique. Alex et lui descendirent les échelles qu'un soldat avait posées sur le flanc de l'appareil. Cinq secondes plus tard, ils débarquèrent sur le tarmac. Daniel demanda un téléphone satellitaire et tourna le dos au groupe. La communication fut brève. Il revint à la hâte vers Alexandra, qui retirait sa combinaison anti-g. En approchant, il prit le temps de l'admirer sans réserve. Le tee-shirt blanc très ajusté qu'elle portait moulait ses seins. Il y eut un silence qui en disait long au sujet de son état d'esprit.

Alex croisa le regard de Daniel, qui était d'une intensité proportionnelle aux événements qu'ils venaient de vivre ensemble. Il l'aida maladroitement à retirer l'autre manche de sa combinaison. Au moment où il effleura la peau tendre d'Alexandra, ses mamelons durcirent et pointèrent comme des têtes de missile sous le tissu léger de son tee-shirt. Le cœur de Daniel se serra, et le monde arrêta de tourner. Il en oublia toute l'activité qu'il y avait autour d'eux. Alexandra constata qu'il pâlissait ; c'était inimaginable. Après tous les exploits que Daniel avait accomplis, le voir ainsi totalement désarmé et intimidé devant elle tenait du rêve.

Le C-130 était prêt au décollage. L'équipage leur faisait de grands signes pour embarquer. Daniel se ressaisit, haussa la voix, et plissa les yeux afin de se protéger de la poussière qui était soulevée par les hélices de l'avion.

— Je viens de parler au navigateur du bateau de croisière. Le paquebot accostera au quai Royal Naval Dockyard, aux Bermudes, le 25 octobre.

— C'est dans trois semaines, calcula Alex.

Daniel se plaça devant elle et lui prit les mains. Elles étaient chaudes et légèrement tremblotantes. N'y pouvant plus, il se pencha pour lui susurrer à l'oreille :

— Désolé, Alex, mais je suis incapable de vous laisser partir seule. Pour être franc, je n'arrive plus à me passer de vous, avoua-t-il en frôlant sa joue sur la sienne. Si je me sers de mes relations, nous pouvons être aux Bermudes demain, mais je vous propose un détour par Paris. Qu'en dites-vous ?

Alexandra sentit un doux chatouillement au creux de son ventre.

— Pourquoi pas ?

— Merveilleux ! Je réserve immédiatement la suite Louis XV à l'hôtel de Crillon pour les trois prochaines semaines. Ma villa en Tunisie m'attend depuis quatre ans sur le bord de la Méditerranée. Je suppose qu'elle peut encore patienter un peu !

Daniel lui donna un baiser retentissant sur la joue avant de se reculer pour la contempler. Il ressemblait à un gamin espiègle.

— Il faut que je me pince. Je dois certainement rêver ! Ce soir, je dînerai chez Fouquet's avec la plus belle femme du monde ! Ce resto est charmant, et leur poitrine de canard cuite à la plancha est bien plus savoureuse que les rations de combat au corned-beef réchauffées !

L'amour qu'il éprouvait pour Alexandra était sincère. Daniel refusait de la quitter. Il finirait bien par trouver une façon d'apaiser ses remords de conscience.

Chapitre 68

5 octobre 2001, 8h
Genève, Suisse

En ces premières heures du matin, Karl Haustein était de bonne humeur. Le soleil venait de se lever. Il était enveloppé dans un élégant peignoir, confortablement assis au salon, dans son fauteuil préféré. Après avoir avalé une petite gorgée de café brûlant, il déposa sa tasse sur la table basse à côté de lui. Son café était exquis et comme il l'aimait. Karl était baigné par la lumière éclatante du soleil matinal ; on aurait dit qu'il scintillait. Rompant avec l'habitude, il n'avait rien à lire, à étudier ni à regarder. Ce vendredi, il avait décidé de paresser toute la journée. Il était même parvenu, après une rude négociation, à convaincre son fidèle secrétaire, Vincent Théret, de prendre un congé bien mérité.

Karl croisa les jambes, posa les mains sur ses cuisses et se relaxa. Il observa un moment le dais de velours rouge orné d'un aigle d'or suspendu au-dessus de l'autel adossé au mur opposé.

Il s'agissait de la réplique exacte de l'étendard des cavaliers noirs qui œuvraient au service de Sentinum à l'époque du Moyen Âge. Quant à l'autel, il avait été sculpté dans du marbre noir peu après la fondation de Sentinum en l'an 295 avant Jésus-Christ. Cette table sacrée avait servi aux initiations des nouveaux dirigeants de l'organisation jusqu'en 1417. Cette année-là, la cérémonie sacrificielle s'était soldée par la mort du dirigeant suprême de l'époque et par la destruction quasi complète du château de Sion. L'autel récupéré des décombres n'avait jamais été réutilisé. À part un coin brisé, il était dans un état remarquable.

Ce recul historique amena Karl à penser au château de Sion et à son important projet de restauration. Dans une semaine, un hélicoptère le déposerait sur la colline, au milieu du chantier. Selon ses architectes, les rénovations progressaient plus rapidement que prévu. Des équipes travaillaient sans relâche, de jour comme de nuit.

Soudain, des pas pressés émanant du couloir arrachèrent Karl à ses pensées. Sur le qui-vive, il entendit la respiration sifflante d'un vieil homme paraissant arriver aux portes de la mort.

— Monsieur Haustein ! Monsieur Haustein !

— Je suis là ! répondit-il d'un ton anxieux. Au salon.

Vincent surgit dans la vaste pièce, accompagné de deux agents matricules. Affreusement blême, il semblait revenir à pied du bout du monde. Il brandissait le rapport de l'attaque survenue à la réserve stratégique de pétrole de l'organisation Sentinum : des milliards et des milliards de dollars partis en fumée.

Dès qu'il vit le visage consterné de son fidèle secrétaire, Karl Haustein comprit qu'il s'était passé quelque chose de très grave.

— Monsieur Haustein, répéta Vincent hors d'haleine.

Il s'écroula sur le sol après avoir fait quelques pas. Devant la détresse de son ami de longue date, Karl perdit son flegme habituel. Il bondit de son fauteuil et courut à sa rencontre.

— Appelez une ambulance ! hurla-t-il.

Chapitre 68

Tandis qu'un des agents matricules obéissait à l'ordre de son patron, l'autre voulut porter assistance à Vincent. Karl arriva sur ces entrefaites et s'adressa à l'agent sur un ton sans appel.

— Poussez-vous ! Et allez me chercher un linge humide !

Karl se jeta sur les genoux à côté de Vincent. Il lui ôta doucement son veston, puis, redoublant de prévenance, il releva sa tête avec délicatesse de façon à glisser le veston sous sa nuque.

— Mon ami, murmura Karl en passant sa main sur le front en sueur de Vincent, vous n'allez pas me fausser compagnie… Pas maintenant ?

Les gestes de Karl étaient empreints de compassion. C'était émouvant d'observer un vieillard prendre soin d'un autre vieillard.

L'agent matricule qui avait téléphoné à l'hôpital revint à la course.

— L'ambulance est en route, monsieur. Elle sera ici dans trois minutes.

Karl s'adressa aux agents en les regardant tour à tour directement dans les yeux.

— Organisez-vous pour libérer le passage. Personne ne doit voir monsieur Théret dans cet état !

Les agents matricules furent stupéfiés quand ils aperçurent les larmes qui mouillaient les paupières de leur patron. Après 20 ans de service, ils n'auraient jamais cru être témoins d'une telle scène de leur vivant. Ils restèrent là, pétrifiés. Or, Karl les tira de leur torpeur.

— C'est pour aujourd'hui ou pour demain ?

L'ambiance était glaciale. Les deux agents se sentirent pieds nus sur la surface d'une banquise. Ils tournèrent les talons et s'exécutèrent sur-le-champ.

Karl était profondément ébranlé. Toujours agenouillé auprès de Vincent, il dénoua sa cravate, déboutonna le collet de sa chemise et délaça ses chaussures en attendant l'ambulance. Le vieux secrétaire essaya de parler.

— J'aurais dû vous écouter... et prendre congé...

— Non, non... Je vous en prie, conservez vos forces, mon ami.

Malgré sa faiblesse, Vincent persista. Il ouvrit difficilement les yeux.

— Le... département, articula-t-il, la gorge serrée, est formel...

— Formel ? Mais de quoi ? demanda tout doucement Karl.

— Danil... Danitor !

Karl s'empara des feuilles volantes qui étaient éparpillées. En un coup d'œil, il découvrit l'ampleur du désastre. Daniel Tornay n'était pas mort ! Il avait orchestré la destruction de sa réserve stratégique de pétrole aux monts Zagros. En l'espace d'une nuit, Karl Haustein était passé d'intouchable à vulnérable.

— Cet homme est comme une araignée sournoise, susurra Vincent. Il tisse sa toile en silence... et vous poussera bientôt aux confins de votre patience.

— Gardez vos forces, répéta Karl alors que les ambulanciers arrivaient au pas de course. Cette histoire n'est qu'un léger contretemps. Ne vous en faites pas, on va s'occuper de vous.

Quand Vincent fut installé sur la civière, Karl prit sa main osseuse. Elle transpirait la froideur de la mort. Il accompagna le vieux secrétaire jusqu'à l'ascenseur de son *penthouse*.

— Je sais, balbutia Vincent en souriant avec reconnaissance, je sais tout le pouvoir que vous possédez. Vous repousserez une fois de plus la mort de ma route.

— Je ferai au mieux, soupira Karl, qui manquait de conviction.

Malheureusement, lorsque le diagnostic tomba deux jours plus tard, le verdict fut sans appel. Une biopsie réalisée par voie transcutanée révéla que Vincent souffrait d'un cancer du pancréas ; une imagerie abdominale démontra d'autre part l'existence de métastases au niveau de son foie. Aucun espoir de guérison n'était envisagé par les médecins de Karl. Déjà centenaire, Vincent était condamné. Il ne pouvait qu'attendre le jour de sa délivrance.

Chapitre 68

Karl Haustein était au chevet de son ami depuis son admission à la clinique privée de Sentinum située dans la commune de Collonge-Bellerive, à moins de 10 kilomètres de Genève. La même clinique, parmi les plus modernes de la planète, qui avait été construite par Karl pour le docteur Goldberg. La chambre de Vincent avait une vue magnifique sur le lac Léman. Ses larges vitrines donnaient l'impression d'être sur la pelouse, mais le vieux secrétaire avait une vision fortement embrouillée du paysage sans ses épaisses lunettes cerclées d'or. De plus, il était légèrement confus, car il recevait périodiquement des injections de morphine afin de soulager ses douleurs. Il avait éprouvé de violentes nausées avant de s'habituer au médicament.

La peur de mourir tenaillait Vincent.

— Qu'ai-je fait de ma vie, Monsieur Haustein ? Qu'adviendra-t-il de mon âme ? Dans un rêve, j'ai vu l'enfer béant. Est-ce la damnation éternelle qui m'attend ?

Il était allongé sur le dos, branché à un soluté intraveineux. Il se sentait vulnérable, et cet état d'infériorité le complexait. Il fixait le plafond, incapable de regarder Karl en face. Son corps était très amaigri et sa peau paraissait jaunâtre. Ses draps semblaient envelopper les os d'un squelette.

De son côté, Karl était sans voix. Il était très touché par la détresse de son ami, mais, en guise de réconfort, il n'avait que la plate vérité à lui offrir. Il avait d'ailleurs insisté auprès de son médecin pour lui apprendre personnellement la mauvaise nouvelle.

— Vincent, débuta-t-il, mon amitié à votre égard m'oblige à ne pas y aller par quatre chemins. Pardonnez ma brusquerie, mais j'ai le regret de vous annoncer que le pronostic du médecin est très sombre.

— Monsieur Haustein, il faudrait être le roi des imbéciles pour ne pas le savoir. Nul besoin de toutes ces machines sophistiquées pour évaluer mon état de santé.

— Je suis désolé…

— C'est à moi de l'être, l'interrompit Vincent, car je vous rends mon tablier au pire moment. Vous le savez, j'ai passé ma vie à déjouer les complots fomentés contre l'organisation. Et, aujourd'hui, je suis impuissant face à cette saleté de cancer qui me ronge de l'intérieur… Je vous le dis : méfiez-vous de Daniel Tornay, ou il entraînera votre perte, comme mon cancer !

— Cessez de vous tracasser ; tout va s'arranger, le rassura Karl.

— Mais c'était ma responsabilité de vous protéger et j'y ai failli.

— Vincent, je vous en conjure, cessez de vous culpabiliser. Ce que vous aviez à réaliser ici-bas, vous l'avez fait de manière scrupuleuse et ordonnée. Vous avez été pour moi bien plus qu'un simple collaborateur…

Karl échoua à retenir un sanglot.

— Vous avez été… un ami… mon ami, corrigea-t-il. Le seul que je n'ai jamais eu.

— Je n'ai été que votre humble serviteur, siffla Vincent. Vous êtes l'ange survolant majestueusement la cité, et moi, je n'étais que l'ombre de vos ailes sur le sol.

— Vous avez toujours été plus brillant que moi. J'ai davantage l'impression que je vous ai fait ombrage.

— Jamais je n'aurais pu élever l'organisation au même niveau que vous l'avez fait.

— Ne dites pas cela, Vincent. Ce fut un réel honneur de travailler avec vous, affirma Karl avec tendresse. Je ne vous l'ai jamais dit, mais, durant toutes ces années, j'ai profité de votre grande sagesse. Les discussions philosophiques que nous poursuivions jusque tard dans la nuit et nos fameuses parties de Scrabble vont terriblement me manquer. Surtout, n'ayez aucun regret, excepté celui de ne pas m'avoir demandé d'augmentation de salaire en 60 ans, termina-t-il en affichant un pâle sourire.

Le docteur Goldberg entra dans la chambre. Karl ne fit aucun effort pour contenir ses larmes. Le médecin s'excusa et procéda aux contrôles d'usage. Il vérifia la pression artérielle de Vincent, puis lui injecta une nouvelle dose de morphine. Cela fait, il replaça le capteur de fréquence cardiaque pincé sur son index. Vincent le suivit des yeux, s'attendant à quelques signes d'espoir qui ne vinrent jamais.

— Comment allez-vous, Monsieur Théret ? s'enquit le médecin.

Vincent parut ne pas l'entendre. Il arrêta momentanément de respirer, puis son visage se contorsionna de douleur. Le docteur Goldberg regarda Karl et attendit son accord pour lui injecter une seconde dose de morphine. Au moindre signe d'inconfort de son patient, il répétait ce geste.

Les cloches de l'église de Collonge-Bellerive résonnèrent soudain dans l'air calme de la paroisse, rappelant l'angélus de midi. Sous l'effet du médicament antidouleur, Vincent élucubra :

— Écoutez, Monsieur Haustein, ma dernière heure a sonné !

Karl posa une main affectueuse sur son épaule frêle. La gorge serrée, il était incapable d'articuler un mot. Vincent abandonna sa réserve habituelle et ajouta d'une voix assurée :

— C'est la peur, hein ? La peur qui vous donne tout ce pouvoir. Allez, Karl, répondez-moi !

— Oui, Vincent, agréa-t-il après un long silence. C'est l'unique ingrédient. Et si nous sommes si riches, c'est que la majorité des gens ont peur. Ils ont peur de perdre quelque chose qui leur est cher ! Aujourd'hui, c'est à mon tour d'avoir peur. J'ai peur de vous perdre, mon ami !

Les yeux remplis de larmes, Vincent se retenait de pleurer.

— Les larmes sont le privilège de l'être humain, lui assura Karl. Laissez couler votre peine.

Vincent rassembla ce qui lui restait d'énergie. Il tourna la tête vers son ami et soutint son regard.

— Karl Haustein !

— Oui, Vincent, dit-il en lui prenant la main. Je suis là.

— Écoutez-moi !

La fermeté de son ami à l'agonie toucha Karl ; beaucoup de gens bien portants n'avaient pas la moitié de sa volonté. Vincent marqua une pause et respira difficilement. Les traits crispés, il souffrait. Le docteur Goldberg s'approcha.

— Éloignez-le de moi ! C'en est assez de soulagement artificiel !

Karl obtempéra à son dernier souhait, et le médecin recula. Même si Vincent était durement affligé par la maladie et que son corps était pour l'abandonner d'un instant à l'autre, son obligation morale envers Karl ne le lâchait pas.

— Karl Haustein, répéta-t-il dans un souffle en agrippant son poignet. Avant de mourir, permettez que je vous donne un dernier conseil.

— Faites, mon ami. Par respect pour vous, je n'osais vous le demander.

— Choisissez vos combats. Un homme tel que vous devrait savoir lorsqu'il ne peut remporter la victoire.

Vincent Théret rendit l'âme dans les heures qui suivirent. Il fut porté en terre trois jours plus tard dans le plus ancien cimetière de Genève, celui de Plainpalais. Le droit d'y reposer était strictement limité. Seuls les gens ayant contribué par leur vie et leur activité au rayonnement de la Ville de Genève pouvaient prétendre à une concession. Cela allait sans dire, Sentinum avait acquis la sienne des années auparavant.

L'enterrement de Vincent Théret fut aussi triste que ce jour de pluie. Karl Haustein, vêtu de noir, se dressait au bord de la fosse. Un agent matricule l'abritait sous un grand parapluie pendant qu'à l'écart cinq autres agents montaient la garde. Pour une rare fois dans sa vie, Karl avait l'esprit troublé. Il vivait difficilement le deuil de son ami de longue date. S'attacher à quelqu'un pour souffrir au moment où cette personne nous quitte était ce qu'il redoutait par-dessus tout. Il regarda le cercueil descendre lentement dans la terre.

« Vincent a tout de même de la chance, songea-t-il. Il y a eu au moins une personne qui ne s'est pas fait payer pour assister à son enterrement… »

Chapitre 68

Plus que jamais, Karl prenait conscience que le vide s'installait autour de lui. Même si cette perspective était loin d'être réjouissante, c'était ce qu'il avait toujours souhaité. Demain, cette distraction serait de l'histoire ancienne, et il pourrait à nouveau se concentrer pleinement sur sa tâche. Alors, Daniel Tornay ne perdrait rien pour attendre !

Chapitre 69

5 octobre 2001
New York, États-Unis

Le *Lux* quitta la marina Gateway dans la nuit et fit voile vers le Panama. L'activité cyclonique de l'océan Atlantique Nord était particulièrement intense, cette année-là. Le National Hurricane Center annonça la formation possible d'un ouragan au cours des prochains jours. Si tel était le cas, on le nommerait Karen et sa trajectoire croiserait la route du *Lux*. Il parut sage à Alyson de dérouter le voilier vers les Bermudes. Elle était heureuse de cette escale qui rallongerait la durée de leur voyage jusqu'au Panama. En fait, c'était la première fois depuis qu'elle était navigatrice que des conditions météorologiques défavorables la transportaient de joie.

Christopher était à la barre du *Lux* lorsqu'il arriva aux Bermudes. Il avait appris les rudiments de la voile en écoutant les conseils de Josh et d'Alyson. Excepté de courtes périodes de repos, il avait navigué durant toute la traversée. Selon les dires d'Alyson, il apprenait à un rythme hors du commun ; elle n'avait jamais vu une personne absorber aussi rapidement une telle quantité de renseignements. Il lui avait répondu à la blague que, grâce à elle, il avait du sang de marin dans les veines ! Alyson en avait été touchée. En réalité, tout ce que disait ou faisait Christopher l'attendrissait. L'amour la consumait. D'autre part, quand elle regardait ses bras musclés lover les cordages du voilier, il lui était difficile de ne pas les imaginer enroulés autour de sa taille !

En longeant le littoral de l'île Saint George, Christopher fut ébloui par l'imposant fort St. Catherine. Il se demanda ce que cette soi-disant Catherine avait accompli d'exceptionnel pour que l'on nomme une forteresse en son nom. Il lui était relativement facile de manœuvrer le voilier. La navigation maritime ressemblait étrangement à la navigation aérienne. Les similitudes de ces deux domaines étaient frappantes. Naturellement, chaque champ d'activité possédait sa propre avalanche de termes techniques, mais l'orientation géographique du navire, les cartes hydrographiques, la gestion de la météo, la fatigue et le mal de cœur s'apparentaient au pilotage d'un aéronef.

De plus, Christopher s'était rendu compte que, comme pour l'hélicoptère, l'instinct y était pour beaucoup dans la façon de mener un voilier à bon port. Il savait depuis longtemps que les engins volants ou flottants communiquaient à l'aide d'un mystérieux langage avec leur capitaine. Chaque fois qu'il était aux commandes d'un hélicoptère, un lien privilégié s'établissait entre lui et l'appareil.

Pendant que Christopher contemplait le paysage, Alyson était montée sur le mât de beaupré. Elle était agrippée aux étais et rivait son regard dans l'eau, ne voulant surtout pas allonger la longue liste des navires qui s'étaient échoués aux Bermudes. En effet, l'archipel était entouré de récifs affleurants. Ces écueils étaient traîtres. Plus de 300 épaves faisant le bonheur des plongeurs sous-marins en témoignaient. En maintenant une vigilance constante, ils passèrent lentement au-dessus du *Taunton*. L'épave de ce cargo à vapeur norvégien, qui avait fait naufrage en 1920, reposait à seulement 6 mètres de la surface. Les eaux translucides permettaient d'observer le reflet vaporeux de sa proue concrétionnée.

Une motomarine franchit soudain à vive allure le sillage du voilier. Plus loin, de jolies filles en bikini à bord d'un yacht luxueux soufflèrent des baisers à Christopher, qui venait d'enlever son tee-shirt. Comme il était bien élevé, il leur adressa un signe de la main et leur sourit gentiment de manière à leur rendre la politesse. Alyson ne le vit pas ainsi. Pour tout dire, elle trouva qu'il leur souriait un peu trop béatement. Elle tenta de le distraire en lui racontant qu'un plongeur avait remonté la cloche du *Taunton*, qui avait ensuite été utilisée comme accessoire dans le film *The Deep* en 1977. Elle passa toutefois sous silence qu'elle lui aurait volontiers frappé la tête avec cette cloche pour le ramener à la réalité !

— Seigneur ! murmura Christopher. Alyson est jalouse ! Heureusement qu'Alex n'est pas comme ça !

Le voilier traversa la Gibbons Bay, puis accosta finalement à la marina de Flatts Village, au début de l'après-midi, le 10 octobre 2001. Il resterait solidement amarré au quai tant que la menace d'ouragan ne se serait pas dissipée. Bien à l'abri du vent dans la baie, le *Lux* n'aurait rien à craindre des sautes d'humeur de dame Nature.

Le lendemain, ils firent la grasse matinée. Ensuite, ils louèrent des *scooters* et sillonnèrent l'île à la recherche d'un coin de paradis pour se baigner et pique-niquer tranquillement. Aux Bermudes, aucun touriste n'était autorisé à conduire une voiture. Les rues étaient étroites, et plusieurs portières d'automobiles étaient d'ailleurs zébrées d'égratignures. Josh était assis sur le *scooter* de Chris, et la manette des gaz était en butée. Il adorait, au grand désespoir de sa mère, rouler à pleins gaz et négocier des virages serrés. À l'occasion, il empoignait même le guidon sous la supervision de Chris, bien sûr. Alyson, qui les suivait, en avait des sueurs froides.

Pour l'instant, le ciel était bleu azur et le thermomètre frôlait les 30 °C. Cet archipel appartenant au territoire britannique d'outre-mer était l'endroit rêvé pour des vacances. Les villes étaient colorées avec leurs maisons peintes aux couleurs pastel pleines de gaieté. Ils arrivèrent enfin à la Horseshoe Bay. Ils garèrent leurs *scooters* et franchirent un talus herbeux menant à la mer. Christopher crut rêver en foulant la magnifique plage en forme de fer à cheval. Cet endroit idyllique était sans contredit un des plus beaux de la planète ! Il laissa tomber son bagage de plage, lança ses sandales et courut vers la mer. Josh était sur ses talons.

Alyson tempéra toutefois leur ardeur en leur lâchant un grand cri.

— Oui, maman ? Qu'est-ce qu'il y a, encore ? se moqua Christopher en rebroussant chemin. Josh et moi avons six couches de crème solaire sur le dos, je pense que c'est assez !

Elle désirait plutôt les mettre en garde à propos des *rip currents*, les dangereux courants d'arrachement. Christopher lui signala que ce n'était pas nécessaire de s'étendre sur le sujet, mais qu'elle pouvait en revanche s'étendre sur la plage et relaxer. Josh et lui resteraient à gué. Elle ne devait pas s'inquiéter ; il garderait un œil sur Josh. Par contre, Christopher se soucia des requins. Ce fut au tour d'Alyson de se moquer de lui.

— Plusieurs touristes l'ignorent, répondit-elle en retirant son tee-shirt d'une manière qui troubla Chris, mais les requins sont communs dans les eaux des Bermudes. Heureusement, ce sont des requins sombres et des requins des Galapagos, deux espèces inoffensives. Si ma mémoire est bonne, le dernier incident remonte à une trentaine d'années. En fait, ce qui est le plus à craindre ici, ce sont les insolations, les abus de boisson alcoolisée et les démangeaisons douloureuses de la *Portuguese Man o'War.*

— Ouille ! C'est quoi, ce truc ? Une MTS ?

— Malheureusement pour toi, Christopher, tout ne se rapporte pas toujours au sexe. La *Portuguese Man o'War* est une physalie, un siphonophore marin.

Chapitre 69

— Ah ! C'est vraiment plus clair, railla Chris en secouant la tête.

Alyson ne s'en laissa pas imposer et en rajouta.

— La physalie possède un flotteur, une poche remplie d'air qu'on appelle « pneumatophore ». S'il s'agissait d'un homme, le mot approprié serait « tête ». En tout cas, ce n'est pas une méduse au sens propre. Pour t'aider à l'identifier, elle a une belle ligne de crête aux couleurs de l'arc-en-ciel, semblable aux bretelles de mon maillot.

— N'empêche, ce truc doit être collant et dégueulasse... Oups ! Je viens de me mettre les pieds dans les plats.

Christopher tenta de réparer la bourde qu'il avait commise.

— Euh... Ce n'est pas ce que j'ai voulu dire. En vrai, ton maillot est splendide.

— Ça va, le rigolo ! Va patauger ! darda Alyson avec un air faussement fâché.

— Excellente suggestion ! s'exclama aussitôt Christopher en tournant les talons. Amène-toi, Josh ! On va se dégourdir. N'oublie pas le *frisbee* !

Alyson observa Christopher courir vers la mer en compagnie de son fils. L'échéance ne pourrait être reportée indéfiniment : tôt ou tard, ils se sépareraient. En face de cette terrible éventualité, elle ne put contenir ses larmes. Même si sa passion pour lui était sans espoir, elle ne réprimait plus les sentiments amoureux qu'elle éprouvait à son égard. Elle aimait éperdument cet homme. Alyson soupira tendrement ; il était préférable de s'occuper l'esprit. Elle installa sa chaise pliante tout près de la mer et plongea la main dans son sac de plage afin de reprendre la lecture de son roman. À chaque ondulation des vagues, l'eau chaude lui léchait doucement les pieds.

Quelques minutes plus tard, la magie des mots de l'auteur de science-fiction Ben Bova l'avait transportée sur la planète Mars.

— Attrape, Christopher !

Alyson entendit crier Josh, mais elle termina sa ligne avant de lever les yeux. Elle n'aurait pas dû. Son fils venait de lancer son *frisbee* à Christopher en manquant drôlement de précision. Chris essaya tout de même de l'attraper et courut vers Alyson. Au dernier instant, il risqua le tout pour le tout. Il sauta, s'allongea de tout son long et fit un court vol plané. Il atterrit finalement sur le ventre, dans quelques centimètres d'eau et à moins d'un mètre d'Alyson. En plus d'échouer dans sa tentative d'attraper le *frisbee*, il l'éclaboussa copieusement. Alyson était complètement trempée. Elle se leva d'un bond et, simulant la furie, elle se jeta sur Christopher.

— Je vais t'apprendre à m'arroser, espèce de petit vaurien !

Sous le couvert du plaisir, elle menaça de le noyer. Christopher s'était retourné sur le dos, et Alyson était montée sur lui à califourchon. Elle empoigna son cou et se mit à plonger sa tête sous l'eau à intervalles réguliers. Jusqu'à l'intervention de Josh, Alyson s'en donnait à cœur joie. Elle riait de bon cœur et, pendant que Chris se débattait, elle ne se gênait pas pour plaquer ses seins sur lui. Se prêtant au jeu avec enthousiasme, son fils arriva par-derrière comme un boulet de canon. Il bondit sur le dos de sa mère, pour venir en aide à Christopher. La seconde suivante, Alyson était étendue à plat ventre sur la grève. Josh lui tenait solidement les mains. Chris était debout et pinçait entre son pouce et son index le cordon de son haut de bikini.

— Rends-toi ou je tire ! la taquina-t-il.

— OK, OK ! Je me rends, capitula Alyson. Vous êtes les plus forts, les gars.

— Ouais ! Tope là ! se réjouit Josh en tapant fièrement dans la main de Chris.

L'heure de la sieste avait sonné. Ils s'installèrent à l'ombre d'un parasol. Josh s'enroula dans sa serviette de plage et se pelotonna contre sa mère. Il s'amusa un moment avec ses deux figurines de *Star Wars* en reproduisant le bruit caractéristique du sabre laser des Jedi. Christopher prenait un bain de soleil, couché directement sur le sable.

— Maman, crois-tu qu'on pourrait aller voir *Monsters, Inc.* au cinéma ?

— Bonne, ton idée est, jeune Padawan. À Hamilton, ce soir nous irons ! consentit-elle en imitant la diction unique de maître Yoda.

Alyson se tourna vers Christopher.

— Intéressé es-tu, à nous accompagner ?

— Oui, oui, agréa-t-il. À condition que « maître » Alyson accepte que je suive des cours de plongée sous-marine. Une personne normalement constituée ne peut pas venir aux Bermudes et ne pas visiter les épaves !

— Tu n'y es pas du tout. Maître Yoda dirait ceci : « Visiter les épaves, une personne normalement constituée ferait ! »

Bien emmitouflé dans les bras de sa mère, Josh s'endormit en quelques minutes. Christopher extériorisa alors ce qu'il pensait.

— Tout le monde devrait avoir la chance de venir ici.

Alyson acquiesça. Cependant, son esprit était ailleurs.

— Que feras-tu lorsque tu retrouveras Alexandra au Panama ? s'enquit-elle.

— Nous avions l'intention de nous y établir, répondit Chris. Mais je suis en train de changer d'idée.

Portée par une espérance d'avenir avec Chris, Alyson sentit son cœur battre très fort.

— Si Alex est d'accord, poursuivit-il, nous achèterons un voilier pas trop cher et nous prendrons la mer.

Ce n'était pas exactement la déclaration qu'Alyson escomptait.

— Je sais que je manque d'expérience, avoua Chris, mais j'adore être sur l'eau. Curieusement, même si la vue est dégagée sur des kilomètres, c'est facile de passer inaperçu. Je me rends compte que c'est la seule option qui nous convient. Ouais ! Vivre sur l'eau… Maintenant, assez parlé de moi. Toi, Alyson, quels sont tes plans ?

— Rien de fixé pour l'instant.

Heureusement, le sifflement du vent venant du large avait masqué la vibration de sa voix. De furtives larmes perlèrent tout de même au coin de ses paupières. Il était préférable de changer de sujet.

— Regarde comme Josh est calme, dit Alyson. Il n'était pas comme ça à la maison. J'étais tout le temps à l'hôpital, alors c'était toujours une gouvernante ou Big John qui s'en occupait. Je m'aperçois aujourd'hui que je négligeais l'essentiel : élever mon enfant. Je commençais même à lui suspecter un symptôme d'hyperactivité associé à un trouble de l'attention. Quelle conne ! J'étais complètement dans l'erreur !

— Ne sois pas trop dure avec toi, Alyson. Ce qui se passe ici, ce n'est pas la vraie vie. Ce sont des vacances. Nous n'avons pas d'horaire, nous avons un peu d'argent, un voilier magnifique. Et regarde un peu cette baie enchanteresse... C'est le paradis !

— Ta femme te manque, Chris ?

— Oh, oui ! Pour être franc, je me fais énormément de souci pour elle. Elle est très intelligente, mais...

Il s'interrompit pour lancer une poignée de sable.

— ...le monde est vaste et dangereux. Bref, nous nous sommes séparés pas très loin de Marseille, le 22 septembre, à l'heure du lunch.

Christopher esquissa un sourire forcé. La mine sérieuse, il ajouta, d'un ton qui oscillait entre l'humour et le drame :

— Elle est partie avec tout notre argent et un autre homme ! Il s'appelait Pierre. Elle m'a laissé en plan, sur le bord de la route, avec une voiture cabossée et les flics aux trousses !

Alyson avait les yeux grands ouverts.

— J'exagère, la rassura-t-il. Mais, grosso modo, notre séparation s'est passée comme ça. Bon ! Je vais à la *beach house* me chercher un truc à grignoter. Je te rapporte quelque chose ?

— Oui, une Heineken pour moi et une Mountain Dew pour Josh. Ensuite, il faudra que tu me réexpliques cette histoire, car je ne suis pas certaine d'avoir tout compris !

Après le départ de Chris, Alyson caressa tendrement les cheveux dorés de son fils et le regarda avec attention.

— OK, Josh, lui dit-elle. Arrête de faire semblant de dormir, j'ai découvert ton petit jeu.

— Pourquoi Christopher ne peut pas rester avec nous, maman ?

— Le cœur de Christopher est pris, admit-elle avec regret. Il aime une autre femme, et nous devons respecter ça.

— Moi, je voudrais qu'il reste avec nous pour toujours. Il est gentil, murmura-t-il en enfouissant sa figure dans sa serviette. Et puis... je l'aime.

Alyson soupira. D'une douce langueur, elle chuchota :

— Moi aussi, Josh... Moi aussi.

Chapitre 70

16 juillet 1417, minuit
Sion, Suisse

L'encens hallucinogène provoqua un court moment d'incertitude parmi les initiés, puis la panique envahit l'église où Catherine Dinan était censée être sacrifiée. Ils se ruèrent vers la sortie, abandonnant au pied de l'autel de marbre noir le cadavre nu et ensanglanté de leur dirigeant. Catherine profita de la confusion générale pour décrocher des torches et les lancer dans toutes les directions. Les tapisseries et les bancs de bois sec s'enflammèrent en un rien de temps. L'incendie attisé par les courants d'air des déplacements se propagea à une vitesse fulgurante. La panique monta d'un cran.

Les hurlements d'horreur attirèrent l'attention des gardes postés à l'extérieur de l'église. Ils poussèrent les lourdes portes de bois pour entrer tandis que les initiés cherchaient à sortir. Les gardes étaient plus forts ; ils eurent le dessus sur les initiés, qui tombèrent à la renverse. Ils investirent l'arrière de l'église et aperçurent à l'extrémité de la voie processionnelle le corps inerte du dirigeant suprême baignant dans son sang. Une seconde plus tard, les flammes le dévoraient. La chaleur était insupportable, et il leur fut impossible de s'en approcher. Un groupe d'hommes apporta de l'eau sur ces entrefaites afin de circonscrire le sinistre.

Catherine avait réussi à assommer un initié avec un cierge et à lui voler sa tunique pourpre durant la cohue. Ainsi costumée, elle avait franchi sans encombre les portes de l'église parmi les autres. Ce fut à cet instant que le chef des gardes remarqua le corps dévêtu d'un initié gisant près d'un confessionnal. Il comprit immédiatement le plan de Catherine. La suite fut pour lui un jeu d'enfant. Il se rua dans la cour intérieure du château et, sous l'éclairage des flambeaux, il aperçut aisément sa petite taille au milieu de la foule.

Catherine courait pieds nus sous la pleine lune, encore étourdie par les relents de décoction sédative. Son esprit travaillait pourtant sans débrider ; elle n'entretenait aucune illusion quant à son avenir. Elle était assez futée pour savoir qu'elle était condamnée, car toute prétention de s'enfuir du château de Sion tenait de la pure folie. Il ne lui restait qu'à rendre le mal pour le mal ; elle vengerait la mémoire d'Henri. Elle n'était plus qu'à deux toises de la grande tour carrée argentée par la lune quand le chef des gardes l'empoigna par les cheveux. Son cœur s'arrêta ; ce nouvel écueil anéantissait tous ses espoirs de vengeance.

— Où t'en allais-tu comme ça, vilaine ? beugla-t-il en la retournant.

Au moment où Catherine fut en face de lui, il la lâcha et s'écroula au sol en portant ses mains derrière son cou. Une flèche à pointe perforante était passée à travers le camail du garde, pour ensuite se planter dans sa nuque. Le tir avait été d'une précision remarquable. Le cœur de Catherine se remit à battre normalement. Elle leva la tête et vit dans la pénombre le jeune homme aux yeux bleus qu'elle avait aperçu dans une venelle lors de son arrivée au château. Jacob était juché sur le chemin de ronde, de l'autre côté de la cour, son arc à la main.

Chapitre 70

Il n'y demeura pas longtemps immobile, car un garde brandit sa flamberge menaçante et se jeta sur lui. Jacob avait visiblement d'autres qualités que le jeu de billes, car il esquiva lestement son assaut. Il tira aussitôt son épée de son fourreau et se mit en garde. Son adversaire lui sourit méchamment. Il était beaucoup plus grand que Jacob. De plus, l'épée du jeune homme faisait pâle figure en comparaison de la flamberge. Qu'à cela ne tienne, il sautilla autour du garde, déjoua ses attaques et feinta à quelques reprises. En moins de deux, Jacob bondit et planta sa courte épée d'acier trempé dans son camail. Le coup fut sans pitié. Sa lame pénétra l'armure de mailles comme un couteau dans une motte de beurre. La carotide du garde fut tranchée net et il se vida de son sang. Jacob ne le regarda pas mourir; il reprit son arc et déguerpit en courant au milieu d'une courtine.

Remise de ses émotions, Catherine s'engouffra dans la porte de la tour carrée. Il y faisait sombre. Un escalier en colimaçon semblait monter sans fin. Au fur et à mesure qu'elle gravissait les marches, cette tour lui paraissait de plus en plus haute. L'effet sédatif de la décoction tardait à se dissiper, et elle se sentait nauséeuse. Mais son état physique était sans importance : elle fonçait, insouciante de son sort, en murmurant une prière pour que son courage ne s'étiole pas.

Catherine arriva enfin à mi-parcours. Un balcon bordé d'un parapet crénelé entourait les murs extérieurs de la tour. Il était garni de 12 canons pointant en direction des quatre points cardinaux. Malheureusement, un garde était en poste. Elle s'en approcha en silence. L'homme lui tournait le dos. Il était penché en avant au milieu d'un créneau et, forçant sa vue, il scrutait l'obscurité pour comprendre ce qui se passait en bas, dans la cour du château. Le garde, qui avait l'oreille fine, entendit Catherine respirer derrière lui. Il fit volte-face et, sous la lueur des torches, il la reconnut aussitôt. Cet homme faisait partie du détachement de cavaliers qui l'avait enlevée. Catherine fut secouée d'un frisson convulsif. Elle eut un haut-le-cœur. La main sur la bouche, elle tâcha de contenir tout débordement et empêcha ainsi sa lèvre inférieure de trembler.

Apeurée, elle recula. Alors, l'inquiétant garde s'avança vers elle.

— Hem ! s'exclama-t-il, l'œil vicieux. J'en étais certain ! Le chef ne t'a pas contentée, et tu en redemandes ! Tu verras, ici, on sera plus tranquilles. Approche un peu, qu'on remette ça !

Le courage de Catherine était admirable. Elle allongea le bras et ramassa une lance. Sous la menace de la pointe métallique, le garde battit en retraite.

— Emparez-vous d'elle ! cria-t-il.

Sa tentative fut risible. Il avait eu recours à un leurre minable pour déconcentrer Catherine. Heureusement, elle ne fut pas dupe de ses singeries. Malgré la détresse qui se lisait dans ses yeux et le tremblement de ses mains, elle s'élança avec fougue en visant sa tête. Le garde fut lent à réagir, mais saisit quand même la pointe de fer. Catherine était découragée. Au même moment, une flèche jaillit de nulle part, transperçant le casque et la tête du garde. La force diminua sur la lance de Catherine. Elle poussa le garde, qui bascula par-dessus l'embrasure d'un créneau et tomba dans le vide. Il s'écrasa pesamment en bas de la tour carrée, dans la fontaine.

Jacob baissa son arc et siffla pour attirer l'attention de Catherine. Il se situait un peu plus loin, au sommet d'une tour de flanquement. Il lui fit de grands signes et, même si une bonne distance les séparait, Catherine comprit sans peine ce qu'il lui enjoignait de faire. Elle ne gaspilla pas son temps. Elle inclina les 12 canons pour qu'ils pointent vers la cour intérieure du château. Heureusement, Jacob avait déjà déguerpi ! Ensuite, elle agrippa une torche et entreprit d'allumer les mèches. À la troisième, le premier canon tira son boulet. Le bruit épouvantable l'incommoda, mais elle continua sa tâche. Une fois terminée, Catherine se précipita dans l'escalier et recommença à monter. Son plan était simple : elle ferait aussi cracher le feu des canons installés sur le balcon du sommet.

Chapitre 70

De puissantes détonations retentirent successivement. Leurs vibrations firent résonner la cloche suspendue au faîte de la tour carrée. En plus de frapper çà et là, plusieurs boulets défoncèrent la charpente qui supportait la cage métallique menant aux caves du château. Tout le mécanisme de palan manuel se désarticula, puis le tunnel vertical s'effondra. Un trou béant emporta bon nombre de gardes qui couraient dans la cour. Tout un pan de l'église sombra également dans la cavité. Un nuage de poussière se dispersa à la vitesse de l'éclair, et ce nouveau fléau s'additionna à la fumée qui se répandait comme la peste. Plus loin, un autre boulet perça le mur de la poudrière, puis explosa au milieu des barils de poudre noire. L'inexpugnable château de Sion était attaqué de l'intérieur. Totalement pris au dépourvu, il subissait un assaut qu'aucun stratège militaire n'avait prévu.

Catherine parvint au sommet de la tour carrée, hors d'haleine. Le garde posté sur le balcon avait la figure livide. Il était consterné par ce qui se passait en bas. Elle en profita pour le piquer dans le dos. Il se courba par en arrière, puis tomba à la renverse sur la lance, qui l'empala et lui transperça le cœur. Il s'effondra à côté du parapet. Catherine inclina les 12 autres canons, puis alluma leurs mèches.

La seconde salve d'artillerie fut particulièrement dévastatrice. La cour du château était fragilisée et une grande section de la structure porteuse se brisa en entraînant plusieurs bâtiments. La courtine sud bascula dans le gouffre, causant la chute d'une grosse marmite d'huile servant à repousser l'attaque d'un éventuel ennemi. L'huile se déversa et prit feu. Un torrent de flammes submergea l'intérieur de la montagne, qui s'affaissa par le centre. À ce stade, la situation devint hors de contrôle, et toute fuite s'avéra impossible.

Dans les caves, une pluie de pierres et d'huile enflammée s'abattit sur les unités de gardes qui essayaient de remonter à la surface. Alors, un craquement formidable mélangé aux cris humains et aux gémissements d'animaux affolés se fit entendre : le colosse de Rhodes parut revenir à la vie ! Les jambes de la statue perdirent leur appui. Elle bascula, se dressa et tomba debout, deux niveaux plus bas, au milieu du feu de forge que l'apport d'air frais descendant de la surface avait rendu impossible à maîtriser. La force de l'impact broya le colosse de Rhodes jusqu'à la taille, mais les flammes monstrueuses masquèrent sa mutilation. Le flambeau de la statue représentant le dieu-soleil s'alluma une dernière fois avant que la montagne ne s'effondrât sur lui.

À ce stade, la tour carrée était encore debout. Des gardes avaient réussi à défoncer la porte que Catherine avait eu la prévoyance de barrer. Ils étaient en furie. Malgré le vacarme, elle entendait l'écho de leurs cris dans l'escalier. Les gardes investirent le balcon du sommet. Ils semblaient revenir du champ de bataille avec leurs armures bosselées et couvertes de poussière. Ils brandirent leurs épées et foncèrent vers Catherine, bien décidés à lui porter le coup de grâce.

La tour chancela comme un trinqueur et menaça de s'effondrer. Ses fondations étaient affectées et la gravité terrestre réclamait son dû. La crainte se lut sur les visages des gardes. L'exécution de Catherine devint alors le cadet de leurs soucis. Certains tentèrent de contrebalancer le mouvement oscillatoire tandis que d'autres se ruèrent vers la sortie. Seulement, ils se heurtèrent à des gardes qui montaient en groupes désorganisés. Une effroyable bousculade s'ensuivit et fit en sorte que l'intensité du moment fut indescriptible.

En fait, la tour maîtresse pivotait lentement sur elle-même en s'enfonçant dans le sol. Catherine était acculée au parapet et, naturellement, elle était à la recherche d'une planche de salut. Ce fut en regardant de gauche à droite qu'elle imagina une solution. Un frisson la parcourut, car ce qu'elle s'apprêtait à accomplir s'annonçait périlleux, mais cela valait le coup d'essayer. Elle retira la lance piquée dans le cadavre du garde, prit une longue inspiration et se mit à courir sur le balcon en direction de l'église. Une fois à l'autre bout, Catherine baissa la lance et la planta à la base du parapet. La suite subjugua les gardes, qui observèrent sa prouesse athlétique. L'un d'entre eux se demanda même si elle n'était pas devenue folle à lier. La tige de la lance s'arqua prodigieusement, mais, comme le roseau, elle ne se rompit pas. Entraînée par une impulsion vigoureuse, Catherine décolla du balcon et s'envola avec l'agilité d'une chatte vers l'église.

L'espace d'un instant, la jeune femme pensa voler. Le décor de dévastation se déroulant sous ses pieds ne la préoccupait plus : sa priorité, c'était sa survie. Catherine avait les yeux braqués sur l'église qui se rapprochait. Après son vol plané, elle alla choir sur le toit en flèche du clocher. Ce fut douloureux. Elle perdit le souffle et commença à glisser sur les tuiles comme une roche dans un éboulement. Catherine était incapable de se cramponner pour interrompre sa dégringolade. Elle atteignit l'avant-toit, tomba encore dans le vide, puis fut enveloppée dans la poussière. Une seconde plus tard, elle atterrit sur le toit de la nef centrale situé quelques mètres plus bas. La forte inclinaison de la toiture d'ardoise amortit l'impact, lui évitant de sévères blessures.

Là encore, ce n'était pas fini. Catherine tournoya et roula sur elle-même. Elle n'arrivait pas à freiner sa descente périlleuse. Le bout de la toiture approchait trop vite. Le corps mouillé de sueurs froides, Catherine dévalait tout droit vers la mort, et elle ne pouvait rien faire. Elle quitta le rebord de la corniche ouvragée, ferma les yeux et cria à pleins poumons. C'était la fin : dans quelques secondes, elle s'écraserait au sol. Étonnamment, sa dernière pensée fut pour cet adolescent au sourire enjôleur qui s'appelait Jacob ; elle espéra qu'il fût sain et sauf. Ce jeune homme avait momentanément éloigné la mort de sa route. À regret, elle trépasserait sans même avoir appris son nom de famille.

Chapitre 71

22 octobre 2001, 1 h 30
Paris, France

Daniel Tornay avait toutes les raisons de savourer son triomphe. Alexandra avait succombé à ses charmes diaboliques, comme il l'avait prévu. Elle était blottie contre lui, dans son lit, et dormait paisiblement. Daniel respira l'odeur ensorcelante de sa nuque. En fait, depuis plus de deux semaines, Alex et lui faisaient la grande vie. Ils logeaient à l'hôtel de Crillon. Les nuits étaient délicieuses et d'agréables visites touristiques meublaient leurs journées. Du jardin des Tuileries jusqu'à Montmartre, sans oublier l'Opéra Bastille, Alexandra et Daniel se payaient du bon temps.

Quant à Christopher Ross, encore là, les prévisions les plus optimistes de Daniel étaient dépassées : il était complètement sorti de l'écran radar d'Alex. Selon un point de vue strictement militaire, la mission de Daniel consistant à séduire la jeune femme était couronnée d'un franc succès. Néanmoins, sa victoire basée sur la tromperie lui brûlait le cœur. Cette nuit, Daniel était pâle comme ses draps de coton blanc. Torturé par ses remords, il n'avait pas fermé l'œil depuis deux jours. Il n'y avait plus d'échappatoire possible : l'alcool, les nuits torrides ou les puissantes poussées d'adrénaline, plus rien n'adoucissait ses regrets. Sa mascarade avait assez duré. Le caractère indécent de sa conduite avait atteint les bas-fonds de l'immoralité. Il avait déserté l'organisation Sentinum en raison de sa honte d'avoir exécuté les atrocités imposées par Karl Haustein. Et aujourd'hui, curieusement, il faisait pire. Alexandra Richard, cet ange descendu du ciel, ne faisait pas partie de son monde. Elle méritait mieux qu'un menteur.

Daniel aurait voulu avoir la force de lui confesser ses torts. Il aurait pu juste glisser cette phrase toute simple entre deux bouchées de caviar au dîner : « Écoute, Alex, je t'ai menti. Je suis un crétin prétentieux, mais je t'aime. » Il prévoyait la suite. Alex répliquerait : « Pardon ? »

Et elle remporterait le prix de la déception de l'année 2001. Naturellement, ce prix lui aurait été remis par l'idiot de l'année, Daniel Tornay. Non, c'était infaisable, pas de cette manière.

Au contact d'Alexandra, Daniel avait revu ses priorités. Il demeurait toutefois incapable de lui révéler ce qu'il avait manigancé. Il aimait cette femme au-delà de la raison, et son amour pour elle l'encouragea à prendre une surprenante décision. S'il restait la moindre parcelle de son âme à sauver, il devait s'en occuper au plus vite. Oui, il essaierait aux premières lueurs du jour de se racheter aux yeux d'Alexandra. Le chemin de sa rédemption aboutirait aux retrouvailles d'Alex et de Christopher. Daniel esquissa un sourire gêné ; après avoir tant souhaité la mort de Chris, il était tout de même étrange d'espérer qu'il fût encore vivant. Lorsque le couple serait à nouveau réuni, il expliquerait tout à Alexandra, puis il implorerait son pardon.

À 2 h du matin, on frappa faiblement à la porte de sa suite. Daniel descendit du lit et enfila son peignoir. Il n'était pas inquiet. Partout dans l'hôtel, des hommes de confiance veillaient sur lui.

Chapitre 71

Sans faire de bruit, il ferma la porte de la chambre à coucher et alla ouvrir. L'homme d'origine franco-maghrébine qui avait accueilli Alexandra au port de l'Île-Rousse, en Corse, entra. Juste avant qu'il n'ouvre la bouche, Daniel l'avertit :

— Chut ! Pas trop fort, Habib.

— Désolé de vous déranger, monsieur. Est-ce que je débarque au mauvais moment ?

— Non, mais Alex dort, et je ne veux pas la réveiller. Qu'y a-t-il ?

— Le major Brunet est en bas. Il dit qu'il doit vous rencontrer de toute urgence !

— OK, fais-le monter.

— Si je puis me permettre, monsieur, vous avez l'air épuisé.

Daniel mit la main sur l'épaule de son garde du corps.

— Les actions les plus importantes ne sont jamais confortables ! Ne te fais pas de soucis pour moi, Habib. Ça va mieux, maintenant. Allez, grouille ! Ne faisons pas poireauter le major.

Cinq minutes plus tard, Olivier Brunet arriva dans la luxueuse suite Louis XV. Daniel l'invita à retirer son perfecto, puis à boire un verre.

— Je te remercie, Daniel, mais je n'ai pas le temps. Je suis claqué. J'ai trois jours de permission avant de retourner en Afghanistan, et là, je n'ai qu'un truc en tête : aller dormir dans les bras de ma femme.

— Mais que fais-tu à Paris, Olivier ?

— C'est confidentiel, répondit-il.

— Là, tu commences à m'intéresser joliment ! s'exclama Daniel.

— Tu m'avais demandé de t'informer de la moindre opération militaire suspecte. Eh bien, tu ne seras pas déçu ! La semaine passée, mon Mirage et celui d'une autre équipe ont été rapatriés à la base de Mont-de-Marsan. Durant trois jours, on s'est baladés à 50 000 pieds au-dessus de l'Atlantique Nord pour réaliser des milliers de clichés.

— C'était quoi, l'idée de faire un *mapping* de cette zone ? interrogea Daniel, les traits crispés.

— Officiellement, c'était pour calibrer les nouvelles caméras Wild…

— Voyons donc ! C'est de la foutaise ! l'interrompit Daniel.

— T'as raison. On a même été suivis par deux C-135FR pour ravitailler nos Mirages en vol. Le deuxième jour, j'ai volé 20 heures d'affilée !

— Vingt heures ? s'étonna Daniel.

— Ouais ! Et j'ai été obligé d'utiliser ma saloperie d'urinoir portable !

Daniel recentra la conversation.

— Tu cherchais un voilier, hein ? Je t'en prie, Olivier, dis-moi que j'ai tort !

— Tu as vu juste, encore une fois. Grâce à un contact, j'ai appris que le voilier en question mesure 16 mètres et porte le nom d'*Asclépios*.

— Seigneur ! s'exclama Daniel. Es-tu certain de ce que tu avances ?

— Catégorique ! répliqua Olivier. Ce n'est pas de la rigolade. Chaque centimètre carré de l'Atlantique Nord a été passé au peigne fin. Crois-moi, si une gonzesse s'est fait bronzer à poil sur un yacht, l'état-major saura s'il s'agissait d'une vraie blonde, même si elle était dépoilée !

Cette fois, Daniel releva le niveau du vocabulaire.

— C'est Karl Haustein, et non pas l'état-major qui a commandé cette opération. À quelle latitude se trouve le voilier ?

— À l'heure actuelle, les interprétateurs photo scrutent l'archipel des Bermudes. Je pense que l'étau se resserre, car l'équipe a été réduite.

— On y est, murmura Daniel, songeur.

Le major Brunet tenta de reprendre la parole.

— Donne-moi une seconde, Olivier. Je dois réfléchir.

Chapitre 71

Daniel rassembla ses idées en faisant les cent pas. Pendant ce temps, le major pivota vers Habib.

— Sais-tu ce qui lui arrive ? s'enquit-il discrètement. Il n'a pas l'air d'être dans son assiette.

— Ça a rapport avec une femme, chuchota Habib.

— Oh, je vois ! comprit le major.

— Olivier, reprit Daniel d'une voix grave, c'est simple comme bonjour, le voilier est coincé aux Bermudes à cause du mauvais temps. Une menace d'ouragan n'attend pas l'autre, ce mois-ci, dans l'Atlantique. Il faut à tout prix envoyer Karl Haustein sur une fausse piste pour gagner du temps. Parle à ton contact, Olivier. Plus de cachettes, mets-le au parfum à propos de Sentinum.

— Holà ! s'exclama-t-il. Te rends-tu compte de ce que tu me demandes ? Je ne suis pas un magicien !

Daniel fit la sourde oreille.

— Qu'il trafique les négatifs, je sais pas, moi... Mais active tes méninges, ça urge ! On n'a pas le droit à l'échec. Pardonne-moi de te forcer la main, encore une fois. Mais ce coup-ci, c'est différent. Il ne s'agit pas de vengeance ou d'ego. Karl Haustein joue avec la vie de personnes innocentes, et nous devons intervenir.

— Ne t'étais-tu pas retiré du service actif ?

— Je n'ai pas le choix de me rengager. C'est pour mon bien.

— Je me trompe ou tu as changé ? Le Daniel de mes souvenirs ne se stressait pas pour ce genre de bricole.

— Ne le prends pas mal, Olivier, trancha Daniel, mais on en reparlera devant une chope de bière quand tout sera terminé.

— Eh ! J'oubliais ! Les satellites-espions de l'armée américaine ont également été mandatés sur ce coup.

— Dans ce cas, renchérit durement Daniel, chaque minute compte. Sentinum nous a peut-être devancés, considéra-t-il en serrant les poings. OK, je me charge des Américains, toi, des photos des Mirages !

— Je te refile les renseignements sur ton portable dès que je les reçois. À plus, Daniel.

— Une dernière chose...

— Je m'en doutais, maugréa Olivier. Il joue les Colombo, à présent. C'est une robe de chambre que tu portes, l'ami, pas un imper!

— Si je me rappelle bien, as-tu toujours ton annotation pour piloter un Grumman HU-16 Albatross?

— Tu possèdes encore ces vieux zincs? J'étais certain que tu les avais envoyés à la casse!

— Ils ont mon âge, ils sont tout jeunes! feignit de s'offusquer Daniel. Bref, je réunis une équipe et j'aurais vraiment besoin de toi.

— Tu sais que je ne peux rien te refuser, répondit Olivier.

L'alliance tactique enthousiasma Daniel.

— Merci, merci infiniment! Je suis sincèrement navré, mon vieux, de gâcher ta permission, ajouta-t-il sur un ton de franchise.

Daniel lui fit l'accolade au moment où Alexandra sortit de la chambre à coucher. Ses longs cheveux emmêlés retombaient en cascade sur ses épaules satinées. Enroulée dans un drap blanc, elle ressemblait à une sculpture grecque. Olivier prit plaisir à l'admirer. Il songea à toutes les folies qu'il serait prêt à faire pour la charmer.

— Salut, Alex! dit-il simplement. Est-ce qu'on t'a réveillée avec nos histoires?

— Non, non. J'ai seulement un petit creux. Ça va, toi?

— Oui, mais je dois filer. J'ai intérêt à aller piquer un somme! Ciao!

— Accompagne-le en bas, Habib, et remonte ici. Nous avons des choses à finaliser.

Daniel ferma la porte sur eux, puis se tourna vers Alexandra, l'air sérieux.

— Je vais te demander de me faire confiance.

— Ai-je des raisons de ne pas te faire confiance? s'enquit-elle.

Chapitre 71

Daniel faillit s'étrangler. Il dut fournir un effort terrible pour continuer.

— Il y a du nouveau, mais je ne peux t'en dire davantage.

— Je viens avec toi, réagit spontanément Alex.

— C'est hors de question. Habib prendra le prochain vol pour les Bermudes avec toi et il assurera ta protection.

— Que se passe-t-il ? interrogea-t-elle, le cœur battant.

— Je ne peux rien t'expliquer pour l'instant, mais c'est la dernière fois, je te le jure sur l'honneur de mes parents. Nous nous retrouverons sur le bateau de croisière, c'est promis.

Sur ce, Daniel embrassa Alexandra avec effusion.

— Je t'aime de tout mon cœur. Et tu n'as pas idée de ce que ça me demande de m'éloigner de toi.

— Ma foi ! Tu pleures ? s'étonna Alex.

Elle leva les bras pour essuyer les yeux de Daniel avec ses pouces. Le drap de coton blanc s'empila en accordéon à ses pieds. Elle offrait gracieusement son corps dénudé à son regard. Après avoir tant désiré Alexandra, Daniel se sentit subitement coupable d'oser poser ses mains sur ses hanches.

— Habib sera ici dans quelques minutes, Alex. Allez, ouste, ma jolie ! N'essaie pas de me corrompre avec tes charmes ! compléta-t-il en lui donnant une petite tape sur les fesses.

Daniel s'était déjà ressaisi. Décidément, ses vieilles habitudes de vil séducteur l'emportaient sur ses remords de conscience.

Chapitre 72

12 octobre 2001
Bermudes

L'ouragan Karen passa finalement à 55 kilomètres au sud de l'archipel. La tempête dura quelques jours. Des dommages considérables se produisirent au port de Saint George, mais, heureusement, le voilier *Lux* fut bien protégé dans la baie de Flatts Village. Quand Karen fut enfin dissipé, le National Hurricane Center émit aussitôt une alerte d'ouragan, cette fois pour les Antilles. Cette nouvelle menace était sans danger pour les Bermudes, mais empêchait toujours le voilier d'atteindre le Panama. Le *Lux* devrait rester amarré dans l'archipel encore quelque temps.

Peu importait. Josh, Alyson et Christopher se la coulaient douce. Depuis que la tempête était passée, c'était la même routine : ils faisaient la grasse matinée et exploraient l'île, leurs repas étaient savoureux et la bonne humeur régnait. Christopher en était venu à oublier la sentence de mort prononcée par Karl Haustein contre lui. Le 17 octobre au matin, il suivit son cours d'initiation à la plongée sous-marine et, en après-midi, Josh, Alyson et lui prirent part à une expédition sur le bateau *Shipwreck Hunter.*

Christopher ajusta son masque de plongée, inséra l'embout de son détendeur dans sa bouche et s'envoya vers l'arrière avec confiance. Il tomba dans l'eau et salua Josh de la main avant de s'éloigner de la plateforme du bateau. Le petit garçon resterait en compagnie du capitaine. Naturellement, il portait son gilet de sauvetage. Après un soupir résigné, Josh s'appuya sur l'échelle d'embarquement et regarda, le cœur gros, la dizaine de plongeurs descendre dans les eaux translucides.

— T'es trop jeune ! ronchonna-t-il en imitant sa mère.

Son souhait le plus cher aurait été d'accompagner Christopher, mais la limite d'âge était fixée à 10 ans. Il avait proposé à sa mère de mentir sur le sien. Malheureusement, il s'était buté à un refus catégorique. Le pire était qu'il avait déjà plongé avec elle dans le lac Maidstone, là où était située leur villa de campagne. Josh avait bien respecté les consignes, et tout s'était parfaitement déroulé.

Christopher repéra Alyson parmi le groupe de plongeurs et suivit son sillage scintillant, quelques mètres en arrière. Sa silhouette sculpturale était magnifiquement moulée dans son vêtement isothermique rose et noir. Sa combinaison à manches courtes préformée au niveau des seins et des hanches descendait jusqu'à la mi-cuisse. Elle faisait évidemment grande impression. Les rayons du soleil miroitaient sur les bulles d'air sortant de la bouche d'Alyson. Christopher passait à travers comme si elles étaient des millions de petites bulles de champagne. Il était hypnotisé par ses fesses et ses jambes fuselées qui agitaient ses palmes. Il en oublia qu'il arrivait à proximité de l'épave la plus populaire des Bermudes : *The Hermes.*

Construit en 1943, ce navire marchand de 50 mètres de long reposait sur le lit marin à seulement 24 mètres de profondeur. *The Hermes* avait été sabordé en 1985, à un mille du rivage en face de la Horseshoe Bay. Il avait été au préalable nettoyé, et plusieurs panneaux latéraux avaient été retirés afin de permettre des plongées touristiques sécuritaires.

Sa forme fantomatique se découpait sur le fond marin. Peu à peu, son mât pointant vers la surface et ses haubans apparurent clairement. À cette faible profondeur, les conditions d'éclairage étaient exceptionnelles. Le sable blanc réfléchissait les rayons lumineux et éliminait les zones d'ombre. D'ailleurs, les aficionados d'épaves immergées avaient activé leurs caméras et appareils photo afin d'immortaliser leurs souvenirs de vacances. Un groupe de plongeurs tourna autour des haubans comme jadis les mouettes devaient le faire lorsque *The Hermes* voguait sur l'océan en approchant des côtes. Cette épave n'avait pas trop souffert des caprices de la mer. En dépit de nombreuses années de submersion à se faire ronger sans pitié par le milieu salin, elle était dans un état de conservation remarquable. De multiples coquillages parsemaient la superstructure du navire et des algues envahissaient progressivement sa coque, mais il était encore imposant. La flore sous-marine qui avait élu domicile dans les parages était colorée et abondante.

Alyson traversa un banc de poissons sergent-major qui batifolaient. Elle était une habituée des plongées sportives. Elle avait même fait des expéditions en eau profonde où il fallait utiliser un projecteur Frogman pour percer les eaux brouillées par les sédiments. Le décor aquatique spectaculaire entourant *The Hermes* était en quelque sorte pour Alyson le Walt Disney World des visites sous-marines.

Le groupe de plongeurs se divisa. Supervisés par des guides, certains contournèrent le bossoir et allèrent explorer le poste de pilotage tandis que d'autres se faufilèrent par une voie d'eau taillée dans la coque pour nager jusqu'à la cuisine. Chaque visiteur qui passa par les cabinets de toilette ne manqua pas de rapporter qu'ils auraient eu besoin d'un bon nettoyage.

De son côté, Alyson était peu encline à s'enfoncer dans le ventre de l'épave. Elle préféra se tenir à l'écart avec Christopher. Elle lui serra la main et l'entraîna vers l'hélice du navire. Ensemble, ils longèrent le flanc bâbord, puis descendirent plus bas afin de nager en épousant le fond marin. Alyson attira l'attention de Christopher. À gauche, un banc de barracudas décrivait un large mouvement circulaire. Elle lui indiqua le poisson carnassier au corps de torpille qui dérivait paresseusement vers une barrière de corail. Une seconde plus tard, le barracuda à l'appétit féroce ouvrit sa mâchoire aux dents acérées et fonça sur un poisson-perroquet. Le pauvre petit poisson était de dos, affairé à broyer le socle corallien. Il ne vit rien venir : l'attaque se révéla aussi expéditive que meurtrière.

Près de la coque rouillée et concrétionnée, Alyson s'arrêta. Elle balaya vigoureusement le lit marin et souleva un nuage de limon. Lorsque le brouillard se dissipa, Christopher s'aperçut qu'elle s'était glissée sous lui. Il contempla ses yeux émeraude derrière son masque de plongée. Seul le bruit de sa respiration troublait cette atmosphère intime. Alyson prit les hanches de Christopher et le tira doucement vers elle. Il se laissa faire, magnétisé par ses gestes gracieux. Victime d'une ivresse nullement causée par la profondeur, Chris se demanda vers quelle sorte d'abîme tortueux il allait s'engloutir. Alyson comprima ensuite son bas-ventre contre lui. Elle ferma les paupières, pencha sa tête vers l'arrière et lui offrit son cou dénudé.

Le rêve l'emporta alors sur la réalité. L'instant se figea, témoignant de la faveur insigne d'une femme splendide à un homme. En se donnant ainsi, Alyson était sublime de générosité. Christopher retira son détendeur ; il était trop tard pour reculer. En réponse à cette soumission câline, il baisa tendrement le cou constellé de minuscules bulles d'air d'Alyson, manquant à ses obligations morales, habituellement si chères à son cœur. Malgré la température moyenne de l'eau, il sentit la chaleur de sa peau sur ses lèvres. Alyson noua ses mains sur la nuque de Chris, puis ils tournoyèrent langoureusement au milieu d'une myriade de demoiselles. Ses longs cheveux soumis aux courants ondulatoires se déployaient comme des milliers de tentacules, enveloppant Christopher dans une secrète et douce volupté d'apesanteur. Alyson était excitée au plus haut point. Elle prit une grande inspiration et enleva l'embout de son détendeur à son tour. Puis, elle poussa une longue gorgée d'air dans la bouche de Christopher. Finalement, ils s'embrassèrent avec fougue.

C'était fort agréable de succomber au plaisir, sans parler. À ce moment précis, il n'y avait aucune justification à fournir, aucun compte à rendre ; strictement une passion dévorante à assouvir. Malgré cela, Christopher se sentait pris dans un filet amoureux. En 40 ans d'existence, il en avait vu de toutes les couleurs. Il avait affronté les quatre éléments sur tous les continents. En se mesurant à l'organisation Sentinum, il croyait avoir livré bataille à son pire ennemi. Visiblement, il avait tort. Le combat le plus redoutable qu'il livrait était cet amour qui grandissait entre Alyson et lui. Et, contrairement à toutes les épreuves qu'il avait surmontées au cours de sa vie, il avait aujourd'hui capitulé : il ne faisait aucun effort pour s'en sortir.

Chapitre 73

24 octobre 2001
Lorient, Bretagne

Daniel Tornay n'avait pas flâné. En moins de 18 heures, il avait réuni une équipe d'élite composée essentiellement de ses anciens contacts. Des nageurs de combat du commando Hubert en passant par les pilotes de l'armée de l'air française, Daniel avait communiqué avec les femmes et les hommes regroupés dans son carnet d'adresses. Certains avaient refusé, mais la majorité avait accepté de le seconder en répondant avec empressement : « Présent, monsieur ! » Qu'il eût réussi à compléter une telle campagne de recrutement en si peu de temps tenait du miracle.

Leur point de rendez-vous était à Lorient, en Bretagne, plus précisément à la FORFUSCO, la Force maritime des fusiliers marins et commandos. Naturellement, Daniel s'était chargé du transport et des armes de son groupe amphibie. En concluant chacune des conversations téléphoniques, Daniel avait dit, sur un ton bon enfant :

— N'apportez dans vos bagages que votre joli sourire. Je m'occupe du matos !

À 7 h du matin, trois hydravions Grumman HU-16 Albatross appartenant à Daniel Tornay sortirent du bunker Keroman I de la base sous-marine de Lorient. Ils poussèrent leurs moteurs à fond et prirent de la vitesse sur les eaux calmes de la rade. Ces hydravions en apparence vétustes avaient été assemblés en 1959, l'année de naissance de Daniel Tornay. Et, comme lui, ces bimoteurs à hélices étaient robustes, ne faisaient pas leur âge et avaient leurs petits secrets. Le convoi amphibie glissa en file indienne sur les eaux du port de Lorient et s'éleva un peu avant la citadelle de Port-Louis. Plus loin, les pilotes s'inclinèrent légèrement sur l'aile gauche et continuèrent à prendre de l'altitude au-dessus du golfe de Gascogne.

Daniel n'était pas aux commandes, mais dans la cabine arrière d'un des hydravions à planifier sa mission de sauvetage aux Bermudes. Du moins, il essayait, car il était malaisé pour lui de se concentrer quand Alexandra hantait ses pensées. En plus, il était mal assis, sur un canot pneumatique dégonflé, entre une caisse de torpilles légères Mark 46 et une autre de fusils d'assaut sous-marins soviétiques APS[11]. Un peu découragé, Daniel releva les yeux de sa carte hydrographique des Bermudes pour observer s'éloigner par un hublot l'immense complexe de bunkers construit sur la presqu'île de Keroman sous le régime nazi, en 1941.

Aujourd'hui, Daniel louait un hangar à cet endroit pour entreposer ses hydravions, mais, à l'origine, le bunker de la base sous-marine de Lorient était destiné à abriter la 2e et la 10e flottilles de sous-marins U-Boot d'Adolf Hitler. Même de nos jours, l'ouvrage, qui avait nécessité le coulage d'un million de mètres cubes de béton, était impressionnant. Les sept hangars bétonnés ayant servi à garer les sous-marins allemands avaient 25 mètres de hauteur. Une dalle de béton d'une dizaine de mètres protégeait leurs toits

11. *Avtomat Podvodnyy Spetsialnyy*, en russe.

des attaques aériennes. Preuve de sa solidité à toute épreuve, durant la Seconde Guerre mondiale, plus de 60 000 bombes avaient été larguées en vain sur ce bunker. Heureusement, tout cela appartenait désormais au passé et Daniel espérait que, dans un proche avenir, Karl Haustein appartînt lui aussi au passé !

Les hydravions s'établirent à une altitude de 400 mètres, avec un cap sud-ouest sur les Açores en prévision d'un ravitaillement. Ils y atterriraient dans 6 heures, après avoir franchi 2200 kilomètres. Ensuite, il resterait 3500 kilomètres pour atteindre les Bermudes. Une bonne partie du trajet serait effectuée à basse altitude afin d'échapper à la détection radar du contrôle aérien de l'Atlantique.

Pour une rare fois depuis des semaines, voire des années, Daniel Tornay était fier, vraiment fier de lui. Il avait la nette impression d'exploiter son talent d'une manière noble en portant secours à Christopher Ross et à la famille Stahl. S'il parvenait à leur éviter l'irréparable, sa conscience serait enfin sauvée ; il aurait réellement fait la différence entre la vie et la mort. Serait-il encore vivant demain ? Ça, il l'ignorait.

— Bof ! murmura-t-il en inspectant son pistolet sous-marin P-11. Ça vaut mieux que de vivre dans le mensonge.

Daniel avait des fourmis dans les jambes et sentit le besoin de se dégourdir. Chaque mission, c'était pareil : il ne laissait rien paraître, mais l'adrénaline qui fusait dans ses veines le rendait nerveux. Du reste, il devait se coltiner un descriptif de mission, ce qui l'énervait encore plus. Il se leva et marcha jusqu'au cockpit. En tapotant les épaules de ses compagnons qu'il rencontrait le long de l'allée centrale, il enjamba un incroyable fouillis d'équipements de plongée sous-marine. Ce désordre était inacceptable, mais il était trop épuisé pour s'en mêler. Il avait d'autres chats à fouetter.

— Je te l'avais dit, Olivier, ces appareils sont increvables, débuta gentiment Daniel en s'appuyant sur le dossier de son ami, qui pilotait l'hydravion. Que penses-tu de la mise à niveau de l'avionique ?

— Je n'en reviens tout simplement pas que tu aies fait installer des commandes de vol électriques sur cette antiquité, répondit le major Brunet. J'ai un peu de difficulté avec le *trackball* de la souris.

— Pour que ça fonctionne, tu dois y aller tout doux quand tu roules la bille ! Elle est sensible. Reste calme et donne-toi une période d'acclimatation. Si tu veux mon avis, ton décollage était parfait. On a glissé comme sur du velours. On ne sentait même pas les vagues !

— N'empêche, je n'arrive pas à m'habituer à ce minimanche.

— Ah ? Ça m'étonne ! rétorqua Daniel en saisissant l'occasion de s'amuser à ses dépens. J'ai personnalisé les commandes après avoir parlé à ton ex… Je ne voulais pas que tu te sentes dépaysé !

— T'es pas mal comique ! riposta Olivier en soupirant. Mais tu devrais en profiter pour dormir au lieu de dire des conneries. Demain, la journée sera longue.

— Tu as raison, acquiesça Daniel, mais je suis trop stressé pour fermer l'œil.

— Toi ? Stressé ? Je t'ai pourtant vu dormir sur tes deux oreilles avant des missions suicide. Misère, on court à la catastrophe !

— Justement, je tiens à ramener tout mon monde au bercail, sans une égratignure.

— Tu sais que c'est impossible, pas dans ce genre de truc.

— Et puis, il y a ce *pep meeting* que je dois faire… Pour moi, c'est pire que faire la guerre !

— Allez, Daniel, un peu de courage ! s'exclama Olivier. Ça me fait tout drôle de te motiver.

— OK, je me lance. Mets-moi en liaison avec les autres avions.

Le major Brunet sélectionna une fréquence sécurisée. Pendant ce temps, Daniel enfila un casque d'écoute et ajusta le microphone devant sa bouche. Quelques secondes plus tard, il était en direct sur les haut-parleurs des trois HU-16.

— Messieurs, tout d'abord…

Chapitre 73

Quelques toussotements ironiques se firent entendre. Daniel se tourna en direction des trois femmes vêtues de leurs habits tactiques. Il s'inclina vers elles cérémonieusement.

— ...et mesdames, bien sûr. D'abord, je tenais à vous remercier de vous être déplacés aussi rapidement. Bon ! Maintenant que les politesses d'usage sont complétées, passons aux choses sérieuses. Plusieurs d'entre vous ont écourté leur permission, et je le regrette sincèrement. Comme vous le savez déjà, l'ennemi que nous allons affronter est redoutable. Partant de là, je ne peux que me baser sur mon expérience au sein de l'organisation Sentinum pour vous dire que nous aurons affaire à des agents matricules surentraînés. Je souligne le mot surentraînés, car j'ai personnellement formé plusieurs de ces agents. Je sais de quoi je parle. L'un d'entre eux ressort du lot : Victor Seigner. Ce gars-là, ce sont les malheurs de la vie qui l'ont formé. Contre lui, vous devrez travailler en équipe, et surtout surveiller vos arrières. Si, par malheur, vous vous retrouvez isolé de votre unité, mettez l'orgueil de côté et n'ayez pas peur d'appuyer sur le bouton *help.* Nous serons tous reliés les uns aux autres par lien satellitaire au moyen de nos ordinateurs de plongée. Vous ne devez en aucun cas vous mesurer seul à Victor Seigner. Il est extrêmement vicieux et il aura sûrement le dessus. Ah ! J'oubliais ! Gardez à l'esprit que les agents matricules de l'organisation ont subi une série de revers ces derniers temps. Alors, croyez-moi, ils sont joliment motivés et enragés ! En revanche, certains me connaissent mieux que d'autres...

Cette fois, Daniel échangea un furtif regard complice avec une belle rouquine. Elle était moulée dans une combinaison tactique noire qui enserrait son corps athlétique. Elle astiquait son arbalète *high-tech* tout en l'écoutant. Elle ressemblait à s'y méprendre à l'agent Scarlett, ce personnage de l'univers des G.I. Joe.

— ... On ne s'en laissera pas imposer ! Malheureusement, je ne peux vous garantir un billet de retour. Il y aura inévitablement des blessés et des morts.

Daniel s'accorda un moment de silence.

— L'objectif des agents matricules est de s'en prendre à un voilier de 16 mètres. Une mère de famille, Alyson Whitefield, son fils, Josh Stahl, et un homme, Christopher Ross, sont à bord de ce bateau. Grâce à moi, ce type protège cette petite famille que j'étais censé rayer de la carte. C'est un peu compliqué, mais ce fut la raison de ma démission. Toute cette folie a assez duré, et il est grand temps que quelqu'un se dresse contre Sentinum. Karl Haustein doit être arrêté !

Daniel fit une pause afin de rassembler ses idées. Tous restèrent avares de paroles, attendant la suite du descriptif de mission. Il joua franc jeu. Il raconta en détail sa frappe aérienne dans les monts Zagros et le but de sa croisade envers Sentinum. Daniel confessa aussi avoir vendu durant quelques années des armes au plus offrant. À son grand regret, en se déguisant en marchand d'armes international, il était devenu riche. Tout cela était derrière lui. Maintenant, sa fortune serait dédiée à mettre des bâtons dans les roues à Karl Haustein. Des comptes avaient été ouverts dans des paradis fiscaux pour chaque membre de son unité et l'argent y avait déjà été transféré.

Daniel était un meneur d'hommes dans l'âme. Il montrait l'exemple. De plus, il n'avait pas à commander à la baguette ; son équipe le suivait naturellement et lui faisait confiance.

— Revenons à notre descriptif de mission. Nos priorités seront de protéger ces civils. Bah ! Si l'occasion se présente, ajouta Daniel avec un regard malicieux, il n'est pas interdit d'esquinter l'équipement de Sentinum… Cela dit, dans la mesure du possible, on évite de tuer inutilement nos ennemis. Dans un proche avenir, certains seront peut-être de notre côté ! Bref, l'idée derrière tout ça est surtout d'envoyer un message clair à Karl Haustein. Et je souhaite que notre message soit entendu jusqu'à Genève ! Aux monts Zagros, Karl a eu un avant-goût de notre détermination. Il se console probablement en se disant que je l'ai pris par surprise et qu'il s'agissait d'une mission ponctuelle. Il m'a peut-être même accusé de lâcheté. Mais il ne le pourra plus demain. Nous aurons enfin l'occasion de le défier directement, en ôtant nos masques ! Surtout, ne me prenez pas au mot quand vous serez sous l'eau, sinon vous boirez la tasse, rectifia Daniel en esquissant un petit sourire en coin. Si, comme je le prévois, nous lui infligeons la raclée de sa vie, Karl Haustein devra envisager la possibilité que son organisation puisse être vaincue.

Daniel inspira profondément, puis déclara :

— Gare à toi, Karl Haustein ! La récréation est terminée !

Chapitre 74

16 juillet 1417
Sion, Suisse

Le voyage de Catherine Dinan vers l'au-delà débuta par une période d'incertitude qui lui sembla interminable. En tombant de la corniche de l'église du château de Sion, elle fut convaincue de s'évanouir de terreur. Elle vit toutefois que ce n'était pas le cas, qu'elle demeurait bien consciente. Du moins, il fallait l'être pour se rendre compte que son trépas était aussi confortable qu'un nuage pommelé. Le curé de son village avait déjà dit dans son homélie que le mystère de la mort était inexplicable. Il avait raison : ce qu'elle ressentait était vraiment étrange.

Catherine montait au ciel en contemplant les étoiles. Elle pouvait sentir la surface soyeuse et chaude sur laquelle elle était allongée, comme si elle était encore dans son enveloppe charnelle. Le tumulte bruyant de la destruction du château parvenait jusqu'à ses oreilles, et il y avait cette épaisse fumée grisâtre qui lui chatouillait les narines. Le repos éternel n'était-il pas censé être un havre de paix?

« Je fais sûrement erreur », songea-t-elle.

Catherine avait un peu mal au cœur, mais elle était enfin délivrée. Les tremblements qui l'agitaient depuis trop longtemps avaient cessé, et elle envisageait sa nouvelle vie de trépassée d'un bon œil.

Tout à coup, elle commença à glisser. Catherine fut convaincue que le Tout-Puissant avait eu vent de sa mort et, refusant qu'elle gagne le paradis, il la poussait avec force vers l'enfer ! Sa dégringolade était incontrôlable, et son cœur s'emballa au rythme de sa chute vertigineuse. Même si elle était terrorisée, elle releva la tête pour regarder à ses pieds. La gueule de l'enfer était ouverte et l'aspirait irrésistiblement. C'était la fin : elle sombrerait dans l'empire des ténèbres.

Un cri venant de nulle part la secoua d'un sursaut. Ce n'était pas fini.

— Ohé, la jeune fille en haut ! Si vous ne voulez pas vous rompre le cou, accrochez-vous à un cordage !

Il était temps.

Catherine allongea les bras et agrippa une corde. Elle la serra de toutes ses forces, de manière à ralentir sa descente. Ses mains étaient meurtries, mais cela ne l'empêcha pas d'étreindre la corde comme s'il s'agissait de son ultime recours contre la damnation. En dépit de son acharnement, elle n'arriva pas à freiner sa dégringolade et, bientôt, la toile sur laquelle elle glissait se déroba sous elle. Catherine tomba dans le vide en poussant un hurlement de frayeur. Au dernier moment, un bras traversa son champ de vision. Elle ne se fit pas prier pour l'empoigner à deux mains. Sa chute s'arrêta net, et ses jambes se balancèrent furieusement, de gauche à droite, au-dessus du vide.

— Tout va bien. Ne paniquez pas, je vous supporte.

Catherine releva la tête et regarda celui qui la tenait à bout de bras. C'était Jacob, le jeune homme aux yeux bleus et à la chevelure blonde. Il la préservait encore une fois du danger.

Chapitre 74

— Si vous n'y voyez pas d'inconvénient, reprit-il, la voix altérée par l'effort, vous devriez m'aider à vous remonter dans le panier. Le voyage sera plus confortable.

Catherine se hissa à grand-peine, et Jacob la tira à la force des poignets. Après un moment, elle réussit enfin à enjamber le bord de la nacelle. Ce fut plus fort qu'elle : encore secouée, Catherine méprisa la bienséance et sauta au cou de Jacob.

— Merci infiniment. Que Dieu vous bénisse ! Vous êtes un ange.

Catherine respira l'odeur suave de Jacob et se rendit compte de ce qu'elle était en train de faire. Elle se ressaisit et relâcha son étreinte impulsive.

— Je dirais plutôt que c'est vous l'ange, répliqua-t-il en arborant son plus beau sourire. Si j'ai bonne souvenance, vous êtes tombée du ciel et, de surcroît, dans mes bras ! Vous seriez-vous échappée du paradis ?

« Comment ce jeune homme peut-il demeurer aussi calme en pareille circonstance ? » se demanda-t-elle.

— Ma foi, non, confessa Catherine, en s'essuyant nerveusement les yeux. Mais où sommes-nous ?

Catherine était rattrapée par la réalité bien malgré elle. Depuis son atterrissage périlleux, elle se tenait au centre de la nacelle. Elle sentait son cœur flotter et devinait qu'une grande distance la séparait de la terre ferme.

— Bienvenue dans mon ballon ! répondit tout bonnement Jacob. Au vrai, c'était l'invention d'Albert.

— Volons-nous ? balbutia Catherine en craignant de s'avancer pour regarder en bas.

— Comme les oiseaux ! Pas tout à fait, nous dérivons plutôt, au gré du vent. Mais n'ayez pas peur de vous appuyer sur le pourtour de paille, c'est solide, et la vue y est magnifique !

Catherine se risqua à jeter un coup d'œil en bas de ce curieux moyen de transport.

— Seigneur ! s'exclama-t-elle.

Une main sur le cœur, Catherine contempla le canton du Valais qui s'étendait à perte de vue. Le paysage nocturne était féerique. Le ballon était soumis à un courant asymétrique et suivait tranquillement le fleuve vers le sud. Soudain, Catherine fut saisie d'un vertige et recula rapidement.

— Prenez garde à la fournaise ! l'avertit doucement Jacob. Il serait dommage de mettre le feu à un fétu de paille.

Catherine pivota, puis observa le foyer en clignant des yeux à plusieurs reprises. Elle n'y comprenait rien.

— Êtes-vous un… sorcier ?

— Bien sûr que non, la détrompa-t-il. Il n'y a pas de sorcellerie derrière tout ça, et je ne fais pas non plus de magie. La magie, les sorciers et les sciences occultes n'existent tout simplement pas. Ce ne sont que des histoires inventées pour faire peur aux esprits crédules. C'est également une bonne façon de se débarrasser des gens qui dérangent et qui posent des questions embarrassantes. Donnez-moi un instant.

Jacob compensa l'excès de poids en lâchant du lest, puis poursuivit son explication.

— La fumée qui se dégage d'un feu monte au ciel, n'est-ce pas ?

— Oui, répondit Catherine en opinant du chef.

Elle retrouvait graduellement son assurance.

— Eh bien, l'immense toile du ballon capte cette fumée. Nous devenons ainsi plus légers que l'air. C'est tellement simple, je ne comprends pas pourquoi je n'y ai pas pensé avant Albert.

— Où est-il, au juste, votre maître ?

— Euh… Albert ?

Jacob hésita un moment ; il n'était pas très fier de lui. L'envie de mentir à Catherine lui effleura l'esprit. Toutefois, il se ravisa, car cette jeune fille en face de lui avait traversé l'enfer et ne méritait pas d'entendre des mensonges.

— Je… je lui ai brisé le cou !

— Mais pourquoi donc ?

— Quand j'ai appris qu'il concoctait une potion soporifique pour vous endormir à tout jamais, j'ai essayé de le raisonner. Il s'est mis en rogne et m'a dit que je trahissais le dirigeant suprême. Il m'a ensuite menacé de me dénoncer aux gardes. Jamais je n'accepterai que l'on fasse du mal aux innocents !

Catherine se laissa tomber sur les fesses, ses jambes venaient de la lâcher. Un rosaire de questions la taraudait, mais elle n'eut d'autre choix que de s'asseoir. Elle s'adossa au pourtour de paille tressée, ramena ses cuisses sur son ventre, et entoura ses jambes avec ses bras. Elle frissonnait de la tête au pied, et cette sustentation involontaire n'avait de cesse de lui donner le tournis. Malgré tout, elle essayait de comprendre. Il restait donc des gens intentionnés qui, comme elle, veillaient au bien-être d'autrui. Elle était touchée par l'attitude bienveillante de Jacob, même si, derrière sa physionomie agréable et avenante, se cachait l'âme du féroce guerrier. Pas étonnant qu'après quelques minutes elle se sentait déjà en sécurité ! Il faisait visiblement partie de son monde. Il le prouva à une nouvelle reprise en allant lui chercher une chaude couverture de laine, une outre d'eau et un morceau de pain.

— Couvrez-vous et mangez un peu. Cela aidera votre estomac à endurer les aléas du flottement. L'air alpin est bienfaisant pour l'esprit, mais frisquet pour le corps.

— Allons-nous pouvoir redescendre ? demanda subitement Catherine.

Sa peur du bout du monde avait refait surface. À ce rythme, ils atteindraient la limite de la Terre et sombreraient dans le néant.

— Soyez sans crainte. Relevez-vous un moment et venez contempler « l'infini du bout du monde » !

Catherine s'exécuta en conservant la couverture sur ses épaules.

— Observez bien au loin la ligne d'horizon, commença Jacob d'une voix rassurante. Il ne fait aucun doute que la Terre est ronde.

« Henri avait donc raison, songea Catherine. Et moi qui me riais de son idée ! »

— Si nous poursuivons notre route en ligne droite, nous reviendrons exactement ici. Après plusieurs semaines de voyage, nous aurons fait le tour du monde, car notre planète est aussi ronde que la Lune ou le Soleil.

Jacob s'arrêta momentanément pour attiser les flammes du foyer.

— Platon et Aristote l'avaient remarqué. Ératosthène avait même calculé la circonférence de la Terre trois siècles avant Jésus-Christ !

Catherine écoutait Jacob sans l'interrompre, plongée dans la fascination de ses révélations.

— Pas mal, non ? Et 1000 ans plus tard, on essaie encore de faire croire au peuple le contraire. Le dirigeant suprême connaissait depuis longtemps cette vérité. Il se réservait néanmoins l'exclusivité de ce savoir, confirmant qu'il est plus facile de régir une population lorsqu'on garde les gens dans l'ignorance et qu'on alimente leur peur de l'inconnu.

Catherine retourna s'asseoir. Elle se demanda de quelle manière Jacob arrivait à se souvenir de tous ces mots compliqués.

— Mais tout cela tire à sa fin, ajouta-t-il avec aplomb. J'ai bien l'intention de contrecarrer les plans des initiés de cette confrérie secrète.

— Leur château est détruit et leur chef est mort. Ils sont voués à disparaître, affirma Catherine.

— Oh que non ! Ils n'en resteront pas là, croyez-moi. Ce n'est qu'un incident de parcours. Comme le phénix, ils se relèveront de leurs cendres, mais ils me trouveront sur leur route.

— Qu'allez-vous faire, seul devant eux ?

— Je ne suis plus seul ! Vous êtes avec moi ! Et à deux, nous dresserons une armée !

— Mais je ne sais même pas votre nom de famille !

— Je m'appelle Jacob, Jacob de Tornay.

Chapitre 75

18 octobre 2001
Bermudes

Après sa visite de l'épave *The Hermes*, Christopher se découvrit une véritable passion pour la bouteille. Dès qu'il avait une seconde de libre, il partait en excursion sous-marine avec l'école de plongée. Quant à Alyson, elle demeurait sur le voilier avec Josh ; ils avaient repris les devoirs et les leçons. Christopher n'avait pas le choix : il devait absolument se changer les idées. Il désirait de plus en plus Alyson, et leur proximité affective associée à sa longue période d'abstinence sexuelle était devenue proprement invivable. Comme si ce n'était pas suffisant, la menace d'un nouvel ouragan planait toujours sur les Antilles, et leur séjour aux Bermudes s'éternisait. Ce n'était pas facile.

Christopher ignorait si c'était l'interdit qui l'excitait autant, mais, une chose était sûre, cette femme délicieuse lui faisait tourner la tête. Son odeur envoûtante se répandait comme un gaz sulfureux de la proue à la poupe du voilier.

Une nuit d'orage, il s'était réveillé en sueur en jurant de l'avoir entendue gémir : « Viens, Chris, viens ! J'ai envie de me faire baiser ! »

S'il s'était écouté, Christopher se serait rué dans la chambre d'Alyson où il l'aurait prise avec vigueur. Toutefois, n'en déplaise à ses pulsions libidinales, il était bien décidé à ne pas succomber à la tentation. Le lendemain, il avait fait un temps magnifique et il en avait profité pour vider une douzaine de bouteilles de 18 litres d'air comprimé.

Quelques jours plus tard, Josh, Alyson et Christopher se rendirent en taxi visiter Prospero's Cave, une grotte de calcaire spécialement aménagée pour recevoir les touristes. Ensemble, ils jouaient les spéléologues amateurs. Des projecteurs éclairaient les stalagmites et les stalactites des voûtes absolument spectaculaires. Un escalier étroit et escarpé menait à un lac profond et illuminé, où il était possible de nager. Christopher en était bouche bée. Et quand il apprit le phénomène géologique extraordinaire qui se cachait sous les Bermudes, il ne put contenir son empressement à s'initier à la spéléoplongée !

L'archipel ourlé de récifs ressemblant à un hameçon était en fait la cime d'un énorme volcan sous-marin dont le volume était estimé à 10 400 kilomètres cubes. De nos jours, le regroupement de petites îles était faiblement immergé par les eaux bleues et translucides de l'Atlantique ; il ne baignait que dans 10 à 20 mètres d'eau.

À l'époque glaciaire, toutefois, le niveau de l'océan était plus bas et la plateforme elliptique du volcan était émergée. L'incessant travail des vagues et du vent avaient couvert la roche volcanique de calcaire. Cette roche sédimentaire étant fort perméable, des isthmes étroits s'étaient façonnés au gré des intempéries et l'érosion avait donné naissance à une multitude de grottes recouvertes de stalagmites et de stalactites. Certaines abritaient même des lacs souterrains d'eau salée et limpide. Le réchauffement climatique avait ensuite fait monter le niveau de l'océan Atlantique et noyé la plupart de ces cavernes.

Aujourd'hui, il était possible, grâce à la spéléoplongée, d'explorer l'univers fascinant du karst sous-marin des Bermudes. Pour Christopher, ce fut une véritable révélation, mais Alyson ne le vit pas ainsi. Même s'il était à l'aise sous l'eau, la plongée souterraine ne s'improvisait pas. Cette activité comportait de grands risques, et il fallait beaucoup d'expérience.

Le soir de la visite de Prospero's Cave, Christopher alla prendre un verre au bar de la marina. Il discuta de ses projets avec le barman en dégustant son scotch. Ce dernier le mit en contact avec un instructeur de plongée qui se prénommait Ewart. Cet homme, dans la jeune vingtaine, avait un bateau et il ne s'embarrassait pas trop de la réglementation : il avait tout pour devenir le meilleur ami de Christopher !

Les jours suivants, il plongea avec Ewart dans des grottes faciles d'accès qui étaient en dehors du circuit touristique. Christopher y apprit le palmage de base, le *frog kick*, qui consistait à palmer en imitant les mouvements des membres inférieurs d'une grenouille. Il arriva également à bien maîtriser le *back kick*, un palmage inversé, utilisé pour se dégager d'un encombrement en reculant. Ewart mit Christopher à l'épreuve et s'aperçut vite qu'il était apte à franchir la prochaine étape. Il lui révéla alors qu'il connaissait un petit coin tranquille pour plonger. Christopher ne se le fit pas demander deux fois.

Ainsi, au matin du 25 octobre, ils se retrouvèrent à bord de l'embarcation de plaisance d'Ewart, à un mille nautique à l'est de Surf Bay. La mer était calme. En face d'eux, un groupe de minuscules îles, la plupart inhabitées, les séparaient de Castle Harbour. Même si Josh accusait un retard en mathématiques, Alyson voulut être présente. Elle ne faisait pas trop confiance à Ewart et tenait à superviser les préparatifs de l'expédition. Elle trouvait le jeune homme un peu trop insouciant à son goût. Durant l'aller, elle l'avait soumis à une avalanche de questions. Or, elle avait dû se rendre à l'évidence qu'il connaissait la musique.

Ewart jeta l'ancre et remit à Josh une lunette de calfat. Le petit garçon s'allongea sur la terrasse de plongée et immergea la moitié de son instrument d'observation sous-marine en forme d'entonnoir. L'œil rivé sur l'oculaire, Josh regardait le fond marin depuis la surface.

— Je ne crois pas que ce soit une très bonne idée.

C'était la troisième fois qu'Alyson revenait sur le sujet.

— C'est risqué, reprit-elle, moralisatrice. Et tu n'as absolument pas l'expérience pour ce genre de truc.

— Nous serons prudents, intervint Ewart en se joignant à la conversation. Nous irons exclusivement dans des endroits que j'ai déjà explorés. J'emporte un fil d'Ariane et je ne lâcherai pas Christopher d'une semelle. Il est en sécurité avec moi. Je veillerai à ce qu'il ne s'emmêle pas dans le filin, lança-t-il en échangeant une œillade avec Chris. J'ai un ou deux siphons à lui faire visiter et une grotte que je suis le seul à connaître. Je l'ai affectueusement baptisée « Mon trou de souris ».

— En tout cas, arrangez-vous pour que je ne sois pas obligée d'aller vous chercher, car je vous jure que ça va barder.

— Oui, maman, répondirent en chœur Chris et Ewart sans s'être consultés au préalable.

Christopher, qui s'apprêtait à mettre ses bouteilles de plongée sur son dos, s'arrêta et dit à Alyson, sur un ton narquois :

— C'est facile de brider les autres, quand on a eu la chance de faire de la spéléoplongée dans la grotte Cosquer, à Marseille, avant qu'elle ne soit fermée au public. Ne t'en fais pas, je ne traverserai pas un long tunnel de 175 mètres pour aller explorer des cavités rocheuses peintes par les hommes des cavernes il y a des milliers d'années.

En entendant la nouvelle, Ewart fut incapable de s'abstenir, et l'étonnement fit ressortir son fort accent britannique.

Chapitre 75

— T'es pas sérieuse, Alyson ! T'es allée à la calanque de la Triperie ?

— Et au dangereux Blue Hole de la mer Rouge en Égypte, ajouta Christopher, fier de lui.

Alyson fit la sourde oreille. Toutefois, en attachant la sangle du casque de sécurité de Chris, elle fit exprès pour lui pincer la peau du cou.

— Aïe ! se plaignit-il. Tu sais que je suis fragile !

— Ce n'est pas juste que tu aies dit ça, Christopher. Même si j'étais ado, à cette époque, j'avais beaucoup d'heures de plongée à mon actif, et mes parents étaient des plongeurs professionnels.

— J'ai vu ton sourire sur les photos où tu es devant des peintures préhistoriques d'animaux… C'est quoi, déjà, le nom de cette salle ?

— La Salle du Félin, répondit Ewart avec empressement.

Alyson était exaspérée.

— Ah oui, c'est ça ! Figure-toi que, sur ces photos, tu avais un minois émerveillé, renchérit Christopher. Allons, ne t'en fais pas, Alyson. Je ne prendrai aucun risque. Tu sais, c'est peut-être la seule occasion que j'ai de vivre une expérience semblable.

— Jure-moi de faire gaffe avec les piles et de les économiser au max !

— T'as ma parole, Alyson.

— Et n'allume jamais la lumière de ton poignet et celle de ton casque en même temps.

— Merci du conseil, mais je sais déjà tout ça. Je te dis que ça va aller. Bon ! À plus, les amis !

Christopher enfila ses palmes et descendit dans l'eau. Pendant qu'Ewart s'éloignait du bateau, il déclara à Alyson, sur une note humoristique :

— Je n'ai pas le choix ! Tu sais bien que j'ai besoin d'action.

Puis, il rinça l'embout de son détendeur avant de le mettre dans sa bouche. Alyson s'accroupit et lui fit signe de s'approcher.

D'un regard de braise, elle lui murmura à l'oreille des mots qui la surprirent elle-même :

— Si t'en veux, de l'action, mon grand, je te suggère de venir visiter ma petite grotte humide. Tu ne seras pas déçu !

Christopher faillit s'étouffer avec son détendeur.

Chapitre 76

Christopher et Ewart nageaient sous l'eau, côte à côte. Ils avaient déjà parcouru une centaine de mètres lorsque Chris s'arrêta vis-à-vis d'un banc de coraux patate. Ewart s'en aperçut et, de la main gauche, il toucha son index avec son pouce en direction de Chris pour savoir si tout allait bien de son côté. Chris lui répondit en fermant le poing et levant le pouce pour lui indiquer qu'il remontait à la surface. Étant donné qu'Ewart ne voyait pas les yeux de Chris derrière la vitre embuée de son masque, il comprit rapidement ce qui n'allait pas.

Six mètres plus haut, Christopher émergea de la mer. Il fit du surplace et retira son masque de plongée. Ewart lui succéda de peu. Il souriait de toutes ses dents et ne manqua pas de le taquiner à propos de cette hausse subite de sa température corporelle.

— T'as des chaleurs, Chris ? Ne t'en fais pas, moi aussi, j'en aurais si j'avais une femme comme Alyson.

— Holà, mec ! Je t'ai déjà dit qu'elle n'est pas ma femme, riposta Christopher en crachant dans son masque. Ce n'est qu'une amie.

— Ben voyons ! À d'autres !

Chris remit son masque et se tourna pour saluer Josh et Alyson. Ce fut à cet instant qu'un scénario inimaginable se produisit. Le bateau d'Ewart fut pilonné par une série de grenades de 40 mm. En conséquence, son réservoir de diesel de 300 litres éclata et éventra la quinzaine de bouteilles de plongée entreposées à sa proue. Un artilleur de Sentinum avait pressé la gâchette de son lance-grenades lourd MK 19 monté sur un trépied depuis le pont supérieur d'un mégayacht. En utilisant une cadence de tir soutenue de 40 coups par minute, il avait copieusement arrosé toute la zone d'obus explosifs alors qu'il se situait à 2 kilomètres de sa cible.

Consterné par ce qu'il voyait, Christopher regarda désespérément le panache de fumée noire qui s'élevait dans le ciel. Il avait un nœud dans la gorge, et son sang était figé. Il battait des paupières pour balayer les larmes jaillissant de ses yeux tandis que les vagues et le vent lui fouettaient la figure. Le bateau d'Ewart avait été réduit en miettes ; il ne restait rien à couler. Il hurla aussi fort que ses poumons et ses cordes vocales le lui permirent.

— NON !

D'autres grenades explosèrent à proximité d'eux, et Ewart l'incita à se remuer.

— On plonge, Chris, ça urge !

Ils s'enfoncèrent sous l'eau. Christopher se dirigea aussitôt vers le bateau qui sombrait. Ce qu'il redoutait surclassait de loin un simple accès d'inquiétude. Dans sa tête, il se répétait : « Josh et Alyson ont sûrement eu le temps de sauter à l'eau ! » Toutefois, il était rongé par la certitude qu'ils avaient péri dans l'explosion. Il était incapable de se défaire de l'horrible vision de leurs corps défoncés et réduits en charpie nourrissant les poissons. Christopher nageait de toutes ses forces, vidant ses réserves d'air à un rythme effarant. Il était en état de choc, obsédé par ce qui était survenu à la surface. Malheureusement, il ne se souciait pas de l'affrontement qui se produisait sous l'eau.

Chapitre 76

Un peu plus loin, Ewart le doubla et tenta de l'avertir du danger. Une fléchette équipée d'un ardillon en tungstène se planta alors dans la cuisse du jeune instructeur de plongée. Christopher prit soudain conscience de ce qui l'entourait. Il fut convaincu qu'Ewart s'était trompé avec le mélange de ses bouteilles d'oxygène ; le jeune homme les avait certainement remplies avec du gaz hallucinogène ! Seulement, Christopher ne rêvait pas : une bataille sous-marine de grande envergure se déroulait devant lui, près du bateau qui sombrait. S'il continuait d'avancer, il se dirigeait tout droit dans la mêlée ; il n'eut d'autre choix que de rebrousser chemin et de nager vers la côte.

À 5 kilomètres au nord de Surf Bay, le Grumman HU-16 Albatross piloté par le major Olivier Brunet contourna la pointe de terre de Long Bay au ras des eaux et fonça vers l'est. Il pensait bien détruire le mégayacht de Sentinum avant qu'il ne pulvérise le bateau d'Ewart, mais l'opération de transbordement à l'aube avait pris plus de temps que prévu.

Olivier se laissa canarder sans riposter par le feu nourri des mitrailleuses de 7,62 mm du mégayacht, puis dépassa sa cible. Plus loin, il fit un crochet vers la droite et revint sur ses pas. Cette manœuvre en apparence insensée avait un but : il souhaitait se placer de façon perpendiculaire au flanc bâbord du mégayacht et, surtout, avoir le soleil dans le dos ! Il avait vu juste. Sa position de frappe était idéale. Éblouis par le soleil, les artilleurs du mégayacht tiraient avec bien peu de précision. Olivier descendit à 5 mètres de la mer et lança une torpille légère Mark 46 qui était arrimée à la carlingue de son hydravion. Ensuite, il vira abruptement en direction du sud. Olivier était satisfait de son attaque. Il trouvait quand même dommage de détruire un yacht si magnifique.

Sa torpille fila à 40 nœuds vers le bâtiment. Entre-temps, un mercenaire de l'organisation avait pris l'appareil d'Olivier pour cible. Sous la couleur d'une contre-offensive, il avait épaulé son lance-missiles portable FIM-92 Stinger et il essayait de verrouiller le Grumman HU-16 lorsque la torpille de 231 kilogrammes heurta de plein fouet le mégayacht, juste sous sa ligne de flottaison. Le mercenaire tira tout de même, mais son missile partit de travers et alla s'écraser en mer.

— Ça sera pour la prochaine fois, les mecs ! cria Olivier, seul dans son cockpit.

Une gerbe d'écume s'éleva, puis une vague de flamme s'abattit sur le flanc bâbord du luxueux bateau. Sa coque d'aluminium se fit éventrer. Presque brisé en deux, il gronda sourdement. La force de l'impact avait dépassé de loin la capacité défensive du navire. La sirène d'alarme était déclenchée, et le personnel à bord courait dans tous les sens. Dans les haut-parleurs, le capitaine ordonnait à ses hommes d'abandonner leur poste, car le mégayacht était la proie des flammes, de la proue à la poupe. On mit des canots pneumatiques à l'eau alors que l'hélicoptère Lynx eut tout juste le temps de décoller de l'hélisurface. Le bateau qui sombrait lentement ne tarderait pas à décorer le fond marin.

Olivier appuya sur son émetteur radio.

— Les amis, ici Écho 3. Cible principale détruite, je répète, détruite ! Ce spectacle est une gracieuseté du très habile Écho 3 !

— Olivier, répliqua Daniel Tornay. Je t'en prie, n'accapare pas les ondes radio.

À l'ouest de la baie, un autre mégayacht surgit de l'ombre des anciennes fortifications de Castle Island. Il était escorté par deux redoutables hélicoptères MH-6 Little Bird. Olivier tourna la tête vers la soute.

— Hé, les petits pédés en arrière ! Arrêtez de vous astiquer la bite et faites plutôt rougir les canons des miniguns !

Deux missiles quittèrent les tubes des FIM-92 Stinger situés sur le pont de cet autre mégayacht. Ils étaient de type « tire et oublie » et filaient à toute vitesse vers l'hydravion. Ils décrivirent une trajectoire qui n'était pas loin de ressembler à un cœur. Au bout des traînées blanchâtres, ils rencontrèrent les contre-mesures lancées in extremis par Olivier.

— Écho 4 à Leader, résonna une voix grave. Écho 3 est attaqué de toute part, mais il tient bon.

— Bien reçu, Écho 4, répondit Daniel. De votre position, pouvez-vous l'aider ?

— Oui, j'ai complété mon objectif, et le voilier n'a subi aucune avarie. Je passe actuellement à la verticale de Hamilton. Je suis là dans une minute !

Écho 4 avait eu comme principal objectif d'escorter du haut des airs les nageurs de combat chargés de piloter le voilier d'Alyson. Le bateau à voile avait été repéré par Sentinum et devait quitter la marina de Flatts Village au plus vite. Daniel avait décidé de le déménager au port Royal Navy Dockyard, situé à l'extrême ouest de l'archipel.

— Parfait, Écho 4. Rejoignez Olivier, hem… Écho 3 sans tarder. Leader à Écho 2, ajouta Daniel avec un vent de panique dans la voix, même s'il était sous l'eau. Si vous avez une chance, débarrassez-nous de ce foutu Lynx qui patrouille au-dessus de nos têtes. État d'alerte maximum. Ça commence à barder !

Écho 2 était au pied des falaises de Charles Island, à 800 mètres de là.

— Bien reçu, Leader. Je débarque tout juste de mon Zodiac. Je ferai au mieux !

L'hélicoptère Lynx de Sentinum largua dans l'eau six hommes-grenouilles lourdement armés. Écho 2 planta ses deux pieds dans le sable et épaula son lanceur. Il se préparait à faire ce que Daniel Tornay lui avait demandé. Après s'être calé sur le rayonnement infrarouge émis par la turbine du Lynx, il libéra son missile à très courte portée SA-7. Celui-ci fila vers l'hélicoptère, qui était en vol stationnaire à quelques mètres au-dessus de l'eau. La seconde suivante, le Lynx se transforma en boule de feu et vrilla avant de s'écraser dans la mer.

Sitôt terminé, Écho 2 s'empressa de gravir la falaise derrière lui. En atteignant le sommet, il observa le duel aérien entre Écho 3, Écho 4 et les deux hélicoptères MH-6 Little Bird de Sentinum. Le major Olivier Brunet se débrouillait comme un chef. Écho 2 se dit qu'il aurait été hasardeux de lancer un missile « dans le tas ». Cela lui donnerait l'occasion de s'occuper du gros dirigeable qui jouait un rôle d'éclaireur pour le compte de Sentinum. Il avait bien hâte de voir le résultat.

Chapitre 77

Les hommes-grenouilles de Sentinum l'échappèrent belle quand les débris métalliques du Lynx tombèrent au-dessus de leur tête. Ils se regroupèrent en formation serrée et avancèrent en direction d'Ewart et de Christopher. En un instant, la situation devint alarmante. Chris agrippa le gilet stabilisateur d'Ewart, puis ils se réfugièrent à l'ombre d'un récif corallien, où ils attendraient le bon moment de s'esquiver en douce.

Ce fut peine perdue. Les hommes-grenouilles se rapprochèrent et commencèrent à tirer avec leurs fusils d'assaut sous-marins. Ewart souffrait en raison de la fléchette plantée dans sa cuisse. Le jeune homme, orgueilleux de nature, grimaçait derrière son masque, et de grosses bulles d'air sortaient de sa bouche. Seulement armés de leur couteau de gilet, Christopher et Ewart faisaient piètre figure devant une telle armada aquatique. Ils étaient en fait sur la ligne de front.

Bientôt, d'autres hommes-grenouilles portant des masques intégraux affluèrent de toute part. Ils progressaient à bord de SDV[12].

12. Swimmer Delivery Vehicles.

Ces engins sophistiqués ressemblant à des torpilles creuses transportaient chacun une douzaine d'hommes-grenouilles de l'organisation. Grâce à leur système de propulsion électrique, ils avançaient en silence. Ce peloton de SDV essaya d'encercler Christopher et Ewart.

Mais ce fut avant que Daniel Tornay n'intervienne. Son unité n'était pas en reste. Elle était équipée d'engins à propulsion individuelle de conception soviétique Protei-5. Judicieusement armés de fusils d'assaut sous-marins APS, les nageurs de combat sous les ordres de Daniel Tornay étaient outillés pour se mesurer aux hommes-grenouilles de Sentinum.

Le fusil d'assaut APS avait été conçu avec ingéniosité au cours des années 1970. Cette arme était un dérivé de l'AK-47. Il tirait sous l'eau de longues tiges effilées au moyen d'un système d'air comprimé, et son chargeur amovible avait une capacité de 26 cartouches. Bien sûr, les effets hydrodynamiques diminuaient ses performances, mais, à une profondeur de 20 mètres, ses projectiles avaient encore une portée pratique de 20 mètres. À chaque décharge, les armes sous-marines éjectaient de grosses bulles d'air qui remontaient à la surface.

Au milieu des eaux cristallines, le spectacle était saisissant. C'était une bataille rangée. Toutefois, le plus étrange était l'absence de bruit. Christopher était habitué aux affrontements sanglants et bruyants, mais, en ce moment, cette apparence de tranquillité dissimulait une malveillance épouvantable. Tous les plongeurs revêtaient des combinaisons noires. Il était donc impossible de savoir à quel camp ils appartenaient. De plus, leurs recycleurs dorsaux au dioxygène ne rejetaient aucune bulle, ce qui augmentait l'aspect lugubre de la scène.

Pour l'occasion, la barrière de corail servit de tranchée naturelle et offrit un refuge à Christopher et Ewart. Ils profitèrent de la bataille pour reprendre leur avancée vers le rivage. De part et d'autre, les fléchettes zébraient les eaux. Lorsqu'elles ne se plantaient pas dans une combinaison de plongée, elles s'enfonçaient dans les coraux friables. En un rien de temps, des nuages de sang se propagèrent dans l'eau bleue, et ce fut un peu comme si les cumulus dans le ciel devenaient rouges.

À ce moment, Christopher aperçut un vigoureux nageur qui risquait sa vie pour secourir les blessés de son unité. Il ignorait qu'il s'agissait de Daniel Tornay. Souvent, ce plongeur héroïque transportait du coup deux de ses compagnons vers l'équipe médicale qui se tenait hors de la zone de combat.

Christopher et Ewart nagèrent de toutes leurs forces pour se diriger vers la base d'une indentation de la côte. Heureusement, la blessure d'Ewart, poussé par l'adrénaline, ne le ralentissait pas. Daniel les localisa facilement : il n'eut qu'à suivre la colonne de bulles qu'ils rejetaient à chaque respiration.

— Leader à toutes les unités, dit Daniel à travers le système acoustique. J'ai repéré l'objectif numéro deux. Je m'occupe d'eux. Couvrez-moi. Vous vous chargerez ensuite d'éliminer toute menace. Surtout, ne vous laissez pas déborder ! Et n'oubliez pas de récupérer les blessés. Nous n'abandonnerons personne. Jamais !

Au détour d'un amoncellement de roches austères, Ewart s'aperçut qu'il avait dérivé du trajet menant au rivage. Il indiqua à Christopher de le suivre. Ils bifurquèrent un peu à gauche et disparurent dans une crevasse, comme s'ils avaient été avalés par la mer. La prudence la plus élémentaire aurait dicté l'usage du fil d'Ariane, car il s'agissait d'un passage sous-marin qu'Ewart n'avait jamais exploré. En fait, ils se situaient beaucoup plus à droite qu'il ne l'avait estimé, à proximité de la minuscule île de Bird Rock.

— Ici Leader. L'objectif numéro deux se cache dans une crevasse sous-marine, communiqua Daniel. Tenez-vous à l'écart, je vais détruire mon Protei-5 et je les suis.

On lui transmit aussitôt une excellente nouvelle.

— Écho 6 à Leader. L'objectif principal est arrivé à bon port.

— Bien reçu, Écho 6.

Daniel fut heureux d'apprendre qu'Alexandra était à bord du paquebot de croisière. Il ne restait qu'à extraire Christopher de ce bourbier et à le transférer.

— Leader à Écho 3 et 4, appela-t-il. Où en est l'attaque du deuxième mégayacht de Sentinum ?

— Tout se déroule comme prévu, Leader. On s'amuse comme des petits fous, confirma Olivier, qui tourbillonnait autour du bateau avec son hydravion.

Le son des deux M134 déchaînés couvrait pratiquement la voix du major Brunet.

— Écho 4 se charge des Little Bird, reprit-il. Moi, je n'ai plus de torpille, mais on va l'achever au minigun, ce mégayacht ! En passant, merci, Leader, pour les contre-mesures !

— Écoutez-moi, tout le monde ! Personne ne joue inutilement les risque-tout, avisa Daniel en débarquant de son engin à propulsion individuelle Protei-5 derrière une paroi rocheuse. Mes communications avec vous seront probablement interrompues lorsque je serai à l'intérieur de la crevasse. Je vous souhaite bonne chance ! Que dame Fortune vous accompagne ! On se retrouve au point de rendez-vous.

Daniel détacha le sac de combat imperméable qui était accroché sous le ventre de son propulseur. Des hommes-grenouilles de Sentinum le suivaient, et il désirait leur offrir un cadeau de bienvenue. Il extirpa une mine ventouse de son sac, régla sa minuterie à 10 secondes, puis la colla sur le flanc de son Protei-5. Il lâcha ensuite son propulseur, qui sortit de derrière la paroi rocheuse. Les agents matricules tombèrent littéralement dans le piège. Un SDV de Sentinum bondé d'hommes-grenouilles s'approcha du Protei-5 juste au moment où il explosa. L'onde de choc endommagea gravement ce SDV et tua sur le coup tous les agents matricules qui étaient à son bord.

Chapitre 78

Christopher jeta un coup d'œil découragé au profondimètre analogique attaché à son poignet. En suivant la pente inclinée et sinueuse d'un ancien couloir de lave, Ewart et lui étaient descendus d'une soixantaine de mètres. Le conduit était exigu et ténébreux. Et, par-dessus tout, c'était étouffant ou ça le deviendrait incessamment, car leurs réserves d'oxygène diminuaient aussi vite que les piles de leurs torches. Christopher respirait trop rapidement ; le sort de Josh et d'Alyson l'obsédait. Il avait énormément de difficulté à se concentrer. Mais il y avait pire : les trois embranchements tortueux qu'ils avaient rencontrés en chemin.

Quelques battements de palme en avant, Ewart menait l'expédition. Seule sa lampe était allumée. Chris s'était rapproché et avait éteint la sienne. Il était enveloppé dans la demi-obscurité, et le passage semblait se refermer sur lui. Les reflets dansants sur les parois de calcaire renvoyaient de funestes éclats. En imaginant ce qui les attendait, Christopher aurait aimé parler de vive voix à Ewart, mais c'était sans importance : il n'y avait rien à discuter. D'un côté comme de l'autre, la mort les guettait. Cette spéléoplongée tant souhaitée par Christopher était en train de virer au cauchemar.

Après être devenue désespérément jaune, la lampe portative d'Ewart rendit l'âme. Une seconde plus tard, il s'aperçut que celle qu'il portait à son poignet ne fonctionnait pas. Il alluma finalement celle qui était fixée à son casque. Christopher et lui étaient égarés dans un réseau de conduits labyrinthiques et ils remontaient lentement. Il ne leur restait que quelques minutes d'air. Ewart était sur sa réserve depuis un moment, et Christopher ne tarderait pas à ouvrir la sienne, puisque sa jauge indiquait seulement 50 bars. Ils nageaient dans un mince tunnel aux formes irrégulières où il était impensable de faire demi-tour. Le conduit était trop étroit et, de toute façon, leur point de non-retour avait été franchi depuis un quart d'heure.

En suivant un siphon vertical, ils entamèrent un virage et débouchèrent dans une caverne inondée. Le plateau karstique des Bermudes était d'ailleurs truffé de passages menant à ce genre de grotte. Christopher et Ewart espéraient de tout cœur que l'un de ces tunnels finirait par sortir de la zone noyée et aboutirait à l'air libre. Étant donné le sérieux de la situation, le fait qu'ils se retrouveraient probablement encore coincés dans une cavité souterraine était pour eux bien secondaire, du moment qu'ils pourraient y respirer.

Christopher enfila un autre couloir vertical, toujours dans le sillage d'Ewart. Une saillie effilée venait de déchirer sa combinaison de plongée, et il n'osait même plus consulter son manomètre. Soudain, il se rendit compte qu'Ewart ne faisait plus de bulles : sa bouteille d'oxygène était vide. Le jeune homme l'abandonna et poursuivit courageusement sa route en apnée. Trente secondes plus tard, le passage redevint horizontal et s'élargit. Ewart avait le moral au plus bas. Il commença à ralentir la cadence. Christopher fit de grands battements de palme pour le rejoindre. Quand il arriva à sa hauteur, il lui tendit l'embout de son détendeur. Ils nagèrent côte à côte en se partageant le fond de sa bouteille.

Chapitre 78

Leur niveau de stress augmentait à mesure qu'ils tentaient d'économiser leur air en retenant leur respiration. Cinquante mètres plus loin, leur dernière réserve d'oxygène fut comme eux : épuisée. Christopher se débarrassa à son tour de la bouteille qui l'encombrait. La dernière bouffée d'air avait été pour lui. Il en avait, de la chance ! Il vivrait peut-être 30 secondes de plus qu'Ewart… Le tunnel redevint étroit. De plus, ils redescendaient vers les entrailles de la Terre. Ça allait de mal en pis. Placé devant l'inéluctabilité de son destin, Chris était découragé, et sa force de volonté le quittait. Son cœur pompait de plus en plus vite du sang extrêmement pauvre en oxygène. La perspective omniprésente de mourir noyé l'enveloppa d'un coup. Il vit alors qu'Ewart avait pris trop d'avance. Christopher vit sa lumière remonter et disparaître. Il commença à s'affoler, mais il eut la présence d'esprit d'allumer la lampe de son casque.

Il se retrouva seul. Ses forces l'abandonnaient, et il était incapable de nager. C'était triste, car il était certain que la délivrance était quelque part après cette courbe. Il fut soudain envahi par un sentiment de claustrophobie additionné à son cruel manque d'oxygène. Même s'il se battait contre ses réflexes, il avala une petite gorgée d'eau salée et une portion de cette eau s'infiltra dans ses voies respiratoires. Le sel brûla ses poumons comme du feu. Pour la première fois de sa vie, il sentait l'arrivée de la mort. Christopher essaya instinctivement de tousser et de cracher, mais il était à bout de souffle. Son organisme avait atteint la limite de ses capacités et son réflexe d'apnée ne pouvait être conservé plus longtemps.

Christopher fut incapable de refréner davantage sa respiration et il paniqua. Il ouvrit la bouche et aspira l'eau comme s'il s'agissait d'air frais. Malheureusement, son épiglotte ne se referma pas. Le choc fut effroyablement douloureux, car l'eau salée ne reflua pas. Du coup, elle s'enfonça profondément dans ses poumons. Les images d'Alexandra, de Josh et d'Alyson défilèrent dans son esprit. Elles furent bientôt remplacées par le pouvoir d'attraction de l'instinct de survie. Aux abois, Christopher plaqua ses mains sur sa gorge. Il tourbillonna furieusement sur lui-même et heurta la paroi du tunnel sous-marin. C'était sans espoir ; c'était la fin de son aventure. Ensuite, une paix profonde s'installa dans sa conscience. Après s'être autant débattu, il s'échoua au fond, inerte. Puis, les bras en croix, il remonta légèrement entre deux eaux, comme s'il était en lévitation.

La mort, qui le suivait depuis des années, l'emporta. Elle prenait enfin sa revanche.

Chapitre 79

Les veines gonflées et la face rouge, Ewart émergea de l'autre côté du siphon et inspira profondément. Il était temps, car ses poumons étaient sur le point d'exploser. Comme il l'avait espéré, il avait débouché dans le lac souterrain d'une grotte dénoyée. Plusieurs filets de ruissellement s'infiltraient par les innombrables cassures et fractures de cette caverne. L'eau qui dégoulinait sur ses parois de calcaire rejoignait le siphon et se mélangeait à l'eau de mer, réduisant sa salinité. À travers le dédale de tunnels sous-marins, Ewart s'était fié à son instinct, mais aussi à la salure de l'eau. Il respira bruyamment deux bons coups, puis il replongea pour porter secours à Christopher.

Il suivit le siphon à contresens, agrippa le bras inerte de Christopher et le tira sans plus de précaution jusqu'à la grotte. Quand il émergea à la surface du lac, il était de nouveau à bout de souffle. Il poussa péniblement Christopher hors de l'eau. Ce dernier était inconscient. Il était en arrêt respiratoire, mais son cœur battait encore. Malgré une douleur aiguë à la cuisse, Ewart se mit à genoux à côté de lui. Sans plus attendre, il envoya deux insufflations profondes dans la bouche de Christopher en lui pinçant le nez. Son anoxie avait été de courte durée : moins de deux minutes. Chris était robuste et il avait toutes les chances de s'en sortir.

Ewart se plaça bien d'aplomb au-dessus de Chris et entreprit des compressions thoraciques.

— Allez, mon petit père ! l'encouragea-t-il. Ce n'est pas le temps de lâcher !

À la troisième compression, son visage inanimé se colora, et Christopher recommença à respirer. Il toussota, cracha et vomit sur les palmes d'Ewart. Il porta finalement ses mains à sa bouche, s'essuya les lèvres et roula sur le côté.

— C'est le pire jour de ma vie, grommela-t-il.

— Tousse un bon coup, ça te fera du bien, lui conseilla Ewart.

En même temps que l'oxygène envahissait de nouveau son cerveau, l'image d'Alexandra ressurgit dans son esprit. Elle fut bientôt bousculée par celles de Josh, d'Alyson et de leur fin atroce. Malheureusement, Christopher n'avait pas rêvé. Ce défilement de pensées douloureuses lui donna le vertige.

Ewart ressentit d'emblée la tristesse de son ami.

— Je suis navré pour ce qui est arrivé, Chris.

Sa voix grave résonna sur les parois de la grotte. Christopher était encore secoué par sa noyade. Il battit des paupières et remercia Ewart de son aide.

— Où sommes-nous ? s'enquit-il enfin à travers un concert d'expectorations.

— L'eau qui s'est infiltrée dans tes poumons n'est pas complètement ressortie. Même si tu respires normalement, tu auras un déficit d'oxygène qui durera un certain temps. Mais ne t'en fais pas, tu t'en sortiras.

Les impuretés minérales de la calcite produisaient un large éventail de couleurs allant du rouge au jaune et au brun qui semblaient danser sous les ombres de l'éclairage artificiel.

Chapitre 79

— Pour répondre à ta question, poursuivit Ewart en se redressant malaisément, nous avons abouti dans une grotte souterraine. J'ai l'impression qu'on est près de Castle Island.

— Et ? s'informa Christopher sans énoncer explicitement le fait que leur situation était catastrophique.

— Avant de perdre confiance, laisse-moi faire le tour du propriétaire.

Quelques minutes plus tard, Ewart revint vers Chris en esquissant un sourire bienveillant. Il fit pivoter la lampe de son casque et désigna du menton un coin de la grotte.

— Il y a une étroite fissure par là. On peut y passer. Es-tu capable de te lever ?

— Il le faudra bien !

Christopher recommença à tousser, ce qui l'obligea à différer son action. Ewart enroula son bras sous ses aisselles et l'aida à se remettre sur pied. Chris était mal à l'aise. Son ami avait une fléchette plantée dans la cuisse ; c'était lui qui aurait dû l'aider.

À ce moment, l'eau du lac souterrain devint vert émeraude. Elle paraissait éclairée par une source lumineuse surnaturelle.

— On nous a suivis ! s'exclama Ewart.

Le canon d'une arme sous-marine pointée vers eux émergea à la surface, confirmant leur pire crainte. Puis, la silhouette menaçante d'un nageur de combat apparut. Christopher n'en revenait pas. Il n'aurait pas été plus étonné d'apercevoir un fantôme. L'homme sortit du lac en tirant un long sac imperméable.

— Beurk ! Ça pue, ici ! dit-il en enlevant son masque intégral.

Daniel Tornay ! Il était vivant et, encore une fois, il surprenait Christopher en position de faiblesse.

— Salut, Chris ! Excuse-moi de te déranger, mais l'heure est grave !

— Vous vous connaissez ? demanda Ewart en se tournant vers Christopher.

Il ignorait si c'était rassurant ou inquiétant.

— On ne se voit pas souvent, mais on s'aime bien tous les deux ! répondit Daniel en déposant son sac et son bâton luminescent au sol.

— Tu t'es bien foutu de ma gueule, à Marseille, gronda Chris. Que viens-tu faire ici, le menteur ?

Il se remettait peu à peu de sa surprise.

— T'as manqué d'air à la naissance ou quoi ? Je suis ici pour vous sauver. D'ailleurs, je ne fais que ça depuis le matin, sauver des vies ! Si tu veux tout savoir, Josh et Alyson sont sains et saufs. Une de mes équipes les a arrachés du bateau de ton ami juste avant l'explosion. L'organisation présume qu'ils sont morts. En ce qui les concerne, l'affaire est réglée. S'ils n'attirent plus l'attention, ils n'ont plus rien à craindre de Karl Haustein !

Contrairement à Ewart, Christopher n'était pas du tout impressionné.

— Et cette nuit, en passant par la toundra, tu as retrouvé mon père en vie, je suppose ? le nargua Chris.

— Non. Mais je termine par le plus beau. Il y a une heure, Alex a atterri à l'aéroport international des Bermudes.

— Ah, c'est *Alex*, maintenant !

— Alexandra, si tu préfères, renchérit Daniel en lui tendant une carte d'embarquement à son nom. Elle t'attend à bord du paquebot *Le joyau de l'océan*. Tout est réglé. Alors, on se donne la main et on saute dans la flotte. J'ai des bouteilles d'extra au fond du lac pour le trajet du retour !

— C'est de la merde, ton histoire, riposta Chris.

— Je comprends que tu aies plusieurs griefs contre moi, mais je te prie de me croire.

— Oublie ça ! Tu ne m'embarqueras plus jamais dans tes combines à la con ! Repars dans ton trou, Ewart a trouvé une autre issue.

— Euh... Chris, hésita Ewart, un peu gêné de s'interposer. Je pense qu'on ne devrait pas l'envoyer promener avant d'en discuter.

Tu sais… mon idée de passage souterrain, eh bien, c'était une solution de désespoir !

— Ça vaut 100 fois mieux que de faire confiance à cet enfoiré !

Ewart se plia en deux ; sa cuisse lui faisait de plus en plus mal. Daniel regarda sa montre Doxa Sub.

— Bon ! Je m'occupe de cette blessure, mais je vous le dis net, il faut se grouiller, car on va manquer de temps !

Daniel s'agenouilla, retira son recycleur dorsal et prit une trousse de premiers soins à l'intérieur de son sac imperméable. Il découpa un carré dans la combinaison d'Ewart pour dégager la plaie, puis il lui fit une anesthésie locale au moyen d'une injection de 10 millilitres de Carbocaïne. Il utilisa ensuite des pinces pour couper le fût de la fléchette, qui dépassait de la cuisse.

— T'es chanceux, mec. Elle est seulement plantée dans les tissus. Ton artère est intacte, diagnostiqua Daniel en poussant sur le fût avec son index.

Ewart se tordit de douleur et du sang coula de la plaie. L'anesthésique n'avait pas encore totalement fait effet. Il garda le silence, mais des larmes inondèrent ses yeux. Pour son plus grand soulagement, l'ardillon de tungstène sortit enfin par le côté de sa cuisse. Daniel appliqua un pansement hydrofuge et lui tapota l'épaule.

— Voilà le travail ! Ne vous confondez surtout pas en remerciements et suivez-moi !

Une seconde plus tard, une immense bulle d'air jaillit à la surface du lac souterrain. Les bouteilles d'oxygène supplémentaires que Daniel avait apportées venaient d'exploser.

— Oups ! réagit-il en reculant. Ça se complique !

Chapitre 80

Quelques minutes avant l'explosion du bateau d'Ewart, Josh était agenouillé sur la plateforme de plongée et scrutait le fond marin avec sa lunette de calfat. Il suivait le déplacement d'un petit requin de récif quand une masse sombre masqua son champ de vision. Il releva la tête.

— Maman, peux-tu venir voir ?

— Bien sûr, mon chéri. Qu'y a-t-il ?

— Il y a un truc bizarre dans l'eau.

Alyson déposa son roman et se leva. En s'accroupissant auprès de son fils, elle remarqua un objet imposant à l'horizon.

— Seigneur !

Alyson mit la main sur sa bouche. Ce gros bateau sur lequel était posé un hélicoptère ne pouvait être qu'un des mégayachts appartenant à l'organisation Sentinum. Elle en était certaine. Elle fut parcourue de frissons et sentit ses cheveux se dresser sur sa tête.

« Merde, mais que vais-je faire ? pensa-t-elle pour ne pas inquiéter Josh. Je ne peux pas abandonner Christopher ici ! »

Une seconde plus tard, les ombres qui rôdaient sous la coque du bateau émergèrent comme des trombes marines. Elles enveloppèrent Alyson et Josh et les entraînèrent sous l'eau. Au moment de passer par-dessus bord, le petit garçon ferma les yeux et cria de toutes ses forces. Puis, il entendit sa mère crier plus fort que lui ; de toute façon, à la maison, sa mère criait toujours bien plus fort que lui ! Quand ils touchèrent l'eau, tout devint silencieux comme la mort.

Josh était entraîné par le fond, tourbillonnant en tous sens. Il était certain de se noyer. Malgré sa panique, il sentit soudain qu'on le halait avec fermeté, mais aussi avec délicatesse. Et, pour une raison inconnue, il se sentit en confiance. Cette poigne toute masculine qui le tirait ressemblait étrangement à celle de Christopher lors de leurs jeux de combat. Quelques secondes plus tard, il rejoignit sa mère sous une cloche de plongée, où il put enfin respirer librement. Seules leurs têtes étaient à l'intérieur du dôme de verre oxygéné. Alyson étreignit son fils dans ses bras.

— Ça va, Josh ? bredouilla-t-elle en s'efforçant de dissimuler ses émotions pour ne pas l'effrayer.

— Ça va, m'man. T'en fais pas, répondit-il calmement.

L'assurance de son fils la stupéfia. À cet instant, une puissante explosion pulvérisa le bateau d'Ewart. Une lumière vive se réfracta avec une étrange netteté dans l'eau limpide. Josh trouva que les rayons colorés dansaient comme les images de son kaléidoscope. L'eau fut secouée par la détonation, mais elle étouffa la propagation du son.

Josh et Alyson étaient les passagers d'un *scooter* sous-marin escorté par des nageurs de combat. Tout compte fait, ces derniers étaient arrivés au bon moment !

— Mais où est Christopher ? demanda Josh. Crois-tu que c'est lui qui nous a encore sauvés ?

— Je l'ignore, déclara Alyson, qui n'y comprenait rien.

— Écho 1 à Leader, transmit sur les ondes radio celle qui était aux commandes du *scooter* sous-marin. Les objectifs numéros trois et quatre sont en sécurité, mais nous avons de la compagnie !

— Bien reçu, Écho 1, répondit Daniel Tornay. Éloignez-les au plus vite de la zone et rendez-vous au point d'extraction !

Elle se tourna et fit un beau sourire à Josh à travers la vitre de la cloche de plongée. Puis, elle accéléra et descendit plus creux. Le *scooter* suivit le fond marin en zigzaguant entre les récifs de corail.

— La connais-tu, cette fille, maman ? Crois-tu que c'est elle, Alexandra ?

« Si c'est elle, s'abstint d'ajouter Alyson en observant les jolies mèches rousses qui sortaient de son masque de plongée intégral, mes chances avec Christopher sont nulles ! »

Transporté en silence par le *scooter* sous-marin, Josh vécut une expérience incroyable. Cela fut pour lui une révélation : il avait trouvé quel métier il exercerait lorsqu'il serait grand ! Il voulait à tout prix piloter ce genre d'engin sophistiqué et manier les armes qui venaient avec le poste ! Le travail de policier de son père ne l'emballait plus.

Ils arrivèrent bientôt en périphérie des affrontements subaquatiques. Le *scooter* bifurqua et se dirigea vers les eaux profondes. Josh eut un certain vertige lorsque le fond marin s'éloigna. À ce moment, la dizaine de Protei-5 qui escortait le *scooter* firent demi-tour. La majorité des nageurs de combat lâchèrent une poignée de leurs véhicules pour saluer Josh de la main. Une masse impressionnante flottait devant eux, non loin de la surface. Josh n'en crut pas ses yeux : c'était un sous-marin, un vrai !

Le *Nerwin* était un sous-marin expérimental. Il avait été lancé en 1969. Contrairement à ce qu'en pensait Josh, avec sa longueur de 45 mètres, il était de dimension relativement réduite. Il était tout de même équipé de la propulsion nucléaire. Avec son équipage d'une quinzaine de sous-mariniers, il avait la possibilité de rester immergé plusieurs jours. Daniel Tornay avait travaillé fort pour déployer ce sous-marin en si peu de temps. Plusieurs officiers de la marine américaine lui devaient un service, et il ne s'était pas gêné pour demander leur soutien.

La conductrice du *scooter* longea la coque du sous-marin et s'arrêta vis-à-vis de la dunette. Elle remit à Alyson une bouteille de plongée munie d'une double tubulure et des masques. Alyson chargea la bouteille sur son dos et veilla à bien installer l'embout du détendeur dans la bouche de Josh. Ils étaient toujours dans leur bulle d'air et, lorsque Josh fut prêt, ils plongèrent sous l'eau. Le nageur de combat qui était assis à l'arrière du *scooter* prit la place de la conductrice.

Josh, Alyson et Écho 1 nagèrent vers le sas du sous-marin alors que le *scooter* s'éloignait. Josh franchit le premier la porte étanche du sas situé sous le ventre du *Nerwin*. Sa mère le suivit et, finalement, la fille qui ressemblait aux figurines articulées G.I. Joe ferma la marche. Avec ses cheveux roux, ses yeux bleus comme l'océan, et sa combinaison moulante noire qui enserrait son corps athlétique, elle était d'une beauté plastique. La porte du côté de la mer se referma et le sas se vida en un rien de temps.

— Bonjour, Josh. Je m'appelle Zoé, révéla-t-elle à voix basse après avoir enlevé son masque intégral. On ne t'a pas fait trop peur ?

Ce caisson était minuscule, et ils étaient entassés. Même s'il n'avait jamais manqué d'air, Josh respira un bon coup avant de répondre.

— Non, non, ça va.

— Sais-tu que tu as des nerfs d'acier ?

Josh était très fier. Une fois la pression établie, la seconde porte s'ouvrit, et ils ne se firent pas prier pour traverser l'écoutille menant à une petite salle de rencontre. Zoé continua de se débarrasser de son équipement. Un sous-marinier leur apporta des serviettes et des boissons. Josh avala son chocolat chaud en trois gorgées.

— Et vous, madame ? s'enquit Zoé en épongeant ses longs cheveux roux. Vous allez bien ?

— Très bien. Merci pour votre aide.

Chapitre 80

Alyson sentit le submersible se mettre en branle.

— Où allons-nous ? interrogea-t-elle.

À bord, tout était étonnamment silencieux.

— S'il vous plaît, Madame Whitefield. Je vous demanderais de parler à voix basse, car nous devons minimiser notre signature acoustique. Nous naviguons en direction du Royal Navy Dockyard, de l'autre côté de l'île.

— Je sais où est le Royal Navy Dockyard, chuchota Alyson. Pourquoi allons-nous là ?

— Votre voilier a été déménagé à ce port.

Alyson était renversée par l'ampleur des moyens qui avaient été mis en œuvre pour les secourir.

— C'est pour votre sécurité, reprit Zoé. Votre voilier a été repéré au petit matin par l'organisation Sentinum.

— Et Christopher ?

— Notre chef, Daniel Tornay, s'en charge. Ne soyez pas inquiète, vous le reverrez sous peu.

— Mais qui est Daniel Tornay ? s'exclama Alyson.

Chapitre 81

Daniel tira plusieurs coups avec son fusil d'assaut sous-marin APS à la surface du lac souterrain.

— C'est ça ! Foutez le camp et laissez-moi tout seul ! lâcha-t-il en se rendant compte que Christopher et Ewart s'étaient faufilés dans la fissure au coin de la grotte.

D'une gestuelle précise, il accrocha ses palmes à sa taille et resserra le velcro de ses bottes de combat Amphib. Puis, il fouilla dans son sac imperméable et extirpa sa lunette de vision nocturne. Il était fin prêt. Il ne restait qu'à changer son arme aquatique pour un FAMAS F1 muni d'un dispositif d'aide à la visée de nuit Pirat. Daniel inséra un chargeur de 30 coups dans son fusil d'assaut. Ensuite, il fourra dans son sac les palmes et les masques qu'Ewart et Chris avaient oubliés en raison de leur départ précipité.

— Et je dois en plus me taper leur ménage !

Il fut extrêmement aisé pour Daniel de suivre les traces de Christopher et d'Ewart dans les conduits froids et humides, car il apercevait la lueur blafarde de leur éclairage au fond des couloirs.

Daniel mit son sac en bandoulière et franchit à quatre pattes un ancien tunnel de lave.

Au détour d'un éboulis, Chris et Ewart atteignirent une cavité karstique de bonne dimension dont le plafond et le sol regorgeaient de stalactites et de stalagmites de calcaire. C'était fort joli, mais les obstacles et les pièges étaient nombreux. Ces excroissances cristallines ressemblant à des glaçons semblaient destinées à leur taillader les pieds et les épaules. Leur marche n'était donc pas facile.

Le casque de Christopher heurta une stalactite, et sa lumière frontale clignota.

— Ma lampe prend l'eau, ou tu n'as pas changé les piles avant de partir ? s'enquit-il.

— Un peu de tout ça, avoua piteusement Ewart. C'est pourquoi chaque nageur a trois systèmes d'éclairage.

Même si l'envie lui démangeait, Christopher lui épargna ses remontrances. Ewart trébucha sur une pierre mouillée ; ils ne portaient que des chaussons et ils glissaient fréquemment.

— Christopher ! cria Daniel dans leur dos. Ne fais pas le con, restons ensemble. Je suis ici pour vous aider.

Chris et Ewart s'abstinrent de répondre. Ils choisirent d'éteindre leurs lampes et de se dissimuler près d'un autre lac souterrain.

— Je ne sais pas votre histoire, chuchota Ewart, mais on devrait l'écouter. Pour tout dire, je me suis trompé… Nous ne sommes pas sous Castle Island.

— Que veux-tu dire ? interrogea Christopher à voix basse.

— Je suis déjà venu dans cette grotte, et ce n'est pas celle qui débouche dans les falaises sous le château. Il y a un chapelet de deux minuscules îles inhabitées avant celle de Castle Island : Charles Island et Bird Rock. Nous sommes en dessous de Bird Rock.

— Il va falloir nager, déduisit Christopher en se rendant compte qu'ils avaient oublié leurs palmes et leurs masques dans l'autre caverne. Sur quelle distance ?

Chapitre 81

— J'espère que mes fils d'Ariane sont encore là. Si je me rappelle bien, le premier faisait une soixantaine de mètres en ligne droite pour atteindre la caverne dénoyée sous Charles Island et l'autre, une centaine de mètres pour rejoindre mon trou de souris… euh… la grotte de Castle Island dont je t'ai parlé.

Ils entendirent quelques bruits assourdis, puis un mince faisceau de lumière rouge perça l'obscurité. Le point du viseur s'immobilisa sur le front d'Ewart.

— Est-ce bien ce que je pense ? balbutia-t-il.

— Oui, répondit Christopher en rallumant la lampe de son casque.

Contre toute attente, leur équipement de plongée était éparpillé autour d'eux.

— J'en ai assez de vous soigner et de vous ramasser ! s'exclama Daniel. Mais ne comptez pas sur moi pour vous torcher le cul !

Il se tenait debout devant eux au moment où une puissante secousse ébranla la cavité karstique. Des substances pulvérulentes leur tombèrent dessus. Daniel avait piégé le passage derrière lui ; des agents matricules approchaient.

— Si la confiance se gagne peu à peu, ajouta Daniel, on peut dire sans se tromper que je viens de faire un pas dans la bonne direction ! Maintenant, je suppose que la sortie est de ce côté, Monsieur le guide ?

Daniel s'était adressé à Ewart en indiquant le lac souterrain. Le jeune homme opina de la tête. Ils enfilaient leurs masques quand Christopher s'aperçut que Daniel n'avait pas son recycleur dorsal.

— T'as pas apporté ton équipement ? s'étonna-t-il.

— Pour que tu ailles te vanter d'avoir fait de l'apnée dans des grottes sous-marines alors que, moi, j'étais tout équipé ? Tu rêves, mon pote !

— T'es prêt à crever pour l'orgueil ! T'es joliment fêlé !

— Je crèverais pour bien moins que ça.

Daniel remit un bâton luminescent à Ewart.

— Économisez vos piles, j'en ai un paquet. Allez, mon ami, montre-nous le chemin !

Après cinq profondes inspirations, ils plongèrent sous la surface du lac souterrain. Daniel fermait la marche. En enfonçant sa tête dans l'eau froide, il entendit une seconde explosion ; les agents matricules continuaient d'avancer dans le tunnel de lave.

Ewart avait dit vrai. En suivant son fil d'Ariane, 60 mètres plus loin, ils émergèrent dans une caverne dénoyée sous l'île voisine : Charles Island. Christopher tremblait. Il était gelé, il avait mal aux poumons et il vomit de nouveau. Le plus décourageant était que Daniel avait l'air d'un type en vacances. Il avait trimballé son gros sac imperméable durant la traversée et il n'avait pris qu'une courte respiration en sortant de l'eau. Christopher enrageait à le voir ranger le matériel de plongée, frais comme une rose. Ewart tenta de le rassurer :

— C'est à l'hosto que tu devrais être, Chris. Pas ici à essayer de battre des records de nage en apnée !

— Éloignez-vous du lac, les gars ! On va avoir de la compagnie, annonça Daniel en ouvrant son sac. Tiens, Chris, j'ai un *handgun* Sig-Sauer P220 pour toi.

— Et j'hérite du petit pistolet, en plus, se plaignit Christopher en observant le redoutable FAMAS appartenant à Daniel. Tu n'as rien de plus conséquent dans ton sac à surprise ?

— J'ai mon « bébé », mais je croyais qu'il était trop lourd pour toi, plaisanta Daniel en sortant un lance-grenades multiple Milkor.

— Je ne veux pas être impoli, mais avez-vous pensé à moi ? demanda Ewart.

— Toi, Ewart, tu t'occupes de mon sac. Tu en prends soin comme s'il s'agissait de tes couilles, puis tu nous trouves le passage qui mène à l'autre lac.

— Charmant joujou, avoua Christopher en soupesant le lance-grenades. Six coups ?

— Ouais. Le chargeur est plein, et c'est tout ce que nous avons. Je n'ai pas de recharge.

— Je vous rappelle qu'on est dans une caverne, messieurs, intervint Ewart. Voulez-vous que le plafond nous tombe sur la tête ?

Daniel lui fit signe de se taire et tendit l'oreille.

— Avez-vous entendu ce bruit ? Planquez-vous ! hurla-t-il ensuite, alors qu'une rafale d'arme automatique retentissait dans leur direction.

Ils se regroupèrent derrière une paroi rocheuse. Daniel cacha son bâton luminescent, puis l'obscurité les enveloppa. Il remit à Chris une lunette de vision nocturne à l'infrarouge.

— Désolé, Ewart, je n'en ai que deux. Tu devras rester entre nous. Voici le plan, murmura Daniel. Nous devons absolument les buter et nous emparer de leurs recycleurs…

Une voix rauque l'interrompit brusquement.

— Répète plus fort, Daniel, je n'ai pas tout compris !

— Salut, Victor ! répliqua Daniel en affectant la cordialité. Heureux de voir que tu es pétant de santé !

— Je dois l'admettre, notre mission est plus difficile que prévu, avoua-t-il. Mais ce n'est pas grave, car notre premier objectif est atteint.

— Toutes mes félicitations, Victor ! Éliminer une mère et son fils de sept ans pendant leurs vacances, quel courage ! Tu m'impressionneras toujours.

Daniel regarda Christopher et leva le pouce en signe de satisfaction. Les agents matricules avaient mordu à l'hameçon.

— Il paraît que tu veux prendre ta retraite ? poursuivit Victor Seigner. Écoute-moi bien, j'ai un marché à te proposer. Livre-moi Christopher Ross, et je dirai à monsieur Haustein que t'es mort. Réfléchis ! Tu n'as pas vraiment le choix, Daniel. T'es pas de taille. J'ai quatre agents avec moi et j'ai piégé la sortie de la grotte. Si je ne ressors pas, personne ne le fera ! Et, en passant, jamais tu ne réussiras à t'emparer de nos recycleurs.

— Ah ! Tu as tout entendu. Ce n'est pas poli d'écouter aux portes, tu sais. Quel modèle d'amplificateur auditif as-tu utilisé ?

La rivalité féroce qui animait les deux hommes était palpable.

— La nouvelle génération XC, avec un cristal de roche ultra-performant, précisa Victor. Et ce n'est pas tout, je t'ai tiré dessus avec une mitrailleuse légère M249 SAW. Si tu veux mon avis, je trouve que le pontet est trop étroit pour insérer mon...

Daniel se moquait complètement de l'équipement utilisé par Victor. Il souhaitait simplement découvrir la provenance de sa voix. Lorsqu'il fut certain de son origine, il dégoupilla une grenade offensive et la lança dans sa direction. Quand l'écho de l'explosion se dissipa, Victor se mit à ricaner.

— T'as pas de bol, j'ai installé un haut-parleur. Tu te ramollis, Daniel, ou bien c'est moi qui deviens trop brillant !

— Là-dessus, je ne peux pas te contredire, mon vieux !

Christopher déplia la crosse de son lance-grenades et rugit.

— Assez discuté, on passe à l'action !

Il tira au hasard ses grenades de 40 mm jusqu'à ce que le chargeur rotatif du Milkor fût vide.

— Content de voir que tu reprends du mieux, Chris ! déclara Daniel en gardant Ewart derrière lui.

Entre-temps, Victor avait ordonné l'assaut, et des balles sifflaient de tous les côtés. Le bruit des détonations qui se répercutait sur les parois rocheuses de la grotte généra un vacarme épouvantable. Ewart se boucha les oreilles et cria :

— On est morts ! Ils vont tout faire péter !

Les multiples explosions révoltèrent les entrailles de la caverne. Le plafond constellé de stalactites tubulaires se fragmenta et de volumineux morceaux de grès et de calcaire tombèrent çà et là. Daniel et Christopher se placèrent dos à dos, en position tactique ; ils veillaient à protéger Ewart entre eux. Les agents et Victor se séparèrent. Le décor était vert émeraude à travers les lunettes de vision nocturne, mais il ne le resta pas longtemps, car Victor préférait nettement se battre à la clarté. Il illumina la grotte à coup de fusées éclairantes et de bâtons luminescents, puis il rendit l'atmosphère lugubre avec des grenades fumigènes.

Au détour d'une formation rocheuse, Daniel abattit un agent matricule qui relevait sa lunette de vision nocturne. Ewart était juste derrière lui. Il observait la scène par-dessus son épaule, en ligne droite avec le canon du FAMAS. Le jeune homme était comme dans un jeu vidéo de tir à la première personne. Cependant, la force immersive dépassait de loin les expériences vidéoludiques qu'il vivait, seul dans son salon. Daniel lui réitéra son ordre :

— Trouve-nous une sortie, ça urge !

La seconde suivante, Daniel fit un roulé-boulé, se redressa et atteignit entre les deux yeux un agent matricule arrivant par la gauche. L'homme s'écroula lourdement sur le dos.

— Avec Victor, il en reste deux, calcula Daniel, satisfait de voir Chris se servir habilement du pistolet Sig-Sauer P220 pour tuer un troisième agent.

Ewart découvrit enfin l'issue menant à l'autre lac souterrain. Une fois dans le tunnel humide, Christopher remit sa lunette de vision nocturne à Ewart, puisque ce dernier ouvrait la marche. Il glissa ensuite un bâton luminescent dans sa combinaison près de son cou, de façon à s'éclairer sans se faire repérer par Victor. Daniel portait les bandoulières de son FAMAS et de son sac sur son épaule. Un peu plus loin, ils arrivèrent en silence au pied d'une pente fortement inclinée qui n'en finissait pas. Ils la gravirent à quatre pattes en file indienne ; Ewart était devant, Christopher, au milieu, et Daniel, à l'arrière.

À cet instant, Victor s'aperçut qu'ils avaient quitté la caverne. Il eut du mal, à travers le gaz fumigène et les matières pulvérulentes en suspension, à découvrir l'issue par laquelle ils s'étaient poussés.

Il emprunta finalement le même tunnel qu'eux et, après avoir parcouru quelques mètres, il cria :

— Tu veux t'amuser, Daniel ?

Ensuite, sans se soucier de l'agent matricule qu'il avait laissé derrière lui, Victor appuya sur son détonateur. On eut juré qu'une secousse tellurique de magnitude 9 remua le sol. Ewart, Chris et Daniel, qui se situaient à une quinzaine de mètres plus haut, furent vite rejoints par un tourbillon de poussière. Ewart perdit pied, percuta Christopher et l'emporta dans sa chute. Ils passèrent par-dessus Daniel, qui eut le réflexe d'agripper la jambe de Chris. Quelques secondes plus tard, tout ce beau monde se retrouva dans une fâcheuse position. Ewart était allongé sur le dos, la tête en bas. Son casque s'était détaché et avait roulé jusqu'en bas de la pente. Christopher le retenait par une cheville pour l'empêcher de glisser. Il était aussi étendu de tout son long, à plat ventre sur la surface humide du tunnel escarpé.

Daniel lui tenait fermement la jambe. Il était le seul à être solidement cramponné à la paroi rocheuse.

— Ouf ! C'était juste ! s'exclama Ewart, une fois retourné et bien accroché.

— Merci, Daniel. On t'en doit une, avoua Christopher.

— Ma foi, c'est un merci que je viens d'entendre ! Attention, je pourrais y prendre goût !

Après ce court instant de réjouissance, le sérieux de la situation s'empara d'eux. Ils avaient tous survécu. Toutefois, il y avait un grave problème. Durant leur dégringolade, Christopher et Ewart avaient entraîné dans leur chute le précieux sac et le fusil d'assaut de Daniel. Il était impossible d'aller les récupérer compte tenu de la forte inclinaison du tunnel et de Victor, qui s'amenait sur leurs talons. Mais il y avait pire : Ewart et Daniel avaient perdu leur lunette de vision nocturne et, au milieu des empoignades désespérées, la lampe de poignet de Chris avait été arrachée. Bref, il ne leur restait que le bâton luminescent de Christopher pour assurer leur éclairage, car même la pile de sa lampe frontale était à plat.

Chapitre 82

Ewart serra bien fort le dernier bâton luminescent, et tous demeurèrent un moment silencieux. Ils étaient concentrés à envisager la possibilité qu'il fît bientôt noir comme dans un four. Ils recommencèrent à grimper de plus belle. Au sommet de la montée, le tunnel redescendait. Daniel et Christopher parurent découragés. Ewart les rassura.

— On est dans la bonne direction, les gars !

Ils descendirent en prenant soin de ne pas trop glisser sur la pente humide. Plus ils s'enfonçaient, plus le passage était mouillé : c'était bon signe. Cependant, Victor était sur leurs traces, car le puissant faisceau lumineux de son projecteur les suivait. En outre, il faisait un tapage de tous les diables en vantant son avantage. En effet, il avait toutes les raisons du monde de se réjouir et d'être serein ; son armure de titane le protégeait sous sa combinaison de plongée et il savait que Daniel Tornay avait perdu son sac et son fusil d'assaut.

Ewart, Christopher et Daniel arrivèrent en bas, le souffle court. Le lac souterrain menant à la dernière île, celle de Castle Island, était à leurs pieds. Daniel portait ses palmes et son masque attachés à sa taille. Malheureusement, l'équipement de plongée de Christopher et d'Ewart était dans le sac imperméable qu'ils avaient dû abandonner en bas du tunnel escarpé ! Il y aurait encore une centaine de mètres à nager en apnée. Victor les rattraperait inévitablement sous l'eau, puisqu'il avait son recycleur et tout son matériel.

— Si j'ai bien compté, Chris, te reste-t-il deux balles dans ton Sig-Sauer ?

— Daniel, soupira-t-il en sortant son arme de sa combinaison déchirée, je n'en ai aucune idée !

Christopher retira le chargeur du pistolet et l'approcha de la faible lueur du bâton luminescent.

— Il est aussi vide que mon compte en banque, déclara Ewart.

— Ce n'est pas grave, je retiendrai Victor autrement. Prenez mon équipement et barrez-vous, ordonna Daniel.

— Tu n'es pas obligé de jouer à celui qui se sacrifie pour les autres, riposta Christopher. Tu as amplement payé ta dette. Nous l'affronterons ensemble, ce monstre !

— Non, ça ne marchera pas, répondit posément Daniel en jetant le Sig-Sauer P220 à l'endroit où Victor apparaîtrait. Il est encore armé. La seule chose qu'on va réussir, c'est de se faire bousiller. À part ça, qui t'a mis dans la tête que je vais me sacrifier ? J'ai un autre plan. Et si vous ne voulez pas que je vous dépasse sous l'eau, vous feriez mieux de vous dépêcher. Je n'ai pas envie de vous remorquer !

Christopher n'avait pas la force de discuter. D'un léger mouvement du menton, il invita Ewart à le suivre. Ils s'enfoncèrent dans le lac et s'éloignèrent en nageant à la surface de l'eau. Daniel disparut un instant dans le noir et réapparut en s'arrêtant net devant le puissant faisceau lumineux du projecteur de Victor. Le courage de Daniel, désarmé en face de cette indestructible machine de guerre qu'était Victor Seigner, impressionna Christopher. Décidément, il était préférable d'avoir cet homme bien trempé dans son camp.

Chapitre 82

Victor et Daniel s'observèrent un moment avec sang-froid, puis ce dernier brisa le silence.

— Nous avons des comptes à régler, Victor. Je ne suis pas armé et, si tu es d'accord, nous nous affronterons au corps à corps. Mais si t'as la trouille, je comprendrai !

— La trouille, moi ? rétorqua Victor en donnant un coup de pied sur le Sig-Sauer P220. Penses-tu vraiment que j'ai peur ? Tourne-toi pour que je vérifie si tu ne me prépares pas un de tes fameux coups fourrés.

Victor était habitué aux embuscades ; il soupçonnait Daniel de lui tendre un piège. Il pointait le canon de sa mitrailleuse légère M249 SAW sur lui tandis qu'il braquait son projecteur en tous sens pour découvrir où étaient Christopher et Ewart. Il tenait à localiser tout le monde avant de se lancer.

Christopher et Ewart étaient rendus à l'autre extrémité du lac souterrain. De loin, la faible lueur émeraude de leur bâton luminescent perçait à peine l'obscurité. Ewart, qui avait enfilé les palmes et le masque de Daniel, plongea à quelques reprises avec la maigre source lumineuse pour repérer le fil d'Ariane.

— Ça y est, Chris, annonça-t-il enfin. Je l'ai trouvé ! Prends ma main et ton souffle : on fonce !

Christopher entendit la fin de la conversation entre Daniel et Victor avant de s'immerger.

— Ouais, c'est bon, se réjouit Victor en déposant son arme. Viens, mon beau Daniel, que je te tape dessus !

Ewart et Christopher avaient franchi une vingtaine de mètres sous l'eau lorsque leur bâton luminescent rendit l'âme. Christopher ne paniqua pas. Il essaya aussitôt d'ouvrir la lumière de son casque. Comme elle était au repos depuis un moment, la pile produisit encore un peu d'énergie. La pâle lueur de la lampe eut l'effet d'un électrochoc sur leur moral. Ils n'avaient plus d'échappatoire possible : c'était soit la pile, soit l'oxygène dans leur sang, soit leur détermination. Peu importait, d'ici quelques secondes, le maillon le plus fragile de leur survie lâcherait. C'était indiscutable.

Quand ils émergèrent enfin à la surface du lac souterrain de Castle Island, Christopher remercia le ciel. C'était facile, puisqu'il le voyait six mètres plus haut par le conduit d'un aven ! Il se surprit même à avoir une pensée positive pour Daniel Tornay.

— On… a… réussi, Chris, balbutia Ewart en se hissant sur le bord du lac. Je te présente… la grotte… de mon trou de souris. Merci, mon Dieu ! Je te promets de ne plus jamais me plaindre !

— On a intérêt… à ne pas s'attarder… ici…, l'avertit Chris en reprenant péniblement son souffle.

Ils escaladèrent la paroi rocheuse et sortirent à l'air libre, au milieu de la falaise, directement en face de la mer. Excepté cinq bateaux et deux hélicoptères de la garde côtière, il ne restait aucune trace de la bataille navale. Poussés par une force invisible, Christopher et Ewart gravirent la falaise et s'allongèrent au sommet. Leurs combinaisons de plongée étaient dans un état lamentable ; on aurait dit qu'ils étaient passés dans une moissonneuse-batteuse. Chris regarda ses chaussons. Ils étaient défoncés, et ses pieds étaient en sang.

— Navré pour ton équipement, Ewart. Je ne serai pas en mesure de te rembourser, avoua-t-il.

— Si tu savais comme je m'en balance ! … Crois-tu qu'il est mort ?

— Ne vous réjouissez pas trop vite ! s'exclama Daniel en apparaissant sur le bord de la falaise.

Chapitre 83

Ewart, Daniel et Christopher ne paressèrent pas au soleil. À 15 h 45, ils traversèrent Castle Island. Leur stress diminuait. Curieusement, Ewart commença à boitiller, et son pansement se tacha de sang. Ce n'était pas grave ; le jeune homme était tout sourire. Il était visiblement ravi de s'en être sorti vivant. De manière à rejoindre le bras de mer de Tucker's Town, ils suivirent un cordon de petites îles barrières. Ils parcoururent la courte distance de 200 mètres en marchant et en nageant d'un récif à l'autre.

L'angoisse de la mort avait laissé sa place à une sorte d'euphorie. Daniel avoua même, d'une sincérité touchante et impossible à feindre, qu'il était soulagé d'avoir survécu. Voir le trio s'aider mutuellement à évoluer sur les roches glissantes et rire de bon cœur lorsque l'un d'eux tombait à l'eau était étrangement comique. Contrairement à Christopher, Ewart parlait sans arrêt, harcelant Daniel de questions. Il souhaitait à tout prix savoir comment il était parvenu à vaincre Victor Seigner. Naturellement, Daniel s'amusa à entretenir le suspense. Il finit toutefois par faire le récit de son aventure.

— Écoutez, messieurs. Au risque de vous décevoir, il n'y a pas eu d'affrontement au sommet. Malheureusement, ajouta-t-il en adressant un clin d'œil complice à Christopher, un duel épique n'aura jamais lieu.

Ewart avait la figure allongée. Cette explication ne lui convenait manifestement pas. D'une rare sincérité, Daniel continua.

— Pour être franc, j'ai mis mon orgueil de côté et je ne l'ai pas combattu.

Daniel secoua la tête et éclata de rire. Il était désarmant de simplicité.

— Je n'en reviens pas, poursuivit-il. J'ai tourné autour de lui en faisant semblant d'engager le combat. J'ai été arrogant avec lui, je l'ai poussé à bout. Je me suis finalement rué sur son projecteur et je l'ai éteint. J'avais bien mémorisé notre emplacement. À tâtons dans le noir, je lui ai pris ses palmes et j'ai endommagé son recycleur, puis je suis plongé à l'eau ! Je suis un lâche, un vrai de vrai !

— Et Victor n'a pas réagi ? interrogea Ewart.

— Oh, oui ! Il s'est éclairé avec sa mitrailleuse. Je dois avouer que je l'ai quand même échappé belle !

Christopher l'écoutait en ne pouvant s'empêcher de rire. Au fil des épreuves, Daniel lui était apparu fort sympathique. Chris devait maintenant s'astreindre à garder en tête le fait que cet homme était dangereux et sournois. Une fois arrivés sur le littoral, ils empruntèrent la route d'un pas pressé. Ils croisèrent en chemin de nombreux touristes. Toutefois, le trio de marcheurs était dans un tel état de décrépitude que les gens restaient à l'écart et choisissaient de les traiter avec indifférence. De ce fait, 20 minutes après être sortis de la grotte de Castle Island, ils sautèrent dans un taxi. Leur direction : l'hôpital King Edward VII Memorial. Ewart avait besoin de soins, et cet établissement de santé était sur le chemin menant au port Royal Naval Dockyard.

Ce qu'ils venaient de vivre avait été éprouvant. Christopher était encore sous le choc. En plus d'être épuisé, il avait de la difficulté à respirer et son esprit était troublé. Malgré tout ce que Daniel Tornay avait accompli, il ignorait s'il pouvait lui faire confiance. Il l'avait vu à l'œuvre et il savait mieux que quiconque de quoi il était capable : Daniel parvenait toujours à ses fins ! En l'espace d'une minute, cet homme redoutable était en mesure de rire à pleines dents ou de pleurer à chaudes larmes, de secourir des innocents ou de donner la mort sans regret. Christopher devait absolument trouver où il se situait dans « le programme » de Daniel.

Tout à coup, il céda à la paranoïa. Il appréhenda que Victor Seigner fût de connivence avec Daniel Tornay. Ces deux-là, analysa-t-il froidement, n'avaient aucune honte à sacrifier des hommes pour le succès de leur mission. Et leur mépris de la vie n'avait d'égal que l'étalage de leur supériorité. Ce n'était pas tout : l'histoire que Daniel avait racontée à propos d'Alexandra, de Josh et d'Alyson était trop belle pour être vraie. Un truc clochait. Daniel visait certainement à le manipuler, encore une fois. Et franchement, songea Chris, le compte rendu de son combat l'opposant à Victor avait de quoi crouler de rire. Néanmoins, au point où il en était, quel risque courait-il à l'accompagner jusqu'à l'autre bout de l'île ?

Le taxi s'immobilisa enfin devant l'hôpital.

— Soyez brefs, lâcha Daniel. On a encore du pain sur la planche !

Christopher escorta Ewart jusqu'aux portes du service des urgences. Dès que Daniel fut seul dans la voiture, son téléphone cellulaire se mit à vibrer. Il le sortit d'une poche hermétique de sa combinaison sous-marine et répondit calmement, en dépit de l'identité de son interlocuteur.

— Salut, Karl. Quel temps fait-il à Genève ? Ici, aux Bermudes, on dirait bien que ça se couvre !

À plus de 6000 kilomètres de là, Karl Haustein regardait haineusement le taxi de Daniel en direct sur son écran vidéo. La netteté de l'image satellite lui permettait de voir le doigt d'honneur de son ex-agent matricule pointé à l'extérieur de la voiture en direction du ciel.

— À quoi jouez-vous Daniel ? Ou plutôt, qu'espérez-vous gagner en m'affrontant ? lui demanda-t-il.

Sa politesse affectée dissimulait sa colère. Mais Daniel n'était pas dupe.

— Oh, pas grand-chose ! Mais vous, Karl, vous avez réellement tout à perdre !

— Je vous trouve un tantinet arrogant. Aujourd'hui, je vous l'accorde, vous avez eu un certain succès. Remarquez que vous terminez toutefois votre journée en taxi. Bientôt, je veillerai à ce qu'elle se termine non pas en taxi, mais bien en corbillard !

Daniel esquissa un sourire et secoua la tête.

— Vous me faites bien rigoler, Karl. À titre d'information, c'était un simple échauffement. J'ai un peu perdu la forme, ces derniers temps, et je tenais à me dégourdir...

— Arrêtez de dire des sottises ! l'interrompit le vieillard acariâtre. À part vos quelques compagnons d'armes, des délinquants dont je ne voudrais même pas dans mes rangs, vous êtes seul et vous ne pouvez rien contre moi. Vous le savez très bien.

— Oh non ! Je ne suis plus seul, affirma fièrement Daniel en regardant Christopher converser avec Ewart. Et s'il le faut, je monterai une armée pour vous vaincre !

— Allons donc ! s'exclama Karl. Au lieu de fanfaronner, vous devriez réviser vos leçons d'Histoire, nommément les années qui ont suivi l'an 1417. Ha ! Vous me faites bien rire, vous aussi.

— Profitez-en pour vous marrer au maximum, alors, avant de vite retrouver votre hargne habituelle ! lança Daniel en lui raccrochant au nez.

Il cria aussitôt à Christopher de se remuer. Daniel n'avait que quelques minutes pour appeler son amie travaillant au poste de contrôle de la National Geospatial-Intelligence Agency. Il devait absolument faire dévier le satellite-espion qui survolait les Bermudes. Il composa rapidement son numéro de téléphone.

Chapitre 83

— Bonjour, Janet. C'est Daniel Tornay. Comment vas-tu? Écoute, Janet, j'ai un petit service à te demander. C'est extrêmement important.

À Genève, les yeux froids de Karl Haustein étaient rivés à son écran vidéo. Il était déterminé à suivre les déplacements de Daniel Tornay, jusqu'au bout du monde s'il le fallait. Il n'avait d'ailleurs pas le choix de procéder ainsi, puisque tous les agents matricules en poste aux Bermudes étaient hors service depuis la bataille maritime. De plus, les renforts qu'il avait mobilisés tardaient à gagner l'archipel. Pour ajouter au drame, les autorités policières étaient débordées d'appels de citoyens apeurés ; il lui était impossible de parler de vive voix au chef de police.

Soudain, le bras de Daniel s'allongea de nouveau au-dessus du toit du taxi. Karl plissa ses yeux chassieux. Cette fois, son ex-agent le salua de la main, puis le signal vidéo s'interrompit net. Le vieil homme soupira bruyamment.

— Ce n'est que partie remise ! gronda-t-il seul dans son grand bureau.

Chapitre 84

Entre-temps, Christopher et Ewart se disaient au revoir sous le porche de l'hôpital King Edward VII Memorial.

— Comment doit-on se quitter en pareille situation ? lui demanda Chris.

— Tu me remercies, tu me souhaites bonne chance et tu t'occupes de payer le taxi, répondit-il avec un sourire chaleureux.

— J'espère qu'on se reverra, déclara Christopher en lui donnant l'accolade. T'es un bon gars, Ewart.

Tandis qu'il regagnait le taxi, Ewart le héla.

— Hé, Chris ! T'es un sacré veinard d'avoir un pote comme Daniel !

— Je te l'ai déjà dit, ce n'est pas mon pote… Je le connais à peine, chuchota Christopher avec une mimique éloquente.

— Ben voyons ! À d'autres ! s'exclama Ewart en le regardant s'asseoir dans la voiture.

La portière du taxi se referma sur Chris, qui se retrouva en tête-à-tête avec Daniel.

— OK, Daniel, je vais passer l'éponge sur nos vieux démêlés, et on remet le compteur à zéro, contrairement au chauffeur de ce bahut. Mais je t'avertis, pas de coup fourré, sinon...

— Sinon quoi ? répliqua-t-il en souriant. Tu me casseras la gueule ? Tu n'y parviendrais pas, quand bien même je te laisserais faire !

Daniel s'en aperçut vite, le regard assassin de Christopher ne se prêtait pas à la plaisanterie.

— Excuse-moi, je rigolais. Je te le répète, tu n'as rien à craindre. De toute façon, tu seras bientôt fixé. Chauffeur ! À fond la caisse ! commanda Daniel avec aplomb.

Sous l'impatience de ses clients, le conducteur du taxi roula à pleins gaz, et ils atteignirent l'extrémité de l'archipel à 16 h 45 tapantes. Le luxueux paquebot *Le joyau de l'océan* était amarré au quai Royal Naval Dockyard, exactement comme Daniel Tornay l'avait dit. Décidément, plus la journée avançait, plus cet homme grandissait dans l'estime de Christopher. Il était évidemment impensable pour Chris de partir sans dire au revoir à Josh et à Alyson. Daniel comprit parfaitement la situation. Leur plan fut simple. Puisque le paquebot appareillait dans 15 minutes et que Daniel savait où se trouvait la cabine d'Alexandra, il irait la chercher. Ils rejoindraient ensuite Christopher sur le *Lux*, qui était amarré un peu plus loin. Le taxi assurerait un service de navette entre les deux bateaux.

Pour la seconde fois en autant de jours, Daniel était fier de lui. Il ferait la différence ! La voiture déposa Christopher sur la jetée et continua de rouler sur le quai. Chris repéra le *Lux* au premier coup d'œil et en fut bouche bée. Il était heureux d'avoir choisi de faire confiance à Daniel.

— Il m'étonnera toujours, murmura-t-il, stupéfait.

Puis, Daniel s'adressa au chauffeur.

— Retournez vite au paquebot !

Chapitre 84

Même s'il avait les pieds en compote, Christopher courut sur la jetée.

— Merci, mon Dieu ! lâcha-t-il, soulagé d'apercevoir la silhouette d'Alyson dans le poste de pilotage. Josh ! Alyson ! s'écria-t-il, la voix tranchée par l'émotion. Vous êtes en vie !

Christopher sauta bruyamment sur le voilier. Alyson fut bouleversée de le voir réapparaître. Elle cria à Josh de monter sur le pont. Les yeux baignant dans l'eau, Chris l'enlaça tendrement. Josh arriva sur ces entrefaites. Ils s'accroupirent près du panneau d'écoutille et formèrent ensemble une boule d'amour.

— J'étais certain que vous étiez morts dans l'explosion !

— On s'est baladés en sous-marin, Chris ! s'exclama Josh, d'une intonation vibrante.

Christopher allait de surprise en surprise. Il se souvenait d'avoir esquissé un sourire incrédule lorsque Daniel lui avait raconté le sauvetage de Josh et d'Alyson. Il les regarda à tour de rôle en mettant ses mains sur chacune de leur joue.

— D'ici quelques minutes, je vous présenterai Alexandra. Elle sera avec Daniel Tornay. C'est lui qui vous a sauvés. Il devait repartir cette nuit, mais j'ai pris la liberté de l'inviter sur ton bateau, Alyson. J'espère que tu n'y vois pas d'inconvénient ?

— Aucun problème, Chris. Peut-on lui faire confiance ?

— Oh, oui ! Ça n'a pas toujours été facile entre nous, mais, maintenant, je peux affirmer sans le moindre doute qu'il est mon ami. Tu verras, Josh, Daniel est gentil. Tu vas l'adorer !

Christopher regarda Alyson droit dans les yeux. Il songea alors à Daniel et elle, ensemble.

« Qui sait ? pensa-t-il. Peut-être que la vie sourira à tout le monde en même temps ! »

Chapitre 85

En prenant garde à ne pas renverser les préposés et les passagers, Daniel courut au milieu de la coursive aussi rapidement qu'il le put. Il fit irruption dans la suite d'Alexandra à 16 h 50.

— Alex ! Alex ! Le taxi nous attend en bas. Ramasse vite tes affaires, j'ai une belle surprise pour toi !

Daniel arriva dans le salon où il aperçut Alexandra assise derrière son ordinateur portatif. Il ne voyait que le haut de son visage. Ses yeux furibonds dépassaient l'écran rabattable. Elle avait l'air enragé.

— Oh, non ! poussa Daniel.

Cette complication imprévue lui coupa le souffle comme un direct au ventre.

— Je pense, répliqua-t-elle d'une voix sourde, que j'ai eu mon lot de surprises pour aujourd'hui.

Daniel était vif d'esprit. Même si la journée avait été rude, il comprit immédiatement ce qui se passait.

— Si tu... tu... le permets, hésita-t-il en levant la main afin de modérer l'impulsivité d'Alexandra. Nous en reparlerons dans 10 minutes, une fois que tu auras enlacé Christopher dans tes bras.

— Dans 10 minutes, tu seras mort, annonça-t-elle calmement. Ne t'en fais pas, Daniel, c'est normal que tu cafouilles, car ta guirlande de mensonges est rendue trop longue. Tu t'es enroulé la langue dedans !

Alexandra avait consulté les courriels de Daniel, notamment ceux qu'il avait reçus du technicien chargé de réaliser le montage des photos truquées. Elle étouffa un soupir en observant une dernière fois l'acteur qui remplaçait Christopher dans les scènes compromettantes.

— Comment as-tu pu me faire ça ? fulmina-t-elle.

— J'allais tout t'expliquer, déclara Daniel. J'attendais seulement le bon moment.

Alex ferma bruyamment l'écran de l'ordinateur et se leva d'un bond. Elle braquait un 9 mm dans sa direction.

— On dirait qu'avec un pistolet sous le nez, ça aide à trouver le bon moment pour se mettre à table, hein ?

— Christopher est plus loin sur la jetée, affirma Daniel. Il est à bord d'un voilier avec les Stahl...

— Les Stahl sont ressuscités, maintenant ! Comme c'est miraculeux ! l'interrompit-elle.

Découragé, Daniel acquiesça d'un signe de tête.

— Non mais, t'es-tu regardé ? l'apostropha Alex. On jurerait que tu t'es battu dans un bar. Je me trompe ou tu as bu ?

— En tout, l'équivalent de trois tasses d'eau de mer, répondit-il sérieusement. Je sais qu'à première vue mon histoire paraît douteuse...

— Douteuse ? hurla Alex, insultée. Est-ce le premier mot qui t'est venu à l'esprit ?

— Ce ne sont pas des foutaises ; je te dis la vérité. Un taxi t'attend en bas. Tu n'as qu'à sauter dedans, il te conduira à Christopher.

Je reste ici, et tu ne me reverras plus jamais ! Je t'en prie, Alex, fais-moi confiance, la supplia-t-il désespérément.

— C'est pire que ce que je craignais. Tu es incapable d'arrêter de mentir.

— C'est faux ! Plus maintenant !

— Et en plus, poursuivit-elle sans se faire déconcentrer, t'es aussi cruel qu'immoral. Tu devrais avoir honte de m'avoir menée en bateau !

Daniel marcha lentement vers Alex.

— Comment as-tu trouvé le mot de passe de mon ordi ?

— Melissa… C'était enfantin. Tu semblais tellement sincère le soir où tu m'en as parlé. L'œil humide, le ton innocent et le tout enrobé d'un prêchi-prêcha dégoulinant. Tes émotions maniérées étaient comme le reste, de la poudre aux yeux ! Mais quelle conne j'ai été ! se récria Alexandra en secouant la tête.

Elle le dévisagea d'un air de défi.

— Tu ne me fais pas peur, et je te conseille d'arrêter d'avancer !

— Je t'en prie, Alex, ne tire pas. Je ne bougerai pas, mais, s'il te plaît, écoute-moi. J'ai… changé.

— Misère ! Il en rajoute ! Je n'ai jamais entendu une excuse aussi boiteuse.

— As-tu regardé les bulletins d'information au sujet de l'attaque qui a eu lieu à Castle Harbour ?

— Je t'ai vu à l'œuvre en Iran. Je sais que tu n'as pas ton pareil pour les gros dégâts. Mais jamais je n'aurais cru que tu réduirais mon cœur en miettes. En tout cas, tu ne te mêleras plus de mes affaires !

Daniel était sur le point de manquer de temps pour la convaincre. Il tenta le tout pour le tout.

— J'ai sauvé des innocents et j'ai tué les méchants !

— Et je ferai de même, car tu as oublié de flinguer le plus méchant !

L'heure n'était plus aux scènes émotives à la *Jerry Springer Show*. C'était un règlement de compte. Alex compléta sa phrase et pressa la détente sans plus d'explication. Malgré sa colère, ce geste lui demanda beaucoup d'effort. La détonation assourdie par le silencieux claqua comme un coup de fouet. Daniel fut atteint en pleine poitrine. Il resta sans voix et porta la main à son cœur. Sa douleur morale surpassait de loin sa douleur physique. Après tout ce qu'il avait affronté au cours de sa carrière, il était étrange de se faire éliminer par la femme qu'il chérissait. L'inévitable se rapprochait. Daniel tituba et s'écroula sur le sofa. Il sentait son poumon gauche se gorger de sang.

— Mon... mon intention n'était pas de... de te faire de la... peine. J'étais amoureux et je... ne savais pas quoi faire pour... que tu m'aimes à ton tour, murmura-t-il d'une inébranlable conviction.

Alexandra laissa tomber le pistolet sur la moquette, et ses yeux se remplirent de larmes. Elle éprouvait toute la tristesse émanant des yeux vitreux de Daniel. Elle était consternée par sa propre cruauté.

— Je te demande pardon, Daniel, sanglota-t-elle, en mettant la main sur son ventre.

— C'est à moi... de te demander... pardon... je t'en prie... monte dans le taxi qui t'attend sur le quai... je ne t'ai pas menti, poussa-t-il dans un dernier souffle.

Alex tourna les talons, ramassa son sac sport et sortit de la suite. Dix minutes plus tard, elle était assise sur la banquette arrière d'un taxi. Elle avait ignoré celui qui patientait sur le quai et en avait hélé un autre un peu plus loin. Elle prit la route de l'aéroport international des Bermudes. D'ici quelques heures, elle s'envolerait pour le Panama, où elle souhaitait de tout cœur y retrouver Chris.

Chapitre 86

La période pendant laquelle Christopher attendit l'arrivée d'Alexandra parut durer une éternité. À 17 h 10, quand le paquebot de croisière appareilla et quitta le port, le doute envahit son esprit. La joie vive qu'il ressentait de revoir enfin sa bien-aimée s'assombrit simultanément. Cela allait de soi, le taxi n'apparut jamais à l'autre bout de la jetée et, à 17 h 30, il devint évident qu'Alexandra ne viendrait pas. Contre toute vraisemblance, Daniel Tornay l'avait encore dupé.

Alyson et Christopher se préparèrent finalement à lever les voiles.

« Je suis tombé dans le panneau, ragea Chris intérieurement, en nouant un cordage. Mais à quoi ce type joue-t-il ? »

En quelques minutes, le *Lux* fut prêt à prendre la mer. L'horizon était dégagé et un vent d'espoir soufflait à nouveau sur son équipage. Du 25 octobre au 2 novembre 2001, le voilier vogua vers les Bahamas. Il demeura en haute mer et n'accosta dans aucune marina. Alyson avait choisi de garder le *Lux* à l'extérieur du trajet de l'ouragan Michelle. Celui-ci avait une trajectoire nord-est et, selon les météorologues du National Hurricane Center, il frapperait violemment Cuba autour du 4 novembre. En outre, le souvenir de leur mésaventure aux Bermudes était encore vif, et ils étaient trop craintifs pour s'approcher des côtes. L'archipel des Bahamas leur servirait de refuge et le voilier resterait au milieu des centaines d'îles et d'îlots affleurants de ce secteur paradisiaque tant et aussi longtemps que Michelle ne se serait pas dissipé.

Le 10 novembre, l'ouragan avait énormément faibli et il était en train de mourir au large. Le *Lux* mouillait entre les îles Grand Bahama et Abaco Island. Michelle avait semblé avoir pompé toute la force du vent, car, depuis trois jours, la mer était lisse comme un miroir. L'équipage du voilier avait beaucoup de temps libre. Josh était joyeux et n'arrêtait pas de jouer aux nageurs de combat. De son côté, Alyson était également de bonne humeur. Elle ne lâchait pas Christopher d'une semelle, le traitant aux petits oignons.

Le bateau regorgeait de vivres, et la température était à la hausse, contrairement à leurs vêtements qui, eux, raccourcissaient à vue d'œil. Le ciel était bleu, la chaleur dans les cabines, suffocante, et la baignade, de mise. Alyson était pimpante. Elle avait coiffé ses cheveux blond vénitien en chignon et elle passait la majeure partie de ses journées vêtue d'un simple maillot de bain ; elle disait que c'était une agréable manière d'économiser la lessive. Christopher s'amusait à faire le décompte de sa collection de bikinis. Il perdit vite le compte, car les astucieux agencements de couleurs et de modèles d'Alyson rendirent impossible tout chiffrage d'inventaire.

Habituellement, Christopher veillait toute la nuit. Il tenait à surveiller les alentours malgré l'apparente tranquillité. Alyson prenait la relève au petit matin et, d'ordinaire, ils passaient l'après-midi ensemble. Sauf le 11 novembre, ce jour-là, Christopher, qui avait joué une partie de la journée avec Josh, s'endormit dans sa cabine vers 16 h. Pour une raison inexpliquée, il se réveilla en sursaut. Il jeta un regard à sa montre ; il était 22 h. Il faisait noir, et une agréable odeur parvenait à ses narines. Il longea à tâtons la coursive. Sa vision s'adapta progressivement à l'obscurité. Josh dormait dans la cabine de la poupe. En passant la tête par le panneau d'écoutille, il trouva la source de cette bonne odeur de gril : Alyson avait allumé le barbecue portatif.

— Salut, Chris ! Je m'apprêtais à te réveiller. Je nous ai réservé une table avec une vue imprenable sur l'océan.

Le décor était magnifique. Elle avait déroulé sur le pont une nappe à carreaux sur laquelle il y avait de beaux couverts, deux assiettes, et un ensemble de serviettes de table habillement vrillées dans des verres à vin. Au centre, la lueur d'une chandelle éclairait faiblement l'espace et créait une atmosphère aussi reposante que romantique. Un seau à glace contenant une bouteille de vin complétait l'agencement.

— Il y a juste un petit problème, ajouta Alyson. Les chaises n'étaient pas incluses dans le forfait. Ça coûtait trop cher pour nos moyens !

— Tout est absolument parfait. Veux-tu que je m'occupe des steaks ?

Avec la minutie qu'elle avait déployée pour préparer ce dîner, c'était bien la moindre des choses.

— Avec plaisir ! Ça me donnera le temps de me changer.

— Que buvons-nous ? demanda Chris en s'agenouillant pour tirer la bouteille du seau à glace.

— Le vin français acheté à Hamilton le soir où nous sommes allés voir *Monsters, Inc.* Il vient du Languedoc-Roussillon et il est élaboré avec du Carignan. J'ai choisi ce cépage parce qu'il cadre très bien avec toi : il est sensible, mais il résiste bien aux intempéries, car, contrairement à la plupart des vignes, la durée de vie d'un pied de Carignan dépasse les 100 ans ! compléta-t-elle en disparaissant dans le poste de pilotage.

Christopher déposa les steaks sur le gril et huma le délicieux fumet de la cuisson sur charbon de bois. Il retira ensuite le bouchon de liège de la bouteille de vin en pensant à leur premier dîner en tête-à-tête à la belle étoile. L'ambiance était féerique. Le voilier dérivait à peine, seulement entraîné par un faible courant marin. Excepté le crépitement du barbecue, aucun son ne troublait la paix et, à perte de vue, il n'y avait aucune pollution lumineuse. L'effet visuel donnait le vertige. Le ciel étoilé était semblable à celui d'un planétarium. Les étoiles miroitaient sur la surface noire de l'eau, et il était impossible de distinguer où s'arrêtait la mer et où débutait l'immensité du firmament. Le *Lux* flottait comme un vaisseau spatial entouré d'étoiles ; Christopher aurait pu jurer qu'il était dans l'espace interstellaire.

La cuisson des steaks fut bientôt terminée. Naturellement, Alyson se fit attendre. Chris déposa la viande et les pommes de terres en papillote dans les assiettes, puis il remplit les verres de vin. Il s'allongea ensuite sur la nappe, appuyé sur les coudes, afin de contempler la Voie lactée. Jamais il n'avait vu un ciel nocturne aussi clair. Alyson inséra dans le lecteur CD de la cabine l'album *Parachutes*, du groupe Coldplay. Elle réduisit le volume du haut-parleur extérieur et sélectionna la cinquième piste. Un riff de guitare s'éleva dans l'air calme de la nuit, puis les paroles de la chanson *Yellow* touchèrent Chris droit au cœur.

Look at the stars
Look how they shine for you
And everything you do
Yeah, they were all yellow.

— Elle est belle, cette chanson, prononça Alyson en avançant d'une démarche aérienne sur le pont. Ce soir, les étoiles donnent vraiment l'impression de briller pour nous.

Sa voix douce interrompit la rêverie de Chris.

— Malheureusement, Alyson, tu ne peux pas voir les deux plus belles, puisque ce sont tes yeux, lui déclara-t-il d'emblée.

— T'es gentil comme un cœur, tu sais.

Chapitre 86

Elle marchait pieds nus devant la voûte étoilée. Elle irradiait, faisant de l'ombre aux astres de la nuit qui pourtant scintillaient. Il prit le temps de la contempler longuement et sans réserve. Ses cheveux dénoués luisaient comme du satin et flottaient librement sur ses épaules bronzées. Elle avait enfilé une courte robe de soirée à fines bretelles. Alyson était étourdissante, et son éclat troublait Christopher. Le charme sensuel qu'elle dégageait lui coupait le souffle.

Your skin
Oh yeah your skin and bones
Turn into something beautiful
You know, you know I love you so
You know I love you so.

— Le ciel est magnifique, poursuivit-elle.

— C'est toi qui es magnifique, Alyson, avoua Chris en toute sincérité.

Il était fasciné par sa beauté. L'odeur de son parfum subtil l'enveloppait.

— Cette place est libre, monsieur ? Puis-je m'asseoir ? lui demanda-t-elle.

— Avec joie !

Alyson s'installa à ses côtés, et ils entamèrent leur succulent repas. Elle prit une bouchée de viande rosée à souhait.

— Hum ! mâchonna-t-elle en ponctuant sa dégustation d'un lèchement de lèvres. La cuisson des steaks est parfaite.

Christopher lui sourit et porta un toast à leur merveilleux dîner.

I swam across
I jumped across for you
Oh what a thing to do
Cause you were all yellow.

— T'as entendu ces paroles? s'enquit Alyson. Je trouve que cette chanson parle de toi. Tu as traversé l'Atlantique pour venir nous sauver à Boston, Josh et moi. Et puis, tu n'as pas hésité une seconde à sauter dans l'océan et à nager jusqu'au mégayacht pour nous défendre encore.

Christopher fut pris au dépourvu et ne sut quoi répondre. La voix de Chris Martin combla le silence.

And you know, for you I'd bleed myself dry
For you I'd bleed myself dry.

— Moi, je dirais plutôt que cette chanson parle de nous, formula-t-il. Je serais mort si tu ne m'avais pas donné de ton sang. Tu as fait preuve d'une telle générosité… Je sais combien ça a dû te coûter, après que je t'ai révélé mes mensonges.

— C'est vrai que nous avons traversé de douloureuses épreuves, admit Alyson en ramenant une mèche rebelle derrière son oreille. Mais le plus difficile reste à venir.

Les yeux roulant dans l'eau, elle faisait allusion au moment où ils devraient se séparer. Christopher s'approcha d'elle et la prit dans ses bras. Il comprenait à quel point les multiples obstacles qu'ils avaient affrontés les avaient soudés par un lien qui était complexe à définir. C'était un mélange d'amour, d'amitié, de complicité, mais aussi de sang et de tristesse.

Il soutint le regard de braise d'Alyson sous la flamme de la chandelle. Après cela, il ne fit plus aucun effort pour freiner ses sentiments amoureux et il l'embrassa passionnément. Alyson lui susurra des mots d'amour à l'oreille. Elle se coucha sur le dos, et il s'allongea délicatement sur elle. Demain n'avait plus d'importance; seuls comptaient ces instants magiques.

Chapitre 87

Christopher se réveilla au petit matin, couché sur le pont du voilier. Il était 6 h. Le soleil se levait lentement, éclipsant la nuit et ses illusions. Un léger brouillard matinal flottait au-dessus des eaux, et l'horizon rosé s'éclaircissait peu à peu, comme son esprit.

Alyson et Christopher avaient peu dormi. Ils avaient assouvi leur passion dévorante durant une bonne partie de la nuit. Ils étaient étendus sur la nappe à carreaux, chaudement enroulés dans une couverture ouatée. Alyson était blottie contre Chris. Sa tête reposait sur son torse, et il entourait tendrement son épaule de son bras gauche.

Christopher se rendit compte qu'elle ne dormait pas quand elle suivit délicatement, du bout de son index, la cicatrice qu'il avait à l'épaule.

— Hé ! Salut, toi ! As-tu bien dormi ? s'enquit-il d'une voix rauque.

Il posa doucement ses lèvres sur les siennes.

— Les fois où tu m'as laissée dormir, oui ! répondit-elle en affichant un sourire complice. On dirait que je t'ai trop bien rafistolé !

Christopher garda le silence et caressa son dos. La peau dorée d'Alyson était incroyablement soyeuse. Il continua à regarder ses lèvres charnues et ne put résister à l'envie de l'embrasser de nouveau.

— Il y a un truc dont je veux te parler, Chris, débuta Alyson. J'y ai bien réfléchi et je pense que mon idée va te plaire.

Le temps de quelques mots, Christopher fut accablé de remords.

— Je te lègue mon bateau, lança-t-elle sans plus de préambule.

— Pardon ?

— Josh et moi, nous débarquerons à Cuba. J'ai bien suivi les développements concernant l'ouragan sur la radio, et la partie sud de l'île a été durement affectée par le passage de Michelle. J'ai des amis qui y œuvrent pour Médecins Sans Frontières et j'ai l'intention de me joindre à eux.

— C'est une bonne idée. Mais ce bateau, c'est tout ce qu'il te reste…

D'une voix vibrante d'émotion, Alyson justifia son choix. De grosses larmes coulèrent sur ses joues.

— Il y a trop de souvenirs qui y sont rattachés… et la médecine me manque. Lorsque je t'ai porté secours, j'ai vraiment eu le sentiment d'aider mon prochain. De toute façon, je fais d'une pierre deux coups, car tu en as besoin pour te rendre au Panama.

— Et Josh ?

— C'est mon devoir de mère de le protéger. Et là, avec ces explosions, ces avions mitrailleurs et ces sous-marins, je n'ai pas du tout l'impression d'assumer mes responsabilités. Cette histoire va trop loin. Tôt ou tard, l'inévitable se produira, et je ne le veux pas. On dirait que j'ai une épée de Damoclès suspendue au-dessus de ma tête. Je ne sais jamais quand les agents matricules nous tomberont dessus. Et s'il m'arrivait quelque chose en mer, qui prendrait soin de Josh ? Non, je ne peux pas vivre sur l'eau. De toute façon, Josh est robuste et il s'adaptera à sa nouvelle vie. Il apprendra l'espagnol, et nous coulerons des jours paisibles et heureux à Cuba.

Un profond silence s'établit entre Alyson et Christopher, les laissant chacun seul à leurs réflexions.

— Je comprends, affirma Christopher au bout d'un moment.

— Quand la situation sera revenue à la normale, j'essaierai de me dénicher un poste dans la clinique médicale d'une station balnéaire. Bref, jamais je n'aurais imaginé avoir hâte de débarquer de ce voilier.

— Ai-je été si mauvais que ça ?

Sa blague soutira un large sourire à Alyson et détendit l'atmosphère.

— Tu me fais du bien, Christopher. Tu vas terriblement me manquer !

Cela dit, Alyson pensa à Josh. Son fils ne devait pas les surprendre dans cette position. Le contexte était déjà assez difficile sans que les adultes viennent le compliquer davantage. Elle se leva doucement en restant toutefois sur les genoux. Toute trace de tristesse s'évanouit de son joli visage. La fermeté de son caractère impressionna Christopher.

Alyson était partiellement dénudée. Elle s'avança pour donner un dernier long baiser sur les lèvres de Chris. Derrière elle, les rayons du soleil étaient suffisamment puissants pour qu'elle ressente une agréable chaleur sur la peau. Auréolée ainsi de lumière crue, Alyson était magnifique.

— Je veux que tu saches que je t'aime et que mes sentiments à ton égard dépassent de loin la simple reconnaissance. Tu es un homme bon, courageux et fort. En plus, poursuivit-elle, songeuse, tu es mignon comme tout, et ce, même si je n'apprécie pas tellement ta barbe broussailleuse. Tu auras à jamais une place dans mon cœur.

Il ne lui était pas nécessaire d'ajouter quoi que ce soit. Alyson avait lu dans le regard tendre de Christopher tout ce qu'elle avait besoin de savoir. Tout au long de sa vie, elle avait toujours eu beaucoup de mal à supporter les sanglots déchirants. Sa profession de chirurgienne l'avait à maintes reprises placée devant la mort ainsi que devant les douloureuses souffrances qui l'accompagnent. L'existence humaine amenait son lot de jours heureux et malheureux. On devait jouir du bonheur lorsqu'il passait et, en échange, la tristesse devait être acceptée.

— Maintenant, le vent se lève. C'est l'heure de hisser les voiles !

Alyson se redressa complètement. Elle tira la couverture qu'elle enroula majestueusement autour de son corps svelte. Puis, elle ramassa ses vêtements éparpillés, en ironisant sur le fait qu'un ouragan s'était sûrement abattu sur le pont du *Lux*, cette nuit. Christopher la regarda s'éloigner vers l'écoutille.

— Cap au sud, moussaillon ! s'exclama-t-elle d'une voix ferme. Moi, je vais dormir, je suis épuisée.

La vie reprit son cours de telle sorte que, le 13 novembre 2001 en début de journée, le *Lux* s'engagea dans l'étroit canal de Kawama, à Cuba, et accosta à la marina. Christopher était soulagé. Jusqu'ici, Josh réagissait bien à l'idée de leur prochaine séparation. Chris avait discuté avec lui et, malgré une émotion palpable, le petit garçon envisageait l'avenir avec courage. Toutefois, même si Josh comprenait son désir d'aller rejoindre Alexandra, il ne s'expliquait pas pourquoi ils ne pourraient pas vivre ensuite tous les quatre ensemble.

— C'est pas mal compliqué, avait répliqué sa mère du fond de la coursive.

« Compliqué ! s'était redit Josh dans sa tête. Ce fichu mot que les adultes utilisent lorsqu'ils ne veulent pas répondre à une question ! »

Chapitre 87

L'appareillage de Christopher était prévu pour le lendemain. Alyson et lui avaient abordé le sujet et ils avaient décidé de ne pas repousser l'inévitable. Josh et Alyson devaient partir en taxi pour La Havane dès que certaines formalités d'immigration seraient réglées.

Au milieu de l'après-midi, ce fut chose faite. Ils étaient en bordure du chemin qui longeait la marina. Le cœur gros, Christopher finit de charger les bagages dans l'énorme coffre arrière d'une Plymouth 1955 bleu poudre. Il posa ensuite un genou à terre pour s'adresser à Josh pendant qu'Alyson se tenait respectueusement à l'écart. Même s'il planifiait ce moment depuis plusieurs jours, Christopher se demandait encore comment s'y prendre, et surtout comment Josh réagirait. Le petit garçon était au bord des larmes. Christopher aurait bien aimé l'encourager en lui annonçant qu'ils se reverraient un jour, mais cela aurait été un mensonge. Leurs routes se séparaient ici, et Chris ne voulait surtout pas lui donner de faux espoirs. Étonnamment, ce fut Josh qui entama la conversation.

— Je sais qu'il ne faut pas dire les vœux qu'on fait si on veut qu'ils se réalisent. Mais, l'autre nuit, j'ai vu une étoile filante dans le ciel et j'ai souhaité que tu restes avec nous, pour toujours.

Ses yeux pers étaient si tristes. Christopher eut beaucoup de difficulté à soutenir son regard, et les mots sortirent péniblement de sa bouche.

— Tu sais, Josh… les étoiles filantes sont comme les gens que nous rencontrons et qui illuminent notre vie. Eh bien, ta mère et toi…

— Là, je sais que mon vœu ne se réalisera pas, l'interrompit Josh d'une voix sanglotante. Je n'aurais pas dû te le dire.

— Hé, mon grand ! reprit Chris en essayant de le réconforter. Si tu n'avais pas été là pour m'aider à nager et à tenir le coup, Victor Seigner m'aurait noyé. Je suis sérieux, Josh, tu m'as vraiment impressionné ! Et puis, tu n'as même pas eu peur.

— Je ne pouvais pas avoir peur, j'étais avec toi, répondit-il spontanément en séchant ses larmes.

L'émotion étreignit la gorge de Chris comme un étau.

— Tu es brave, Josh. Mais promets-moi de ne pas grandir trop vite, OK?

Chris s'approcha de son oreille afin qu'il ne vît pas ses larmes. Il les essuya du revers de la main, puis murmura :

— J'aurais beaucoup aimé avoir un fils comme toi.

Il recula et lui tapota affectueusement la joue.

— Et n'oublie pas de faire tes exercices chaque jour!

L'âme bouleversée, Christopher enlaça Josh. Dans un geste sincère, le petit garçon le serra à son tour si fort qu'il lui coupa le souffle.

— À bien y penser, Josh, rectifia Chris d'une voix étouffée, tu pourras sauter quelques séances d'entraînement! Et surtout, fais rire ta mère aussi souvent que possible.

Finalement, ce fut l'heure de partir. Alyson contourna la Plymouth et, avant de s'asseoir sur la banquette arrière, elle fit un clin d'œil à Chris en s'exclamant :

— Si un jour le vent te mène dans le coin, Monsieur le pirate, profites-en pour venir nous saluer!

Josh monta à côté de sa mère. Juste avant que Christopher ne ferme la portière, il ouvrit grand les bras, demandant un ultime câlin. Le cœur lourd, Chris s'exécuta.

— Je suis tellement triste, Christopher. Est-ce que ça va passer?

— Oui, Josh. Même si c'est difficile, avec le temps, ça va passer. Je te le promets. Et je te promets aussi que tu auras toujours une place dans mon cœur.

— Je t'aime, Christopher. Si tu peux, reviens nous chercher, OK? compléta-t-il en lui donnant un baiser sur la joue.

Contenant sa peine, mais incapable de lui répondre, Chris l'embrassa sur le front à son tour. La mort dans l'âme, il regarda la vieille Plymouth s'éloigner vers l'ouest et resta immobile comme une statue, longtemps après que le taxi eut disparu dans la courbe.

Chapitre 88

Peu de temps après son départ de Cuba, le 14 novembre 2001, Christopher goûta aux aléas de la vie maritime. Il contourna l'île en longeant le littoral nord-ouest, mais, à son grand désespoir, il fit face à des vents contraires. Tout près de l'archipel de Los Colorados, il exécuta une série de fausses manœuvres en raison de son inexpérience. Sous le bruit retentissant des voiles claquant au vent, le *Lux* dévia de son couloir de navigation et alla s'échouer sur un haut-fond. Les jurons proférés par Christopher furent aussi nombreux que les touristes ayant observé la scène. L'hélice de son voilier était tordue, la grand-voile était déchirée et la quille s'était cassée au milieu en râpant les coraux. Heureusement, la coque avait résisté au choc.

Cet incident de parcours obligea Christopher à faire remorquer le *Lux* vers La Havane, à 160 kilomètres à l'est ; donc à rebrousser chemin. Il dut commander des pièces de rechange, attendre qu'elles arrivent et, finalement, réparer les dommages du voilier. Tout cela, en essayant de baragouiner l'espagnol. Il dépensa rapidement les quelques milliers de dollars qu'Alyson lui avait donnés avant de partir. Ensuite, il dut travailler clandestinement pour rembourser les frais engendrés par les avaries et l'achat d'un téléphone satellitaire. Il se retrouva donc cloué à la marina de Rio Jaimanitas jusqu'au 14 décembre.

Lors de son voyage, Christopher n'utilisa son téléphone satellitaire qu'une seule fois, de manière codée, afin de communiquer avec l'hôtel Meliá, à Colón, au Panama. Il s'assura que le préposé à l'accueil comprenait parfaitement l'anglais, puis il s'enquit de Gina. L'homme déclara qu'elle était sa patronne, et Chris lui demanda de lui transmettre ce message :

— Gina doit annoncer à sa cousine en visite l'arrivée de Buck, au port de Rainbow City, demain vers 9 h.

Tout au long de la conversation, son envie d'interroger le préposé à savoir si Alexandra était descendue à l'hôtel fut grande ; Chris s'en était toutefois bien gardé. Cette information aurait pu compromettre leur couverture, et il redoutait par-dessus tout que Sentinum les repère. Il arriva enfin au port de Rainbow City, le matin du 22 décembre, fièrement posté sur le pont du voilier Lux. Les cheveux et la barbe en broussaille, le torse et les pieds nus, il n'était habillé que d'un pantalon trois quarts de coton brut. Ce vêtement contrastait avec son teint cuivré par le soleil.

Christopher braqua sa longue-vue vers le quai bien longtemps avant d'accoster. Il espérait ardemment qu'Alex fût là, comme convenu. Soudain, en balayant la jetée du regard, il l'aperçut. Elle était plus belle que jamais, vêtue de sa jolie robe bain-de-soleil qui flottait au vent. Elle avait foncé et bouclé ses longs cheveux châtains. Le cœur de Christopher se mit à battre très fort, et il remercia le ciel d'avoir exaucé ses prières.

Vingt minutes plus tard, il affala les voiles et entendit alors une voix familière qui perça le silence du matin.

— Ohé du bateau, beau pirate !

Chapitre 88

Ce fut un instant de grâce. Alexandra était tellement heureuse de revoir Christopher en un seul morceau. Malgré tout, son regard était mélancolique. La nouvelle bouleversante qu'elle avait apprise la semaine précédente l'accablait. Elle avait néanmoins décidé de dissimuler ses inquiétudes. L'homme qu'elle aimait voguait vers elle, et ce moment était magique. Pour l'instant, c'était tout ce qui comptait.

Le voilier accosta un peu rudement, et Christopher, fou de joie, sauta sur le quai avec un cordage au poing.

— Ta barbe en broussaille est bien moins ridicule que la fausse moustache qui masquait ton visage à l'aéroport de Genève, avoua Alex avec un sourire amusé en s'avançant vers lui.

— Mon amour ! s'exclama-t-il en l'étreignant à la taille.

Leurs corps s'enlacèrent étroitement, puis il courba le dos de sa dulcinée vers l'arrière, imitant un mouvement passionné de tango. Tendrement enivré, il embrassa la bouche vermeille d'Alexandra et releva l'une de ses cuisses vers le haut. Dans une exquise sensation, ses mains calleuses touchaient sa peau satinée qui fleurait les pétales de jasmin.

— Tu ne peux t'imaginer combien je suis heureux de te revoir ! Laisse-moi te regarder.

Submergé par l'émotion, Christopher contempla Alex avec tendresse, puis d'une physionomie sérieuse, il lui dit :

— J'ai traversé des tempêtes pour te retrouver, Alex.

— Moi aussi, Christopher, soupira-t-elle, les yeux remplis de larmes.

Christopher avait ressenti la tristesse d'Alexandra. Il savait que quelque chose n'allait pas. Ils s'embrassèrent encore longuement, repoussant mutuellement les vérités inavouables et la peur des mots qui blessent à jamais.

— Maintenant, je t'en prie, emmène-moi loin, très loin d'ici, le supplia-t-elle en ramassant sa valise.

Dans les minutes qui suivirent, ils embouquèrent le canal de Panama. Pendant qu'ils traversaient les écluses, Chris racontait à Alex de quelle manière il était devenu propriétaire du *Lux*, lorsqu'elle fut surprise par certains détails.

— Tu étais aux Bermudes à la fin du mois d'octobre ! s'écria-t-elle en se raidissant. Oh, mon Dieu ! Moi aussi !

Alexandra porta ses mains à son ventre, cessa de respirer et pâlit. Ses yeux se gorgèrent de larmes.

— Étais-tu à bord du *Joyau de l'océan* ? l'interrogea Chris d'une voix étranglée avant de secouer la tête.

À cet instant, ils murmurèrent tous les deux :

— Daniel Tornay avait dit vrai.

Ils comprenaient par la même occasion que Daniel avait vraiment essayé de les rassembler. Christopher prit une grande inspiration. Il était bien décidé à lui avouer le dénouement de son histoire avec Alyson, sans détour.

— Écoute, Alex, le moment est peut-être mal choisi…

— Attends, Chris, l'interrompit-elle.

Tout en gardant une main sur la barre, Christopher se tourna vers elle.

— Qu'y a-t-il ? lui demanda-t-il, inquiet.

Un lourd silence plana sur eux.

— Je suis enceinte, Chris. Pardonne-moi.

Alex résuma brièvement sa relation avec Daniel Tornay. Christopher l'écouta sans l'interrompre. En terminant son explication, elle se mit à pleurer. Elle était inconsolable de chagrin. Christopher resta muet quelques instants ; la nouvelle l'avait secoué. Pendant ce court laps de temps, il comprit à quel point il aimait Alexandra. Christopher la prit dans ses bras et tenta de lui apporter un peu de réconfort. Ensuite, il lui révéla sa liaison avec Alyson.

— Alex, conclut-il avec sincérité. Je suis désolé pour ce qui nous est arrivé. Mais, honnêtement, j'ignore comment nous aurions pu nous en sortir autrement. J'espère que nous ferons ce qui est nécessaire pour passer à travers et que nous parviendrons à nous reconstruire, ensemble, ajouta-t-il en posant délicatement sa main sur le ventre d'Alexandra. Je t'aime de tout mon cœur, mon amour !

Alexandra releva ses jolis yeux azur. Ils étaient de nouveau brillants et éclairaient magnifiquement son visage.

— Moi aussi, je t'aime, Chris. Promets-moi qu'on ne se quittera jamais plus, OK ?

— Plus jamais ! Je te le jure.

Épilogue

Le 24 décembre 2001, une camionnette Chevrolet Silverado 2500HD rouge vif se gara en bordure de l'avenue Pacific à Atlantic City, aux États-Unis. Son conducteur recula lentement sur le large trottoir, avant de s'immobiliser sous la passerelle vitrée d'un chic hôtel-casino. Il était 23 h. La nuit était magique. La température hivernale était dans la moyenne, et il tombait de gros flocons de neige. Les météorologues prévoyaient encore une vingtaine de centimètres d'accumulation en plus de la dizaine déjà au sol. Les enfants de la région frémissaient d'excitation en pensant aux sports de glisse qu'ils pratiqueraient le jour de Noël.

Dans une toute petite heure, ce serait le début des festivités. La fébrilité gagnait peu à peu la population du monde entier, particulièrement les enfants. Chacun avait l'esprit rempli de promesses, à la vue des cadeaux sous les arbres magnifiquement décorés. Ils espéraient déballer les jouets qu'ils désiraient depuis longtemps.

Toutefois, même si la plupart des gens étaient en congé, certains étaient au travail. Mais rien n'empêchait les travailleurs de joindre l'utile à l'agréable. Après tout, c'était la période des fêtes de fin d'année, et le conducteur de la camionnette était bien décidé à poursuivre ce temps de réjouissance tout au long de la prochaine année. En fait, pour lui, c'était le début. La première phase d'un hâtif grand ménage du printemps.

À lui seul, cet homme paraissait capable de prendre d'assaut une forteresse ennemie. Mais pas ce soir. Il laissa tourner le moteur diesel Duramax de son camion et descendit de son siège. Il mit la main sur un de ses puissants muscles pectoraux ; sa blessure était encore sensible. Presque un mois jour pour jour, une balle de 9 mm avait frôlé son cœur. Il s'en était fallu de peu. Son fidèle ami Habib était arrivé à temps et il l'avait conduit dans une clinique privée des Bermudes.

Daniel Tornay était vêtu d'un treillis noir comme la nuit. Il semblait prêt pour la guerre, mais, pas tout à fait, car il était coiffé d'un sympathique bonnet rouge à pompon blanc. Il marcha d'un pas décidé vers l'arrière de sa camionnette. Même si sa période de convalescence n'était pas complétée, il paraissait redoutable. Personne n'aurait songé à se placer en travers de son chemin, juste de la manière dont il remua la bâche qui recouvrait le chargement de son grand coffre.

— Ho ! ho ! ho ! murmura-t-il sourdement.

Daniel ouvrit le panneau arrière et grimpa dans la boîte de sa camionnette. Cinq secondes plus tard, il agrippa les poignées d'un puissant harpon à baleine monté sur un trépied. Il le fit pivoter sur son axe et le pointa en direction du balcon d'une suite située au premier étage de l'hôtel-casino. Il alluma finalement le viseur point rouge et attendit, camouflé dans la pénombre.

« Pardonne-moi, Alex, je dois encore me mêler de tes affaires ! pensa Daniel. Je te promets que ce type ne t'embêtera plus. »

Le client de cette suite d'hôtel n'était nul autre que Victor Seigner. Il avait passé trois jours sans manger ni boire dans la grotte de Charles Island, aux Bermudes. Un groupe de cinq plongeurs avait ensuite émergé du lac souterrain. Victor était assis dans un coin, immobile comme un cadavre. Les amateurs de spéléoplongée eurent à peine le temps de voir ce qui leur tombait dessus avant de trouver la mort.

Victor venait de terminer sa toilette hebdomadaire. Une ravissante hôtesse légèrement vêtue l'avait aidé à fixer les centaines de coupoles en titane sur ses piercings de style barbell. Comme d'habitude, il se leva et contempla le reflet de son armure dans la glace du salon. Il était couvert de blindage de la tête aux pieds et étincelait comme une boule de Noël géante. Après avoir congédié la jeune femme sculpturale, il gagna le balcon dans l'espoir de ressentir la froideur du vent d'hiver ; ce fut peine perdue. En raison des sévères traumatismes qui avaient mené à une détérioration irréversible des récepteurs sensoriels de sa peau, il n'éprouvait malheureusement plus aucune sensation de chaleur ou de froid.

Il entendit soudain une sourde détonation. Une fraction de seconde plus tard, un bruit métallique résonna, et un harpon se planta dans son épaule, directement sous sa clavicule. La douleur de l'impact irradia dans tout son corps. La pointe du harpon le transperça de part en part, épargnant de justesse son omoplate. Trois ardillons rétractables se déployèrent ensuite dans son dos. Il était solidement harponné.

Ce tir avait été d'une précision professionnelle. Victor sut immédiatement qu'il n'avait pas affaire à un débutant. En outre, peu de personnes en ce bas monde avaient la capacité et le courage de le piéger de la sorte. Il aurait été bien plus simple de le tuer avec une arme de fort calibre. Mais son agresseur voulait se divertir à ses dépens ; un côté personnel et une sacrée dose d'arrogance accompagnaient son geste.

Victor saisit instinctivement le harpon. S'il ressortait par où il était entré, les dommages lui seraient fatals. Son seul espoir consistait à couper le fil d'acier. Il le suivit des yeux et aperçut Daniel Tornay en bas de l'hôtel.

— Je suis au bout du fil, Victor! Nous avons à discuter! hurla Daniel en réintégrant l'habitacle de sa camionnette, fier de lui.

Durant sa période de convalescence, Daniel avait un peu négligé ses bonnes résolutions. Or, ce soir, il rattraperait son retard en faisant des heures supplémentaires!

— Espèce d'enfoiré! beugla Victor avant d'être emporté dans le vide par la camionnette rouge qui avait démarré en trombe.

Il s'aplatit sur la chaussée enneigée, et le fil d'acier devint momentanément lâche. Il fut prompt à réagir en halant le maximum de jeu. Lorsque le second impact arriva, il rétablit progressivement la tension et adopta la position d'un adepte de ski nautique chaussant des bottes de combat plutôt que des skis. Daniel prit de la vitesse et, en regardant dans son rétroviseur intérieur, il s'aperçut que Victor se débrouillait comme un chef.

La circulation automobile était clairsemée, et Daniel en profita pour zigzaguer d'un côté à l'autre de l'avenue Pacific. Victor fut ballotté. Il trébucha sur un trou d'homme, puis tomba à plat ventre. Daniel continua à slalomer. Victor fut ainsi traîné sur une centaine de mètres. En esquissant un sourire en coin, Daniel s'excusa de lui donner le mal de cœur! Il inséra ensuite un disque compact de circonstance. La chanson *Sleigh Ride* débuta. Daniel monta le volume du lecteur CD au maximum, puis fredonna entre ses dents une partie du refrain :

— *For a sleigh ride together with you...*

Le frottement était rugueux, puisque l'épandage de sel avait fait fondre la neige à certains endroits. Quand Victor glissait directement sur l'asphalte, il lançait une impressionnante gerbe d'étincelles. Il saignait aussi abondamment. Plus le titane de Victor s'endommageait, plus il devenait rouge comme le père Noël. Daniel était incapable de s'abstenir de le narguer. Il actionna le treuil et, dès qu'il fut à portée de voix, il cria par la glace de sa portière :

— Hé, mon vieux! Je ne sais pas pourquoi, mais on dirait qu'il y a des frictions entre nous!

Au bout de l'avenue Pacific, Daniel braqua abruptement à droite. Au milieu de la courbe, Victor se retrouva déporté vers la gauche. Il essaya sans succès de se mettre debout et rebondit quelques fois sur le pavé.

Ce fut à ce moment qu'une fillette de trois ans, qui n'arrivait pas à dormir, observa le spectacle du haut de sa chambre. Elle était nourrie d'un imaginaire foisonnant et supposa que le père Noël était tombé de son traîneau, la camionnette rouge vif. Selon son enchantement puéril, il ne faisait aucun doute que Rudolphe, le renne au nez rouge, l'ignorait.

Elle murmura seule devant la fenêtre de sa chambre.

— Allez, père Noël ! Envole-toi pour rejoindre ton traîneau !

Tout à coup, Victor s'éleva dans le ciel ; Daniel aurait été très fier d'apprendre qu'il avait contribué à exaucer les souhaits d'un enfant. La petite fille eut le regard émerveillé et détourna les yeux pour crier à ses parents de venir voir le père Noël !

Même si Victor battit des bras, son vol plané fut de courte durée. Il heurta de plein fouet, quelques mètres plus loin, les glaces latérales d'un autobus de transport en commun. Heureusement, le bus était hors service et personne ne fut blessé. Tout le verre se fracassa, mais Victor tint bon. D'ailleurs, Daniel aurait beau le trimballer jusqu'aux confins de la terre, Victor était déterminé à survivre.

L'intersection des avenues Albany et Atlantic approchait. La circulation était intense et un obstacle imprévu surgit. Depuis un moment, Daniel était déconcentré par la prestation improvisée de Victor. Il riait à gorge déployée et avait la tête tournée vers l'arrière la majeure partie du temps. Quand Daniel remit les yeux sur la route, un homme en état d'ébriété titubait au milieu de la rue. Daniel fit de son mieux pour éviter de le renverser, mais son camion dérapa sur une plaque de glace. La camionnette frôla l'homme, qui pivota sur lui-même et leva un pied. Victor passa sous sa jambe.

Daniel était peu habitué à la conduite hivernale à grande vitesse et, à la suite de cette manœuvre erratique, il perdit le contrôle. Sa camionnette s'engagea miraculeusement dans l'intersection sans causer d'accident, mais il fonça tout droit vers le parc O'Donnell Memorial. Dans une ultime tentative pour regagner la maîtrise de son camion, il percuta un amas de neige compacté par un chasse-neige. Le choc fut brutal. Daniel, qui avait omis de boucler sa ceinture de sécurité, fut éjecté de l'habitacle. La camionnette accomplit plusieurs tonneaux et détruisit tout sur son passage. À ce moment, la chanson *Sleigh Ride* était rendue au couplet :

Giddy-yap, giddy-yap, giddy-yap, let's go !

Daniel se retrouva couché dans un sapin richement décoré qui avait été abattu par sa camionnette. Un peu secoué, il se redressa et se rendit compte qu'une guirlande de Noël lui entourait le cou. Il éclata de rire. Même s'il entendait les voitures de police qui s'amenaient pour boucler le parc, il finirait ce qu'il avait commencé. Il avança en boitillant à travers les vapeurs de liquide de refroidissement.

— Victor ? *Come on, it's lovely weather for a sleigh ride together with you*, chanta Daniel. Où as-tu abouti, mon beau ? Tu ne m'as pas laissé tomber en route, j'espère ?

Daniel releva la tête et repéra finalement Victor. C'était trop comique.

— Et le monstre illumina la *City* ! ricana Daniel en se pliant en deux, une main sur le flanc. On aura tout vu !

Durant le capotage, le trépied du harpon avait été arraché du coffre découvert de la camionnette. Victor avait été propulsé haut dans les airs. Il était maintenant ficelé au sommet d'un sapin, comme une étoile de Noël. Daniel rit tellement fort qu'il couvrit le son des sirènes de police. Victor était inanimé, tout chaud, et faisait fondre la neige sur les branches en chuintant. De plus, il exhalait une colonne de vapeur, semblable à celle d'une bouilloire, qui montait vers le ciel nocturne. Il était dans un piteux état. Son alliage de titane était fortement détérioré et, à certains endroits, Daniel apercevait des lambeaux de chair déchirée.

Daniel se planta au pied du sapin, nullement attendri. Il consulta sa montre.

— Hé, Victor ! Il est minuit tapant, et je tenais à être le premier à te souhaiter un très joyeux Noël !

À suivre dans :

TOME III

SENTINUM

Faction

Remerciements

Au cours de la rédaction de *Sentinum : L'ange de la mort*, plusieurs personnes m'ont apporté leurs conseils et je tiens à vous exprimer toute ma gratitude.

Je remercie à nouveau mon éditeur aux Éditions AdA, François Doucet, de m'avoir accordé sa confiance afin que mes personnages poursuivent leur aventure.

Aux Éditions AdA, mes remerciements s'adressent aussi à Katherine Lacombe, correctrice et réviseure, pour la qualité de son travail et à Paulo Salgueiro, designer graphique, qui a réussi avec brio à assurer une superbe continuité d'images entre les couvertures des tomes 1 et 2.

Il va sans dire, le récit de Sentinum ne serait pas ce qu'il est sans la précieuse collaboration de Stéphanie Tétreault, réviseure linguistique professionnelle. Merci, Stéphanie, pour ton excellent travail de révision et tes commentaires judicieux.

Je tiens à remercier de nouveau David Richard, enseignant de français à l'école Paul-Hubert, que j'ai eu le privilège de rencontrer au Salon du livre de Rimouski. Sa lecture minutieuse a grandement contribué à rehausser la qualité de mon récit.

J'aimerais adresser un remerciement particulier à ma sœur, le colonel Jennie Carignan, membre des Forces canadiennes, qui a partagé avec moi son expérience en Afghanistan et m'a fourni des détails précis concernant l'avion de transport militaire C-130 Hercules. Même si pour les besoins de la cause j'ai transposé l'action en Iran, ses informations m'ont été très utiles.

Merci également à ma grande sœur, Nathalie Carignan, qui œuvre dans le domaine hospitalier. Ses précieux renseignements médicaux ont grandement contribué à enrichir mon récit.

Encore et toujours, je tiens à exprimer mon affection à mes parents, Isabelle Picard et Gérard Carignan. Mon amour et ma gratitude à Nancy et nos enfants, Félix, Xavier et Jacob. Je te remercie, Nancy, pour ton support et ta confiance, mais surtout pour avoir maintenu un enthousiasme et une rigueur constante.

À propos de l'auteur

Max Carignan est né en 1969, à Asbestos, au Québec. À l'époque, sa mère est enseignante à l'école primaire de la ville et son père est policier municipal. Troisième d'une famille de quatre enfants, il passe ses étés et ses fins de semaine à la cabane à sucre ou au camping de ses parents.

Adolescent, il pratique le judo et se démarque lors de la finale des Jeux du Québec de 1983 en remportant la médaille de bronze pour l'Estrie. En 1990, il obtient son diplôme d'électrodynamique au cégep de Sherbrooke et reçoit le prix de la personnalité désignée. Il travaille ensuite quelques années à titre d'électricien industriel à Gatineau, en Outaouais.

Attiré et inspiré par le monde des affaires, il revient s'installer dans sa ville natale, en 1993, pour fonder les Industries Magister inc., une entreprise spécialisée dans la fabrication industrielle de broderies. Deux ans plus tard, il reçoit le Méritor Jeune Entrepreneur, de la MRC d'Asbestos, et il est aussi nommé Personnalité Génération Énergie 1995 Estrie par la Radio énergie et le magazine *Clin d'œil*.

Outre l'écriture et le cinéma, Max se passionne pour le *snowboard*, les voyages et l'aviation. En 2005, il a obtenu son brevet de pilote professionnel d'hélicoptère. Il adore relever des défis, que ce soit sur un tatami de judo avec ses trois garçons ou pour sortir de sa zone de confort et explorer de nouveaux horizons.

Sentinum : Le pouvoir des ténèbres et *Sentinum : L'ange de la mort* sont ses deux premières oeuvres littéraires. Ces *techno-thrillers* font partie d'une trilogie où la fiction se mêle astucieusement à la réalité.

www.ada-inc.com
info@ada-inc.com